D0120030

Kaga Otohiko

Kreuz und Schwert

japan edition
herausgegeben von Eduard Klopfenstein, Zürich

Dieses Werk erscheint im Rahmen des Projekts zur Veröffentlichung japanischer Literatur (JLPP), realisiert durch das Zentrum für Förderung und Publikation Japanischer Literatur (J-Lit Center) im Auftrag des japanischen Amts für kulturelle Angelegenheiten. Verantwortlich für den deutschen Sprachraum: Eduard Klopfenstein.

Die Schreibweise der japanischen Namen wurde in ihrer ursprünglichen japanischen Gestalt belassen, also erst der Familienname, dann der persönliche Name.

Kaga Otohiko

Kreuz und Schwert

Roman über die Christenverfolgung in Japan

Aus dem Japanischen
von Ralph Degen

japan edition

Bibliografische Information der Deutschen Bibliothek

Die Deutsche Bibliothek verzeichnet diese Publikation in der Deutschen Nationalbibliografie; detaillierte bibliografische Daten sind im Internet über http://dnb.ddb.de abrufbar

Japanischer Originaltitel
Takayama Ukon

Deutsche Übersetzung Ralph Degen 2005
Erstveröffentlichung im Verlag Kodansha Ltd., Tôkyô

 KulturBrauerei Haus S, Schönhauser Allee 37, 10435 Berlin; Lektorat: Jürgen Schebera/Bernhard Thieme; Umschlaggestaltung: Hauke Sturm, Berlin, Bildvorlage (Japanische Truppen unter Führung des Takezaki Suenaga, japanische Bilderrolle 13. Jhdt.) BPK; Satz: Greiner & Reichel, Köln; Schrift: Minion 10,25/13,25°; Druck und Bindung: GGP Media GmbH, Pößneck
ISBN 3-86124-900-6
ISBN 978-3-86124-900-9

post@bebraverlag.de

www.bebraverlag.de

Inhalt

Vorbemerkung des Übersetzers

Dieser historische Roman spielt in der Zeit der Christianisierung und anschließenden Christenverfolgung in Japan. Als Beginn der christlichen Epoche Japans kann die Ankunft des spanischen Jesuiten Francisco de Xavier im Jahre 1549 gelten, dem bald viele hauptsächlich portugiesische und spanische Missionare verschiedener Ordensgemeinschaften folgten, welche sehr schnell bedeutende missionarische Erfolge erzielten. Dies mochte zum einen daran gelegen haben, dass es für Japaner keinen Widerspruch darstellt, mehrere Religionen gleichzeitig zu haben, und dass zum anderen mit dem Jôdo-Buddhismus (Lehre vom reinen Land) bereits eine weit verbreitete Lehre existierte, die gewisse Ähnlichkeiten mit dem Christentum aufweist. Andererseits waren die Wurzeln des Christentums in Japan auch nicht so tief, wie es sich die Missionare gewünscht hätten, und unter dem Druck der Obrigkeit schworen die meisten Konvertiten dann ihrem neuen Glauben wieder ab. Der Einfluss des Christentums war den Mächtigen des ausgehenden 16. und angehenden 17. Jahrhunderts von Anfang an nicht geheuer, und im Rahmen des Christenverbotes wurden den Gläubigen grausame Strafen in Aussicht gestellt, wenn sie nicht zum Beweis ihrer Apostasie auf *fumie* (Tretbilder) genannte Jesusbilder traten.

Takayama Ukon, der Protagonist des Romans, war insofern eine einzigartige Figur, als er als einziger Lehnsfürst in einem christlichen, geradezu internationalen Milieu aufwuchs, schon als Kind getauft wurde und im Gegensatz zu allen anderen führenden Persönlichkeiten der Zeit bis zum Tode seiner religiösen Überzeugung treu blieb. Der Autor hält sich weitgehend an die überlieferten Fakten und entwirft darüber hinaus ein lebendiges Bild von Ukons Persönlichkeit, seiner Lebenshaltung und seinen religiösen Motivationen, das uns auch heute noch zu faszinieren vermag.

Während sich die Erzählzeit des vorliegenden Romans vordergründig auf das letzte Lebensjahr des Protagonisten (1614–1615) und dessen Weg in die Verbannung erstreckt, werden durch zahlreiche Rückblenden die Ereignisse der Landeseinigung Japans und der Beginn der Edo-Zeit (1600–1868), die schließlich zur Abschottung des Landes führte, rekapituliert. Daher erscheint es sinnvoll, an dieser Stelle für den deutschen Leser den historischen Hintergrund Japans im Allgemeinen und den der Epoche, in der Takayama Ukon gelebt hat und die auch als Azuchi-Momoyama-Zeit (1568–1600) bezeichnet wird, im Besonderen knapp zu skizzieren. Deren Ereignisse sind einem japanischen Leser gut vertraut und werden daher im Roman als bekannt vorausgesetzt.

Seit dem späten 12. Jahrhundert gibt es in Japan das so genannte Shogunat, eine feudalistische Militärregierung, deren oberster Führer Shôgun genannt wird. Die erste Shogunatsregierung (1180–1333) hatte ihren Sitz in Kamakura, in der Nähe des heutigen Tôkyô. Während es die ganze Zeit sowohl einen Kaiser *(tennô)* und einen Shôgun gab, lag die eigentliche Regierungsmacht allerdings meistens in den Händen eines Regenten *(shikken)*, ein spezifisches Phänomen der japanischen Geschichte. Im Jahre 1334 führt der Versuch von Kaiser Go-Daigo, die Macht wieder, wie vor der Gründung des ersten Shogunats, auf das Kaiserhaus zu konzentrieren, zum Sturz des Kamakura-Shogunats. Drei Jahre später übernimmt allerdings Ashikaga Takauji (1305–1358) die Macht und gründet das Muromachi-Shogunat, benannt nach seinem Sitz im Stadtteil Muromachi in Kyôto. Die historischen Epochen Japans werden in der Regel nach der jeweiligen Hauptstadt benannt. Während die Feudalherren *(daimyô)* in den Provinzen einflussreicher und von der zentralen Shogunatsregierung unabhängiger werden, wird die Position des Shogunats immer mehr geschwächt. Das Dilemma gipfelt im zehn Jahre andauernden Ônin-Krieg (1467–1477) in der Gegend von Kyôto, aus dem keine der Parteien als wirklicher Sieger hervorgeht und der den Beginn der so genannten »Zeit der streitenden Reiche« (*sengoku jidai* 1467–1568) markiert, die durch Hegemonialkämpfe zwischen den lokalen Daimyô geprägt ist und während der die Shôgune der Familie Ashikaga effektiv keine zentrale Regierungsmacht mehr innehaben, obwohl es sie weiterhin gibt.

Das so in verfeindete, sich ständig bekriegende Provinzen zersplitterte Japan und sein Weg in die Einheit der stabilen, zentralen Regierung der Edo-Zeit (1600–1868), deren Grundlage die drei berühmten Kriegsherren Oda Nobunaga, Toyotomi Hideyoshi und Tokugawa Ieyasu am Ende des 16. Jahrhunderts schufen, stellt den Hintergrund des Romans »Kreuz und Schwert« dar. Die Bezeichnung dieser bewegten Epoche, Azuchi-Momoyama-Zeit, rührt von den Namen der Burgen Nobunagas (Azuchi, am Ostufer des Biwa-Sees) und Hideyoshis (Momoyama, im Süden Kyôtos) her. Sie beginnt im Jahre 1568, als Oda Nobunaga im Namen Ashikaga Yoshiakis in Kyôto einmarschiert, ihn als Shôgun einsetzt und seinen Vorgänger aus dem Amt jagt. Durch geschickte Allianzen – u. a. mit Tokugawa Ieyasu und Toyotomi Hideyoshi – und militärische Siege gelingt es Nobunaga, seine Vormachtstellung in seiner Heimat Zentraljapan, wo heute Nagoya liegt, sowie den Provinzen um Kyôto zu sichern und sein Herrschaftsgebiet erheblich zu erweitern.* 1582 wird er im Honnô-Tempel in Kyôto von Akechi Mitsuhide, einem seiner eigenen Vasallen, ermordet.

Toyotomi Hideyoshi eilt herbei, um Nobunaga zu rächen, und besiegt Akechi in der Schlacht von Yamazaki. Durch weitere Siege in Schlachten um die Nachfolge Nobunagas wird Hideyoshi zum mächtigsten Kriegsherrn im Lande, lässt die Burg von Ôsaka bauen und erhält im Jahre 1575 den kaiserlichen Titel Regent *(kampaku)*. In den folgenden Jahren bringt er Shikoku und Kyûshû, die beiden südlichen Hauptinseln Japans, unter seine Kontrolle, und im Jahre 1590 befinden sich faktisch auch die nördlichen und östlichen Gebiete der japanischen Hauptinsel Honshû innerhalb seines Machtbereichs. Nachdem sein einziger Sohn im Alter von drei Jahren stirbt, adoptiert er 1592 seinen Neffen Hidetsugu, dem er aber drei Jahre später befiehlt, Selbstmord zu begehen, um Erbstreitigkeiten vorzubeugen, nachdem sein zweiter Sohn Hideyori geboren wurde. Als Hideyoshi

* Zur Landeseinung siehe die entsprechende Karte (www.samurai-archives.com/unify.html) auf der englischsprachigen Homepage der samurai archives. Auf dieser Homepage finden sich weitere detaillierte Informationen und Karten zur Geschichte der japanischen Feudalzeit und ihren Akteuren.

1598 stirbt, ist sein Stammhalter erst fünf Jahre alt. Hideyoshi hat aber einen Rat von fünf Regenten bestimmt, die er Treue zu seinem Sohn schwören lässt und deren Aufgabe es ist, die Regierungsgeschäfte bis zu Hideyoris Volljährigkeit zu führen. Tokugawa Ieyasu, der mächtigste unter ihnen, beginnt jedoch bald Allianzen mit anderen Familien zu schließen und offenbar eigenen Plänen nachzugehen.

Am 21. Oktober 1600 findet in Sekigahara, östlich des Biwa-Sees, die entscheidende Schlacht um die Nachfolge von Toyotomi Hideyoshi statt, zwischen dem »westlichen Heer«, angeführt von Ishida Mitsunari, der die Nachfolge des verstorbenen Hideyoshi für dessen Sohn Hideyori sichern will, und dem »östlichen Heer«, an dessen Spitze Tokugawa Ieyasu steht. Etwa 160 000 Soldaten sind an der Schlacht beteiligt. Nachdem fünf Daimyô aus dem westlichen Heer zu Tokugawa Ieyasu überlaufen, kann dieser die Schlacht für sich entscheiden. Ishida wird hingerichtet und Ieyasu hält nun faktisch die Macht über das durch Nobunaga und Hideyoshi geeinte Japan in Händen. Drei Jahre später lässt er sich vom Kaiser zum Shôgun ernennen und begründet eine für knapp dreihundert Jahre stabile Regierung *(bakufu)*, deren Shôgun durchgehend von der Familie Tokugawa gestellt wird. Diese Epoche wird nach dem alten Namen für das heutige Tôkyô als Edo-Zeit bezeichnet und dauert bis zum Jahre 1868. Für die meiste Zeit dieser Ära war Japan – bis auf einige Kontakte mit Chinesen und Holländern, denen eine Faktorei auf der künstlichen Insel Deshima im Hafen von Nagasaki erlaubt war – von der Außenwelt isoliert.

Einen detaillierteren Überblick zu den im Buch beschriebenen historischen Ereignissen und Personen vermitteln die ausführliche historische Zeittafel sowie die biografische Namensliste im Anhang. Zwei Landkarten illustrieren zudem die wichtigsten der im Roman erwähnten und die historisch relevanten Örtlichkeiten.

Ralph Degen

1

Aus einem Inselreich am Ende der Welt

Der Friede des Herrn sei mit dir,
meine über alles geliebte Schwester

Kanazawa, Freitag den 20. Dezember 1613

Bei der Hiobsbotschaft, dass bald nach Vaters Ableben auch unsere geliebte Mutter in den Himmel zurückgekehrt sei, war ich lange Zeit völlig in Tränen aufgelöst und betete zum Herrn, er möge sich ihrer Seele annehmen. Nun hat sich mein Gemüt endlich wieder etwas beruhigt, und es ist mir möglich, dir diese Antwort zu schreiben.

Den Brief, den du im Frühling 1609 aus Ubeda abgeschickt hast, habe ich vor etwa einer Woche erhalten. Für seine lange Reise von Andalusien im Süden Spaniens bis hier ins fernöstliche Japan brauchte er ganze viereinhalb Jahre. So weit abseits liegt dieses Land hier am Ende der Welt. Raue See, versteckte Klippen, Stürme, Gegenwind, Piraten, Angriffe von Eingeborenen, mehrmaliges Wechseln des Schiffes; so kommt bei einer derart von Drangsalen erfüllten langen Reise über die Hälfte der Briefe nicht an, und es ist unsere Gepflogenheit, bei offizieller kirchlicher Korrespondenz immer zwei Abschriften zu machen und diese getrennt zu schicken. Deshalb grenzt es auch an ein Wunder, dass mich dein Brief erreicht hat, und es zeigt nur wieder, wie groß Gottes Fürsorge doch ist. Möge auch diese meine Antwort dich erreichen. Oh Herr, wache über uns.

Dein Bekenntnis, dass man von der Existenz eines Landes namens »Japan« in der Heimat nichts weiß, und dass niemand, den du versuchsweise in Ubeda auf der Straße gefragt hast, auch nur den Namen kannte oder gar wusste, wo es ist, kann ich mir schmerzlich gut vorstellen. Es versteht sich von selbst, dass dem Volk des »Landes, in dem die Sonne nie untergeht«, welches die Reiche der Inka und Azteken bezwungen hat, das Mexiko und die Philippinen sein Eigen nennt, und das, nachdem sein König Philipp der Zweite Portugal annektiert hat, riesige Territorien und Stützpunkte in der ganzen Welt besitzt, ein winziges Inselreich am äußersten Rande des Ozeans oder gar dessen Geschichte, Kultur oder politische Situation als zu vernachlässigende Belanglosigkeit erscheint. Da ich nun jedoch deine vertraute Handschrift sehe, erwächst in mir das dringende Verlangen, dass wenigstens du verstehst, wie und weshalb ich in dieses Land gekommen bin. Auch erkeimt in mir der Wunsch, dass sich den Menschen in der Heimat durch dich ein wenig Interesse an Japan und Wissen über das Land vermitteln lässt.

Ich werde wohl nie vergessen, wie im Oktober 1584 in Madrid alles anfing. Damals war ich noch ein junger Spund von sechsundzwanzig Jahren, und es waren erst fünf Jahre, dass ich Priester bei den Jesuiten geworden war. Auf Geheiß des Erzbischofs von Evora, Don Teotonio de Bragança, sollte ich mich um eine Delegation junger Männer aus einem Land namens Japan kümmern, und so ging ich denn zum Jesuitenkolleg, um die Gruppe und ihre Gefolgschaft dort zu treffen, die von Padre Diogo de Mesquita angeführt wurden. Auf den ersten Blick hätte man die vier klein gewachsenen Jünglinge glatt für Kinder halten können. Sie trugen eine ungewohnte, jedoch elegante Tracht, und der Erzbischof hatte für jeden Einzelnen mit seinen Gefolgsleuten und seiner Dienerschaft eine prächtige Kutsche zur Verfügung gestellt. Sie sahen wahrhaftig aus wie eine Delegation hochrangiger Persönlichkeiten aus einem anderen Land. Als die vier aus den Kutschen ausstiegen und sich in einer Reihe aufstellten, war zu erkennen, dass sie zwar klein, aber nicht mehr so jung waren, sondern, wie mir zuvor gesagt wurde, zwischen sechzehn und siebzehn Jahren. Sie waren von schlanker, aber kraftvoller Erscheinung und wirkten, als wollten sie gerade in den Zustand des Erwachsenseins eintreten. Es beeindruckte mich, wie gut die Tracht ihres Landes sie kleidete, welch korrekte Höflichkeit sie zeigten und wie man auf den ersten Blick ihre Klugheit erkennen konnte. Damals wurden aus den eroberten Gebieten und Stützpunkten auf dem neuen Kontinent, aus Asien und der Südsee, also aus der ganzen Welt, zum Christentum konvertierte Barbaren in die Hauptstadt gebracht, wo sie in unserem Kolleg untergebracht und dann Seiner Majestät, dem König, vorgeführt wurden, um ihm die Ergebnisse unserer Missionsarbeit zu zeigen, die wir Seiner Macht und Seinem Glanz zu verdanken haben, in der Hoffnung, dadurch Sein Interesse und Sein Lob zu gewinnen und ihn somit auch um finanzielle Unterstützung bitten zu können. Es war also auch Teil meiner priesterlichen Pflicht, mich um alle möglichen Barbaren zu kümmern. Mit den meisten von ihnen war es nicht möglich, sich verbal zu verständigen, sie hatten keine Ahnung, wie sie sich beim Essen oder den täglichen Verrichtungen zu verhalten hätten, es gab sogar welche, die überhaupt nicht verstanden, weshalb sie zum Mittelpunkt der Welt, nach Madrid gebracht worden waren und die offensichtlich Angst hatten, als Menschenopfer zu enden. Mit der jungen japanischen Delegation verhielt es sich allerdings vollkommen anders.

Seit sie unter der Leitung von Superintendent Valignano im Februar des Jahres 1582 Nagasaki verlassen hatten, waren bereits drei Jahre vergangen. In dieser Zeit hatten sie sich dank der Unterweisung durch Padre Mesquita neben Latein und Portugiesisch auch beachtliche Kenntnisse in Theologie, Musik und den Naturwissenschaften angeeignet. Vor allem beim Sprachen lernen tat sich Hara Martino besonders hervor. Er konnte nicht nur mit korrekter Grammatik auf meine Fragen antworten, sondern er sprach mich und die anderen Personen um ihn herum auch auf Lateinisch an. Der Anführer der Delegation war Itô Mancio, ein gut aussehender junger Mann. Als Repräsentant Francisco Ôtomo Yoshishiges, eines einflussreichen Fürsten auf Kyûshû, der südwestlichen Hauptinsel Japans, sollte er den anderen einiges voraushaben, doch mangelte es ihm an Sprachbegabung. Vor allem fiel es ihm schwer, sich auf Portugiesisch zu unterhalten. Seine liebenswürdige und heitere Erscheinung, die man einfach mögen musste, und seine offenherzige Rede allerdings wirkten sehr erfrischend und zeugten von seiner Zutraulichkeit und Umgänglichkeit. So erfüllte er seine repräsentative Rolle denn auch aufs vortrefflichste. Nakaura Julião war nicht so gescheit wie Hara Martino und auch nicht so umgänglich wie Itô Mancio. Er war schweigsam und vermittelte ein wenig das Gefühl von Einsamkeit. Anfangs war er schwer zugänglich, doch wenn man sich erst einmal mit ihm bekannt gemacht hatte, entdeckte man einen Knaben von vollkommener Aufrichtigkeit, der zu keiner Lüge fähig gewesen wäre. Auch zeigte er die eifrigste Gelehrsamkeit, wenn es um das Studium von Theologie und Naturwissenschaften ging. Der vierte im Bunde war Chijiwa Miguel, seines Zeichens Repräsentant Protasio Arima Harunobus und Bartolomeu Ômura Sumitadas, zweier weiterer Fürsten aus Kyûshû. Er war nach Itô Mancio von höchster Herkunft in der Gruppe, und seine lieblichen Gesichtszüge ließen diese noble Abkunft erkennen. Darüber hinaus war er von ernsthafter Wesensart und sehr beliebt. Für die Gelehrsamkeit zeigte er allerdings keinen allzu großen Eifer, und sein Körper war eher schwächlich, so dass er des Öfteren wegen plötzlicher Fieberanfälle darniederlag. Dann wirkte er so mitleiderregend, dass ich mit Hingabe an seinem Bette wachen mochte, bei all dem Charme hilfloser Unschuld, den er ausstrahlte. Kurz gesagt, die jungen Herren hatten trotz ihres zarten Alters jeder für sich eine ausgeprägte Persönlichkeit, und ich fühlte mich ihnen, die sich (anders als die Barbaren aus fernen Ländern) durchaus auf unserem Niveau befanden, nahe.

Seine Majestät, König Philipp der Zweite, hatte zwei Kutschen geschickt, um die Delegation abzuholen. Die jungen Herren in ihrer weiten Landestracht aus zurechtgeschnittenen und zusammengenähten Stoffen hatten jeder ein kurzes und ein langes japanisches Schwert, das nicht gerade, sondern leicht gebogen ist, im Gürtel stecken. Die gelbhäutigen Knaben in den prunkvollen Kutschen erregten große Neugier, und die schaulustige Masse drängte sich gegen die Wachsoldaten, so dass sie nur stockend vorankamen. Als wir den Palast erreichten, kam der Befehl, man solle sich zu den Privatgemächern des Königs begeben, und wir wurden durch viele prunkvolle Säle in den inneren Bereich geführt. Auch die jungen Herren, die bereits in Lissabon, Evora und Toledo solch prunkvolle Gebäude wie Kathedralen sowie bischöfliche und herzogliche Residenzen bewundert hatten, waren von den goldenen und silbernen Skulpturen, den bunten Deckenbildern, den Fresken und den juwelenbesetzten Vorhängen des königlichen Palastes so überwältigt, dass sich Schweißperlen auf ihren vor Erregung geröteten Gesichtern zeigten.

Der König, der mit dem Kronprinzen und den Prinzessinnen in dem großen Saal, der für den Empfang ausländischer Delegationen vorgesehen ist, gewartet hatte, empfing die jungen Herren mit einer Umarmung, woraufhin Itô Mancio, der Anführer der Gruppe, auf Japanisch eine kurze Begrüßungsrede hielt, die Padre Mesquita ins Portugiesische übersetzte. Eigentlich wollte Mancio seine Komplimente auf Portugiesisch vorbringen, doch dann verließ ihn das Selbstvertrauen. Als Bruder Jorge, ein Gefolgsmann der jungen Herren, den Brief eines japanischen Fürsten (er stammte nicht von Großkönig Hideyoshi, der über ganz Japan regierte, sondern von den Fürsten Ôtomo und Arima aus Kyûshû) verlas, bemerkten der Kronprinz und die Prinzessinnen, dass die Aussprache und Intonation der japanischen Sprache komisch sei und brachen in großes Gelächter aus. Vor allem der König betrachtete erstaunt den Brief, in dem sich schwarze Tuscheschriftzeichen in senkrechten Zeilen aneinander reihten, und fragte, in welche Richtung man ihn lese. Der Inhalt jedoch schien ihn nicht besonders zu interessieren. Er dachte wohl, dass sich die vielen Schreiben, die er aus allen möglichen Gegenden dieser Welt bekam, inhaltlich nicht sonderlich unterschieden. Das rege Interesse und den freundschaftlichen Empfang vonseiten seiner Majestät selbst und der königlichen Familie registrierend, verhielten sich auch die anwesenden Politiker und Mächtigen – wohl aus Ergebenheit zum König – gegenüber den Gesandten zuvorkommend und verabschiedeten die jungen Herren, als sie sich nach der Audienz zurückzogen, mit dem einer ausländischen Delegation gebührenden Respekt. Jedoch entging mir nicht ihr leichtes unwillkürliches Lachen, als die japanische Gesandtschaft den Raum betrat. Sie reagierten mit ihrem spöttischen Lächeln auf eine Kuriosität, die sich ihrem Verständnis entzog. Auf diese Leute, die noch nie einen Asiaten gesehen hatten, mussten die Knaben mit ihrer safrangelben Haut und ihrer kurzen Nase, die da in sonderbare Gewänder gehüllt auftauchten, wohl komisch, wie Clowns gewirkt haben.

Danach wurden nicht nur die Delegation, sondern auch wir Begleiter eingeladen, in der königlichen Kapelle dem Gesang des Kirchenchors mit Begleitung von Orgel und Trompete zu lauschen, und es wurde uns erlaubt, die königlichen Schatz- und Waffenkammern sowie die Stallungen zu besichtigen. Dies war ein besonderes Zeichen des Wohlwollens und eine außergewöhnliche Ehre für eine ausländische Delegation, und was mich dabei verwunderte, war der ungeheure Wissensdurst der jungen Japaner. Wann immer ihnen Musik, Gegenstände oder Waffen begegneten, die sie nicht kannten, befragten sie den Kammerherrn, der uns führte, über alles ganz genau. Dabei war es der besonders sprachbegabte Hara Martino, der dann Ergänzungsfragen stellte, während der schweigsame aber emsige Nakaura Julião sich akribisch den Inhalt der Antworten notierte. Chijiwa Miguel betrachtete und betastete mit kindlicher Naivität die Gegenstände, die gerade erläutert wurden, und schließlich war es Itô Mancios Rolle als Anführer der Delegation, sich mit aller Höflichkeit für die Antworten zu bedanken.

Es war Hara Martino, der den Wunsch äußerte, die Stadt zu besichtigen. Nakaura Julião stimmte dem sofort zu, Itô Mancio machte sich Gedanken, ob dies uns Jesuiten nicht Umstände bereiten würde und Chijiwa Miguel wartete erst, wie die anderen auf den Vorschlag reagierten, bevor er sich selbst entschied. Im Grunde war es unverantwortlich und entsprach in keiner Weise den Sicherheitsanforderungen, die für solch wichtige Staatsgäste angemessen gewesen wären, aber ich ließ die jungen Männer spanische Kleidung anziehen, um kein Aufsehen zu erregen, und begleitete sie in die Stadt. Hara Martino war voller Neugier und stellte rege Fragen über die Schilder der Geschäfte, die Statuen auf den Plätzen und die verschiedenen Ordenstrachten der Mönche. Er gab sich nicht damit zufrieden, nur ungewohnte Anblicke in sich aufzunehmen, sondern wollte die tiefere Bedeutung und den Hintergrund all dessen wissen. Was aber vor allem sein Interesse weckte, waren die Buchläden, in denen man außer lateinischen, portugiesischen und spanischen Büchern auch Werke in vielen anderen europäischen Sprachen finden konnte. Er machte sich Gedanken darüber, ob eine solche Vielfalt an Sprachen denn nicht die gegenseitige Kommunikation behindern würde. Die piktographischen Schriftzeichen, welche die Japaner normalerweise verwendeten, hatten die Chinesen erfunden, und auch wenn ihre Aussprache sich von Ort zu Ort ändert, so kann man doch ihre Bedeutung verstehen und sie bieten den Vorteil, dass sie in den verschiedenen asiatischen Ländern verstanden werden. Auch wenn die Japaner kein Chinesisch sprechen können, sind sie doch in der Lage, chinesische Schriftstücke recht problemlos zu lesen und sogar selbst Texte zu verfassen. Die phonetische Schrift, wie wir sie bei europäischen Sprachen verwenden, hat den Nachteil, dass man mit der anderen Aussprache auch die Bedeutung nicht mehr verstehen kann. Andererseits stellte Hara Martino aber mit größter Bewunderung fest, wie einfach sich unsere Schrift mit der Technik Gutenbergs drucken ließe. Deshalb ging ich mit ihnen in eine Druckerei und fragte den Chef, ob er meinen Gästen aus einem fernen Land nicht den Druckvorgang zeigen könne. Glücklicherweise verdiente er gutes Geld mit Aufträgen der Kirche, so dass er uns den ganzen Ablauf des Druckens freundlich und ausführlich erklärte.

Nun ja, die flatterhaften Leute der Hauptstadt haben die japanische Delegation bald vergessen und Gesandtschaften anderer Länder wurden zum Gegenstand ihrer Neugierde. Auch mir wäre es wohl so gegangen, wäre ich nicht auf Befehl des Kardinals auch weiterhin mit der Betreuung der jungen Herren beauftragt gewesen.

Wie auch du genau weißt, gibt es unter den Spaniern viele – und bei den Portugiesen verhält es sich da genauso –, die den starken missionarischen Drang verspüren, die Heiden zu belehren. Dies hat sich zum Extremen gewendet, so dass Soldaten, Kaufleute und Matrosen, sowie Geistliche, die gewaltsame Missionierungsmethoden für gut heißen, sich »mit dem Schwert in der einen und dem Kreuz in der andern Hand« explosionsartig über die ganze Welt verteilt haben, um, die Länder der Barbaren unterwerfend, ihr Territorium zu erweitern und die Lehre zu verbreiten. José de Acosta, der als Missionar in Mexiko und Peru tätig war, hat die Heiden in drei Kategorien unterteilt. Es gibt zunächst solche von korrekter Vernunft und mit menschenwürdigen Sitten, sie bilden ein Konstrukt, das man Regierung nennt, haben ein Gesetz, Städte und Beamte und wissen Geschriebenes und Literatur zu schätzen. Auch unterhalten sie Schulen und öffentliche Gebäude. Unter diesen Standard fallen die Chinesen, Japaner und die Bewohner Ostindiens. Die Heiden der zweiten Kategorie kennen weder Schrift noch Philosophie noch eine öffentliche Moral. Jedoch haben sie Beamte, eine organisierte Regierung und befestigte Städte. Unter dem Schutz des Militärs glauben sie an eine Art Religion. Unter diese Kategorie fallen die Peruaner und Mexikaner. Ungeachtet ihrer hohen Intelligenz haben sie scheußliche Bräuche und ihre Herrscher sind grausam. Die Heiden der dritten und niedrigsten Kategorie schließlich leben wie wilde Tiere im Wald, kennen weder Gesetze oder einen König, noch politische Organisationen. Sie sind grausam, fressen Menschenfleisch und sind nur spärlich bekleidet. Es sind jene Barbaren, von denen Aristoteles sagt, dass man sie einfangen und sich gefügig machen soll. Es ist angemessen, diese Heiden der dritten Kategorie zu unterwerfen und sie gewaltsam zu missionieren. Die der zweiten Kategorie missioniert man von oben, indem man sich ihre Herrscher mit militärischer Gewalt gefügig macht. Was aber die Ungläubigen der ersten Kategorie betrifft, so muss man ihnen, wie einst die Jünger den Griechen und Römern, durch ehrliche Missionsarbeit gemäß des Evangeliums das Heil bringen. Ich habe die Schrift Acostas gerade nicht zur Hand und schreibe dies aus dem Gedächtnis auf, glaube aber, dass dies im Großen und Ganzen ist, was er sagen wollte.

Wahrscheinlich liegt es daran, dass ich schon Japaner in Madrid getroffen habe, bevor ich über Indien und Macao nach Japan kam, jedenfalls war ich von Anfang an dagegen, Andersgläubige zunächst mit militärischer Gewalt zu unterwerfen und sie so gewaltsam zu missionieren. Ich weiß aber, dass es leider auch unter den Jesuiten einige gibt, die gegenüber Japanern dieselbe Vorgehensweise der militärischen Unterdrückung anwenden wollen wie gegenüber den Heiden der zweiten oder dritten Kategorie. Mittlerweile haben die meisten von ihnen allerdings ihren Fehler erkannt und bemühen sich um redliche Missionsarbeit. Allerdings gibt es noch eine kleine Gruppe von Missionaren, die immer noch die Anwendung militärischer Gewalt im Sinne haben und somit den Widerstand der empfindlichen und argwöhnischen Mächtigen Japans und somit schließlich die Verfolgung heraufbeschwören.

Im Jahre 1586 erreichte ich den Stützpunkt im indischen Goa, der als Portugals Tor nach Asien dient. Es ist eine befestigte Stadt, zwischen zwei Flüssen gelegen, in der sich eine Missionsschule befindet, wo die sterblichen Überreste Francisco Xaviers begraben liegen, und die das Zentrum der missionarischen Tätigkeit der Jesuiten darstellt. In dieser Stadt, in der ich das erste Mal wirklich mit Asien in Berührung kam, traf ich auch Padre Valignano, der der indischen Mission vorstand. Diese Begegnung war der eigentliche Anlass, weshalb ich als Missionar nach Japan gehen wollte. Ich wusste nur wenig über diesen italienischen Jesuiten, der nach Francisco Xavier, welcher als erster nach Japan übergesetzt hatte, der hervorragendste Führer war. Ich wusste nur, dass er die Entsendung der jungen Japaner nach Europa vorgeschlagen und sie aus Japan herausgeführt hatte, dass er in Kyûshû und der Hauptstadt gründliche und wirkungsvolle Missionsarbeit geleistet hatte, und dass er darüber hinaus freundschaftlichen Umgang mit dem damaligen Herrscher, Großkönig Oda Nobunaga, gepflegt hatte. Im Jahre 1539 geboren, war er etwa zwanzig Jahre älter als ich, der ich 1558 geboren bin. Er war von äußerst kräftiger Statur und ausgesprochen groß, hatte einen scharfen Blick und sprach sehr flüssig und wohlartikuliert. Vom Moment an, da ich ihn das erste Mal traf, empfand ich tiefen Respekt für ihn und wusste, dass ich seinen Anweisungen mit Freuden folgen würde.

Er brachte mir auf dem Seminar viel über die Geschichte, die landschaftlichen und klimatischen Verhältnisse Japans sowie die Bräuche und charakterlichen Eigenheiten seiner Einwohner bei. Auch erzählte er mir von der Schönheit der Natur im Wandel der Jahreszeiten, der Pracht von Nobunagas Burg Azuchi und den goldenen Ziegeln, so dass ich begann, von Japan zu träumen. Er sagte mir, wie überdrüssig er des Wartens auf die Rückkehr der jungen Europareisenden nach Goa sei, und dass er die jungen Herren, die in Europa so viel erfahren und sich solch hohe Bildung angeeignet hatten, in Japan endlich vorführen wolle, um so die Herrlichkeit und die universellen Werte der Lehre zu verkünden. Diese seine Erwartungen und sein Enthusiasmus entfachten in mir großen Eifer, und ich bekam die Erlaubnis, ihn und die jungen Herren der Europagesandtschaft nach Japan zu begleiten. Ein Japaner, der in der Verwaltung der Kathedrale arbeitete, gab mir eine Einführung in die japanische Sprache, und da ich bereits Chinesisch gelernt hatte und zu einem gewissen Grad die chinesischen Schriftzeichen kannte, machte ich beim Lesen schnell Fortschritte. Meine Stimmung damals war von größter Euphorie geprägt, ganz nach der Prophezeiung Jesajas, wie man den Heiden den rechten Weg weise und in der es in etwa heißt: »Das geknickte Rohr wird er nicht zerbrechen, und den glimmenden Docht wird er nicht auslöschen. In Treue trägt er das Recht hinaus und die Inseln warten auf seine Weisung«.

Am 29. Mai 1587 trafen, angeführt von Padre Mesquita, siebzehn Jesuiten und die japanische Gesandtschaft aus Lissabon in Goa ein. Nach den zwei Jahren waren die Gesandten nun etwa achtzehn Jahre alt. Sie waren auch etwas größer und wirkten erwachsener. Da sie mich sofort wieder erkannten, konnte ich von Anfang an freundschaftlich mit ihnen plaudern.

Darüber hinaus befand sich zu meiner großen Freude unter den neu eingetroffenen Jesuitenpriestern auch Balthasar Torres, jener redelustige Andalusier aus Granada mit dem sonnigen Gemüt, den ich in Ubeda des Öfteren zu uns nach Hause eingeladen hatte. Du hast ihn auch schon getroffen, und ich vermute, dass du dich auch jetzt noch daran erinnerst. Er ist von kleinerem Wuchs und hat – vermutlich fließt auch etwas arabisches Blut in seinen Adern – dunkle Haut. Sein Körper ist geschmeidig und er ist äußerst agil. In ihm brennt der Eifer, jederzeit für den Herrn sein Leben wegzuwerfen. Charakterlich unterscheiden wir uns völlig. Ich bin wohl eher der phlegmatische Typ. Habe ich mich erst einmal irgendwo niedergelassen, bevorzuge ich stetige und solide Missionsarbeit, etwa so, wie wenn ein Arzt seine Patienten von einer Krankheit heilt. Torres hingegen ist eher der heißblütige Typ und als Missionar ein wahrer Schwärmer, wie ein Glücksritter, der umherzieht, um Abenteuer zu suchen. Er kam als Begleiter Mesquitas und zusammen mit den jungen japanischen Gesandten. Sie hatten im Frühling des vorigen Jahres in Lissabon die Segel gesetzt und nach einer einjährigen Überfahrt endlich Goa erreicht.

In der Gesellschaft Jesu gibt es viele Portugiesen und Italiener, während die Spanier in der Minderheit sind. Seit Seine Majestät, König Philipp, Portugal annektiert hat, wächst unter den Portugiesen die Feindseligkeit gegenüber Spanien, so dass eine etwas gereizte Atmosphäre herrscht. Deshalb war ich auch besonders erfreut, Torres, der ja aus Spanien kommt, wieder zu treffen. Er stellte mir auch einen weiteren Spanier vor, nämlich Bruder Pedro Morejon aus Medina del Campo, der ebenso wie Torres die Gesandtschaft von Lissabon aus den ganzen Weg begleitet hatte. Er war ausgesprochen sprachbegabt und obwohl er nur einfacher Mönch war, konnte er problemlos Latein lesen und schreiben, und indem er sich um die Belange der japanischen Delegation kümmerte, lernte er auch, sich auf Japanisch zu verständigen, ja sogar auf Japanisch zu missionieren. Eine Schattenseite hatte er allerdings. Es war nämlich nicht einfach, mit ihm auszukommen, da er sehr reizbar und launisch war. Jedoch war er von einer Aufrichtigkeit, die das volle Vertrauen eines jeden erlangte, der ihn erst einmal näher kennen gelernt hatte. Mit einem solch komplexen Charakter sei er der geborene Beichtvater, beschied Valignano, verlieh ihm die Priesterwürde und wählte ihn aus, uns nach Japan zu begleiten, wo er uns gewiss eine große Hilfe sein würde.

Im Herbst veranlasste Valignano den Personalwechsel in der Asienmission. Padre Pedro Martinez, den Abt des Klosters in Goa, ernannte er zum Provinzial der indischen Mission, während er selbst Superintendent für Gesamtindien wurde. Dieser Personalwechsel, um den Padre Gaspar Coelho, der Stellvertretende Provinzial der japanischen Mission, gebeten hatte, bedeutete, dass unsere Gruppe auch gleichzeitig als Gesandtschaft des spanischen Generalgouverneurs in Indien fungierte. Als wir am 22. April des nächsten Jahres, also 1588, mit Geschenken für den Nachfolger Oda Nobunagas und jetzigen Herrscher Japans, Großkönig Toyotomi Hideyoshi, von Goa abfuhren und am 28. Juli in Macao eintrafen, erreichte uns die erschreckende Nachricht, dass dieser ein Edikt zur Verbannung der christlichen Missionare erlassen hätte. Wir mussten also unsere Pläne zur Überfahrt nach Japan neu überdenken. In Macao war es ähnlich wie in Goa. Umgeben von einer Stadtmauer und mit Kanonen bewehrt, gab es die Residenz des Gouverneurs, eine Kirche, ein Kloster und Privathäuser. Vom Festungswall auf das Meer hinabschauend oder zurückgezogen im Versammlungsraum im Inneren des Klosters erörterten wir unter der Leitung Valignanos die Situation und diskutierten, wie wir bei unserer Missionsarbeit in Japan am besten vorgehen sollten. Der despotische Herrscher Hideyoshi war leicht zu erregen, kühlte sich aber ebenso schnell wieder ab (eine Charaktereigenschaft, wie sie nach Padre Valignanos Aussage vielen Japanern zukommt). Obwohl er zunächst einmal dieses Verbannungsedikt erlassen hatte, zeigte er sich danach jedoch recht nachsichtig gegenüber der Missionstätigkeit. Wenn wir ihm also unsererseits mit einer freundschaftlichen Haltung begegnen und ihm darüber hinaus die Fortsetzung der Handelsbeziehungen versprechen würden, die er ja selbst wünschte, läge es durchaus im Bereich des Möglichen, dass er das Verbannungsedikt widerrief und die Missionsarbeit vorangetrieben werden konnte. Dies war jedenfalls der Schluss, zu dem wir kamen.

Mit dem prachtvoll verzierten Schreiben des spanischen Generalgouverneurs von Indien und vielen Geschenken aus Europa im Gepäck sowie in Begleitung unseres wichtigsten Mitbringsels, nämlich der japanischen Europagesandtschaft, verteilte sich unsere Gruppe um Valignano auf zwei Schiffe. Wir stachen am 23. Juni 1590 von Macao aus in See und kamen am 21. Juli in Nagasaki an. Unter den Jesuiten, die mitfuhren, befand sich neben mir auch Balthasar Torres. Morejon war in Macao geblieben, um sich dort noch einmal ins Studium zu vertiefen und dann später nach Japan zu kommen.

Eine stattliche Anzahl wunderschöner Inseln verschiedener Größe hieß uns willkommen. Der Glanz der Sonne auf dem bis gestern vom Regen rein gewaschenen Grün ließ sie wie Smaragde erscheinen. Hinter den Inseln reichte ein tiefer Meeresarm ins Land, an dessen Ende Nagasaki mit seinen geordneten Häuserreihen und den Ziegeldächern lag, die sich vom Zentrum ausgehend an den umliegenden Hängen ausbreiten wie in einer Mörserschale. Auch diese Hafenstadt war durchaus schön (»schön« – mein erster Eindruck von diesem Land entspricht genau dem, was dieses Adjektiv bedeutet) zu nennen. In Goa oder Macao, wo die Portugiesen ihre Herrschsucht ungehemmt ausleben, ließen die Befestigungsmauern die ärmlichen Dörfer der Eingeborenen, die vor die Stadtmauern vertrieben worden waren, nur um so unansehnlicher erscheinen, und das Grün wucherte gar zu dicht, so dass es den Eindruck fehlender Harmonie vermittelte. In dieser japanischen Hafenstadt hingegen verschmolzen die Häuser im Stile der Eingeborenen mit den Kirchen und Glockentürmen in perfekter Harmonie. Das war es, was nach meiner ästhetischen Anschauung als schön erschien.

Unter den Menschen, die sich zu unserer Begrüßung auf dem Landeplatz versammelt hatten, fiel vor allem der Fürst von Arima, Protasio Arima Harunobu, mit seinen prächtigen Gewändern auf, der mit einer großen Anzahl Soldaten erschienen war. Es waren auch alle möglichen Jesuitenbrüder auszumachen. Unter ihnen zog vor allem ein schlaksiger Padre mit rötlichem Gesicht und einem prächtigen, seidenen Priesterkleid das Augenmerk auf sich. Valignano winkte ihm zu und er erwiderte den Gruß. Es war der berühmte italienische Priester Gnecchi-Soldo Organtino, der in der Hauptstadt dieses Landes große missionarische Erfolge erzielt und viele Menschen getauft hatte. Zwar pflegte er mit dem früheren Großkönig Nobunaga und dem damaligen Herrscher Hideyoshi vertrauten Umgang, musste sich aber nach Hideyoshis Verbannungsedikt zurückziehen und in Nagasaki Zuflucht suchen. Er und sein Landsmann Valignano, der gerade an Land gegangen war, ergossen sich in einem Meer von Wörtern der italienischen Sprache mit ihren reichen und hervorklingenden Vokalen.

Da ich Goa und Macao ja schon gesehen hatte, bildete ich mir ein, Asien bereits zu kennen. Allerdings unterschied sich mein erster Eindruck von Japan vollkommen von dem bisher Gesehenen, weshalb ich mir meine Kurzsichtigkeit bald eingestehen musste. Wegen meiner vorgefassten Ansicht, was ein Inselreich sei, tauchte in meiner Vorstellung ein schmales Stück Land auf, wo man von jedem Punkt aus in alle Richtungen über das Meer blicken könnte. Dem war natürlich nicht so. Es gab Berge, Täler, Ebenen, und sie reichten bis tief ins Landesinnere. Auch sah man hier nicht Dörfer, die nur armselige Ansammlungen primitiver Hütten waren, wie man sie in Asien so häufig findet, sondern zivilisierte Städte, in denen sich Häuser komplizierter und wohldurchdachter Holzarchitektur aneinander reihen. Die Leute laufen nicht barfuß und so gut wie nackt herum, sondern tragen Kleider, die sich *Kimono* nennen. Die Gewänder der Herrschaften von Rang sind aufwändig gefertigt und von eleganter Schönheit. Auch trägt man Sandalen, die *zôri* oder *geta* heißen. Nagasaki hat einen Hafen, dessen Wassertiefe ausreicht, dass auch große Schiffe direkt anlegen können. Im Zentrum der Stadt befindet sich der Amtssitz des Gouverneurs, der wie eine Burg mit Graben und Mauern befestigt ist. Residenzen hochrangiger Samurai und reicher Händler reihen sich aneinander, und im Geschäftsviertel sieht man neben dem heimischen Volk auch Matrosen aus Manila und Macao sowie schwarz gekleidete Missionare umherlaufen, als wäre man auf einer westlich-asiatischen Messe. Es gab erstaunlicherweise auch Kirchen, ein Kolleg und ein Hospital, wenn auch alles aus Holz. In den Buchläden konnte man den »Kurzen Katechismus« (Doctrina breve) und das Glaubensbekenntnis in japanischer Sprache erwerben. Es sah so aus, als wäre Hideyoshis Glaubensverbot noch nicht bis hier nach Nagasaki vorgedrungen. Auch die Anzahl der Gläubigen in dieser Hafenstadt ist äußerst beeindruckend. Es heißt, sie beläuft sich auf fünfzigtausend. Wir waren in der Todos-os-Santos-Kirche untergebracht, die auf einem Hügel liegt und in der sich das Hauptquartier der Gemeinschaft Jesu befindet. Selbst an Arbeitstagen versammelten sich hier die Menschen zum Gebet, und an den Sonntagen war die Kirche gestopft voll.

Für die Teilnehmer der japanischen Europagesandtschaft hatte sich in den acht Jahren ihrer Abwesenheit einiges geändert. Am drastischsten waren diese Veränderungen für den Anführer der Delegation, Itô Mancio. Dessen Vormund, der mächtige Fürst aus Kyûshû Francisco Ôtomo Yoshishige Sôrin, war inzwischen verstorben und sein Sohn, Constantino Yoshimune, hatte unter dem Einfluss seiner Mutter, die die christliche Lehre hasste, seinem Glauben abgeschworen und ging sogar so weit, Christen zu ermorden.

Einige Tage nach unserer Ankunft begab sich Valignano in die Kirche von Arima, um dort Chijiwa Miguels älterem Cousin, dem Fürsten von Arima Protasio Arima Harunobu, bei einer feierlichen Messe die Geschenke des Papstes darzubringen. Harunobu war der erste japanische Fürst, den ich sah. Die Bürger seines Lehens knieten ehrfurchtsvoll nieder, als er in prachtvolle Gewänder gehüllt und mit zahlreichen Vasallen im Gefolge vorüberzog. Der Anblick zeugte von seiner großen Autorität. Außer dem Fürsten von Arima wäre es eigentlich auch angebracht gewesen, dem Fürsten von Ômura Geschenke des Papstes zu überreichen. Jedoch war Fürst Bartolomeu Ômura Sumitada, neben Harunobu der zweite Schutzherr Chijiwa Miguels, drei Jahre zuvor verstorben und sein Sohn, Fürst Sancho Yoshiaki, hatte nach dem Verbannungsedikt des Großkönigs Hideyoshi dem christlichen Glauben abgeschworen, so dass Valignano nun nicht recht wusste, wie er sich verhalten sollte. Dann kam allerdings vonseiten Fürst Yoshiakis ein Einladungsschreiben, dass er die Gesandtschaft des indischen Generalgouverneurs und die Europadelegation zu empfangen wünsche, woraufhin Valignano auch in der Kirche zu Ômura eine ebenso prachtvolle Messe zur Übergabe der päpstlichen Geschenke abhielt wie in Arima.

Da Chijiwa Miguel mit den beiden Mächtigen, Fürst Arima und Fürst Ômura, verwandt war, wurde er besonders herzlich empfangen und bekam den Ehrenplatz zugewiesen. Er fand nicht nur durch die Würde seines hohen gesellschaftlichen Ranges, sondern vor allem durch sein Talent als Erzähler Beachtung. So zog er, dessen Redekunst die der andern deutlich übertraf, die gesamte Zuhörerschaft in seinen Bann, als er von den Qualen während der Schiffsreise über die sturmgepeitschte See und der Furcht vor den Piraten, deren Treiben auf den Meeren überhand nimmt, so plastisch berichtete, dass es einem eiskalt über den Rücken lief. Des Weiteren fesselte er die Zuhörer mit Berichten, wie es in europäischen Städten aussieht, redete über die gewaltige Architektur der Kirchen und die Audienz beim Papst. All dies muss sich für die Anwesenden wie die Geschichte über ein Traumland von einer anderen Welt angehört haben. Zwar mangelte es auch Itô Mancios Rede nicht an Würde, doch klang sie eher formell, während Hara Martino zwar eloquent, aber spitzfindig und übermäßig kompliziert referierte und Nakaura Julião sich einfach als ungeschickter Redner herausstellte, so dass diese drei ihr Publikum eher langweilten. Die Gegenstände, die sie abwechselnd hervorholten und zeigten, etwa ein Astrolabium, einen Globus, eine Uhr, Bücher usw. stießen bei allen auf reges Interesse, und mit der Musik, die die vier auf europäischen Instrumenten vorspielten, riefen sie souverän Beifall und Erstaunen hervor. Dies brachte Valignano auf die Idee, dass die vier vor Großkönig Hideyoshi spielen sollten, und er ließ sie deshalb jeden Tag für diesen Auftritt üben.

Die Kunde von der Ankunft der Gesandtschaft des indischen Generalgouverneurs und der japanischen Europadelegation wurde Großkönig Hideyoshi in der Hauptstadt zugetragen, und es hieß, dass dieser sich ausgesprochen interessiert gezeigt habe. Deshalb schickte Organtino einen Boten nach der Hauptstadt, um anfragen zu lassen, ob es wohl möglich wäre, eine Audienz bei Großkönig Hideyoshi zu bekommen. Die Nachricht, die der Bote zurückbrachte, klang vielversprechend und es wurde beschlossen, unter Führung der Gesandtschaft des indischen Generalgouverneurs eine Delegation, der auch einige Jesuiten angehörten, in die Hauptstadt zu schicken, um Großkönig Hideyoshi einen Besuch abzustatten. Allerdings hatte dieser ja das Verbannungsedikt erlassen, so dass es nicht ratsam erschien, mit zu vielen Priestern im Gefolge zu reisen. Inklusive mir und Torres kamen dann am Ende zwölf Priester mit, einschließlich der Europagesandtschaft und deren Gefolgsleuten bestand die Gruppe, die Ende November aufbrach, aus zweiundzwanzig Personen. Mitte Dezember erreichten wir mit dem Schiff einen Hafen namens Muronotsu in der Nähe der Hauptstadt. Da aber Großkönig Hideyoshis Zustimmung zu einer Audienz nicht eintraf, warteten wir dort zwei Monate. Weil der Hafen an einer Verkehrsader liegt, die von der Hauptstadt nach Westen führt, war es Valignano möglich, christliche Fürsten und Gläubige zu treffen, die er von früher her kannte. Und obwohl Organtino in der Hauptstadt daran arbeitete, einen Termin für die Audienz zu bekommen, ließ dieser immer noch auf sich warten. Wir zogen deshalb nach Ôsaka um, wo ich Justo Ukon und seinen Vater Dario Hida no Kami traf, die extra aus ihrem Verbannungsort Kanazawa im schneebedeckten Norden des Landes gekommen waren, um Valignano zu sehen. Ich begegnete den beiden zum ersten Mal, doch der Name »Justo Ukon-dono« war uns Missionaren bereits in den jährlichen Mitteilungen und Briefen begegnet. Ich empfand es als eine große Ehre, diesen Mann und seinen Vater kennen zu lernen. Valignano schenkte ihm ein Ölbild der heiligen Mutter Maria, welches ihm der Ordensgeneral der Gesellschaft Jesu, Claudio Aquaviva, höchstpersönlich anvertraut hatte. Das Geschenk erfreute diesen berühmten japanischen Christen aufs Äußerste.

Justo Ukon, zu dem ich später noch eine enge Beziehung haben sollte, war damals um die vierzig. Er war von mittlerer Größe und schlank, hatte aber eine muskulöse stattliche Figur. Vor allem sein heiteres Lächeln und seine herzliche, umgängliche Art hinterließen bei mir einen tiefen Eindruck. Es war auch bewundernswert, wie fließend er sich mit Valignano auf Portugiesisch unterhielt und welch profundes Wissen er über die chinesischen Klassiker, die japanische Lyrik, Astronomie, angewandte Architektur und sogar die Kochkunst hatte. Auch die jungen Gesandten schienen beeindruckt gewesen zu sein und erstaunt über die Sprachkenntnisse und Tiefe der Gelehrsamkeit jenes Mannes, der noch nie in Europa war und an dessen Wissen sein eigenes nicht heranreiche, flüsterte mir Hara Martino zu, was für eine hervorragende Persönlichkeit Ukon doch sei. Dario Hida no Kami war für einen Japaner recht groß und ähnelte seinem Sohn im Gesicht. Aber er war schon recht vergreist und schwächlich, sprach nur brockenweise Portugiesisch und war ansonsten eher schweigsam. Er wirkte mehr wie ein Schatten seines Sohnes, wie er ihm so folgte. Wenn ich daran denke, dass er fünf Jahre später gestorben ist, so zeigten sich wohl damals schon die ersten Zeichen von Altersschwäche und der Krankheit, die an ihm zehrte.

Es war im Jahr darauf, Anfang März 1591, als uns Großkönig Hideyoshi in seinem riesigen, prunkvollen Palast eine Audienz gewährte. Hier konnte ich zum ersten Mal genau beobachten, wie luxuriös der Großkönig dieses Inselreiches namens Japan lebte und welche Macht dieser höchste Herrscher hat, der Fürsten wie die auf Kyûshû mit einer kurzen Handbewegung wegfegen konnte. Unwillkürlich erinnerte ich mich an die Audienz bei Seiner Majestät König Philipp dem Zweiten. Nur waren es diesmal wir, die mit neugierigen Blicken begutachtet wurden, wir Ausländer, die aus Europa, einem Land am Ende der Welt gekommen waren (man nennt uns hier nämlich *nambanjin,* was so viel heißt wie »Südbarbaren«) und die jungen Herren, die Europa mit ihren eigenen Augen gesehen und das Leben dort erfahren, die Sprachen fremder Länder gelernt und dort Theologie, Wissenschaften und Künste studiert hatten.

Von Ôsaka aus fuhren wir den Yodo-Fluss hinauf und gingen in Toba, das direkt neben der Hauptstadt liegt, an Land. Wir Priester stiegen hinter der Gesandtschaft des indischen Generalgouverneurs in überdachte Sänften und zogen so mit der Delegation der jungen Japaner, die auf Pferden ritten, in die Hauptstadt ein. Die indische Gesandtschaft und uns Priester führte man in eine ausgedehnte Residenz, während die jungen Japaner und ihre Gefolgsleute in verschiedenen anderen Häusern getrennt untergebracht wurden. Nach einer Woche kam dann schließlich der Tag, an dem uns der Großkönig empfangen würde. Da wir um dessen Vorliebe für Prunk und Luxus wussten, ließen wir den vier jungen Japanern von der Europagesandtschaft, die von zwei berittenen Portugiesen eskortiert wurden, zwei Inder mit Turban und seidenen Kaftanen voranschreiten, die einen prächtigen Araberhengst führten. Die Gesandten waren in schwarze Samtgewänder mit golddurchwirkten Borten gekleidet. Hinter ihnen kamen der Gesandte des indischen Vizekönigs, Padre Mesquita und ich, alle drei in schwarzen Mönchskutten, während dreißig weitere Begleiter die Nachhut dieses Zuges bildeten.

Die Burg, in der der Großkönig normalerweise residierte, befindet sich zwar in Ôsaka, wir wurden aber in seinen Palast in der Hauptstadt gerufen, der sich *Jurakutei* nennt (was so viel bedeutet wie »Palast, in dem sich die Freuden der ewigen Jugend und eines langen Lebens versammeln«). Anders als die Paläste bei uns in Europa ist dies nicht ein einzelnes großes, von Steinmauern umschlossenes Bauwerk, sondern er besteht aus einer großen Anzahl von Gebäuden, die durch Gärten und Gänge voneinander abgetrennt und miteinander verbunden sind und sich labyrinthisch auf einer großen Fläche ausdehnen, so dass es vieler Wachsoldaten bedarf, um die Anlage zu sichern.

Der Großkönig saß an der Stirnseite des großen Saals auf einem hohen Podest mit schwarz lackiertem Geländer. Die Feudalfürsten um ihn herum, die sich Daimyô nennen, waren in Gewänder mit langen Schleppen gekleidet, die aussahen wie Priesterkleider, und trugen würdevoll Hüte, die mit Verzierungen versehen waren, an denen man wohl ihren jeweiligen Rang ablesen konnte. Am ernsten Gesichtsausdruck und der angespannten Körperhaltung konnte man den ehrfurchtsvollen Respekt erkennen, den sie dem Großkönig entgegenbrachten.

Es ist für uns Europäer nicht leicht, das Alter von Japanern zu schätzen, aber der Großkönig war vermutlich Mitte fünfzig und von kleinem Wuchs. Vielleicht wirkte er auch besonders klein, weil sich Valignano, der ja auch für einen Europäer ziemlich groß ist, ihm näherte, um ihm seinen Gruß zu entbieten. Im Grunde ist es ja egal, ob jemand schön oder hässlich ist, aber im Vergleich zu den jungen Gesandten, die ja Samurai aus bestem Hause waren und daher auch jeder auf seine Weise ein hübsches Antlitz hatten, wirkte des Großkönigs Gesicht eher wie das eines Bauern, der schlammverschmiert von der Feldarbeit zurückkommt. Wären da nicht dieser Prunk und die Reihen der ehrfürchtig niederknienden Fürsten sowie die von Goldintarsien überzogene Decke gewesen, hätte man sich wohl kaum vorstellen können, dass dies der höchste Machthaber ist, der das Recht hat, über Leben und Tod zu entscheiden.

Dieses Ausmaß an uneingeschränkter und umfassender Macht, wie es nur in einem kleinen Land wie Japan möglich ist, erstreckt sich auf jeden Menschen innerhalb des Landes, sei es der Kaiser in der Hauptstadt (es gibt in der Hauptstadt einen Kaiser, der aber nur nominell der oberste Herrscher ist und de facto keine politische Macht besitzt) oder seien es die Fürsten der entferntesten Provinzen. Sie alle befanden sich unter Hideyoshis vollkommener Kontrolle. Gäbe er den Befehl, die Christen auszurotten, so wäre, gerade so wie es Nero in Rom veranstaltet hatte, mit der gründlichsten Verfolgung bis in den hintersten Winkel dieses Inselreichs zu rechnen. Und ich sage es dir gleich, meine Schwester, wie es sich hier in diesem Lande verhält. Dieser Befehl wurde nach Amtsantritt Großkönig Ieyasus, der nach Hideyoshis Tod zum höchsten Machthaber wurde, auch sofort und überall in diesem kleinen Land aufs gründlichste durchgeführt.

Valignano überreichte dem Großkönig massenhaft Geschenke sowie das auf Pergament abgefasste, an den Rändern filigran in Rot, Grün und Lila verzierte Schreiben des indischen Generalgouverneurs. Der Brief war mit schwarzer und roter Tinte geschrieben und enthielt auch eine Übersetzung ins Japanische. Der Großkönig schien mit dem Brief und den Geschenken zufrieden zu sein und bot dem Gesandten des indischen Generalgouverneurs beim späteren Bankett Sake an, wozu Valignano ehrfürchtig die Stufen zum Großkönig hinaufstieg und dort von ihm höchstpersönlich eingeschenkt bekam. Auf sein Zeichen hin holten die vier Herren der Europagesandtschaft ihre Instrumente hervor und führten unter den aufmerksamen Augen der Anwesenden das in Spanien populäre »Lied des Kaisers« auf. Es war wohl das erste Mal, dass im *Jurakutei*, diesem Palast im japanischen Stil, europäische Musik erklang. Aus den Reihen der Fürsten waren Stimmen der Bewunderung zu hören und auch der Großkönig, der sich sonst eher unnahbar und über den Dingen stehend gab und aus dessen Verhalten man immer wieder auf Desinteresse schließen musste, ließ seine Sakeschale ruhen und lauschte mit erstauntem Gesichtsausdruck der Musik. Die Instrumente waren Clavo (Cembalo), Arpa (Harfe), Laute und Rebec (eine Urform der Violine). Ich weiß nicht mehr, wer von den Gesandten welches Instrument spielte, aber es war ein wirklich gelungener Vortrag, mit einer solchen Virtuosität gespielt, dass er auch zu Hause in Spanien gut aufgenommen worden wäre. Nachdem das Vorspiel beendet war, bemerkte auch der Großkönig in bester Laune: »Das ist ja wirklich bemerkenswert«, und die Anwesenden bekundeten ihre Zustimmung durch eine tiefe Verneigung.

Das größte Problem für uns allerdings war, ob der Großkönig das vier Jahre zuvor erlassene Edikt zur Verbannung der Missionare zurücknehmen werde oder nicht. Es war Ende September desselben Jahres, als dann schließlich Hideyoshis Antwortschreiben an den indischen Generalgouverneur auf Portugiesisch ankam. Darin stand, dass er seinen Erlass nicht zurücknehmen werde, jedoch die Fortsetzung der Handelsbeziehungen wünsche. Außerdem teilte er mit, dass er beabsichtige, China zu erobern, und auch weiterhin eine friedliche und freundschaftliche Beziehung zum indischen Generalgouverneur anstrebe. Somit konnten Valignano und wir unser Ziel offiziell nicht erreichen. Dessen ungeachtet, bezeigte Großkönig Hideyoshi gegenüber dem indischen Generalgouverneur und der Europagesandtschaft durchaus seine Sympathie. Mir allerdings ist diese widersprüchliche Haltung völlig unverständlich. Anfang Oktober des folgenden Jahres kehrte Valignano von Nagasaki aus nach Macao zurück.

Vielleicht lag es an der Sympathie, die er gegenüber Valignano gezeigt hatte, jedenfalls verhielt sich der Großkönig de facto auch danach gegenüber den Christen keineswegs streng, denn er schien es stillschweigend hinzunehmen, dass allerorts Priester und Mönche ihrer Missionstätigkeit nachgingen. Auch Padre Mesquita und ich fuhren fort, die christliche Botschaft in Nagasaki und dessen Umgebung zu verbreiten. In Amakusa, im Osten Nagasakis, gründete Mesquita ein Kolleg, in dem er japanische Ordensbrüder ausbildete und das dann einige Jahre später nach Nagasaki verlegt wurde.

Im Jahr bevor Valignano aus Japan abreiste, also 1591, begann Großkönig Hideyoshi mit der Eroberung Chinas, diesem wahnwitzigen, gigantischen Feldzug, indem er eine Flotte mit 160 000 Soldaten ausschickte und Korea angriff, ein Land, das unter chinesischem Einfluss steht. Mitten in diesem Krieg, am 5. Februar 1597, ließ er plötzlich in Nagasaki sechsundzwanzig Christen hinrichten, die in der Hauptstadt und in Ôsaka verhaftet worden waren. Für einen ahnungslosen Provinzpriester wie mich, der hauptsächlich in Nagasaki seiner Missionsarbeit nachging, kam dieses schockierende Ereignis völlig unerwartet.

Ich sah die Hinrichtung der Gläubigen auf einem Hügel in der Nähe des Hafens von einem portugiesischen Schiff aus, das zu dieser Zeit gerade im Hafen vor Anker lag. Sie wurden, mit gespreizten Armen und Beinen, mit Seilen und Eisenringen an Balkenkreuze gefesselt, die dann aufgestellt wurden. Danach wurden ihnen von rechts, manchmal auch von beiden Seiten Lanzen in die Brust gestoßen, die das Herz durchbohrten, dass das Blut nur so herausspritzte. Es gab auch welche, die nicht durch den ersten Stoß getötet wurden, so dass man ihnen noch den Hals durchbohren musste. Die Henkersknechte mit den Lanzen und die mit Gewehren bewaffneten Wachsoldaten versuchten die Menge der Schaulustigen, unter denen sich auch viele

Christen befanden, zurückzuhalten, als diese sich unter Lobpreisungen für die Märtyrer näherten, um die eigenen Kimono mit deren Blut einzufärben oder sich zum Andenken ein Stück ihrer Kleider abzuschneiden. Es kam zum Handgemenge, bei dem es den Wachen schließlich nicht mehr möglich war die Menge aufzuhalten, so dass der ganze Hinrichtungsplatz in Aufruhr geriet. An meine Ohren drangen deutlich die letzten Worte japanischer Mönche, die, dem Beispiel des Herrn folgend, ihren Henkern und Großkönig Hideyoshi mit ruhiger und lauter Stimme vergaben.

Es gibt viele Gründe, weshalb diese Massenhinrichtung plötzlich in Nagasaki, dem Zentrum der christlichen Mission, durchgeführt wurde, und einer davon ist gewiss die Rivalität zwischen den Jesuiten und den später nach Japan gekommenen Franziskanern. Der Hauptgrund aber ist vermutlich, dass Großkönig Hideyoshi dem Volk seine Macht als absoluter Herrscher demonstrieren wollte, die es ihm erlaubte, alles, was ihm in den Sinn kam, auf der Stelle in die Tat umzusetzen.

Sicherlich vom Zorn Gottes getroffen, starb Großkönig Hideyoshi im folgenden Jahr an einer Krankheit und fuhr zur Hölle. Die japanische Armee, die ihren obersten Befehlshaber verloren hatte, zog sich aus Korea zurück, und der Krieg zur Unterwerfung Chinas endete mit einer Niederlage Japans. Hideyoshis Sohn Hideyori, der das Amt seines Vaters beerben sollte, war noch ein Kind und hatte keine Macht. Unter den verschiedenen Lehnsherren war es Tokugawa Ieyasu, ein Fürst aus dem Osten, der sich plötzlich als der Mächtigste von allen herausstellte und schließlich, nachdem er 1600 siegreich aus der Schlacht von Ôsaka hervorgegangen war, zum Rang des Großkönigs aufstieg. Er ist ein mächtiger Herrscher, dessen Einfluss dem Hideyoshis in nichts nachsteht, dessen muss man sich immer bewusst sein.

Vor einigen Jahren, oder genau gesagt 1607, kam ich dann, nachdem der Mittelpunkt meiner Missionstätigkeit die ganze Zeit lang Nagasaki gewesen war, nach Kanazawa. Dort wurde in diesem Jahr eine Kirche gebaut und Bruder Hernandez und ich wurden als ständig anwesende Missionare dorthin eingeladen.

Ah, es ist plötzlich kälter geworden. Meine Finger sind steif gefroren, so dass ich kaum mehr schreiben kann. Ich sitze hier wie in einer Kiste in einem engen Zimmer mit niedriger Decke, in dem es so kalt ist, dass die Tinte gefriert und ich sie ab und zu am Kohlenbecken wieder erwärmen muss. Das ist eine irdene Schale, in der ein Kohlefeuerchen schwelt. Man kann sich an ihr gerade mal die Hände etwas wärmen, aber als Heizung taugt sie nicht viel. In diesem Land ist es nicht wie in Spanien üblich, die Häuser aus Stein zu bauen und einen Ofen zu installieren, in dem man Feuerholz verbrennen kann, sondern die Häuser sind aus Holz und Papier und so gebaut, dass es keinen Platz für einen richtigen Ofen gibt. Jedenfalls kann man sich an diesem Kohlenbecken allenfalls die Hände wärmen, der Rest des Körpers ist der schneidenden Kälte ausgesetzt, während draußen der Wind heult, als würde jemand eine Klinge über den Wetzstein ziehen, und ich das Brüllen des rasenden Schneesturms höre. Kanazawa liegt an der Küste und weit nördlicher als die Hauptstadt, weshalb man diese schneereiche Gegend auch »Nordland« nennt. Meine Kammer befindet sich im ersten Stock der Kirche, eines zweistöckigen Holzgebäudes. Zwar ist es sorgfältiger und ordentlicher gebaut als die Wohnhäuser, die es umgeben, aber es bietet keine dicht geschlossenen Räume, wie man sie in europäischen Häusern, die aus Stein gebaut sind, findet. Unablässig zieht es und bisweilen tanzen sogar Schneeflocken herein. Doch dank der Gnade des Herrn kann ich nun, da ich diesen Brief schreibend zum Himmel aufschaue und mit ganzem Herzen bete, daran glauben, dass unsere Eltern im Himmel liebevoll über mich wachen. Welches Glück es doch ist, dass sich der Himmel so nah und direkt über uns befindet.

Meine Schwester, eben kommt ein Laienbruder (ein japanischer Gläubiger, der auch hier in der Kirche wohnt) und teilt mir mit, dass inmitten des Schneesturms ein Bote gekommen ist, um mir zu bestellen, dass ich auf der nordöstlich gelegenen Noto-Halbinsel, dem Lehen Justo Ukons, nach einem Bauern schauen solle, der plötzlich erkrankt ist. Ich erfülle nämlich hier auch die Rolle des Arztes. Deshalb muss ich nun leider die Feder aus der Hand legen und mich auf den Weg machen. Wer weiß, wann ich diesen auf halbem Wege abgebrochenen Brief weiterschreiben kann.

Mit eiligen Grüßen schicke ich ihn ab.

Der Friede des Herrn sei mit dir,
meine über alles geliebte Schwester.

Juan Bautista Clemente

2
Weihnachten

Der Friede des Herrn sei mit dir,
meine über alles geliebte Schwester.

Kanazawa, den 25. Dezember 1613, Weihnachten

Meinen letzten Brief habe ich zusammen mit dem jährlichen Pfarrbericht einem christlichen Händler, der auf dem Weg in die Hauptstadt war, mitgegeben und ihn darum gebeten, die Schreiben dort Balthasar zu überreichen. Dieser mein Freund wird sie dann nach Nagasaki weiterleiten, und wenn mein Brief die Hindernisse, mit denen zu rechnen ist, denn heil übersteht, so müsste er schließlich in deine Hände gelangen. Während ich diese Zeilen schreibe, bete ich zum Herrn, dass er bei dir ankommt.

Da ich mit meiner Arbeit als Pfarrer hier außerordentlich beschäftigt bin, kam ich gerade mal dazu, mir über den Zeitplan der täglichen Messen, die Taufen, Hochzeiten und Beerdigungen, die Spenden und die Ergebnisse meiner medizinischen Untersuchungen einfache Notizen zu machen. Lediglich das Namensverzeichnis der getauften Gläubigen habe ich, wie es meine Pflicht ist, ordnungsgemäß ergänzt. Ihre Zahl beläuft sich mittlerweile fast auf sechstausend. Jedoch mussten vor kurzem sämtliche Dokumente, einschließlich des Journals mit den täglichen Eintragungen und des Namensverzeichnisses der Gläubigen, das meine Vorgänger Jerónimo Rodrigues und Balthasar Torres hinterlassen hatten, verbrannt werden, weil in diesem Land Ieyasus Christenverfolgung begonnen hat. Ich weiß, es ist ein Widerspruch, auf der einen Seite so die Vergangenheit auszulöschen, während ich dir auf der anderen Seite meine Erinnerungen aufschreibe. Nachdem ich nun aber den ersten Brief an dich geschrieben hatte, erwachte in mir das Bedürfnis, wenigstens dir, meiner Blutsverwandten, als Zeugnis meines Lebens die Erinnerung an mich, deinen Bruder, zu hinterlassen. So betrachtet ist dies also mein Testament, schließlich bin ich mit fünfundfünfzig Jahren auch nicht mehr der Jüngste, und da ich hier in dieser klirrenden Kälte wie ein Kutschpferd schufte, macht sich bei mir zunehmend die Erschöpfung breit. Auch plagen mich bisweilen heftige Schmerzattacken in den Gelenken. Dann wird meine Schrift so unleserlich, dass selbst von Balthasar, der, wie du ja weißt, an meine Handschrift gewöhnt sein sollte, immer wieder Beschwerden kommen, er könne meine Berichte nicht lesen und was für eine Anstrengung es sei, sie abzuschreiben. Aber die Tatsache, dass Großkönig Ieyasus Beamte meine Briefe, sollten sie ihnen einmal in die Hände fallen, wohl kaum entziffern könnten, macht mir Mut.

Bis jetzt ist der Terror der Verfolgung, der überall in Japan wütet, noch nicht bis nach Kanazawa vorgedrungen, und es geht hier ausgesprochen friedlich zu. Kanazawa, die Hauptstadt der drei Provinzen Kaga, Noto und Etchû des Fürsten Maeda, ist ein wichtiger Umschlagplatz für landwirtschaftliche Erzeugnisse und Fischereiprodukte. Auch ist sie ein florierendes Zentrum des Handels und Handwerks. Als Missionsgebiet ist sie in Japan allerdings nicht von zentraler Bedeutung. Aus Gründen der geographischen Lage im Verhältnis zu Macao gingen sowohl Xavier als auch ich zuerst in Kyûshû an Land. Von dort ging die Reise dann in Richtung Osten zur Hauptstadt. Nagasaki und die Hauptstadt sowie die umliegenden Regionen ziehen als Hauptschauplatz der Missionstätigkeit die größte Aufmerksamkeit auf sich. Fortwährend werden im Hauptquartier in Nagasaki die Berichte über das Wirken der Missionare zusammengetragen und kompiliert. Auch in den Jahresberichten der Gemeinschaft Jesu und der »Historia de Iapam« (Geschichte Japans) von Luis Frois findet die Hokuriku-Gegend kaum Erwähnung und wenn, dann allenfalls in Form eines zusammengefassten Jahresberichts. Was ich damit sagen will ist, dass dieser Brief, sollte er dich mit Gottes Hilfe je erreichen, die erste ausführlichere Aufzeichnung über mein persönliches Leben hier ist, die in die Heimat gelangt. Oh Herr, vergib mir die Vermessenheit, ein Zeugnis meines Lebens hinterlassen zu wollen.

Nachdem ich vor einigen Tagen den letzten Brief in der Mitte abgebrochen hatte, weil ich darum gebeten wurde, in Noto einen Hausbesuch zu machen, schaukelte ich auf dem Rücken des Pferdes und inmitten eines wütenden Schneesturms durch die Nacht nach Noto. Als wir auf der Halbinsel ankamen, über die der Nordwind aus China und Korea ungehindert hinwegpeitscht, war ich so unterkühlt, dass ich dachte, ich würde erfrieren. Das Ergebnis war, dass ich mir eine Erkältung holte und zwei Tage lang mit Fieber und Husten das Bett hüten musste. Danach hörte es zwar auf zu schneien, aber der blaue Himmel zeigte sich nur ab und zu wie durch Risse in einem Schildkrötenpanzer hinter den düsteren Wolken, die über unseren Köpfen hingen wie gigantische, mit Schnee gefüllte Ledersäcke und nur darauf warteten, vom Wind leicht angestoßen, ihren Inhalt wieder unbarmherzig auf uns hernieder gehen zu lassen.

Wenn ich den Fensterladen öffne und hinausschaue, ist die Welt unter einer dicken Wolkenschicht in Dunkelheit getaucht, obwohl es Mittag ist. Jenseits des Burggrabens, der Hyakkenbori (Hundert-Klafter-Graben) genannt wird, nimmt die Hohe Festungsmauer das gesamte Gesichtsfeld ein. An dem mit einem Wachturm bewehrten Ishikawa-Tor hat man bereits die Lichter angezündet, und der angeleuchtete Schnee auf der Steinmauer sieht aus wie lodernde Flammen. Das Gedrängel der Wachsoldaten an den Schießscharten lässt auf irgendeinen Tumult schließen. Die Straße vor unserer Kirche heißt Kon'ya-zaka (Färbersteig) und ist ein steiler Anstieg, der mit einer blanken Schneedecke überzogen und äußerst glatt ist. Gerade eben ist es dort zu einem großen Tumult gekommen, weil ein Sänftenträger ausgerutscht ist und die Sänfte hat fallen lassen. Letztens ist hier das Pferd eines Transporteurs gestürzt, dass sein Körper nur so auf das harte Eis klatschte. Sein jammervolles, schrilles Wiehern schnürte mir schier das Herz zusammen.

Der Wind, der über die Reihen niedriger Ziegeldächer hinwegweht, der eisige, salzgeschwängerte Nordwind vom Meer, die Luftmassen, die sich unbarmherzig an die Wangen heften, schieben Wolkengebilde herbei, die gleich der gewundenen Schlange Leviathan im Buche Jesaja die Schuppen auf ihren gekrümmten Bäuchen giftig funkeln lassen. So beginnt es wieder zu schneien und der kalte Schnee schlägt den Menschen auf die Stirn. Zunächst sieht es aus, als würde die Stadt vor meinen Augen rauchen und dann verschwimmen auch der

Wachturm, die Festungsmauer und der Burggraben hinter einem mausgrauen Schleier. Bei dieser Kälte wird es wohl auch heute wieder die ganze Nacht durch schneien.

Der vorige Fürst, Maeda Toshinaga, erbaute diese Kirche im Jahre 1607 zum Trost für den Herzenskummer seiner jüngeren Schwester Maria Gô-hime, die jetzt Bizen-dono heißt und Christin ist, seit sie nach Kanazawa zurückkehrte. Ich kam auf Empfehlung meines Freundes Balthasar, der vor mir hier als Missionar tätig war, und auf die dringende Bitte Justo Ukons als ständiger Priester dieser Kirche hierher. An der ersten Messe nahmen die prominentesten Christen Kanazawas, wie etwa Maria Bizen-dono, Justo Ukon und seine Frau Justa, sein jüngerer Bruder Petro Takayama Tarôemon, seine Tochter Lucia mit ihrem Gatten Yokoyama Yasuharu, Justo Ukons Freunde Don João Naitô Tadatoshi Joan mit seinem Sohn Tomás Naitô Kôji, Tomás Ukita Kyûkan und Diego Kataoka Kyûka, der Küchenmeister Fürst Maedas, sowie eine große Anzahl einfacher Gläubiger teil, so dass die Kirche bis auf den letzten Platz gefüllt war. Da die Menschen wussten, dass der damalige Fürst Maeda dem Christentum gegenüber sehr tolerant eingestellt war und von sich aus diese Kirche gebaut hatte, versammelten sich alle einmütig, um mit Freuden und in ausgelassener Stimmung am Gottesdienst teilzunehmen. Das neue Gotteshaus hier ist ein zweistöckiges Gebäude, das der 1576 fertig gestellten Kirche in Shijô Bômon Ubayanagi-chô in der Hauptstadt nachempfunden ist. Da es die fast ausschließlich flachen Häuser, die sich in Kanazawa ausbreiten, überragt, zieht es mit dem Spitznamen Südbarbarentempel die Aufmerksamkeit der Leute auf sich. Dies hat auf der anderen Seite allerdings den Nachteil, dass das Gebäude dem eisigen Wind, der ungehindert heranweht, völlig ausgesetzt ist.

Übermorgen ist Weihnachten, und beim Klang der Abendglocken, die von den vielen buddhistischen Tempeln her erklingen, die es in Kanazawa gibt, haben sich die Kinder, Justo Ukons Enkel und Tomás Ukita Kyûkans Söhne im Schnee versammelt, um für die Theateraufführung vor der Mitternachtsmesse an Weihnachten zu proben. Die Kinder am Heiligabend eine Geschichte aus der Bibel aufführen zu lassen, ist ein Brauch, der den Gläubigen hier sehr wichtig ist. Die Stücke, die aufgeführt werden, ändern sich dabei jedes Jahr. Bisher gab es zum Beispiel die Vertreibung aus dem Paradies, wie Lots Frau zur Salzsäule erstarrte und das Urteil König Salomos. Besonders eindrucksvoll war die prächtige Darbietung, die ein Jahr, nachdem ich nach Kanazawa kam, stattfand. Neben Bizen-dono hatten sich gläubige Samurai ebenso wie Christen aus dem einfachen Volk zusammengefunden, um die Weihnachtsgeschichte minutiös wiederzugeben. Vor allem die armen Samurai der unteren Ränge und die Bauern schienen tief berührt davon zu sein, dass in dieser Geschichte ein Mensch, der als Habenichts zur Welt gekommen ist, zum Gegenstand der Verehrung wird.

Übrigens kommt bei Unterhaltungen mit den Gläubigen hier immer wieder zur Sprache, ob es dieses Mal überhaupt eine Aufführung geben soll oder nicht, weil letztes Jahr, genau gesagt im April 1612, aufgrund von Ieyasus Verbot des Christentums in den großköniglichen Verwaltungsbezirken (den Gebieten, die direkt den Shogunatsbehörden unterstehen), also in Sumpu, Edo, der Kaiserstadt, und Nagasaki die Kirchen niedergerissen wurden und das Missionsverbot in die Tat umgesetzt wurde. Aufgrund der Tatsache, dass sich seitdem überall in Japan die antichristlichen Tendenzen verstärken, sind viele der Gläubigen hier der Meinung, dass man sich mit auffälligen Veranstaltungen lieber zurückhalten sollte, um die Behörden des Großkönigs nicht zu reizen. Und es stimmt ja auch, dass sich die Situation von Jahr zu Jahr verschlechtert. In Edo werden die spanischen Missionare wegen Ieyasus Sohn, Großkönig Hidetada, nun als Vorhut einer anstehenden Invasion betrachtet, und über zwanzig Leprakranken, die in einer Kirche in Asakusa gepflegt wurden, schnitt man den Kopf ab. Der christliche Glaube ist nun auch nicht mehr nur für Samurai, sondern für das einfache Volk ebenfalls verboten. In Kyôto wurden unter der Leitung Itakura Katsushiges, des dortigen Gouverneurs und Polizeichefs der Kaiserstadt, die Franziskaner vertrieben und die Kirchen der Jesuiten niedergerissen. In Sumpu, dem Wohnsitz Ieyasus, wurden alle Gläubigen außer den direkten Vasallen des Shôguns verhaftet und in die Verbannung geschickt. Das Christentum wurde als Verschmähung des Shintoismus, als dem buddhistischen Glauben zuwiderlaufend und als »übler ausländischer Irrglaube« gebrandmarkt. Im September wurde von der Regierung das Fünfpunkteedikt erlassen und die »Ächtung der Jünger der Padres« auf das gesamte Land auch außerhalb der Gebiete, die direkt den Shogunatsbehörden unterstellt sind, ausgeweitet. Daraufhin nahm die Zahl der Fürsten zu, die sich bei Großkönig Ieyasu einschmeicheln wollen, indem sie auch innerhalb ihres Lehens mit der Unterdrückung der Christen ernst machen. Auch die Fürsten von Arima und Ômura, die sich vormals selbst Christen nannten und unter deren Untertanen es viele Gläubige gibt, haben ihrem Glauben abgeschworen und greifen nun hart durch. Fürst Protasio Arima Harunobu, der damals die Delegation nach Europa schickte und sie bei ihrer Rückkehr so leidenschaftlich empfing, zog in Folge irgendeines Zwischenfalls den Zorn Großkönig Ieyasus auf sich und wurde geköpft. Sein Sohn, Fürst Miguel Naozumi, versuchte nun, nur weil er Großkönig Ieyasus Adoptivtochter zur Frau bekommen hatte, diesem alles recht zu machen, schwor seinem Glauben ab und verfolgte die Christen aufs grausamste. Fürst Sancho Ômura Yoshiaki, der bei der Rückkehr der Europagesandtschaft 1590 noch so leutselig die Geschenke des Papstes entgegengenommen hatte, wendete sich vom Glauben ab, verbannte die Missionare und unterdrückte die Gläubigen. Auch in Kanazawa ist man bedrückt über die Kunde von der Durchsetzung der Christenverbote und die damit verbundene Tyrannei. So wurde unter den Gläubigen unserer Gemeinde die Meinung, dass man sich mit der Theateraufführung zurückhalten solle, immer stärker. In diese Stimmung hinein aber äußerte Justo Ukon, der hier unter den Christen eine zentrale Rolle einnimmt, mit deutlichen Worten: »Auch wenn wir nun darauf verzichten, ein kleines Theaterstück in der Kirche aufzuführen, wird dies wohl kaum einen Einfluss auf die Haltung der Regierung haben. Da ist es doch viel segensreicher, wenn wir das Weihnachtsfest gebührend feiern und den Herrn damit erfreuen.« Auf diese Rede gab es denn auch keine Widerworte mehr, und es war ebenfalls Justo Ukon, der das Thema der Aufführung festlegte, nämlich »die Arche Noah«. Und alle waren sich einig, auf diese Weise dafür beten zu wollen, dass wie in der Geschichte Noahs die Sintflut, die nun über die Gläubigen hereinzubrechen drohte, ein Ende finden und danach wieder Friede einkehren möge.

In der Kirche, wo die Kinder das Theaterstück für den großen Auftritt morgen noch einmal zur Übung ganz durchspielen, ist nur der Altar, auf dem das Strohmodell einer Arche aufgestellt ist, durch eine große Papierlaterne, in der Perillaöl abgebrannt wird, wie durch Sonnenstrahlen erleuchtet. Sowohl den alten Mann, wie auch seine drei Söhne, die den Worten des Herrn lauschen, spielen die Enkel Justo Ukons, und die Leute, die die Tiere in die Arche führen, werden von den drei Söhnen Thomás Kyûkans gespielt. Noahs Familie treibt mit ihrer Arche auf dem Meer, nachdem die Sintflut niedergegangen ist, bis schließlich Noah eine Taube loslässt, die mit einem Olivenzweig im Schnabel zurückkommt und so das Ende des Hochwassers ankündigt. Zwar ist in der Bibel von einem Olivenzweig die Rede und Olivenbäume gibt es in Südeuropa überall, hier in Japan ließ sich allerdings keiner finden. So benutzten wir den Zweig eines Kampferbaumes, der in dieser Gegend hier auch im Winter Blätter hat. Die Rolle der Taube, die den Glück verheißenden Zweig herbeiträgt, übernimmt die jüngste Enkelin Justo Ukons, die acht Jahre alt ist. Die Kinder gehen ganz in ihren Rollen auf und liefern eine überaus realistische Darstellung, die keinen Zweifel am Erfolg der morgigen Aufführung lässt.

Meine liebe Schwester, da ich hier gerade weiterschreibe, ist es früher Morgen am Tag vor Weihnachten.

Gestern Abend habe ich bis tief in die Nacht hinein an meinem Schreibtisch gesessen und »Don Quixote« gelesen, von dem du auch in deinem Brief geschrieben hast, dass dieser Roman in unserer Heimat in letzter Zeit groß im Gespräch ist. Ein Händler, der aus Manila kam, hat mir das Buch geschenkt, als ich noch in Nagasaki war, aber ich dachte, dass es ein eher albernes und verdorbenes Werk sei und habe es deshalb bisher im Regal verstauben lassen. Nun, da ich aber einmal angefangen habe zu lesen, stellt es sich als äußerst interessant heraus, zumal La Mancha ja ganz in der Nähe unseres Geburtsorts Ubeda liegt. Ja selbst der Name Ubeda wird erwähnt und die Landschaften, Berge und Herbergen dieser Gegend, die ich so gut kenne, werden beschrieben. Die Hauptperson Don Quixote ist ja ein vollkommen verrückter Kerl, im Grunde seines Herzens jedoch liebenswürdig und er hat einen ausgesprochenen Gerechtigkeitssinn. So befreit er Verbrecher, die in Ketten liegen, nur um ein andermal von ihnen überfallen zu werden. Er stolpert von einem Missgeschick ins andere und bringt so den Leser zum Lachen. Was mich aber am meisten beeindruckt, ist sein reines Wesen und sein unerbittlicher Mut. Verglichen mit dieser Courage sind die Menschen, die nichts anderes im Sinn haben als Äußerlichkeiten und von morgens bis abends nur ans Geldverdienen denken, oder die Priester, die Tausende von Büchern lesen, ohne je etwas in die Tat umzusetzen, nichts als arme Sünder, die gegen die Lehre des Herrn verstoßen. Dabei bin ich zu folgender Selbstbetrachtung gekommen. Wir Christen hier in Japan, die wir es mit Samurai und Fürsten zu tun haben, die im ewig andauernden Schlachtgetümmel die Wahrheit aus den Augen verloren haben und nach nichts anderem als Territorien und Reichtum streben, sowie mit Bonzen, denen es nur darum geht, ihre Besitztümer zu schützen, sind im Grunde auch Don Quixotes. Allerdings frage ich mich, ob auch ich so viel Courage und Durchhaltevermögen habe. Als ich so das Buch schloss und zum Herrn betete, dass er mir Mut geben möge, erklang wie als Antwort ein heiterer Hahnenschrei. Die Sonne war bereits aufgegangen und erfüllte den blauen Himmel mit Licht. Da ein solch schönes Wetter in dieser Gegend im Winter selten ist, nehme ich es als gutes Vorzeichen für Heiligabend heute.

Durch die Abenteuer dieses Phantasten von einem Provinzritter, Don Quixote de La Mancha, war mein Hirn so aufgewühlt, dass ich mir mit einem kleinen Nickerchen etwas Beruhigung verschaffen wollte. Doch habe ich bis tief in den Tag hinein fest geschlafen und bin nun vollkommen ausgeruht. Ich kann die unsichtbaren, gigantischen Säulen und Gewölbe fühlen, die das Licht der tiefblauen Eiskathedrale des Firmaments hochhalten, und es lässt mein Herz höher schlagen. Liegt es nun daran oder nicht, meine Erkältung ist wie verflogen und die Laienbrüder, die hier wohnen, widmen sich seit dem Morgen eifrig der Wäsche, so dass der Garten mit nassen Kleidern geschmückt ist wie mit Fahnen für ein Fest.

Was für uns als Heiligabend ein besonderer Festtag ist, ist hier in Kanazawa ein ganz normaler Tag wie jeder andere. In unserer Heimat Spanien ist die ganze Stadt wegen des Festes in Bewegung, während es hier in dieser Stadt der Heiden nur eine Handvoll Leute gibt (auch wenn ich es so ausdrücke, sind es doch immerhin einige Tausend), die Weihnachten feiern. So läuft der Alltag hier ab wie immer: Die Samurai finden sich in der Burg ein, die Händler gehen ihren Geschäften nach, die Handwerker erledigen ihre Arbeit und die Bauern flechten, wie immer im Winter, Strohsandalen. Die Gläubigen, die während des Tages verborgen sind wie das Regenwasser, das in den

Boden eingesickert ist, sprudeln nun in der Abenddämmerung hervor wie Quellwasser und bilden mehrere kleine Ströme, die in Richtung Kirche fließen. Die Menschen finden sich dort in der großen, mit Tatami-Matten ausgelegten Halle ein, wo sie, vom Licht des an einem Querbalken aufgehängten Kandelabers beschienen, große und kleine, sich bewegende Schatten an die Wände werfen. Die Laienbrüder schlängeln sich durch die Menge und bieten den Versammelten Tee an. Ihnen mit dem Blick folgend, konnte ich die Hauptpersonen der hiesigen Gläubigen ausmachen. Die Schiebetür an der Vorderseite des Saals öffnend, betrat Justo Ukon, der Ranghöchste der Christen, gefolgt von seinen Vasallen Sancho Okamoto Sôbê und Michael Ikoma Yajirô, sowie seinem jüngeren Bruder Petro Tarôemon den Saal. Sein Erscheinen hatte eine augenblickliche und nachhaltige Wirkung auf die anwesenden Gläubigen. Der Radau verstummte, wie Kerzen durch einen Windstoß erlöschen. Die Menschen korrigierten ihre Sitzhaltung und verneigten sich ehrerbietig vor ihrem Oberhaupt. Den Gruß eines jeden höflich erwidernd, kam er nach vorne an die Seite des Altars, die als Bühne diente, und begrüßte mich. Er ist ein etwas gebrechlicher älterer Herr in seinen Sechzigern, mit leicht ergrauten Haaren. Schlicht und unauffällig gekleidet, erscheint er auf den ersten Blick wie ein gewöhnlicher Samurai. Jedoch war ich wie immer voller Bewunderung ob seines angenehmen Blickes, mit dem er es versteht, seinem Gegenüber die Spannung zu nehmen, und seines überaus eleganten Ganges – vermutlich ein Resultat seiner Übung der Teezeremonie –, durch den er den anderen sofort für sich einzunehmen versteht. Ergeben wie ein Schatten folgte ihm sein Vasall Sancho Okamoto Sôbê. Dieser klein gewachsene Mann ist – für Japaner selten – ausgesprochen dickleibig und man kann seinen Gemütszustand – was für Japaner ebenfalls außergewöhnlich ist – an seinem Gesicht ablesen. Für den Gefolgsmann eines Samurai, der auf Etikette und guten Ton bedacht ist, trug er seinen Kimono irgendwie lax und sein stapfender Schritt, mit dem er sich plump voranschob, stand ganz im Gegensatz zur Eleganz seines Herrn. Vielleicht ist es der Einfluss meiner gegenwärtigen Lektüre, aber es kam mir doch glatt vor, als erblickte ich seinen zufälligen Namensvetter, Don Quixotes Knappen Sancho Pansa. Zwar hat Sancho Sôbê die Taufe empfangen und ist Christ geworden, jedoch gibt es dafür wohl kaum einen anderen

Grund als den, dass sein Herr gläubig ist. So kommt es denn auch häufig vor, dass er während der Predigt einnickt, und dass er jemals im Katechismus gelesen hätte, ist mir nicht bekannt. Letztens musste ich mich sehr wundern, als er so etwas Ungereimtes daherfaselte, wie dass »Jesses Chrisdus« bei der Meditation unter dem Bodhibaum der Teufel erschienen sei, oder so ähnlich. Als ich daraufhin erwiderte, ob es denn nicht eher Shakyamuni, der Urvater des Buddhismus war, der unter dem Bodhibaum meditiert hatte, meinte er zu meinem Erstaunen nur »Ach wirklich?«. Der andere Vasall Ukons ist Michael Ikoma Yajirô, ein junger Heißsporn, nicht viel älter als zwanzig, dem man nachsagt, er sei ein guter Schwertkämpfer. In der Kirche jedenfalls legt er einen unglaublichen Lerneifer an den Tag, liest leidenschaftlich die christliche Literatur, die in Japan veröffentlicht wird, und kennt sich vortrefflich in den Taten und Worten der Apostel aus. Bei Hernandez hat er Latein gelernt und ist in der Lage, die lateinische Bibel von Hieronymus in beträchtlichem Tempo zu lesen. Auch kommt er regelmäßig zu mir, um allerlei Fragen zu stellen, zeigt ein starkes Interesse an der europäischen Kultur und Zivilisation und scheint es sehr zu bedauern, dass es ihm – da er ja weitab in Kanazawa lebt – nicht vergönnt war, das Seminar in Arima oder das Kolleg in Nagasaki zu besuchen. Er beneidet die jungen Männer der Europagesandtschaft aus der Tenshô-Zeit um ihre Reise und bat mich, ihn zu unterstützen und zu empfehlen, dass auch er nach Europa reisen kann, um dort Theologie und die Wissenschaften zu studieren.

Justo Ukon grüßte mich heiteren Blickes mit den Worten: »Frohe Weihnachten. Wie ich von meinen Enkeln gehört habe, wird das mit dem Theaterstück wohl gut klappen.« »Ja, das wird schon werden. Die Kinder haben tüchtig geübt.« Als ich so antwortete, fiel mir eine wichtige Angelegenheit ein: »Als ich die Dame Maria von Bizen zur heutigen Aufführung einladen wollte, teilte sie mir resigniert mit, dass sie zwar gerne kommen würde, darauf aber verzichte, weil Fürst Toshimitsu der Meinung sei, dass es angesichts des Verbotsedikts angebracht wäre, sich zurückzuhalten. Stattdessen möchte sie Euch unbedingt bald treffen, um über einige Glaubensfragen zu sprechen.« »Nun, wenn dem so ist, sollten wir ihr am besten gleich morgen einen Besuch abstatten«, antwortete Justo Ukon auf der Stelle und fügte dann leise auf Portugiesisch hinzu: »Nach der Aufführung hätte ich kurz etwas mit dir zu besprechen, Padre.« Worauf ich ebenfalls auf Portugiesisch antwortete: »Einverstanden.«

Das Theaterstück war ein großer Erfolg und die versammelten Gläubigen applaudierten eifrig. Diese europäische Sitte des Klatschens hatten ursprünglich wir Missionare eingeführt, und sie hat sich nun auch von den Gläubigen auf die anderen Leute übertragen.

Zwischen der Theateraufführung und dem Beginn der Messe war eine Pause. Ich gab Justo Ukon ein Zeichen mit den Augen, schon einmal in das Priesterzimmer im ersten Stock zu gehen, wies die Laien und die Kinder an, die Utensilien, die für das Theaterstück verwendet worden waren, aufzuräumen und ging dann selbst in den ersten Stock hinauf. Als ich in das Zimmer trat, betrachtete er eifrig den an der Wand hängenden Kalender, den ich gefertigt hatte. Es ist eine Umrechnungstabelle zwischen dem Mondkalender, wie man ihn in Japan allgemein verwendet, und unserem gregorianischen Kalender. Er vergewisserte sich, dass der heutige Tag, also der 24. Dezember 1613, nach dem gregorianischen Kalender dem 3. Tag des 12. Monats im Jahre 18 der Ära Keichô entsprach und nickte.

Wir hielten unsere Unterredung auf Portugiesisch, weil es sich um etwas Vertrauliches handelte, das die Laienbrüder oder andere Leute nicht mitzubekommen brauchten.

»Ich habe von Padre Torres aus der Hauptstadt eine Nachricht erhalten«, sagte ich. »Er schreibt, dass der Gouverneur von Kyôto im Geheimen begonnen hat, Nachforschungen anstellen zu lassen, um Namenslisten der Missionare und Gläubigen sowie derer zu erstellen, die dem Christentum wohlwollend gegenüberstehen. Torres betrachtet diese Machenschaften des Gouverneurs als ein Anzeichen dafür, dass Großkönig Ieyasu in Kürze ein drittes Edikt zur Verbannung der Missionare ergehen lassen wird. Er rät uns zur Vorsicht und vor allem Euch als einem wichtigen Repräsentanten der japanischen Christen, bei all Eurem Handeln äußerste Umsicht und Besonnenheit walten zu lassen.« »Was mit mir geschieht, ist unwichtig, bedauerlich ist nur, dass sich das Missionsverbot auch hier über die Gebiete von Kaga, Noto und Etchû erstrecken wird.« »Ja, das stimmt. Torres berichtet von unbarmherzigen Verfolgungen in Arima und Ômura. Traurigerweise ist es schon deutlich abzusehen, dass man auch hier früher oder später auf diese Linie einschwenken wird. Allerdings bin ich seit meiner Ankunft hier in Kanazawa unglaublich beschäftigt, so dass ich kaum Zeit finde, mich um dergleichen politische Angelegenheiten zu kümmern, und letztlich vergesse ich auch die Erklärungen, die Ihr mir von Zeit zu Zeit zu geben geruht, recht bald wieder. Auch entziehen sich die Entwicklungen innerhalb der Burg leider gänzlich meinem Verständnis.« »Nun, was diese Dinge betrifft, habe ich einen ganz guten Überblick. Der Trend, dem Willen Großkönig Ieyasus zu folgen und sich gegen die Christen zu wenden, nimmt auch in der Burg rasch zu. Für die Familie Maeda gibt es viele Gründe, das Shogunat zu fürchten. Dass der zweite Daimyô der Familie Maeda, Fürst Toshinaga, wie ich dir bereits erzählt habe, nach der Schlacht von Sekigahara die Lehen von Kaga, Noto und Etchû mit einem Einkommen von einer Million und zweihunderttausend Scheffel* Reis zugestanden bekam, hatte er Ieyasu zu verdanken. Außerdem ist die Familie mit dem Hause Tokugawa verschwägert, weil Fürst Toshinagas jüngerer Bruder, Fürst Toshimitsu, im Jahr darauf Tama-hime, die Tochter von Ieyasus Nachfolger, Großkönig Hidetada, zur Frau bekam. Bei dieser Gelegenheit machte Fürst Toshinaga seinen Halbbruder, Fürst Toshimitsu, zum Oberhaupt der Familie und zog sich in die Burg von Toyama zurück. Als diese niederbrannte, zog er weiter in die Burg von Uozu und schließlich in die Burg von Takaoka um. Der erste und zweite Patriarch, die Fürsten Toshiie und Toshinaga, zeigten ein wohlwollendes Verständnis und hegten ein Gefühl der Vertrautheit zu den Christen, doch selbst Fürst Toshinaga kann in letzter Zeit nicht umhin, den Vorgaben der Tokugawas in jeder Hinsicht zu folgen und seinerseits auf eine antichristlichere Politik einzuschwenken.« »Ihr sprecht davon, dass er Euch angeraten hat, dem christlichen Glauben abzuschwören.« »Genau«, antwortete Ukon nickend.

Was ich darüber gehört habe, ist, dass Fürst Toshinaga Justo Ukon zwar dazu bewegen wollte, seinen Glauben abzulegen, ihm aber der Mut fehlte, es Ukon direkt ins Gesicht zu sagen. Deshalb beauftragte er Yokoyama Nagachika, den Schwiegervater von Justo Ukons Tochter Lucia damit, ihm einen Brief zu schreiben. Nagachika allerdings machte ihm klar, dass dies nichts bewirken werde, da er Ukons Cha-

* 1 Scheffel: jap. koku = ca. 180 l

rakter kannte und um die Tiefe seines Glaubens wusste. So gab Toshinaga es dann schließlich auf. »Auf welche Weise unterscheidet sich wohl das Vorgehen Großkönig Ieyasus von dem Großkönig Hideyoshis?«, fragte ich und fuhr fort: »Zur Zeit des Martyriums im Jahre 1597 war ich in Nagasaki und konnte von einem portugiesischen Schiff aus beobachten, wie die Menschen auf dem Hügel an Kreuze gebunden und mit Lanzen erstochen wurden, dass das Blut nur so floss und einer nach dem anderen sein Leben aushauchte.« »Ach ja, damals ...« Er schien sich an diese Zeit zu erinnern und ließ seine Augen funkeln, als wolle er Flammen entzünden. Ich erinnerte mich an eine Geschichte, die mir der Priester Organtino, der sich damals in der Hauptstadt aufhielt, erzählt hatte. Als er Ukon, der in der Hauptstadt war, mitteilte, dass Großkönig Hideyoshis Christenverfolgung nun begonnen hatte, entschloss er sich sofort, ebenfalls die Bürde des Martyriums auf sich zu nehmen. Er ritt eiligst zur Residenz der Familie Maeda, die sich in der Nähe der Hauptstadt befand, um Fürst Toshiie zu treffen. Dabei brachte er ihm als Abschiedsgeschenk zwei irdene Teedosen mit, die er von seinem Teemeister Sen no Rikyû (einem in Japan überaus berühmten Lehrer der Teezeremonie) erhalten hatte. »Behaltet diese Teedosen nach meinem Tode. Ich bin bereit, zusammen mit Organtino das Todesurteil zu empfangen.« Erschrocken über diese Worte antwortete Fürst Toshiie: »Nicht doch, nicht doch. Großkönig Hideyoshi ist ja nur verärgert über die Mission der Franziskaner, die aus Luzon gekommen sind. Dir als Anhänger der Gesellschaft Jesu, der er freundlich gesinnt ist, droht keine Gefahr.« »Ob Großkönig Hideyoshi wirklich zwischen Jesuiten und Franziskanern unterscheiden kann? Ich habe letztens mit Franziskanern, die jetzt in Ketten abgeführt wurden, gesprochen und erfahren, dass sie die Lehre desselben Gottes predigen.« »Nein, nein, für dich besteht keine Gefahr!«, versicherte Toshiie nur immer wieder und nahm auch die Teedose nicht an. Justo Ukon kehrte dann, wie es heißt, vollkommen beruhigt zurück.

»Ich habe gehört, Ihr wart damals fest entschlossen, selbst den Weg des Märtyrers zu gehen«, sagte ich. »Das stimmt. Der Bann lag ja bereits auf mir. Die Strafe konnte also jederzeit folgen. Als ich hörte, dass sich Großkönig Hideyoshi dazu entschlossen hatte, die Verfolgung der Christen immer weiter voranzutreiben, glaubte ich, es sei meine Pflicht, mich für die anderen Gläubigen zu opfern.« »Das ist fürwahr eine vornehme Gesinnung, aber hatte Organtino Euch nicht als ersten benachrichtigt, weil er der Überzeugung war, dass Ihr für die Gläubigen eine wichtige Persönlichkeit seid und auf jeden Fall überleben solltet, auch wenn Ihr Euch zu diesem Zwecke hättet verstecken müssen?« »Das habe ich später dann auch so gehört. Damals allerdings glaubte ich, die Nachricht bedeute, dass ich das Martyrium auf mich nehmen sollte.« »An die sechsundzwanzig Menschen, die damals in den Himmel eingegangen sind, kann ich mich noch lebhaft erinnern«, sagte ich. »Sie alle trugen ihr Ende auf bewundernswerte Weise. Unter ihnen befand sich auch Miki Paulo, der bis zuletzt nicht davon abließ, mit kraftvoller Stimme die Lehre zu verkünden. Ganz dem Beispiel des Herrn Jesus am Kreuze folgend, sagte er seinen Peinigern, dass er ihnen vergebe.« »Ich erinnere mich noch, wie Miki Paulo damals ins Seminar in Azuchi eintrat. Er war noch fast ein Kind und äußerst gescheit, was sich unter anderem darin zeigte, wie wunderbar er Latein lesen konnte. Da ist er also einen solch großartigen Tod gestorben. Es wäre auch durchaus möglich gewesen, dass ich mit ihm zusammen dort gekreuzigt worden wäre. Ich frage mich, ob auch mir ein so großer Tod gelungen wäre …«, sagte er und ließ seinen Kopf hängen. »Euch wäre es sicherlich geglückt. Ob mir ein solches Martyrium gelingen würde, ist da schon viel eher fraglich«, erwiderte ich und tat es ihm gleich, indem ich ebenfalls zu Boden schaute.

»Um noch einmal auf unser anfängliches Thema zurückzukommen, was die Grausamkeit bei der Verfolgung betrifft, da werden sich wohl Großkönig Hideyoshi und Großkönig Ieyasu kaum unterscheiden. Als Großkönig Hideyoshi jedoch sein Edikt zur Vertreibung der Missionare erließ, wurde nur ich von meinem Lehen in Akashi verbannt, nachdem es konfisziert worden war, während den anderen christlichen Fürsten überhaupt nichts geschah. Die verschiedenen Kollegien und Seminare überall im Lande ließ er auch unangetastet und erlaubte den Fortbestand der Kirchen. Die Verfolgung im Jahre siebenundneunzig war ja eher wie ein plötzlicher Anfall. Er war ein impulsiver Mensch, von launischem Temperament, der sich schnell ereiferte, dessen Wallungen sich aber genauso schnell auch wieder legten. Ieyasu aber ist anders. Wenn er sich zu etwas entschieden hat, dann führt er es rigoros und hartnäckig bis zum Ende durch. Falls er ein drittes Glaubensverbot erlässt, dann wird dieses wohl von durchgreifender und anhaltender Natur sein.« »Dann ist also Großkönig Ieyasu der Gefährlichere«, sagte ich mit einem tiefen Seufzer, als wollte ich heiße Suppe damit kühlen. »So ist es«, bestätigte Justo Ukon. »Überdies hatten die christlichen Fürsten überall im Lande zu Großkönig Hideyoshis Zeiten noch beträchtliche Macht. Der einflussreiche Fürst Agostinio Konishi Yukinaga zum Beispiel war der Oberbefehlshaber bei der Invasion von Korea, an der auch viele andere gläubige Fürsten teilnahmen, die eine wichtige Rolle spielten. Deshalb konnte Großkönig Hideyoshi sein Religionsverbot auch nicht in die Tat umsetzen. Bei Großkönig Ieyasu verhält es sich dagegen ganz anders. Mittlerweile sind die christlichen Fürsten alle beseitigt, und er hat bei der Vollstreckung eines neuen Edikts freie Hand, nach eigenem Gutdünken zu verfahren.«

Unser beider Unterhaltung kam, angefangen bei der Analyse, wie es um die Gläubigen in den verschiedenen Provinzen bestellt war, bis hin zu Vermutungen über die Kirche hier in Kanazawa, nicht ins Stocken.

»Welche Maßnahmen wird Fürst Toshimitsu wohl ergreifen?«, fragte ich. »Das weiß ich nicht. Solch übermäßig grausame Strafen wie in Edo oder Arima werden hier in Kanazawa jedoch nicht zu erwarten sein. Es wird wohl eher Verbannungen und Gefängnisstrafen geben ... Und von diesen werden vermutlich nur die Samurai betroffen sein und nicht die einfachen Bürger und Bauern. Die Bestrafung langjähriger Christen, wie ich einer bin, wird wohl allerdings anders ausfallen.« Justo Ukon machte, was selten vorkam, ein bekümmertes Gesicht und verfiel in Schweigen. Es war ein langes Schweigen, währenddessen man mehrmals das monotone Aufheulen des Windes draußen hören konnte.

Als wir die Treppe hinabstiegen, weil uns ein Laienbruder Bescheid gegeben hatte, dass die Vorbereitungen für die Messe abgeschlossen seien, übten die Gläubigen zu Bruder Hernandez' Orgelbegleitung Kirchenlieder. Ich ging zum Altar und begann mit der lateinischen Messe. Der Gesang des Knabenchors, der extra für den Weihnachtsgottesdienst geprobt hatte, erfüllte die Holzkirche mit der Freude über die Geburt unseres Heilands. Es war gerade so, als ob dieser glückselige Friede für immer anhalten werde und die Verfolgung nicht unmittelbar bevorstünde.

Als die Messe zu Ende ging, war schon die achte Stunde nach japanischer Zeitzählung (zwei Uhr morgens) verstrichen. Während der Messe war draußen Wind aufgekommen, und es hatte wieder angefangen zu schneien. Draußen vor der Tür ging es rau zu. Weil der horizontal anpeitschende Wind flatternde Vorhänge dichten Schnees vor sich hertrieb, wurde beschlossen, dass die Frauen und Kinder in der Kirche übernachten sollten. Die Männer machten sich ungeachtet des Schneesturms auf den Weg. Während João Tadatoshi und Tomás Kôji zu Pferd und Tomás Kyûkan in einer Sänfte loszogen, verschwand Justo Ukon, eine Laterne hochhaltend, zusammen mit drei Begleitern in der Dunkelheit.

Ich habe inzwischen geschlafen und schreibe diesen Berief jetzt am Nachmittag des 25. Dezember fertig. Liebe Schwester, solange es mir vergönnt ist zu leben, werde ich fortfahren, an dich zu schreiben und jede Möglichkeit nutzen, das Geschriebene an dich abzuschicken. Für mich, der kein Tagebuch führt, sind dies die einzigen Aufzeichnungen auf dieser Welt, die ich meiner Heimat hinterlassen möchte.

Der Friede des Herrn sei mit dir,
meine über alles geliebte Schwester.

Juan Bautista Clemente

3
Gô-hime

Wenn man das Areal der Kanazawa-Burg durch das Tor auf der Westseite beim Shinto-Schrein verlässt, kommt man zum Jin'emon-Steig, der von dort aus nach unten führt. Direkt an der langen Mauer des Schreins und des Tôemon-Walls konzentrierten sich, angefangen mit dem Anwesen Ukons, die Residenzen der christlichen Lehnsleute: Takayama Nagafusa, Rufname Ukon, mit Reisstipenden von 25 000 Scheffeln; Naitô Hida no Kami Tadatoshi, Rufname Joan, mit 4 000 Scheffeln; Naitô Kôji, Rufname Kyûho, mit 1700 Scheffeln; Ukita Kyûkan mit 1500 Scheffeln, Shinagawa Uhyôe mit 1000 Scheffeln und Shibayama Gombê mit 500 Scheffeln Reis. Da hier viele Vasallen mit einem relativ hohen Einkommen wohnten, prägten vornehme Anwesen das Stadtbild dieses Viertels, das von den Leuten »die Pfaffenresidenzen« genannt wurde.

Unter der Familie Maeda von Kanazawa wurde die Größe der Samurai-Anwesen nach der Höhe der Besoldung festgelegt. Bei 10 000 Scheffeln betrug sie vierzig ken (ca. 73 m) im Quadrat, bei 4 000 Scheffeln dreißig ken (ca. 55 m). Die Anwesen der Samurai befanden sich innerhalb des so genannten Uchisôgamae-Grabens, der das gesamte Burgareal umschloss, und erstreckten sich vom vorgelagerten westlichen Wall, an dessen Aushebungsarbeiten auch Ukon beschäftigt gewesen war, bis hin zum Asano-Fluss. Daher war es aus verteidigungsstrategischen Überlegungen heraus nicht gestattet, bauliche Veränderungen vorzunehmen oder irgendwo neue Durchgänge anzulegen, ohne vorher die Genehmigung des Siedlungsvorstehers einzuholen. Vor allem der Vorsteher Asano, im Rang eines so genannten shôgen, also ein mittlerer Beamter beim Amt für Verteidigung, war ein pedantischer Bürokrat, dem die Vorschriften am wichtigsten waren. Außerdem schien es, als wäre er Christen gegenüber voreingenommen, so dass er ganz besonders streng darüber wachte. Da er sich schon beschwerte, als Ukon nur ein winziges Teezimmer bauen wollte oder als er Rohre aus dem Bambusdickicht innerhalb des Burggrabens schneiden wollte, um daraus Blumenvasen zu machen, musste auch Ukon sich ständig vorsehen, was er tat. Als seine Enkel einmal ein Loch in der Lehmmauer, das durch Regen entstanden war, ausweiteten, um hindurchzukriechen, wurde er gerügt, wie fahrlässig dies doch sei und erhielt den Befehl, die Mauer umgehend zu reparieren.

Ukon verließ sein Haus ohne irgendwelche Begleitung. Am nördlichen Rand der Pfaffenresidenzen befand sich das Anwesen Ukita Kyûkans, daneben, im Westviertel, lag das der Dame von Bizen. In dieser Nachbarschaft reihten sich große öffentliche Gebäude wie das Rechnungsamt, in dem unter anderem die Steuereinkünfte des Lehens verwaltet wurden, und die Verwaltungsgebäude des Stadtbezirks aneinander, so dass die Residenz der Dame von Bizen klein erschien, als würde sie sich beschämt zusammenkauern. Der Unterhalt, den sie von der Familie Maeda erhielt, betrug nicht mehr als 1500 Scheffel, und die Dürftigkeit des Gebäudes entsprach dem Einkommen dieser Dame, die einst die Gattin des Daimyô von Bizen und Mimasaka mit einem Einkommen von 50 000 Scheffeln gewesen war. Das mit blattgoldüberzogenem Zierrat geschmückte Tor mit dem geschwungenen Dach und die überdachte Mauer mit ihrer rötlich-beigen Haut allerdings zeugten vom eleganten Geschmack dieser vornehmen Dame. Als Ukon am Tor darum bat, hereingeführt zu werden, öffnete ihm sofort ein Wächter. Es sah aus, als verirrten sich nur selten Besucher hierher. Auch direkt vor dem Eingang war der Schnee nicht geräumt. Die Bäume rechts und links im Garten beugten ihr Haupt unter dem Gewicht des Schnees, gerade so als wollten sie zeigen, wie es im Herzen des Menschen aussieht, der hier sein kummervolles Leben fristete. Die ganze Nacht über hatte es geschneit und erst vor Anbruch des Tages aufgehört, und nun öffneten sich die Wolken, um den Blick auf einen tiefen blauen Himmel freizugeben. Der Schnee auf der Dachkante leuchtete in der Morgensonne, und die emsig herabtropfenden Rinnsale erinnerten an Tränen. Ukons Blick blieb an einem durch das Gewicht des Schnees abgebrochenen großen Ast haften, der am Rand des Teiches im Garten lag.

»Es mangelt uns hier an Leuten«, entschuldigte sich die Zofe, der Ukon gefolgt war, mit schamrotem Gesicht.

»Bei uns ist das genauso. Diesen unablässig fallenden Schneemassen ist einfach nicht beizukommen«, nickte Ukon und fuhr, als wäre er dafür verantwortlich und müsse sich deshalb entschuldigen, fort: »Es ist vielmehr unentschuldbar, dass es selbst im Anwesen der werten Hausherrin an Personal mangelt.«

Eine Stille umschloss den Ort, als wären die Stimmen der Menschen in die Tiefen des Schnees hineingesogen worden. Wie anders war dies doch in Ukons eigenem Haus, das von den schrillen Stimmen seiner Enkel und den Schreien der jungen Samurai, die sich in der Schwertkunst übten, widerhallte. Einem solchen Lärm entkommen, wurde ihm die Stille nur umso mehr bewusst.

Als er eintrat, hob die Dame von Bizen den Blick vom Schreibtisch, an dem sie gerade einen Brief schrieb, und wandte sich Ukon zu.

»Verzeiht, dass ich so unhöflich war und so lange nichts von mir habe hören lassen. Ich habe gestern vom Padre Eure Nachricht erhalten und mir deshalb erlaubt, so bald wie möglich zu kommen«, sagte Ukon.

»Entschuldigt die Umstände, die ich Euch mache«, entgegnete sie mit einem Lächeln. Sie ging zwar schon auf die vierzig zu, sah aber mit ihrem schlanken Körper jung aus, wie zu Zeiten, als sie noch Gôhime hieß. Auch wenn sie lächelte, zeigten sich um die Augen herum kaum Falten. Nur auf ihren Wangen und der Stirn waren die Narben der Pocken sichtbar, an denen sie als Kind erkrankt war. Um diese möglichst zu verbergen, waren hinter der Hälfte der Papierschiebetüren die Holztüren zugeschoben, um das Zimmer zu verdunkeln. Überhaupt mochte sie das helle Tageslicht nicht, weshalb sie auch einen Schleier aus dünner Seide trug, wenn sie sich zum Südbarbarentempel begab.

»Tatsächlich bat ich nämlich um ein Treffen, weil ich Euch um etwas bitten wollte«, sagte sie und gab ihrer Zofe mit den Augen ein Zeichen, sich zurückzuziehen. Auf den fest geschlossenen Papierschiebetüren flimmerten die Spiegelungen des Teichs, und der von der Außenwelt abgeriegelte Raum war von edlem Wohlgeruch nach Tagara-Duftholz erfüllt.

»Der Zustand meines Herrn Bruders in Takaoka will sich nicht bessern, und ich habe darüber viel Besorgniserregendes gehört«, flüsterte sie, als rede sie von einem Geheimnis, das sie schwer beschäftigte.

Der vorherige Lehnsherr, Maeda Toshinaga, war an Geschwüren erkrankt und neigte seit etwa drei Jahren zur Bettlägerigkeit. Es war auch in der Burg allgemein bekannt, dass sowohl der abgedankte Shôgun Ieyasu als auch der jetzige Shôgun Hidetada ihm Glückwünsche zur Besserung hatten zukommen lassen, und er daraufhin ergebenst und in tiefer Verbundenheit Dankesbriefe sowie eine Vielzahl an Geschenken nach Sumpu, der Residenz Ieyasus, und nach Edo geschickt hatte. Doch auch danach hatte sich sein Zustand weiter verschlechtert, so dass er seit diesem Frühjahr fast ganz ans Bett gefesselt war und sich bei öffentlichen Anlässen nicht mehr zeigte. Ukon hatte ihm in diesem Sommer einen Besuch abgestattet. Maeda Toshinaga war so geschwächt gewesen, dass es ihm nur unter Mühen gelang, hinter einem luftigen Vorhang aus Bambusstreifen, auf ein Stützbänkchen gelehnt, seinen Besucher zu empfangen. Zwar hatte er einen sehr ermatteten Eindruck gemacht, als er so über Gott und die Welt plauderte, doch hatte sich seine großherzige Art zu sprechen dadurch nicht geändert und es hatte sich ein angeregtes Gespräch entwickelt. Auch über die Lage der Christen war er aus seinen eigenen Quellen und durch Spione, die er in alle möglichen Provinzen geschickt hatte, bestens informiert und wusste viel besser über die Entwicklung in den verschiedenen Gegenden Bescheid als Ukon, der auf das Hörensagen der Padres und wandernder Händler angewiesen war.

»Als ich ihn im August besuchte, ging es ihm bestens, und wir haben über alles Mögliche gesprochen.«

»Seit ich meinen Herrn Bruder beim Neujahrsempfang auf der Burg traf, hatte ich keine Gelegenheit mehr, ihn zu sehen. Es ist wohl das Schicksal der Frauen, sich vor Sorgen aufzureiben, dass man nicht mehr weiß, wo einem der Kopf steht. Überdies wurdet Ihr und mein Bruder, seit ich nach Kanazawa gekommen bin, von einer Widrigkeit nach der anderen heimgesucht, und ich fürchte gar, es liegt in meinen Sternen, Unheil über andere zu bringen.«

»Gott bewahre, was erzählt Ihr da ...«, verwahrte sich Ukon, nicht mit oberflächlichen Floskeln des Trostes, sondern mit verhaltener

Stimme und ernster Miene, die seinem Gegenüber das Gefühl gab, wichtig genommen zu werden.

Tatsächlich hatte sich ein Unglück an das andere gereiht, seitdem die Dame von Bizen nach Kanazawa gekommen war. Zunächst brannte die Burg von Toyama nieder, in der Toshinaga residiert hatte, weshalb er gezwungenermaßen in die alte Burg von Uozu umziehen musste. Da es dort aber zu eng war, ließ er eine neue Burg in der Gegend von Sekino in der Provinz Etchû errichten. Ukon hatte seinerzeit die Lokalität ausgesucht, das Territorium abgesteckt und dann auch die gesamten Bauarbeiten geleitet. Gerade als er zu diesem Zwecke sein Heim verließ, starb seine alte Mutter Maria an einem Schlaganfall, und kurz darauf verstarben plötzlich sein ältester Sohn Joan und dessen Frau an einer Grippe, die damals grassierte. Als die Burg dann fertig war, den Namen Takaoka-Burg erhielt und sich die Burgstadt unter ihr zu formen begann, erkrankte Toshinaga an den Geschwülsten und wurde bettlägrig. Zur gleichen Zeit begannen auch die Untersuchungen gegen die Christen. Es mochte tatsächlich fast so aussehen, als hätte das Erscheinen der Dame von Bizen all diese Widrigkeiten heraufbeschworen.

»Ich habe gerade einen Brief an meinen Herrn Bruder geschrieben, in dem ich mich dafür entschuldige, dass ich ihn nicht besuchen konnte und ihm gleichzeitig auch meine Absicht mitteile, seinen Anweisungen zu folgen«, sagte sie mit einem Blick auf den Brief, der vor ihr auf dem Schreibtisch lag. »Dies betreffend habe ich eine Bitte an Euch, Herr Takayama«, fuhr sie mit einer tiefen Verbeugung fort. Von der Höflichkeit dieser Geste ergriffen, wich Ukon zurück und senkte seinerseits tief das Haupt, um die Geste zu erwidern.

»Mein Herr Bruder hat mir befohlen, mich des Rosenkranzes, des Kruzifix und der christlichen Schriften zu entledigen. Er meint, es werde früher oder später wegen des Christenverbotes zu strengen Untersuchungen kommen und dann sei es gefährlich, wenn ich diese Dinge zu Hause habe. Zwar liegt es mir als Gläubige wahrhaftig fern, etwas derart Hässliches zu tun, und ich bin der Meinung, es wäre der richtige Weg, es der Dame Shûrin-in Tamako (Hosokawa Garasha) gleichzutun. Jedoch verstehe ich auch die Sorgen meines Herrn Bruders. Da abzusehen ist, dass es – angefangen bei ihm, bis hin zum gegenwärtigen Burgherrn Toshimitsu – für die ganze Familie Maeda von Nachteil ist, wenn jemand aus ihren Reihen zu den Christen gehört, muss es mir verwehrt bleiben, ein so würdevoll-kühnes Ende zu finden wie die Dame Tamako. Da ich mich meiner Sachen nun einmal entledigen muss, wäre es wohl am einfachsten, sie zu verbrennen. Es sind jedoch alles Gegenstände, die mir über lange Jahre hinweg ans Herz gewachsen sind, und sie könnten vielleicht für den einen oder anderen Christen noch von Nutzen sein. Da dachte ich mir, dass es wohl das Beste sei, sie Euch zu geben. Hier bitte.« Sie langte mit ihren schmalen Händen nach einem Päckchen auf dem Schreibtisch, das in Gold durchwebtes Seidentuch eingeschlagen war, und legte es wie ein teures Kleinod vor Ukon.

»Ich verstehe«, erwiderte Ukon ohne Zögern und nahm das Päckchen entgegen. »Ich bin ohnehin als Gläubiger gebrandmarkt, dass auch der abgedankte Shôgun Ieyasu davon weiß. Daher erregt es auch keinen Verdacht, wenn man die Sachen bei mir findet. Gern werde ich Eurem Wunsch entsprechen und sie in Ehren halten.«

»Habt von Herzen Dank«, seufzte sie, wobei sich in ihren Augen ein leichter Tränenschleier sammelte. »Da ich heimlich getauft wurde und noch nicht einmal meine Adoptivmutter Kita no Mandokoro davon wusste, glaube ich nicht, dass dies in Sumpu oder in Edo bekannt ist. Als mein Herr Gemahl auf die Insel Hachijô-jima verbannt wurde und ich mir weder den Kopf rasierte, um als Nonne in ein buddhistisches Kloster zu gehen, noch den Freitod wählte, zog ich den Verdacht von Toyotomis Frau, Kita no Mandokoro, und anderer auf mich. Die einzigen, die mein leidvolles Dilemma verstanden, waren die Schwestern des Beatus-Ordens in der Hauptstadt, insbesondere Naitô Julia. Seit ich hier nach Kanazawa gekommen bin, will auch das Gerede der Lehnsleute hinter meinem Rücken nicht versiegen. Das Einzige, was mich in diesen Zeiten aufrecht hält, ist, den Padre, Euch und Herrn Kyûkan zu treffen, an den Segen Gottes und die Freuden des Himmels zu denken und mich Tag und Nacht ins Gebet zu vertiefen. Nun werde ich meine Gebete mit einem kleineren buddhistischen Rosenkranz machen, den ich mir anfertigen lassen will.« Da sie einen vertrauten Zuhörer gefunden hatte, dem sie ihr Herz ausschütten konnte, war die Rede der Dame von Bizen, jener vom Schicksal geschlagenen vornehmen Frau, die sonst zum Schweigen gezwungen war, schnell und beredt.

Ukon erinnerte sich an die Zeit, als der erste Daimyô, Maeda Toshiie, seine vierte Tochter Gô als Adoptivkind zu Hideyoshi schickte, der selbst keine Kinder hatte. Ihr Kindername war Ogo, und sie war ein unbekümmertes, heiteres Mädchen. Jedoch neigte sie dazu, häufig krank zu werden und lag deshalb oft mit einer Grippe im Bett oder hatte Durchfall und war ganz blass im Gesicht. Nachdem Hideyoshi Regent geworden war, seine Gemahlin Nene den Namen Kita no Mandokoro erhalten hatte und Gô-hime als rechtmäßige Frau Ukita Hideies, des Lehnsherrn von Bizen, nach Okayama gegangen war, hatte Ukon natürlich keine Möglichkeit mehr gehabt, sie zu treffen. Als Hideie allerdings nach der Niederlage der Westlichen Armee bei der Schlacht von Sekigahara zunächst nach Satsuma geflohen und dann zusammen mit seinen beiden Söhnen auf die Insel Hachijô-jima verbannt worden und Gô-hime mit zwei Töchtern nach Kanazawa gezogen war, um dort ein für ihren Rang unwürdiges Dasein zu fristen, hatte sich zwischen ihr und Ukon eine freundschaftliche Beziehung entwickelt. Von Naitô Joan schließlich hatte er erfahren, dass die Dame von Bizen eine Gläubige war und in der Hauptstadt unter der geistigen Führung von Joans Schwester Julia die Taufe empfangen und den Christennamen Maria erhalten hatte. Dass der seit längerem geplante Bau des Südbarbarentempels am Färbersteig dann dank der Unterstützung des Herrn Toshinaga plötzlich und mit Eile in Angriff genommen wurde, geschah in erster Linie, um die verzweifelte Dame Maria aufzumuntern. Es war für sie aber auch eine beängstigende Situation, da ihre leibliche Mutter Hôshun-in als Geisel des Shôguns in Edo lebte und ihr Halbbruder Toshimitsu ihren Bruder als Lehnsherrn abgelöst hatte. Ihr auf eine abgelegene Insel verbannter Gemahl Hideie fristete dort ein ärmliches Dasein, da es ihm sogar an Kleidung und Nahrungsmitteln mangelte. Mit ihren dringenden Bitten erreichte die Dame von Bizen, dass das Lehen ihrem Gatten jährlich siebzig Säcke weißen Reis, den Geldbetrag von fünfunddreißig Ryô, Kleidung und Medikamente schickte. Es ist allerdings leicht einzusehen, dass dies ihren Kummer nur geringfügig zu mildern vermochte.

»Es ist ein Brief aus Hachijô-jima gekommen«, hob sie an. »Zwar gibt es auf dieser kleinen Insel im Südmeer reichlich Meeresfrüchte, doch sind kulinarische Freuden rar, da auf dem wilden Brachland dort kein Reis wächst. In diesem abgelegenen Flecken, wo sich Fuchs und Hase gute Nacht sagen, gibt es weder Theater noch Gesang noch Menschen, die etwas von Kunst verstehen. Die Tage fließen ohne die geringste Erheiterung in unendlicher Trostlosigkeit dahin. Ich kann nur allzu gut verstehen, wie Hideie sich fühlen muss. Überdies sind Hidetaka mit sechsundzwanzig und Hidetsugu mit sechzehn jetzt in dem Alter, in dem sie die Grausamkeit und Einsamkeit des Lebens entdecken«, sagte die Dame von Bizen mit Tränen erstickter Stimme und bedeckte die Augen mit dem Ärmel ihres Kimono. »Vor ein paar Tagen nahm ich den Pinsel zur Hand, um meinen Mann über die gegenwärtige Lage hier in Kanazawa zu unterrichten. Doch als ich darüber schrieb, wie sehr sich der gesundheitliche Zustand meines Herrn Bruders verschlimmert hat, wurde ich von solchen Depressionen erfasst, dass ich es einfach nicht mehr ertragen konnte.«

»Wahrhaftig, die Bedrängnis Eures Herrn Gatten und Eurer werten Söhne sowie das Leiden Eures werten Herrn Bruders müssen eine tiefe und schwere Qual für Euch sein. Auch zeigte sich Euer Herr Bruder überaus bekümmert über die Zukunft der Christen. Vor allem wegen Euch machte er sich Gedanken … Ich werde ihm umgehend davon berichten, worum Ihr mich heute gebeten habt«, sagte Ukon betrübt.

»Das wäre sehr nett«, erwiderte die Frau und rieb sich die Augen mit dem Ärmel. »Auch von meiner Mutter in Edo habe ich einen Brief erhalten. Es zerreißt mir das Herz, wie sie sich wegen der Krankheit meines Herrn Bruders quält.« Die Dame von Bizen sorgte sich mit ganzem Herzen um ihren Gatten, ihre Söhne, ihre Mutter und ihren Bruder. Diese Anteilnahme am Schicksal ihrer nächsten Verwandten schien das einzige Mittel zu sein, sich über ihre eigene Einsamkeit hinwegzutrösten. Andererseits war kein Wort der Klage über ihr eigenes Elend zu vernehmen. Umso mehr tat sie ihm Leid.

Sie hörte auf zu weinen und bemühte sich, ruhig und gleichmäßig zu atmen. Auch Ukon atmete ganz leise. In solche Stille versunken, wurden sie durch ein ohrenbetäubendes Krachen aufgeschreckt. Die Dame zuckte zusammen, und auch Ukon schaute in alarmierter Haltung auf die Papierschiebetüren. Es sah aber so aus, als wäre nichts weiter geschehen. Offenbar war eine Ladung Schnee vom Dach in den Garten herabgestürzt. Dienerinnen kamen eilig herbeigelaufen.

»Es ist nichts weiter passiert. Vermutlich war es nur der Schnee. Er sollte weggeräumt werden«, sagte die Hausherrin.

Als Ukon eine Papierschiebetür öffnete, war draußen, vor der Steinstufe, an der man die Schuhe auszieht, ein Berg von Schnee zu sehen. Zwei Zofen wischten den Flur trocken. Im Garten waren auch die Diener herbeigeeilt.

»Der Schnee muss von Eurem Dach geräumt werden. Ich werde Euch ein paar meiner jüngeren Leute schicken«, sagte Ukon.

Als er sich anschickte zu gehen, fragte ihn die Dame von Bizen eilig:

»Man kann also davon ausgehen, dass das Glaubensverbot in nächster Zeit ansteht?«

»Mit Sicherheit kann man es natürlich nicht sagen, aber wenn man über die Umstände nachdenkt, dann wird es wohl nicht allzu lange dauern, bis die Strafmaßnahmen auch Kanazawa erreichen.«

»Sagt mir noch, wie soll ich mich verhalten, wenn es so weit ist, Herr Takayama?«

»Ihr tut wohl am besten, wie Fürst Toshinaga Euch geheißen hat. Da ich noch nie ein Hehl aus meinem Glauben gemacht habe, rechne ich damit, dass man scharf mit mir ins Gericht gehen wird und ich möglicherweise das Martyrium auf mich nehmen werde.«

»Es nimmt mir den Mut, wenn ich daran denke, mich von Euch trennen zu müssen«, klagte die Dame, wischte sich mit dem Ärmel die Tränen unter den Augen weg und fuhr mit einem leichten Seufzer, kaum hörbar, fort: »Und wenn dann auch noch mein Herr Bruder von uns gehen sollte ...«

Von den Tränen dieser vom Schicksal geschlagenen Schönheit gerührt, konnte auch Ukon seine Tränen nicht mehr zurückhalten, als er das Haus verließ.

Als er das Seidenpäckchen zu Hause öffnete, befanden sich darin ein Rosenkranz mit Kristallperlen, ein goldenes und ein silbernes Kreuz sowie zwei Bücher, eines aus dem Jahre Keichô 15 (1610) mit dem Titel »Contemptus Mundi«, das in der Hauptstadt gedruckt worden war, und eines aus dem Jahre Keichô 12 (1607), im Kolleg in Nagasaki gedruckt, mit dem Titel »Spirituelle Übungen«. Was Ukon sehr in Erstaunen versetzte, war das letztgenannte. Es handelte sich hierbei um ein Buch mit Erläuterungen zum Hauptwerk Igancio de

Loyolas, des Gründers des Jesuitenordens, das auf vortreffliche Weise beschrieb, wie man dessen strenge, »Exerzitien« genannte Meditationen in die Praxis umsetzen soll. Es war wirklich erstaunlich, dass sich solch eine vornehme Dame in dergleichen Lektüre vertiefte. Ukon hatte sich von Padre Torres einmal die lateinische Übersetzung der »Exercitia spiritualia« von Igancio geliehen und sie zu lesen versucht. Es ist ein äußerst schwieriges Werk, das nur verstehen kann, wer über profunde Kenntnisse der Bibel und des Dogmas verfügt, so dass auch Ukon nicht von sich behaupten konnte, es recht verstanden zu haben. Auch bei der Durchführung der Exerzitien war es notwendig, das Buch immer griffbereit zu haben und sich langsam, Stück für Stück lesend, vorzuarbeiten. Er hätte gewünscht, die im Kolleg von Nagasaki gedruckten Erläuterungen zur Hand zu haben, da es sich aber um ein seltenes Buch handelte, war es im abgelegenen Kanazawa nicht zu bekommen. Das Buch war offenbar mehrmals durchgelesen worden, wie an den abgegriffenen Seiten zu erkennen war, die den Duft des Tagara- und Manaban-Duftholzes, das die vornehme Dame zu verwenden pflegte, in sich aufgesogen hatten. Der Rückseite des Umschlags war zu entnehmen, dass es sich um ein Taufgeschenk handelte, und die Unterschrift von Julia Naitô war dort zu erkennen. Bei dem Gedanken, wie sehr die Dame von Bizen diese Lektüre geliebt haben musste, nahm sich Ukon vor, das Buch in Ehren zu halten und unbedingt auf seinen Weg ins Martyrium mitzunehmen.

Daraufhin rief er einen Wachsoldaten herbei und gebot ihm, sich mit einigen Dienern zur Residenz der Dame von Bizen aufzumachen und dort den Schnee von den Dächern zu räumen.

Auf der Stelle trieb ihn das Pflichtgefühl, dem in der Burg von Takaoka daniederliegenden Herrn Maeda Toshinaga einen Besuch abzustatten und ihm vom Verlauf seiner Visite bei dessen Schwester zu berichten. Es entsprach Ukons Naturell, Dinge, die er sich vorgenommen hatte, sofort in die Tat umzusetzen. Er ließ seine Frau Justa das Mittagessen richten und schlang hastig die kalte Mahlzeit herunter. Es war kurz nach der neunten Stunde (Mittag), als er in Begleitung von Okamoto Sôbê und Ikoma Yajirô das Haus verließ. Von Kanazawa bis Takaoka sind es elf ri (ca. 43 km), und bei schnellem Ritt konnte man dort ankommen, solange die Sonne noch hoch am Himmel stand. Obwohl sie den flachen Teil des Weges schnell hinter sich gebracht hatten, ging es an der Steigung zum Tonami-Berg wegen des Schnees nur schleppend voran. Je höher sie kamen, desto tiefer wurde der Schnee und die Beine der Pferde blieben stecken, so dass sie schließlich absteigen und, selbst die Pferde ziehend, durch den Schnee stapfen mussten. Glücklicherweise war es möglich, in Kurikara einige Lastenträger anzuheuern, die an die verschneiten Wege gewöhnt waren und nun vorangingen, um den Schnee festzutreten, so dass man schließlich problemlos den Pass erreichte. Der Abstieg war dann keine Schwierigkeit mehr, weil eine Gruppe von Händlern aus Toyama von der anderen Seite heraufgestiegen und der Weg somit bereits ausgetreten war. Nachdem sie wieder flaches Land erreicht hatten, gaben sie ihren Pferden die Sporen. Als sie schließlich an dle Stelle kamen, von wo aus man die Burg von Takaoka erblicken konnte, begann es bereits zu dämmern und die verschneite Ebene war in Abendrot getaucht.

Die Burg von Takaoka war ein Bauwerk mit übereinander gelagerten, korallenfarbenen Mauern und die einzig auffallende Erscheinung in der eintönigen, abendlichen Szenerie. Ukon hielt sein Pferd an und genoss den Anblick einen Moment lang. Die schwarzen Flecken, die über die zugeschneite Ebene verstreut waren, zeugten davon, dass es sich um ein Sumpfgebiet handelte, das an einigen Stellen den Schnee zum Schmelzen gebracht hatte. Hier gab es eine Schlammfläche, die auch mitten im Winter keine Armee überqueren konnte. Die Burg so zu positionieren, dass im Norden und Westen ein Sumpfgebiet an sie grenzt, war Ukons Idee gewesen, der seinerzeit die Aufgabe erhalten hatte, die Stelle festzulegen, an der die Burg gebaut werden sollte. So war die Festung im Norden und Westen durch den natürlichen Schutz des Sumpfgebietes gesichert und im Süden und Osten mit einem mächtigen Haupt- und Nebentor befestigt. Die inneren und äußeren Gräben wurden durch einen unterirdischen Lauf des Shô-Flusses gespeist. Als General zur Zeit der streitenden Reiche hatte Ukon die Kunst des Burgenbaus von seinem Vater Hida no Kami gelernt. Nachdem der vormalige Herr der Burg von Takatsuki erschlagen und Ukon Burgherr geworden war, hatte er Steinmetze aus Sakamoto in der Provinz Ômi zusammengerufen und deren »Anôshûzumi« genannte Maurerkunst mit seinem Wissen über Architektur, das er sich aus Büchern der Südbarbaren angeeignet hatte, verbunden. Die Steinmauern waren so stark, dass sie auch den Überschwemmungen des Yodo-Flusses Stand hielten, und außerdem von glatter Beschaffenheit, so dass es feindlichen Soldaten nicht möglich war, sie zu erklettern. Mit solch profundem Wissen auf dem Gebiet des Burgenbaus versetzte er im fünften Jahr der Ära Keichô (1600) die Leute des Kanazawa-Lehens in Erstaunen, als er bei der Erweiterung des neuen Walles auf der Nordseite der Kanazawa-Burg das Haupttor (Ôsaka-Tor) errichtete. Es waren auch diese Verdienste, die den Fürsten Toshinaga dazu bewogen hatten, Ukon mit dem Bau der Burg von Takaoka zu beauftragen.

Unter der Gesamtleitung Ukons versammelten die Toshinaga direkt unterstellten Vasallen– Kamio Zusho, Matsudaira Hôki und Inagaki Yoemon – Leute aus allen drei Provinzen des Maeda-Lehens, um die Bauarbeiten so schnell wie möglich voranzutreiben. Da die Arbeit im März begann und bereits im August beendet war, zeigte sich Fürst Toshinaga sehr zufrieden und fand große Worte des Lobes für Ukon und all jene, die am Bau mitgewirkt hatten. Das Ergebnis war eine starke Festung, die als Vorposten für die Burg von Kanazawa zur Verteidigung gegen eine Bedrohung aus der Richtung Echigo diente. Besonders auffallend und prunkvoll waren die mit Ziegeln bedeckten Vorbauten der Zitadelle im Momoyama-Stil. Das elegante Gebäude entsprach ganz dem Geschmack des Fürsten Toshinaga, der tiefe Einsicht in die Kunst der Teezeremonie besaß, und war aus dem edlen Holz von der Burg von Fushimi errichtet, das Fürst Hideyoshi gespendet hatte.

»Jede Burg wird irgendwann untergehen, aber gerade in dieser Vergänglichkeit liegt ihre Schönheit«, sagte Ukon zu Sôbê.

Als Ukon nach Kanazawa gekommen war, hatte Okamoto Sôbê als einfacher Fußsoldat gedient. Jetzt, über zwanzig Jahre später, gehörte er zu Ukons treuesten Vasallen. Ursprünglich Tempeldiener in einem kleinen Tempel in der Provinz Noto, wollte es die Fügung, dass er Ukon, der sein neues Lehnsgebiet besichtigte, mit seinem Tee stark beeindruckte. Ukon nahm ihn als Diener in seiner Residenz in Kanazawa auf, wobei sich Sôbê äußerst geschickt anstellte und auch Geschick bei der Reparatur und Instandhaltung der Haushaltsgüter bewies. Auch beim Kochen zeigte er sich talentiert, lernte bald, wie man Tee-Gerichte zubereitet, widmete sich mit großer Sorgfalt den Vorbereitungen für die Teezeremonie und erwies sich als äußerst nützliches Faktotum. Als er dann vom einfachen Fußsoldaten zum niederen Samurai befördert wurde, stellte sich allerdings heraus, dass es völlig aussichtslos war, ihm die Kunst des Schwertkampfes und des Bogenschießens beizubringen. Einzig in der Reitkunst machte er mit der Begründung Fortschritte, dass er dann auf dem Pferd sitzen könne und nicht mehr selbst laufen müsse. Da er sich in der Pflege guter Beziehungen unter den Vasallen des Hauses geschickt anstellte und auch in finanziellen Angelegenheiten eine glückliche Hand bewies, vertraute ihm Justa den Haushalt an, und so wurde er bald zu einer unverzichtbaren Hilfe für Ukons Frau. Als man ihn ermutigte, zu heiraten, lehnt er mit der Begründung ab, dass es doch wohl keiner Frau zuzumuten sei, solch einen hässlichen Kerl wie ihn zu bekommen, weshalb er bis jetzt ledig geblieben sei. Eines Tages äußerte er den Wunsch, die Taufe zu erhalten, wurde daraufhin von Padre Torres, der sich in Kanazawa aufhielt, getauft und erhielt den Christennamen Sancho. Am Dogma allerdings zeigte er kein Interesse, und auch christliche Literatur las er nicht. Er verstand weder den Unterschied zwischen Amida-Buddha und Jesus Christus so richtig, noch den zwischen dem Reinen Land des Amida-Buddhismus und dem christlichen Himmel. Sein Glaube schwankte zwar, doch besuchte er als Begleiter Ukons hingebungsvoll die Gottesdienste und war bei den Versammlungen der Gläubigen als interessanter Zeitgenosse beliebt. Zu bemängeln wäre vielleicht, dass er ein arger Vielfraß war und auch gerne dem Sake zusprach, so dass er kugelrund wurde und sich bisweilen etwas daneben benahm, weil er zu viel gegessen und getrunken hatte. Von Grund auf aber war er ein guter Mensch, und die Befehle seines Herrn Ukon waren für ihn absolutes Gebot. Als vertrauter Vasall, der er war, würde er seinem Herrn überall hin folgen.

»Wahrhaftig ...«, stimmte Sôbê zu, der wie immer die Rede seines Herrn nicht richtig verstanden hatte, und antwortete völlig unpassend: »Es ist wirklich kalt.«

»Mit dem Menschen ist es genauso wie mit der Burg«, sagte Ukon diesmal zu sich selbst. Er bemerkte mit geschultem Auge, dass an der Mauer des Haupttores ein, zwei Steine fehlten und runzelte die Stirn. Bei einem Angriff würde sich dieser Teil als Schwachstelle erweisen. Dies nicht zu reparieren, zeugte von der Nachlässigkeit der Vasallen und der Unachtsamkeit des Burgherrn. Ebenso wie die Menschen haben auch Burgen eine bestimmte Lebensspanne und ein Schicksal. An den schrecklichen Anblick, wie die Azuchi-Burg von Fürst Nobunaga niederbrannte, konnte er sich erinnern, als wäre es gestern gewesen. Ebenso wie es Shibata Katsuies Burg Kitanoshô, Akechi Mitsuhides Sakamoto-Burg, Fürst Hideyoshis früherer Burg in Nagahama und Ieyasus Fushimi-Burg ergangen war. Heute war es wohl für die Burg von Ôsaka am gefährlichsten. Diese Festung, mit der Hideyoshi die ewige Herrschaft der Familie Toyotomi prahlerisch zur Schau stellen wollte, war beim jetzigen Stand der Dinge wohl nicht mehr als eine Kerze im Wind.

»Wie Jesus sprach, der Tempel werde in drei Tagen fallen, so verhält es sich auch mit den Burgen«, sagte Yajirô, stolz sein Wissen unter Beweis stellend, hinter Sôbês Rücken.

»Genau«, erwiderte Ukon und blickte den jungen Samurai lächelnd an.

Ikoma Yajirô war der Sohn eines Gefolgsmannes aus der Zeit, als Ukon noch Herr der Burg von Takatsuki war. Dieser Vasall, dessen Vater ebenfalls schon der Familie gedient hatte, hielt Ukon, nachdem dieser nach Akashi verbannt worden war, die Treue und folgte ihm schließlich bis nach Kanazawa, wo er einer Krankheit erlag. Seinen einzigen Sohn Yajirô gab er in Ukons Obhut. Dieser Yajirô war ein Gläubiger von lauterer Gesinnung, der, schon in jungen Jahren getauft, den Christennamen Michael erhalten hatte. Er tat sich in der Kunst des Bogenschießens und des Schwertkampfes hervor, war von leidenschaftlicher Gelehrsamkeit und überhaupt ein vorbildlicher, junger Samurai des Hauses. Allerdings neigte er dazu, sich bei den anderen Gefolgsleuten unbeliebt zu machen, da er überaus zielstrebig und fordernd war und sich auch einiges auf seine Gelehrsamkeit und sein Wissen einbildete. Wenn man ihm aber auftrug, etwas zu beschaffen, so brachte er schnell die gefragten Dokumente herbei und erfüllte auch zuverlässig das Amt eines Sekretärs, der Texte ins Reine schreibt. Ukon schätzte ihn sehr und hatte beschlossen, diesen äußerst ernsthaften und ergebenen Begleiter stets in seiner Nähe zu haben, wenn er unterwegs war.

Sie ritten in die Stadt Takaoka hinein. Im Süden der Burg reihten sich Geschäfte und Werkstätten der Handwerker aneinander, und neben dem gigantischen Zuiryû-Tempel, dem Haustempel der Familie Maeda, befanden sich noch weitere Tempel und Schreine um die Burg herum. Es war ein grandioser Anblick, so dass man die Gegend »Klein-Kanazawa« hätte nennen können.

Die Wachposten am Hauptportal der Burg kannten Ukon und öffneten ihm sofort das Tor. Ukon trennte sich von seinen Begleitern und wurde von einem Diener in den inneren Ring der Burg und danach sofort in die Wohngemächer Fürst Toshinagas geführt. Dieser verließ sein Bett und lehnte sich vor dem ausgebreiteten Futon, in dem er gelegen hatte, auf ein Stützbänkchen. Um die fortschreitende Ausgezehrtheit seines Gesichts zu verbergen, trug er einen lila Schleier, wie ihn normalerweise vornehme Personen benutzen, wenn sie nicht erkannt werden wollen. Ukon warf sich ehrerbietig zu Boden.

»Gibt es etwas Dringendes?«, fragte Toshinaga besorgt.

»Als ich heute die hochverehrte Dame von Bizen traf und sah, welche Sorgen sie sich um den gesundheitlichen Zustand ihres werten Herrn Bruders macht, kam es mir in den Sinn, Euch einen Besuch abzustatten. Daher meine plötzliche Aufwartung.«

»Heute hast du Gô besucht und machst noch am selben Tag hier deinen Krankenbesuch? Du hast es ja wirklich eilig.«

»Wenn man einmal mein Alter erricht hat, darf man seine Angelegenheiten nicht auf die lange Bank schieben.«

»Nun, das trifft auch auf mich zu. Lange werde ich gewiss nicht mehr leben. Ich habe jeden Tag das Gefühl, dass es mit mir bald zu Ende geht«, erwiderte Fürst Toshinaga mit einem Seufzer tiefer Hoffnungslosigkeit. Ukon schwieg mit gesenktem Kopf. »Ich merke, wie sich der Tod vom Innersten meines Körpers her ausbreitet. Das Ende dieses Jahres werde ich vielleicht noch erleben, aber ob ich den nächsten Frühling sehen kann, ist doch sehr fraglich. Wenigstens möchte ich meine Mutter noch einmal treffen, bevor ich sterbe, aber auch dieser Wunsch wird wohl nicht mehr in Erfüllung gehen.«

»Auch die hochverehrte Dame von Bizen äußerte den Wunsch, die Dame Hôshun-in wiederzusehen.« Fürst Toshinaga befahl plötzlich allen Anwesenden, den Raum zu verlassen und forderte Ukon auf, näher zu rücken. Er sprach mit gedämpfter Stimme.

»Das ist es ja, ich mache mir solche Sorgen um Gô. Da der Shôgun nun drauf und dran ist, ein Edikt zur Verbannung der Christen zu erlassen, ist es nur eine Frage der Zeit, bis auch hier in Kanazawa der Befehl zur Überprüfung ergeht.«

»Ja, auch ich habe davon gehört ...«

»Und es ist etwas dran. In letzter Zeit wird im Kabinett des Shogunats zum wiederholten Male ein Verbot des häretischen Glaubens geprüft. Der abgedankte Shôgun Ieyasu hat Honda Masanobu von Sumpu nach Edo geschickt, um Shôgun Hidetada als Berater zur Seite zu stehen. Dieser Masanobu, sein Sohn Masazumi und Hasegawa Sahyôe, der Gouverneur von Nagasaki, fordern strengste Strafen für die Christen. Es sieht so aus, dass bald entsprechende Anordnungen erlassen werden.«

Fürst Toshinaga hielt plötzlich inne und schien um Luft zu ringen. Ukon dachte daran, dass der im Kabinett äußerst einflussreiche Honda Masanobu der Vater Honda Masashiges, des obersten Vasallen der Familie Maeda, war. Vermutlich hatte er Fürst Toshinaga diese Information zugespielt. »Im Kabinett des Shôguns«, fuhr der Fürst fort, »gibt es nämlich Feindseligkeiten zwischen dem Berater Honda Masanobu und dem Kabinettsältesten Ôkubo Tadachika. Um diese Zwistigkeiten hinauszuschieben, neigt man dort dazu, erst einmal das Problem der Christen vorzuziehen, um eine Konfrontation zu verzögern und nach außen Frieden zu wahren.«

»Aha?!«, meinte Ukon mit einem leichten Nicken. Ihm, der über keine Informanten verfügte, waren dergleichen politische Querelen in den höchsten Kreisen ein Buch mit sieben Siegeln. Toshinaga hingegen wusste immer ganz genau, was in den inneren Kreisen des Shogunats vor sich ging. Politikinteressiert wie er war, verfügte er stets über die neuesten Informationen.

»Tadachika hat innerhalb des Shogunatskabinetts zu viel Macht erlangt. Da liegt das Problem«, erklärte Toshinaga, änderte aber plötzlich seine Rede, als er Ukons verständnislosen Gesichtsausdruck bemerkte. »Jedenfalls müssen wir damit rechnen, dass der abgedankte Shôgun ganz Japan von dem ›falschen Glauben‹ reinfegen und die Südbarbaren-Missionare des Landes verweisen wird. Ukon, wie sieht es denn eigentlich mit Gôs Glauben aus. Glaubt sie wirklich daran, dass Christus ein Gott ist?«

»Über die unergründlichen Tiefen des Herzens weiß ich nichts zu sagen, doch ist sie, wie auch Ihr wisst, eine leidenschaftliche Christin.«

»Das ist es ja«, brachte Fürst Toshinaga mit einem ersterbenden Seufzer hervor. »Wenn das Verbot erst einmal wirklich verabschiedet ist, dann wird auch Gô Gegenstand der Ermittlungen werden.«

»Der Sicherheit halber habe ich dem Padre gesagt, dass er die Listen der Gläubigen lieber verbrennen soll. Von dieser Seite her werden die Untersuchungen also nicht weiter führen. Und auch von mir wird niemand vom Glauben der vornehmen Dame erfahren. Außerdem habe ich heute ihre Utensilien in Verwahrung genommen, die sie mit dem christlichen Glauben in Verbindung bringen würden. Es befindet sich also nichts mehr in ihrem Besitz, was als Beweis dienen könnte.«

»Das ist sehr gut.« Auf Fürst Toshinagas blassem Gesicht zeichnete sich endlich ein Lächeln ab. Wie als Entschuldigung fügte er hinzu: »Auch ich erkenne die christliche Lehre als etwas sehr Verehrenswürdiges und Hervorragendes an, deshalb habe ich sie bisher auch auf jede mögliche Weise unterstützt. Meine Stellung allerdings verbietet es mir, mich ganz darauf einzulassen.«

»Wir haben von Euch bisher unermessliche Gunst erfahren, Herr. Dafür möchte ich mich von ganzem Herzen bedanken. Der eigentliche Grund, weshalb ich Euch heute so plötzlich besuche, ist, dass mich Eure werte Frau Schwester darum gebeten hat. Aber auch mir war es ein Bedürfnis zu kommen, weil ich Euch Lebewohl sagen möchte.«

»Was hat das denn nun zu bedeuten?«

»Jetzt, da das Glaubensverbot in unmittelbar bevorsteht, könnte ich jeden Moment gezwungen sein, plötzlich abzureisen.«

»Nun, ganz so weit ist es noch nicht. So lange ich noch am Leben bin, werden die Gläubigen keinen grausamen Untersuchungen ausgesetzt!«

Ukon verneigte sich schweigend mit der Stirn bis auf den Boden. Er wollte damit zum Ausdruck bringen, dass er auf das Äußerste vorbereitet war. Fürst Toshinaga sagte in freundschaftlichem Ton zu ihm: »Ukon, bleib heute Nacht hier. Ich habe schon lange nicht mehr deine Teekünste genossen.«

Er klatschte in die Hände, um einen Diener herbeizurufen, und befahl diesem, das Teezimmer vorzubereiten.

4
Die trauernde Santa Maria

Am Neujahrstag des Jahres 1614 nach dem Gregorianischen Kalender, also dem 21. Tag des 11. Monats im 18. Jahr der Ära Keichô, veranstaltete Ukon unter dem Namen Minami no Bô, den er als Teemeister verwendete, seit er nach Kanazawa gekommen war, die alljährliche Neujahrs-Teezeremonie in seinem Haus.

Dieses jährliche Teetreffen, zu dem Ukon die wichtigsten Christen Kanazawas einlud, diente dazu, alte Freundschaften zu pflegen, Missionspläne für das neue Jahr auszuarbeiten und Informationen zwischen den Gläubigen auszutauschen. Dieses Jahr lud Ukon, wegen der kritischen Situation, in der sich die Gläubigen befanden, nur seine engsten Vertrauten, nämlich João Naitô Tadatoshi, dessen Sohn Tomás Naitô Kôji und Tomás Ukita Kyûkan zu sich ein. Alle drei waren auf Ukons Empfehlung hin Vasallen des Hauses Maeda geworden und Gefolgsleute höchsten Ranges.

Minami no Bô bereitete seine Teezeremonien immer mit großer Sorgfalt vor, doch diesmal war es etwas Besonderes, da er das starke Gefühl hatte, dass es das letzte Treffen dieser Art in Kanazawa sein würde. So gab er sich diesmal noch größere Mühe als sonst. Bereits mehrere Tage vorher begann er, mit Wasser, das er frühmorgens aus dem Asano-Fluß geschöpft hatte, den Kessel auszukochen, um den Rostgeschmack zu entfernen. Am Tag davor befahl er seinen Dienern, das Teehaus, das den Namen »Shûun-ryô« (Pavillon der versammelten Wolken) trug, und dessen Umgebung zu säubern, aber das Ergebnis wollte ihm nicht recht gefallen, weshalb er sich frühmorgens selbst an die Arbeit machte und hinter den Bäumen, die die Gartenwege säumten und bis in den letzten Winkel unter der Veranda, die das Haus umsäumte, gewissenhaft alles ausfegte. Der Staub auf einem

Sprung im Stein des Waschbeckens, der Schimmel am Rand des Türsturzes zur Spülkammer und die vergilbten Stellen an den Papierschiebetüren, dies alles sprang ihm ins Auge. Lauthals beschimpfte er die Diener und ließ sie mit dem Putzen noch einmal von vorn anfangen, wobei ihm immer mehr Nachlässigkeiten auffielen und so die Putzerei kein Ende nehmen wollte. Schließlich ließ er es auf sich beruhen, nachdem Sôbê zu ihm sagte: »Herr, je mehr man putzt, desto mehr Schmutz entdeckt man. Und genau das ist es, was man Reinlichkeitswahn nennt.« Einmal hatte ihn sein Teefreund Oda Uraku beschämt und mit den Worten verspottet: »Ukon, dein Tee hat ein arges Gebrechen. Es ist der Reinlichkeitswahn, der nichts von wahrer Reinheit weiß.« Deshalb war das Wort »Reinlichkeitswahn« für Ukon ein wahrer Totschlägerausdruck. Als nächstes konnte er sich nicht entscheiden, welches Rollbild er aufhängen sollte. Üblicherweise hängt man bei der Teezeremonie ein Rollbild oder eine Kalligraphie mit buddhistischem Hintergrund in die *tokonoma*-Nische an der Stirnseite des Zimmers. Ukon aber hatte sich, um nicht von seinem Glauben abzuweichen, forsch darauf versteift, gar nichts aufzuhängen, was ihm die Bezeichnung »nischenlos« eingebracht hatte. Diesmal jedoch erschien ihm die leere Nische einsam. So entschied er sich, doch etwas aufzuhängen, und als er gerade dabei war, die Größe des Bildes auszuwählen, kam es ihm in den Sinn, eine originale Tuschezeichnung des Malers Mokkei zu nehmen. Doch wollte diese nicht so recht zu seiner momentanen Stimmung passen. Da holte er unwillkürlich das Südbarbarenbild »Die trauernde Santa Maria« hervor, und als er es hochhielt, schien es ihm genau das Passende zu sein. Versunken in die Betrachtung des Bildes, vergaß er die Zeit. Padre Valignano hatte es ihm einst in Ôsaka als Geschenk Claudio Aquavivas, des Ordensgenerals der Jesuiten, überreicht. Es hieß, es sei das Werk eines italienischen Meisters aus Siena und zeige die Heilige Mutter Maria, die sich in tiefer Trauer über den vom Kreuz genommenen Christus beugt. Das Kreuz und auch Christus selbst sind aber auf dem Bild nicht zu sehen, sondern nur schwarze, wie ein Strudel ineinander wirbelnde Wolken, die den Hintergrund bilden. »Die Trauer der Heiligen Mutter Maria ist nur eine vorübergehende«, erklärte Padre Clemente, als er das Bild sah. »Danach wird die Freude der Auferstehung über sie kommen. Achtet genau auf die Augen. Während sie von Tränen bedeckt sind, leuchtet in ihnen doch eine versteckte Freude wie der Glanz geschliffener Edelsteine. Es sind das Talent und der Glaube, die den Künstler dieses Leuchten in die Figur der trauernden Heiligen Mutter hineinmalen ließen.« Ukon setzte sich im Lotossitz, den man bei der Zen-Meditation einnimmt, vor das Bild und betrachtete es bewegungslos. Er versenkte sich ins Gebet, in dem sich die Trauer der Heiligen Mutter, die ihren Sohn verloren hatte, mit dem Andenken an seine eigene Trauer, als er seinen Sohn Jûjirô verloren hatte, überlagerte. Wie er so betete, kam es ihm vor, als würden die schwarzen, wirbelnden Wolken dünner und machten ein paar Sonnenstrahlen Platz, und sein Gemüt erheiterte sich etwas. Ein Diener erschien und meldete: »Der Herr vom Echizen-Laden ist da.« Gemeint war Kataoka Magobê Kyûka. Er war bürgerlicher Herkunft, ging aber in der Burg ein und aus, da er dort für die Teegerichte zuständig war. Wahrscheinlich war er persönlich erschienen, um den Tee, den Ukon für diesen Abend bestellt hatte, zu liefern.

»Aber es hätte doch auch gereicht, einen Boten zu schicken«, begrüßte ihn Ukon dankbar, als er den frisch gemahlenen Tee entgegennahm.

»Nein, wenn es um den Neujahrsempfang des Herrn Minami no Bô geht, da darf es keine Nachlässigkeiten geben. Hier ist euer Gyokuro-Tee aus Uji.«

»Das ist ja vom Allerfeinsten. Der muss einen ganz besonderen Duft haben.«

»Außerdem habe ich noch einen Winter-Gelbschwanz, der heute früh in Miyanokoshi gefangen wurde, Lauch von unserem Feld, Kürbisfasern und gebratenen Tofu aus eigener Herstellung in die Küche liefern lassen.«

»Vielen Dank.«

Der Herr vom Echizen-Laden verbeugte sich und rückte dann plötzlich mit ernstem Gesicht etwas näher. Aus diesem Ausdruck eines Menschen, der etwas auf dem Herzen hat, sich aber zurückhält, schloss Ukon, dass er ihn wegen des Glaubensverbotes fragen wollte. Als er aber zu sprechen begann, stellte sich heraus, dass er es war, der Ukon mit Neuigkeiten zu versorgen gedachte.

»Gerade eben hat einer meiner Leute, der in Kyôto war, berichtet, dass dort öffentlich mit der Erstellung einer Namensliste der Gläubigen begonnen wurde, die man dort bisher nur inoffiziell vorbereitet hatte. Und der Gouverneur von Kyôto geht bei seiner Fahndung mit äußerster Strenge und Gründlichkeit vor.«

»Dann hat es also endlich begonnen.«

»Der Gouverneur von Kyôto scheint es dabei sehr eilig zu haben, und es geht das Gerücht, dass aus Edo ein hoher Herr als Generalbevollmächtigter zur Ausführung des Verbots des üblen Glaubens geschickt wird. Ich denke, nach Edo und Sumpu breiten sich nun die Flammen der Verfolgung in Kyôto aus, das ja ebenfalls zu den Lehnsgebieten gehört, die direkt der Jurisdiktion des Shôguns unterstehen.«

Der Besitzer des Echizen-Ladens war ein Händler, der seine Leute zum Einkauf in alle Teile des Landes entsandte und sich daher offenbar auch sehr gut mit der Situation in den verschiedenen Gegenden auskannte. Mit Neuigkeiten, die die Christen betrafen, kam er immer unverzüglich zu Ukon. Doch war es seine Art, nie mehr zu sagen als unbedingt nötig, so dass er sich auch diesmal rasch wieder zurückzog.

Ukon ging in die Küche und schaute nach, wie es mit der Zubereitung des Mahls für die Teezeremonie voranging, für das seine Frau und Sôbê zuständig waren. Der Winter-Gelbschwanz, den der Herr aus dem Echizen-Laden mitgebracht hatte, war ganz hervorragend und hatte viel Fett. Deshalb entschied sich Ukon, ihn für ein Gericht zu verwenden, das sich »Jibu-ni« nennt. Es ist ein Südbarbaren-Gericht, das ihm der Feinschmecker Padre Torres beigebracht hatte und bei dem es sich um mit Weizenmehl bestreutes und eingekochtes Fleisch der Ente oder des Winter-Gelbschwanzes handelte, das mit scharfem grünen Meerrettich und einem Schuss japanischer Zitrone gewürzt wird. Es ist ein wohlschmeckendes Essen, das gut für den Winter in den nördlichen Regionen geeignet ist und sich bei Ukons Gästen großer Beliebtheit erfreute. Nachdem er in der Küche verschiedene Anweisungen gegeben hatte, zog sich Ukon einen weißen Überrock, wie man ihn bei der Teezeremonie trägt, über und wartete auf seine Gäste.

Vater und Sohn Naitô kamen zu Pferd.

Naitô Hida no kami Tadatoshi, der seinen Taufnamen João wie einen Künstlernamen elegant mit chinesischen Schriftzeichen schrieb, wurde in der Kameyama-Burg in der Provinz Tamba geboren und war einst Herr über die Burg von Yagi. Als der Regent Hideyoshi jedoch den Befehl zur Verbannung der Christen erließ und Naitô sich weigerte, dem christlichen Glauben abzuschwören, wurde sein Lehen konfisziert. Er trat daraufhin in die Dienste Konishi Yukinagas und Katô Kiyomasas. Da letzterer aber ein glühender Anhänger der buddhistischen Nichiren-Sekte war, begann auch er mit der Unterdrückung der »schädlichen Religion«, so dass Naitô Tadatoshi auf Ukons Empfehlung hin zusammen mit seinem Stammhalter Tomás Kôji Kyûho in die Dienste der Familie Maeda aufgenommen wurde. Die Reisstipenden Joãos betrugen 4000 Scheffel und die Kôjis 1700 Scheffel.

Etwas später erschien Tomás Ukita Kyûkan mit einer Sänfte. Kyûkan war mit dem früheren Daimyô von Bizen, Ukita Hideie, blutsverwandt und war bis zu dessen Verbannung einer seiner wichtigsten Gefolgsleute. Nachdem er seinen Herrn verloren hatte, kam er anstellungslos zusammen mit der Dame von Bizen nach Kanazawa, wo er – unter anderem auch auf Betreiben Ukons – Reisstipenden von 1500 Scheffeln zugesprochen bekam.

João, Kôji und Kyûkan setzten sich jeder auf einen Gästeplatz, während sich Ukon auf dem Sitz des Gastgebers niederließ.

Zunächst zog das Südbarbarenbild die Aufmerksamkeit aller Anwesenden auf sich. Es war das erste Mal, dass Minami no Bô, der ja für den Begriff der »Nischenlosigkeit« einstand, ein Gemälde in die *tokonoma*-Nische gehängt hatte. Deshalb fragte ihn João nach der Herkunft und Bedeutung des Bildes und wunderte sich über die Technik, die gesamte Fläche vollzupinseln, ohne auch nur den geringsten Freiraum zu lassen, was so völlig anders war als zum Beispiel bei den Tuschezeichnungen Mokkeis, welche bei den Freunden der Teezeremonie in letzter Zeit in so hohem Ansehen standen. »Die Südbarbaren müssen immer alles in lückenloser Dichte darstellen. Ihrer Ausdrucksform fehlt es an Spielraum«, war sein Urteil. »Es sind ja schon viele Südbarbaren in unser Land gekommen, aber eine ihrer Frauen habe ich bisher noch nicht gesehen. Doch muss ich sagen, dass dies hier ein wirklich schönes Antlitz ist. Dieser in Trauer versunkene Gesichtsausdruck erweckt wahrhaftig Mitgefühl«, sagte Kyûkan offen heraus.

Daraufhin begann die Teezeremonie. Zwischen dem Gastgeber und seinen Gästen breitete sich ein Gefühl der Anspannung aus, als erwarte man auf dem Schlachtfeld den Angriff des gegnerischen Heeres. Die drei Gäste saßen bewegungslos da. Das Knistern der Kohle verbreitete ein Vorgefühl auf die summenden Pfeile mit den sichelförmigen Spitzen, und das Sieden des Wassers im Kessel erinnerte an die Hitze des Gefechts. Der Hausherr und seine Gäste fühlten gemeinsam aufs Eindringlichste, dass diese Teezeremonie die letzte sein würde, bevor sich ihre Schicksalswege schieden. Auf der Spitze des kleinen Bambusbesens, mit dem der Tee angerührt wird, sahen sie das Leben selbst aufblitzen, das Aroma des starken Tees gab ihnen einen Geschmack des Abschieds von einem Frühling, der nie wiederkehren würde, und in der seltsamen Vortrefflichkeit der feinen Haarrisse in der Glasur der Teeschale lag die Bewunderung für Blumen am Wegesrand. Es kam Ukon so vor, dass sein Meister Sôeki (Sen no Rikyû) ein solchermaßen zugespitztes Teetreffen als falschen Weg kritisiert hätte, doch war es in der gegenwärtigen Situation, in der sie sich befanden, wiederum auch nur natürlich und er betrachtete es als ein unvergessliches Treffen, wie eine einmalige Begegnung im ganzen Leben. Ukon kannte bereits die Erfahrung einer Teezeremonie auf dem Schlachtfeld am Tage vor der Entscheidungsschlacht, doch noch nie hatte sich ihm das tragische Gefühl, dass ausnahmslos alle zu Tode kommen würden, so intensiv aufgedrängt wie an diesem Abend. Als die Sitzung beendet war, hatte Ukon eine unvergleichliche Teezeremonie geleistet. Verbunden mit dem belebenden Gefühl, dass ein frischer Wind alle dunklen Wolken fortgeweht hatte, kam alles zu einem Ende und es stellte sich eine Empfindung entspannender Leere ein, als wäre der ganze Köper seiner Knochen entledigt worden.

Nachdem man den Tee getrunken hatte, widmete man sich der Betrachtung der Utensilien, die bei der Teezeremonie verwendet wurden, wie die irdene, bauchige Wabisuke-Teedose und die Feder, mit der man den Aschestaub wegfegte, welche ein Geschenk Meister Sôekis war. Die grünlich-seladonfarben glasierte Teeschale war nach Art chinesischer Töpferei der Hàn-Dynastie gefertigt und zeigten das Kreuz des Konstantinus. Die verschiedenen Gegenstände waren allesamt Schätze, welche die Gäste das erste Mal zu Augen bekamen. Sie legten sie sich auf den Handteller, betrachteten sie von oben und unten und Stimmen des Erstaunens und der Bewunderung wurden laut.

Kyûkan fragte Ukon nach der Herkunft der Wabisuke-Teedose. Dieser antwortete, dass sie ein Geschenk des Fürsten Toshinaga sei und der Name auf den reichen Händler Kasahara Wabisuke zurückgehe, der in Sakai einen Laden mit dem Namen Sumiyoshi-ya besäße und dessen Kleinod dieses Teegefäß gewesen sei. João hatte von Freunden, mit denen er die Teezeremonie pflegte, bereits vor langer Zeit von dieser Teedose gehört, aber es war bisher nur ein unbestätigtes Gerücht, dass sie sich im Besitze Ukons befände. So zeigte er größtes Interesse an dem Gefäß, welches er nun zum ersten Mal sah, und man verglich seine Vorzüge und Nachteile mit denen der Sôhan-Teedose, die in der Provinz Kaga ebenfalls berühmt war. Daraufhin wurde auf Wunsch aller Anwesenden der Beutel, in dem die Teedose aufbewahrt wurde, herumgezeigt. Er war aus Damast, der nach dem berühmten Teemeister Jôô benannt worden war und im chinesisch beeinflussten Kantô-Stil gewebt. Seine Vortrefflichkeit wurde allerseits anerkannt. Als Ukon erklärte, dass es sich bei der Teeschale aus der koreanischen Koryo-Dynastie um einen Gegenstand handelte, den Fürst Konishi Yukinaga aus Korea mitgebracht hatte, klopfte sich Joan auf den Oberschenkel, sagte, dass dies eines jener wenigen Länder sei, in dem man derart berühmte Gegenstände in großer Zahl finden könne und lobte die vortreffliche Qualität und Eleganz der Glasur. Als er mit halb zugekniffenen Augen den Boden der Teeschale begutachtete, gab er, ohne dass ihn jemand aufgefordert hätte, einige Erinnerungen aus der Zeit preis, da er auf Befehl Fürst Konishis als Gesandter bis nach Peking, der Hauptstadt des Míng-Reiches, gereist war. Er machte keinen Hehl daraus, für wie töricht er es hielt, dass Fürst Hideyoshi seine Armeen aus diesem rückständigen Land nach Korea und ins China der Míng-Dynastie geschickt hatte, welche Japan in der Fortschrittlichkeit ihrer Zivilisation und kulturellen Errungenschaften immer einen Schritt voraus waren.

Dann begann man mit dem Mahl, und die Frauen brachten unter Justas Anleitung für jeden ein eigenes Tablett mit Speisen herein. Die bisher angespannte Atmosphäre schlug augenblicklich in ausgelassene Feierstimmung um. Den Toast brachte João aus. Er sprach darüber, dass in letzter Zeit auch in Kanazawa der Teestil von Furuta Oribe immer mehr in Mode komme und warnte davor, dass er mit seiner übermäßigen Freizügigkeit und seinem Großmut der Überlieferung des Teeweges von Meister Rikyû zuwiderlaufen würde. Seitdem Oribe nach der Schlacht von Sekigahara Teemeister bei Shôgun Hidetada geworden war, galt er im ganzen Lande als der Teemeister der Stunde, und die Adepten der Teekunst machten es allerorts zur Mode, seinen Stil nachzuahmen.

»Auch trifft man in der Stadt häufig auf die Meinung, dass Rikyûs Teeweg, den man wegen seiner rustikalen Schlichtheit auch den Strohhütten-Stil nennt, veraltet sei«, verkündete Joan mit dem Ausdruck tiefen Bedauerns.

»Es gibt die verschiedensten individuellen Auslegungen der Lehre Rikyûs und tatsächlich versuchen die Vertreter einer jeden ihren eigenen Stil der Teezeremonie zu etablieren«, sagte Minami no Bô. »Es sind Menschen, die Tee zubereiten, und Menschen unterscheiden sich voneinander. Daher muss es auch verschiedene Stile der Teezeremonie geben. Das, glaube ich, ist die Lehre Meister Sôekis. So sind zum Beispiel mein Standpunkt und der Oda Urakus völlig gegensätzlich. Während ich Reinheit anstrebe, zielt er auf Getrübtheit ab. Ich fege den Boden des Gartens säuberlich aus und mag es, wenn die Bäume auf der blanken Erde oder dem Moos mit einer Ästhetik markanter Deutlichkeit korrespondieren. Uraku lässt das Laub wild verstreut auf dem Boden liegen und vertritt einen Geschmack des verschwommen Nebulösen, der es auch erlaubt, dass selbst die Wege von Laub und Zweigen bedeckt sind. Welcher der beiden Stile nun der bessere ist, lässt sich nicht einfach so entscheiden.«

»Ich denke, Ihr, werter Herr Minami no Bô, und Uraku-sai folgt beide der legitimen Überlieferung des verstorbenen Meisters Rikyû«, ließ João verlauten. »Jedoch finde ich, dass es Oribe mit seiner pompösen Künstlichkeit übertreibt. Im Garten vor dem Eingangsbereich des Teehauses, der eigentlich leer sein sollte, pflanzt er Hahnenkämme, lässt Bergtauben fliegen und Koto-Töne erklingen. Während wir einen schlichten Teerührbesen aus lila *shichiku*-Bambus verwenden, nimmt er einen glänzend polierten aus geöltem Bambus. Und zu allem Überfluss schlägt er noch den Gong, wenn die Gäste das Teehaus betreten. Ich frage mich wirklich, ob dies nicht in heftigem Widerspruch zum Geist des verstorbenen Meisters steht, der Anpassung an die Natur und Schlichtheit zum Prinzip erhoben hat.«

»Ist es nicht vielleicht von vornherein eine etwas enge Sicht der Dinge, Meister Sôekis Teekunst als den einzigen Weg der eleganten Schlichtheit zu betrachten?«, sagte Minami no Bô. »Rikyû selbst zwar pflegte und lehrte uns die Teekunst auf diese Weise, andererseits jedoch mochte er selbst auch eine freiere und ungezwungenere Art der Teezeremonie. Als ich früher einmal den Regenten Hideyoshi auf der Burg von Ôsaka besuchte, hatte ich die Gelegenheit, sein vergoldetes Teezimmer dort zu besichtigen, welches auf Meister Sôekis Idee hin so ausgestattet war. Es war wohl seine Überlegung, dass eine solche Gestaltung die Anerkennung des Regenten finden würde.«

»Aber steckt da nicht eher der Versuch dahinter, sich beim Regenten einzuschmeicheln?«, ließ Kyûkan verlauten.

»Ich denke nicht, dass dies unbedingt der Fall ist«, sagte Ukon. »In den Verhältnissen, in denen er als reicher Händler in Sakai lebt, zeichnet er sich druch eine mondän-extravagante Lebhaftigkeit aus. Auch wenn Gold nicht unbedingt die Farbe für ein Teezimmer ist, so denke ich doch, dass er großzügig genug ist, um selbst ein solches Teezimmer zu würdigen. Insofern kann man wohl auch sagen, dass sich Oribes Teekunst durchaus auf die von Meister Sôeki zurückführen lässt.«

»Wann war es denn eigentlich, als Ihr das goldene Teezimmer zu sehen bekamt?«, wollte Kôji wissen.

»Nun, an die Jahreszahl kann ich mich nicht mehr genau erinnern, aber ich weiß, dass Padre Coelho damals mit mir war.«

»Padre Coelho, der stellvertretende Provinzial der Jesuiten-Mission in Japan? Dann war es im Jahre Tenshô 14 (1586)«, sagte Kôji voller Überzeugung.

Nun befragte João Minami no Bô über die Teekünste Fürst Toshiies, des ersten Patriarchen der Familie Maeda.

»Ich selbst hatte nie die Ehre, einer Teezeremonie Fürst Toshiies beizuwohnen. Aus Berichten allerdings weiß ich, dass seine Teekunst sehr eigen gewesen sein soll.«

Da es eine allgemein bekannte Tatsache war, dass Fürst Toshiie Ukon nach Kanazawa geholt hatte, weil sie beide Schüler Meister Sôekis und Freunde des Teeweges waren, wurde er häufig nach den Teekünsten Fürst Toshiies gefragt. Noch nie allerdings hatte er seine persönlichen Ansichten über die Familie seines Herrn preisgegeben. Heute Abend jedoch war ihm danach, seine eigene Meinung zu äußern.

»Die Teezeremonie Fürst Toshiies ist eher farbenfroh, die Fürst Toshinagas eher vornehm-elegant und die meinige still, vielleicht etwas krankhaft übertrieben still.« Ukon bedachte die Künste seiner Herren mit Ehrerbietung, indem er seine eigenen mit dem Ausdruck »krankhaft« abtat. Daraufhin fragte João weiter:

»Und wie sieht es mit Fürst Toshimitsu aus?«

Nachdem Ukon einen Moment nachgedacht hatte, antwortete er lakonisch: »Daimyô-Tee.« João nickte ausladend, woraufhin Kôji näher rückend meinte: »Ich vermute, dass dann also auch bei ihm der Stil Oribes großen Anklang findet, glamourös und extravagant. Für Geschirr und dergleichen gibt er viel Geld aus, und mehr als die spontane, individuelle Zweisamkeit von Gastgeber und Gast schätzt er die Teezeremonie als eine Art mondäner Veranstaltung, wie die Gelage beim Betrachten der Kirschblüten oder des Herbstlaubes.«

Daraufhin rückte er etwas näher und fragte Ukon in ernstem Tonfall: »Ich habe gehört, Ihr seid im 16. Jahr der Ära Tenshô (1588) nach Kanazawa gekommen. Stimmt das?«

»Als ich mich in Higo, dem Lehen Konishi Yukinagas, aufhielt, erreichte mich ein Bote Fürst Toshiies. Auf Anweisung begab ich mich in die Hauptstadt, wo meine Angelegenheit dem Regenten vermittelt wurde und ich die Erlaubnis erhielt, meinen Wohnort nach Kanazawa zu verlegen. Das war genau zwei Jahre vor der Schlacht von Odawara.«

»Die Belagerung der Burg von Odawara war im Jahre Tenshô 18. Dann seid Ihr also im Jahre Tenshô 16 nach Kanazawa gekommen, das heißt vor sechsundzwanzig Jahren.«

»Ja, so wird es wohl sein«, sagte Ukon und versuchte mit geschlossenen Augen, als fühle er das Gewicht der Jahre, selbst nachzurechnen, aber sein Kopf wollte nicht so flink arbeiten wie der Kôjis. Jedenfalls war er damals noch Ende dreißig und stand in der Blüte seiner Lebenskraft.

»Euer heldenhafter Kampf in der Schlacht von Odawara ist bei den Vasallen des Hauses in aller Munde. Gerne würde ich die Geschichte einmal direkt von Euch hören.«

»Ach, das sind doch alte Geschichten, und von besonderen Verdiensten in der Schlacht kann nicht die Rede sein. Da gibt es nichts, was der Erwähnung wert wäre«, spielte Ukon angesichts der Erregung seines Gegenübers die Angelegenheit herunter.

Kôji wollte weiter fragen, aber João hielt ihn zurück und nahm den Faden des Gesprächs wieder auf.

»Mein törichter Sohn hat es sich in letzter Zeit in den Kopf gesetzt, die Geschichte Eures Lebens aufzuzeichnen, um sie der Nachwelt zu erhalten. Bitte verzeiht seine Aufdringlichkeit.«

»Aber Vater, in dieser Angelegenheit habe ich ausdrücklich von Herrn Takayama die Erlaubnis eingeholt und ihn schon des Öfteren besucht, um mir seine Erzählungen anzuhören. Die ausführlichen Berichte über die Schlachten von Yamazaki, Shizugatake und Nagakute durfte ich mir bereits anhören. Nun fehlt mir nur noch die Belagerung von Odawara. Es nimmt ziemlich viel Zeit in Anspruch, meine ganzen Aufzeichnungen zu ordnen, und so habe ich diese Tätigkeit vorübergehend unterbrochen und wollte, da sich die Ereignisse in letzter Zeit überstürzen, die Gelegenheit heute Abend unbedingt nutzen. Deshalb habe ich gefragt.«

Es stimmte, Kôji, der das Talent und die Neigungen seines Vaters geerbt hatte, kannte sich vortrefflich in den chinesischen Klassikern aus und liebte vor allem leidenschaftlich die »Annalen« Sima Qians aus der Hàn-Zeit. Vor etwa zwei Jahren hatte er geäußert, dass er eine kurze Biografie Ukons zusammenstellen wolle. Ukons Geburt in Settsu Takayama; wie er als Herr der Burg von Takatsuki unter Nobunaga gedient und dann die Burg von Akashi bekommen hatte, weil er sich nach dem Zwischenfall im Honnô-Tempel – als Nobunaga von Mitsuhide ermordet wurde – mit Hideyoshi verbündet und sich in der Schlacht gegen Mitsuhide verdient gemacht hatte; wie er wegen Hideyoshis Edikt zur Verbannung der Christen sein Lehen verloren hatte und welche Verdienste ihm in der Zeit als Herrenloser Samurai zukamen, bevor er nach Kanazawa gekommen war; über all dies zog Kôji detaillierte Erkundigungen ein, die er sich dann akribisch notierte. Ukon hatte dessen Bitte zugestimmt, weil Kôji zuvor bereits eine sehr gut geschriebene Biografie seines Vaters Naitô Tadatoshi verfasst hatte. Anders als die stammbuchartigen Familienannalen, die man an seine Nachfahren weitergibt, beschränkte sich diese nicht auf die monotone Aufzählung von Fakten, sondern gab eine lebhafte Beschreibung des Menschen Naitô Hida no kami Tadatoshi und seines Wesens als Gelehrter.

»Bei der Belagerung der Burg von Odawara selbst hatte ich nur eine kleine Truppe unter mir, und wir haben nicht mehr getan, als uns nach den Anweisungen Fürst Toshiies zu bewegen. Wirklich bewundernswert allerdings war Yokoyama Yamashiro no kami Nagachika. Bei der Belagerung der Burg von Kôzuke Matsuida leitete er inmitten des Kugelhagels den Vortrupp, baute einen Bambusverhau und führte die Truppen unserer Verbündeten an. Beim Kampf um die Burg von Hachiôji erfüllte er seine Aufgabe als Sturmspitze aufs Vortrefflichste, indem er die Burgmauer erkletterte und keinen Zoll zurückwich, obwohl ihm der Feind eine Lanze ins linke Knie gerammt hatte. So erhielt er von allen Vasallen auch die höchste Auszeichnung.«

»Ja, das ist weithin bekannt, aber auch Euer Kampfesmut, Herr Takayama, blieb den Gefolgsleuten der Familie Maeda nicht verborgen. Vor allem hat man sich damals erzählt, dass Eure Männer, vereint unter dem Banner des Kreuzes, eine schöne und harte Schlacht gefochten haben.«

»Die Banner mit dem Zeichen des Kreuzes trugen wir auf Anregung Fürst Toshiies«, sagte er, immer auf die Korrektheit seiner Aussagen bedacht. »Es war seine Rede, dass der Regent, der ja das Edikt zur Verbannung der Christen erlassen hatte, sehen sollte, wie sehr sich die Christen für ihn einsetzten. Aber natürlich ignorierte der Regent unsere Banner, und – wie von ihm nicht anders zu erwarten – erhielten wir kein Zeichen seiner Erkenntlichkeit«, schloss Ukon mit einem bitteren Lächeln.

Angesteckt von Ukons Gesichtsausdruck, taute nun die ganze Gruppe auf, ihre Gesichtszüge entspannten sich, bis auf Kôji, aus dessen ernstem Gesicht die Unzufriedenheit zu lesen war. Als hätte er den Moment genau abgepasst, stand Ukita Kyûkan mit den Worten »Tja, vielleicht sollte ich ein Stück Nô-Gesang vortragen«, auf. Der drahtige alte Mann mit den weißen Augenbrauen tanzte und sang mit geübter Stimme von den Freuden eines langen Lebens. Das Stück hieß »Die alte Kiefer« und passte vorzüglich, um die Ankunft des neuen Jahres zu feiern.

»Die ausgestreckten Zweige, die ausgestreckten Zweige, ihre Spitzen sind die Blütenärmel des jungen Pflaumenbaumes. Doch ich bin ein alter Baum, eine Götterkiefer [der die Götter befohlen haben, über den Herrscher zu wachen, auf dass er ewig lebe], bis ein Kieselstein zu einem Felsen wird und Moos auf ihm wächst, und Moos auf ihm wächst, so lange wie die Kiefer und der Bambus, der Kranich und die Schildkröte …«

Als der Tanz beendet war, verabschiedeten sich die Gäste von Ukon und zogen sich jeder einzeln zurück. Nur Kôji sagte am Eingang zu Ukon: »Ich habe Euch etwas Vertrauliches mitzuteilen.« Als sie sich wieder ins Teezimmer begeben hatten und dort einander gegenübersaßen, wurde Kôjis Blick plötzlich strenger.

»In letzter Zeit heuert Toyotomi herrenlose Samurai an. Vor allem aber versammelt er in seiner Burg christliche Samurai, die ehemals im Dienste Konishi Yukinagas gestanden haben und seit dessen Hinrichtung nach der Schlacht von Sekigahara über das ganze Land verstreut sind. Vor einigen Jahren hat die Shogunats-Regierung wegen des Baus der Burg von Edo auf hinterhältige Art von allen Daimyô gigantische Tribute gefordert, natürlich auch von der Familie Maeda. Während man nun sowohl in Edo als auch in Ôsaka eifrig aufrüstet, geht das Gerücht, dass Herr Furuta Oribe, der ja mit euch befreundet ist und unser Anliegen versteht, sich im Geheimen mit den Herren in Ôsaka verbündet hat. Bei diesem Stand der Dinge wäre es mit Sicherheit möglich, dass man all die gläubigen Samurai, die sich in der Gegend von Arima Ômura, Higo, Hizen und Bungo verborgen halten, zu einer mächtigen Streitmacht vereinen könnte, wenn sich ein so berühmter und angesehener Kriegsherr wie Ihr auf die Seite von Ôsaka schlagen würde. Was meint Ihr dazu?«

»Ich möchte es ganz deutlich sagen«, erwiderte Ukon, seinen Sitz korrigierend. »Ich glaube, die christliche Lehre sollte nicht mit Waffengewalt verbreitet werden. Denn auch unser Herr Jesus Christus mahnt: ›Stecke dein Schwert in die Scheide. Denn wer zum Schwert greift, wird durch das Schwert umkommen.‹«

»Aber wir stehen doch im Moment ohnehin kurz davor, durchs Schwert umzukommen. Anstatt uns sinnlos umbringen zu lassen, wäre es da nicht der richtige Weg, zum Schwert zu greifen und uns gegen den Feind zu stellen? Auch in Europa hat es doch mehrere

Kreuzzüge gegeben, um die Heiden zu befrieden. Und auch die Spanier haben, wie man hört, bei dem Widerstandskampf, den sie ›Reconquista‹ nennen, mit Waffengewalt die Ungläubigen aus Andalusien im Süden Spaniens vertrieben und dort ein Glück verheißendes Christenreich geschaffen. Das Gedeihen Spaniens ist, glaube ich, einzig und allein der Tatsache zu verdanken, dass die Spanier vereint zum Schwert gegriffen und sich gegen den Feind erhoben haben.«

»Alexander der Große aus Makedonien, Roms Caesar, sie alle sind letztlich umgekommen, und auch der Wohlstand Spaniens wird nicht ewig währen. Doch dieser eine Mann, der bettelarm ans Kreuz geschlagen wurde und wieder auferstanden ist, lebt ewig. Sein Weg ist es, den ich gehen möchte.«

»Ich allerdings glaube«, erwiderte Kôji heftig, »dass es selbstverständlich ist, zum Schwert zu greifen, wenn das Feuer des Glaubens in diesem Land der aufgehenden Sonne durch das Christenverbot zu erlöschen droht.«

»Ich habe in meinem Leben als Kriegsherr schon viele Menschen umgebracht und wünsche niemanden mehr zu ermorden. Wenn es zum Glaubensverbot kommt, möchte ich lieber den Weg ins Martyrium wählen.«

Kôji senkte den Kopf.

»Natürlich respektiere ich Eure Einstellung. Aber könntet Ihr es nicht auch so sehen? Das Haus Toyotomi ist nicht untergegangen, Hideyori erfreut sich bester Gesundheit und ist erzürnt über die Tyrannei der Tokugawa-Familie. Und überhaupt war diese es, die in ihrer rücksichtslosen Gewalttätigkeit bei der Schlacht von Sekigahara das Abkommen mit dem Hause Toyotomi brach. Selbst mein früherer Herr, Katô Kiyomasa, fiel Fürst Toyotomi in den Rücken: eine Tat, die man nicht anders als unmoralisch bezeichnen kann. Im Gegensatz dazu macht das Handeln Fürst Konishi Yukinagas und Fürst Ukita Hideies, die ihren Verpflichtungen gegenüber Fürst Toyotomi nachkamen, dem Weg des Samurai viel eher Ehre. Vor allem als christlicher General hat Fürst Yukinaga den richtigen Weg eingeschlagen. Dieses eindrucksvolle Beispiel verdient größte Bewunderung. Ich finde, sowohl vor dem Glauben als auch vor dem Weg des Kriegers ist es nur selbstverständlich, sich dem Hause Toyotomi anzuschließen und zu kämpfen.«

»Ich habe keine Verbindlichkeiten gegenüber Fürst Hideyoshi. Als ich an der Schlacht von Odawara teilgenommen habe, geschah dies auch einzig und allein, um meine Verpflichtung gegenüber Fürst Toshiie einzulösen. Nachdem Fürst Toshiie dann von uns gegangen war, erwies mir Fürst Toshinaga des Öfteren seine Gunst. Und nun ist Fürst Toshimitsu durch Heirat mit der Familie Tokugawa verbunden. Wie könnte ich da jetzt plötzlich mit meinem Handeln der Familie Maeda schaden? Auch und vor allem dies muss in Betracht gezogen werden, wenn ich dem Weg des Kriegers folgen will.«

Kôji ließ schließlich kraftlos den Kopf hängen.

»Ich habe verstanden. Ich habe Euch belästigt, weil ich mich unbedingt Eurer Einstellung gegenüber dieser Angelegenheit versichern wollte. Habt Nachsicht mit meinen törichten Fragen.«

»Aber nicht doch. Ich muss mich bedanken, denn deine offenherzige Frage gab mir Anstoß, in mich zu gehen und mit mir selbst über die Sache ins Reine zu kommen«, sagte Ukon mit freundlichem Lächeln. Kôji verbeugte sich tief und zog sich zurück.

Ukon blieb allein im Teezimmer zurück und versank für lange Zeit in tiefes Nachdenken. Jener äußerst schwächliche Mensch, der nicht die kleinste Waffe bei sich trug und der überdies von der Welt als Verbrecher verachtet hingerichtet wurde, hatte doch den Weg des glänzendsten Ruhmes beschritten. In den Augen der Heiligen Mutter Maria funkelte, während sie gleichzeitig über den Tod ihres Sohnes trauerte, die Freude beim traumhaften Anblick dieser Glorie. Das Gebet der Frau auf dem Südbarbarenbild wusch Ukons Herz rein wie klares, kühles Wasser.

Es war ja nicht so, dass er den Wunsch Kôjis nicht verstanden hätte. Aber er selber wurde, als er in Kôjis Alter war, von Hideyoshi, der ihn mit dem selbst erlassenen Christenverbot bedrängte, vor die Wahl gestellt, seinem Glauben abzuschwören und das Lehen von Akashi mit 60 000 Scheffeln Reis zu behalten oder aber an seinem Glauben festzuhalten und darauf zu verzichten. Damals hatte er bewusst die letzte der beiden Möglichkeiten gewählt und sich entschlossen, das Schwert von sich zu werfen und als nackter Mensch den Weg des christlichen Glaubens zu gehen. Plötzlich öffnete sich seine Erinnerung an diese Zeit wie eine Schublade. Klar und deutlich sah er vor seinem inneren Auge den Ablauf jener Ereignisse.

Im dritten Monat des Jahres Tenshô 15 (1587) brach der Regent Hideyoshi von Ôsaka aus auf und zog mit seinen Truppen gen Kyûshû. Ukon folgte ihm mit einhundert berittenen Samurai und sechshundert Fußsoldaten aus seinem Lehen Akashi. Unter seinen Männern waren auch viele Gläubige, die am Morgen des Aufbruchs miteinander wetteiferten, von Padre Prenestino das Sakrament zu erhalten, von dem sie glaubten, dass es ihnen Kriegsglück garantieren werde. Auf dem Banner der Armee von Akashi befand sich ein Kreuz, doch hatten auch einige von sich aus ihren Helm oder die lederne Brustplatte ihrer Rüstung mit einem weißen Kreuz versehen oder trugen einen Rosenkranz um den Hals. Unter den Vasallen und Bewohnern des Lehens gab es viele, die zum Christentum konvertiert waren und nun ihre Zugehörigkeit zum Kreis der Gläubigen voller Stolz offenbarten. Ukon allerdings missbilligte diesen demonstrativen Stolz auf den eigenen Glauben als Scheinheiligkeit und begnügte sich damit, seinen Südbarbaren-Helm nur mit dem Familienwappen, welches das Sternbild des Großen Bären darstellte, zu versehen. Die Kreuz-Armee erregte Aufsehen, wo immer sie vorbeikam, und man konnte immer wieder Leute sehen, die am Wegesrand das Kreuz schlugen, um die vorbeiziehenden Soldaten zu segnen. Auch besuchten Bauern und Stadtleute, die sich als Christen bezeichneten, das Feldlager und neue Krieger schlossen sich der Truppe an, so dass sie ständig größer wurde. Der Regent musste wohl den Kampfgeist der Armee von Akashi erkannt haben und setzte sie als Vortruppe ein. In den Provinzen Yamaguchi und Bungo kamen viele Padres, Ordensbrüder, Laien und Gläubige, um Ukon zu treffen. Dass sein Name bis in diese Gegenden bekannt war, empfand er als äußerst erfreulich und er nahm sich vor, für diese Leute in der Schlacht große Taten zu vollbringen.

Der Regent wollte Padre Coelho, den stellvertretenden Provinzial der Jesuiten-Mission in Japan, sprechen und befahl Ukon, ein Treffen zu arrangieren. So sandte dieser also einen Boten nach Nagasaki, wo sich Coelho aufhielt und riet ihm, dem Regenten unbedingt seine Aufwartung zu machen. Da die Truppen aber ununterbrochen weitermarschierten, wollte es zunächst nicht recht gelingen, die beiden zusammenzubringen. Es war schließlich zu Beginn des fünften Monats, als das Treffen in Yatsushiro in der Provinz Higo zustande kam. Ukon, der bei dieser Gelegenheit nicht anwesend war, wusste nichts von der geheimen Unterredung der beiden, konnte sich aber im Großen und Ganzen vorstellen, um was es dabei ging. Vermutlich wollte der Regent ausloten, wie weit der Einfluss der Jesuiten in Kyûshû – dem Gebiet, dem Coelho vorstand – reichte, indem er sich – wie es so seine Art war – betont jovial gab und demonstrativ Sympathie für die Christen heuchelte. Vor einem Jahr nämlich war Ukon zusammen mit den drei Padres Coelho, Frois und Organtino in die Burg von Ôsaka gerufen worden und während der Audienz beim Regenten ließ sich Coelho, von dessen jovial-heiterer Stimmung verleitet, zu den unbesonnenen Äußerungen hinreißen, dass er die christlichen Daimyô in Kyûshû dazu bewegen werde, sich mit Hideyoshi zu verbünden, oder dass er bei einem zukünftigen Eroberungszug ins Ming-Reich ein portugiesisches Kriegsschiff zur Unterstützung bereitstellen werde. Der Regent stellte ein vor Freude und Zufriedenheit strahlendes Gesicht zur Schau, äußerte seine Bewunderung dafür, welchen Einfluss die Gemeinschaft Jesu auf die christlichen Feudalherren hatte und zeigte sich erstaunt, welch mächtige Waffe solch ein portugiesisches Kriegsschiff doch sei. Ukon allerdings registrierte das versteckte Unbehagen in Hideyoshis Ausdruck, das er an der tiefen Falte, die sich gereizt über seine Stirn zog, zu erkennen glaubte. Doch weder Coelho noch Frois, der ihm beipflichtete, bemerkten, wie sehr es das Selbstwertgefühl dieses Despoten ankratzen musste, der von Stolz und selbstgefälligem Hochmut berauscht war, dass er auch jederzeit mit eigener Kraft Kyûshû unterwerfen könne und eine Invasion außerhalb Japans zustande brächte; wie es also auf ihn wirken musste, dass eine religiöse Sekte aus dem Ausland damit prahlte, japanische Feudalherren nach ihrem Gutdünken manipulieren zu können oder seine Armee mit Kriegsschiffen zu verstärken. Wem dies allerdings nicht entging, war Organtino, der lange Jahre in der Hauptstadt missioniert hatte und sich mit Personen wie Hideyoshi zur Genüge auskannte. Nach der Audienz sagte er mit gedämpfter Stimme zu Ukon, dass er die Äußerungen Coelhos und Frois' für äußerst unangebracht hielt.

Ukon, der über diese Angelegenheit nicht schweigend hinweggehen konnte, wies Coelho direkt zurecht. Dieser zeigte offen seinen Missmut darüber und warf Ukon vor, es sei eine Anmaßung, ihn, der als stellvertretender Provinzial der japanischen Mission ein Verantwortungsträger der Gemeinschaft Jesu sei, welche unter dem Patronat des Königs von Portugal stehe, zu kritisieren. Ukon sagte daraufhin: »Genau dasselbe Gefühl, das ich dir eben durch meine Kritik vermittelt habe, hat auch der Regent durch dich erfahren. Und vergiss nicht, dass er der absolute Herrscher ist, dessen Macht selbst die des Kaisers in Kyôto noch übersteigt.« Wie genau man sich auf den Bericht Organtinos, der des Öfteren Meinungsverschiedenheiten mit Coelho hatte, verlassen konnte, war nicht ganz klar, ihm zufolge jedenfalls schien Coelho von Manila nicht nur die Entsendung von Missionaren, auch anderer Orden, sondern ebenfalls militärische Unterstützung angefordert zu haben. Außerdem sollte er sogar einen Missionar aus Japan nach Portugal geschickt haben, um auch dort um militärische Hilfe zu ersuchen und überdies Schießpulver und Gewehre gesammelt haben, um Nagasaki in eine Festung zu verwandeln. Coelhos Verhalten in Ôsaka veranlassten den Regenten, dessen Ziel es ja war, Kyûshû zu unterwerfen, gewiss die militärische Macht der Jesuiten in dieser Gegend genau auszuloten, und da er mit Sicherheit auch Spione in Nagasaki eingeschleust hatte, musste er genau über die Situation dort Bescheid gewusst haben. Sicher wollte er Coelho bei der Audienz in Yatsushiro durch Fragen zur Situation der Jesuiten in Nagasaki aufs Glatteis führen und die Antworten mit seinen eigenen Informationen vergleichen. Sollten sich dabei Übereinstimmungen zeigen, so verstärkten sie gewiss das Misstrauen gegenüber der Gesellschaft Jesu. Ukon hatte Coelho vor der Audienz noch zu erreichen versucht, um ihn auf diesen Punkt hinzuweisen und ihm zu raten, bei seinen Antworten äußerste Umsicht walten zu lassen. Dieser aber ging Ukon wegen der unangenehmen Erinnerung an die Rüge vom Vorjahr aus dem Weg und eilte direkt zum Treffen mit dem Regenten.

Und noch eine weitere Ungeschicklichkeit leistete sich Coelho in Yatsushiro. Auf dem Weg zur Audienz baten ihn besiegte Soldaten und Bürger, die sich vor Hideyoshis Bestrafung fürchteten, bei ihm ein Wort für sie einzulegen, weil sie hofften, dass er als Ausländer größeren Einfluss auf den Regenten haben würde als sie selbst. Er sagte ihnen leichtfertig zu, dass jener Großzügigkeit werde walten lassen, sie könnten sich so sicher fühlen wie in einem großen Schiff. Zweifellos hatte er den Regenten mit der Umsetzung dieses Versprechens nur noch mehr verstimmt.

Der stellvertretende Provinzial der Jesuiten in Japan erklärte Ukon danach, dass das Treffen mit dem Herrscher in einer freundschaftlichen Atmosphäre verlaufen sei. Stolz berichtete er, dass ihn Hideyoshi eingeladen hatte, ihn demnächst in Hakata zu besuchen. Dabei hätte er die wahre Absicht des Regenten erkennen müssen, als dieser ihm ein Treffen in Hakata, das am Meer liegt, versprach – oder eher befahl. Von Nagasaki aus war Hakata per Schiff viel einfacher zu erreichen als auf dem Landweg, und daher war es für den Regenten vorauszusehen, dass Coelho mit einem portugiesischen Schiff kommen würde. Für ihn wäre dies eine passende Gelegenheit, sich mit eigenen Augen der Kampfeskraft eines jener Südbarbarenschiffe zu versichern, die ihn schon seit geraumer Zeit in Alarmbereitschaft versetzt hatten.

Nachdem Shimazu Yoshihisa, der Herr über den Süden Kyûshûs, kapituliert, und der Regent ganz Kyûshû unter seine Macht gebracht hatte, führte dieser sein Heer Anfang des 6. Monats siegreich nach Hakata im Norden Kyûshûs und schlug auf dem Gelände des Hakozaki Hachiman-Schreins, der direkt an der Küste lag, sein palastartiges Lager auf. Auch seine Generäle errichteten sich eilig in der Umgebung Residenzen und bezogen sie. Der Ort war so beschaffen, dass man von dort die Bucht überblicken und jenseits der Inseln Shika no shima und Noko no shima die weiß schäumenden Wellen des offenen Meeres von Genkai sehen konnte. In der Bucht lag ein einzelnes ausländisches Schiff vor Anker. Es war eine bewaffnete Galeere der Fusta-Klasse, zwar kleiner als die großen Segelschiffe für die Ozeanüberquerung, mit zwei Masten und Rudern, die mit jeweils einem Mann besetzt sind, aber dafür äußerst schnell. Auch von weitem war deutlich zu erkennen, dass sie auf dem Bug mit einer Kanone bestückt war. Das seltsame Schiff aus dem Ausland rief bei den Truppen und Fischern, die sich am Ufer versammelt hatten, Erstaunen und Interesse hervor und selbstverständlich zog es auch die volle Aufmerksamkeit des Regenten auf sich. Der stellvertretende Provinzial der japanischen Mission, Coelho, erschien an der Spitze eines prahlerisch-würdevollen Zuges aus Padres und Jesuitenbrüdern, die von mit Gewehren und Schwertern bewaffneten Soldaten eskortiert wurden, vor dem Regenten. Dieser empfing ihn freundlich und sagte, dass er einmal das Schiff besichtigen wolle, woraufhin Coelho antwortete, dass er jederzeit willkommen sei. Und auf dieses Angebot kam der Regent dann auch unversehens zurück. Eines Tages, als er mit einer großen Anzahl von Booten im Gefolge eine Lustfahrt machte, ließ er mit schnellem Ruderschlag auf das Fusta-Schiff zusteuern und betrat es mit seinen Generälen ohne Voranmeldung. An Bord war man auf den plötzlichen Besuch nicht vorbereitet und führte den Regenten und seine Begleiter in einen Raum, wo man ihnen sauer Eingelegtes, Ingwergebäck und Portwein reichte. Danach besichtigte der Regent unter Führung Coelhos das Schiff bis in die letzte Ecke, inspizierte mit großer Begeisterung den mit Eisen verstärkten Schiffsrumpf sowie die vortrefflich gearbeitete Kanone, und lobte bester Laune die Perfektion der Waffen. Besonders lange aber verharrte er, als er im Unterdeck unter den Ruderern auch einen Japaner ausmachte. Normalerweise waren es portugiesische Sträflinge, die hier angekettet waren. Auf des Regenten Frage, warum hier auch ein Japaner in Ketten liege, bekam er die Antwort, dass es sich um einen Verbrecher aus Nagasaki handle, womit er sich scheinbar zufrieden gab und ausladend nickte. In Wirklichkeit aber spiegelte sich in dieser übertriebenen Geste nichts anderes als sein versteckter Jähzorn. Als Ukon von der überraschenden Besichtigung des Regenten erfuhr, beschlichen ihn Sorgen, und er suchte Fürst Konishi Yukinaga in seiner provisorischen Residenz auf, um sich mit ihm zu beraten. Ihrer beider Einschätzung stimmte in der Befürchtung überein, dass die Inspektion der Schiffsbewaffnung wohl nur Ärger heraufbeschwören würde. So gingen sie denn gemeinsam los, um Coelho auf dem Fusta-Schiff zu treffen.

Der stellvertretende Provinzial der japanischen Mission empfing Ukon und Fürst Yukinaga, das Gespräch fand in Anwesenheit Padre Frois' statt. Während Ukon und sein Begleiter abwechselnd offen ihre Einschätzung vortrugen, machte Coelho ein verärgertes Gesicht und verteidigte sich mit der Behauptung, dass dies doch völlig überflüssige Befürchtungen seien. »Seine Exzellenz, der Regent, bewertet unser Boot als ein vortreffliches Kriegsschiff und freut sich darüber, es als starken Verbündeten bei zukünftigen Eroberungszügen ansehen zu können.«

»Diese Betrachtungsweise ist arg oberflächlich. Die Tatsache, dass die Gesellschaft Jesu über militärische Mittel wie dieses Schiff verfügt, hat den Regenten nur argwöhnisch gemacht und in Alarmbereitschaft versetzt. Das steht außer Frage«, widersprach Fürst Yukinaga.

Coelho, der damals, als ihn Ukon rügte, seine Unzufriedenheit offen zum Ausdruck gebracht hatte, wahrte gegenüber Fürst Yukinaga, dem höchsten der christlichen Daimyô, seinen höflichen Ton: »Aber Seine Exzellent, der Regent, hat eben jene Gesellschaft Jesu als seine mächtigste Verstärkung gelobt. Er hat mit uns bei Portwein und Süßigkeiten ganz zufrieden und ungezwungen geplaudert und das Schiff dann bei bester Laune verlassen.«

»Und genau diese gute Laune ist verdächtig. Was meint Ihr?«, sagte Fürst Yukinaga, Ukon mit seinen Augen ein Zeichen gebend, und brachte den Plan vor, den sie beide im Voraus besprochen hatten: »Du musst dem Regenten das Fusta-Schiff schenken und ihn glauben machen, dass es nur für ihn gebaut und eingeführt worden ist.«

Coelho wurde augenblicklich wütend. »Was erzählt Ihr da?! Dieses Kriegsschiff ist der Gipfel der modernen Technologie und der Stolz Portugals. Es ohne Gegenleistung einfach so dem König dieses Inselstaates zu geben, ist völlig unmöglich.«

»Es dem Regenten umsonst zu geben, ist in dieser Situation der beste Weg«, bekräftigte Ukon. »In dieser Situation ist es unbedingt erforderlich, dem Regenten zu zeigen, dass die Gemeinschaft Jesu keine Organisation ist, die sich andere Länder mit Waffengewalt Untertan macht, und dass die Portugiesen ihr technisches Wissen voll und ganz seinem Vorhaben der Eroberung und Einigung ganz Japans zu Diensten stellen. Wenn dies nicht geschieht, weiß man nicht, was er als nächstes sagen wird. Die momentane Lage ist wirklich unheimlich …« Coelho jedoch hatte sich abgewandt und hörte den angestrengten Überzeugungsversuchen der beiden überhaupt nicht mehr zu.

Drei Tage später erschien des Nachts ein Bote des Regenten in der Feldunterkunft Ukons und drängte ihn dazu, seinem Glauben abzuschwören.

»Die Gebote des Christentums sind ein Machwerk des Teufels, das sich unter den mächtigen Daimyô des Landes und den Bürgern ihrer Lehen ausgebreitet hat. Ich habe verstanden, dass dein Ruf und dein Einfluss ein Grund hierfür sind und diese Tatsache behagt mir überhaupt nicht. Zwischen euch gibt es Solidarität und Bande, die stärker sind als zwischen Brüdern, daher befürchte ich, dass ihr euch eines Tages erheben werdet, um das Land in Aufruhr zu bringen. Außerdem ließest du die Bürger von Akashi und deines früheren Lehens Takatsuki zum Irrglauben konvertieren und zerstörtest dort buddhistische Tempel und Shintô-Schreine. Dies ist eine Beleidigung der erhabenen Traditionen und Religionen Japans. Wenn du mir ein loyaler Untergebener bist, dann schwöre dem üblen Glauben ab.«

Ukon hörte sich ehrfürchtig die Worte des Boten an und rechtfertigte sich dann.

»Bisher habe ich Seiner Exzellenz, dem Regenten, mit all meiner Kraft loyal gedient und mir nichts zuschulden kommen lassen. Ich habe den Bürgern meiner Lehen von Takatsuki und Akashi empfohlen, zum Christentum zu konvertieren, weil dies die vortreffliche, die wahre Lehre ist. Das allein ist mein Verdienst. Ich bin entschlossen, diesen Glauben niemals aufzugeben, nicht für alle Schätze der Welt. Daher werde ich mein Lehen in Akashi von 60 000 Scheffeln auf der Stelle an Seine Exzellenz zurückgeben.«

Für Ukon selbst war diese prompte Antwort, die er dem Boten des Regenten gab, selbstverständlich. Unter seinen Gefolgsleuten allerdings gab es einige, die nicht der Meinung ihres Herrn waren, daher erhob sich unter ihnen, die während der Anwesenheit des Boten totenstill geschwiegen hatten, ein unruhiges Raunen.

»Herr, wir bitten Euch, wollt Ihr es Euch um Eurer Frau Gemahlin, der Kinder, Eurer Vasallen und der Bürger des Lehens Willen nicht noch einmal überlegen? Das Leben Eurer Frau Gemahlin und Eurer Kinder nach dieser Entscheidung, die Frage, was aus Euren Gefolgsleuten werden soll und die Entmutigung, die dies für die Untertanen Eures Lehens bedeutet, nachdem sie doch extra zum Glauben gefunden haben, was gedenkt Ihr da bloß zu tun?«

»Auch mir tut es im Herzen weh. Ich werde schleunigst einen Boten nach Akashi schicken. Viele dort werde ich entlassen müssen, dann muss ich meine Familie anweisen, wohin sie fliehen soll und den nächsten Lehnsherren darum bitten, meine Vasallen bei sich in Dienst zu nehmen. Einige wenige nur werden mich auch weiterhin auf meinem Weg begleiten. Eine gute Idee, was ich wegen der Bürger des Lehens machen soll, ist mir auch noch nicht gekommen. Es ist gewiss bedauerlich, was ich da getan habe. Doch wenn ihr Glaube echt ist, dann sollte es auch keine allzu großen Schwierigkeiten geben.«

»Herr, wie wäre es, wenn Ihr nur äußerlich den Schwur leisten würdet, von Eurem Glauben abzulassen, dem Regenten so zeigt, dass Ihr seinem Befehl Folge leistet und Euch somit aus dieser Situation herausmanövriert.«

»Hideyoshi ist nicht der Mensch, bei dem man mit so etwas durchkommen würde. Es käme wohl bald ans Licht, dass ich bei meiner Antwort gelogen habe, und in diesem Falle würde er vor Zorn rasen, was das Unheil bestimmt auch auf meine treuen Gefolgsleute ausweiten würde.«

Die Vasallen spalteten sich in zwei Lager und lieferten sich eifrige Wortgefechte. Die meisten von ihnen hatten sich allerdings taufen lassen, weil sie geglaubt hatten, dass es ihrem Bestreben zuträglich wäre, die Karriere ihres Herrn zu befördern und sein Lehen auszudehnen. Über die Enttäuschung, dass er dieses nun verlieren werde, geriet ihr Glaube jedoch ins Schwanken. Sie konnten es nicht nachvollziehen, dass ihr Herr seine Vasallen, sein Lehen und seine Untertanen, also die Werte, nach denen ein jeder Daimyô aus der Zeit der streitenden Reiche strebte, einfach aufgab. Eine Minderheit hingegen war in ihrem Glauben fest, pflichtete der Entscheidung ihres Herren, seinem Glauben treu zu bleiben und dafür sein Lehen aus der Hand zu geben, bei und war bereit, ein Leben in Demut und Bescheidenheit zu wählen. Unter ihnen fielen vor allem die Erbvasallen auf, deren Familien dem Hause Ukons schon seit der Zeit in Takatsuki zu Diensten waren.

Während die Gefolgsleute noch am Diskutieren waren, erschien ein zweiter Bote des Regenten. Es war kein anderer als Ukons Meister der Teezeremonie, Sen no Sôeki (Rikyû). Der Tenor der Botschaft, die er übermittelte, war, dass Hideyoshi geneigt sei, die Strafe abzumildern, Ukon seinen Glauben zu lassen und ihn nach Higo zu Sassa Michinoku no kami Narimasa zu schicken, dem er als Polizeihauptmann zu Diensten sein solle. Sollte Ukon diesem Befehl nicht Folge leisten, werde ihn der Regent zusammen mit den Missionaren nach Macao oder ins Ming-Reich verbannen.

Ukon antwortete daraufhin seinem Meister: »Ich weiß nicht, ob die christliche Lehre für mich höhere Priorität hat als der Befehl Seiner Exzellenz, des Regenten. Jedoch ist die Entscheidung eines Samurai, hat er sie erst einmal getroffen, etwas Unumstößliches, das sich nicht einfach wieder rückgängig machen lässt. Meine Meinung leichtfertig zu ändern, entspräche nicht der wahren Haltung eines Kriegers, selbst wenn es auf Euren Befehl hin geschehe, Meister.«

Ukons Meister schien dessen Darlegung mit Anerkennung aufzunehmen, nickte lächelnd und sagte: »Typisch Ukon, wenn er sich erst einmal für einen Weg entschieden hat, dann gibt es kein Abweichen mehr.« Ukon fügte daraufhin noch hinzu, dass er das Angebot, in den Dienst Michinoku no kamis einzutreten, ergebenst ablehnen müsse und durchaus auf die Verbannung gefasst sei. Der Meister machte daraufhin keine Anstalten mehr, Ukon zu überreden, und das Gespräch schweifte zu anderen Themen ab.

Meister Sôeki, der Ukon noch vor einigen Tagen bei einer Teezeremonie getroffen hatte, wollte nicht so recht in die Rolle des Boten passen und sprach mit einem etwas peinlich berührten Unterton. Damals war er Mitte sechzig, also bereits älter als Ukon heute, und vereinte neben der würdevollen Stellung des persönlichen Teemeisters des Regenten auch die Autorität eines Politikers in sich. Trotz seines ruhigen Wesens war auch Ukons Stimmung gedrückt.

»Als ich den Befehl des Regenten bekam, wies ich ihn darauf hin, dass Herr Ukon kein Mensch ist, der einen Entschluss, den er einmal gefasst hat, jemals widerrufen würde. Der Regent allerdings bestand hartnäckig darauf, dass ich mich sofort auf den Weg machen sollte, und so blieb mir nichts anderes übrig, als diese peinliche Rolle des Boten zu übernehmen.«

»Es tut mir wirklich leid, Euch solche Umstände gemacht zu haben.«

»In Wirklichkeit will Euch der Regent nicht verlieren. Er verehrt Euch sehr, sowohl als zuverlässigen und fähigen General als auch für euere Meisterschaft in der Teezeremonie. Aber ich vermute, aufgrund seiner momentanen Position ist er äußerst erpicht darauf, dass Ihr wenigstens seinem Verlangen nachgebt und Eurem Glauben abschwört. Er denkt, dass dies ein notwendiges Vorgehen ist, weil es einen großen Einfluss auf die anderen christlichen Daimyô hätte und somit zur Verbreitung seiner Macht beitragen würde. Auch seid nicht nur Ihr betroffen, sondern auch Coelho wurde heute Abend vorgeladen und streng verhört.

Dabei warf der Regent Coelho vor: ›Ihr predigt euren Irrglauben nicht, wie es etwa buddhistische Priester tun, in den Tempeln, sondern lauft überall herum und wiegelt das Volk auf. Ich bin mit meiner Geduld am Ende. Die Kirchen und Klöster in Kyôto, Ôsaka und Sakai werden requiriert. Die darin befindlichen Güter werden euch zugeschickt. Ihr werdet auf der Stelle nach Macao aufbrechen. Und warum überhaupt esst ihr Pferde und Kühe? Pferde erleichtern dem Menschen die Arbeit, tragen seine Lasten und sind auf dem Schlachtfeld von Nutzen, und Kühe sind dem Bauern bei der Arbeit eine Hilfe. Solch wichtige Tiere zu essen ist unrecht. Außerdem kauft ihr in großer Zahl Japaner und lasst sie als Sklaven schuften. Dies ist eine Barbarei, die ich schwerlich zulassen kann.‹

Coelho versuchte jedem einzelnen Punkt zu widersprechen und sich mit Beispielen zu rechtfertigen. Der Regent aber war nicht umzustimmen und befahl allen Padres, das Land zu verlassen.«

»Ich habe mir schon gedacht, dass es so kommen würde und den stellvertretenden Provinzial der japanischen Mission deswegen auch zurechtgewiesen. Aber ich frage mich, warum ihn sich der Regent ausgerechnet heute Abend vorgenommen hat.«

»Ich denke, dass der Argwohn, den Seine Exzellenz, der Regent, schon seit längerem hegte, immer stärker geworden ist und hier einen kritischen Punkt erreicht hat, der ihn in schieren Hass hat umschlagen lassen. Die Antwort Kapitän Monteiros heute morgen, dass es unmöglich sei, das portugiesische Schiff, das vor der Insel Hirado liegt, nach Hakata zu bringen, weil das Wasser dort zu seicht sei, hat Seine Exzellenz aufs heftigste verärgert. Obwohl ihm Coelho in Ôsaka offenbar gesagt hatte, dass das portugiesische Schiff bereit sei, Seine Exzellenz bei Eroberungszügen zu unterstützen, wurde es ihm nun verweigert, da er es anforderte. Wütend sprach er davon, dass dies wohl nur mit der Doppelzüngigkeit der Padres zu erklären sei. Als er dann vorschlug, das Schiff solle dann eben weiter draußen vor Anker gehen, und er käme mit einem Boot herausgefahren, erhielt er ebenfalls eine Absage. Seine Exzellenz sieht dies als einen Beweis dafür, dass sich an Bord mächtige Waffen befinden, die er nicht sehen soll. Außerdem behagt es Seiner Exzellenz, dem Regenten, nicht, dass das Fusta-Schiff, welches auf offener See vor der Bucht ankert, mit einer großen Kanone bestückt ist, und er befürchtet, dass es, wenn sich Priester irgendeiner Religion erst einmal bewaffnen, wieder dieselbe Entwicklung nehmen würde wie früher bei der Ikkô-Sekte. Wie es auch in Eurem Lehen geschieht, wehren sich die Buddhisten gegen die rege Verbreitung des christlichen Glaubens, und auch im Umfeld Seiner Exzellenz befinden sich einige, die das Christentum als Teufelslehre verdammen; allen voran Leute wie Seyakuin Zensô.«

Da der Hofarzt Seyakuin Zensô, der ursprünglich buddhistischer Priester war, die Christen hasste und dem Regenten einflüsterte, dass Ukon Shintô-Schreine und buddhistische Tempel niederreißen ließe, war es nicht weiter verwunderlich, dass der Regent Coelhos Fusta-Schiff zum Anlass nahm, mit der Durchsetzung seiner Maßnahmen zu beginnen.

»Ich verstehe. Herzlichen Dank für Eure ausführlichen Erläuterungen.«

»Der Regent hat es als erstes auf Coelho und Euch, also auf den Kopf der Gesellschaft Jesu und auf den mächtigsten Patron der Christen, abgesehen.«

»Das mit dem ›mächtigsten Patron‹ schmeichelt mir, aber so einflussreich ist meine Wenigkeit nun doch nicht.«

»Nein, Ihr habt durchaus einen großen Einfluss. Das weiß ich, Rikyû, ganz genau.« Bei den entschiedenen Worten des Meisters senkte Ukon den Kopf.

Unter den Schülern Meister Sôekis waren viele Christen und es war eine Tatsache, dass dies zu einem großen Teil auf Ukons Einfluss zurückzuführen war. Das wusste Meister Sôeki selbst am besten.

Kurz nachdem Meister Sôeki gegangen war, erschien ein Bote des Regenten mit der Nachricht, dass Ukon seines Titels als Lehnfürst von Akashi enthoben sei. In der Anklageschrift, welche diese Maßnahme begründete, war nicht mehr aufgeführt als die Punkte, die auch schon in den vorangegangenen Verhören zur Sprache gekommen waren.

In jener Nacht war Ukon, wie auch heute Nacht, in tiefe Grübelei versunken. Er war an einem Wendepunkt seines Lebens angekommen, durch dessen Schlachtenfeuer er sich in der Absicht, seine Karriere als Samurai voranzubringen, mühsam hindurchgekämpft hatte.

Bei den vielen Waffengängen, an denen er beteiligt gewesen war, hatte er Verdienste gesammelt und so ein Lehen von 60 000 Scheffeln erhalten. Oder um es anders zu sagen, er hatte sich durch ständiges Morden und Blutvergießen hochgearbeitet, doch die Freude, die ihm daraus entsprang, war gering, verglichen mit der Reue und Scham, die es verursacht hatte. Seine Feinde waren Japaner gewesen wie er auch, und der einzige Grund, weshalb er sie erschlagen hatte, war, dass sie seinem Herrn feindlich gegenüberstanden. Die Funken gegeneinander klirrender Schwerter und der Geruch von Blut zeugten zwar von großem Mut, doch auch von tiefer Sünde. Eigentlich hatte er von Anfang an nicht das Zeug zu jemandem, der das ganze Land einen und beherrschen will. Zwar hatte er zu diesem Zweck unter Fürst Nobunaga und Fürst Hideyoshi gedient, doch war diese Landeseinung, wie sie in Japan vor sich ging, mit Blick auf die ganze Welt nichts weiter als eine Lappalie, die sich in einem entfernten kleinen Land am Ende der Welt abspielte.

Als er vorhin das Gesicht seines Meisters betrachtet hatte, war ihm die Welt der schlichten Teekunst, in der statt kriegerischer Geschäftigkeit andächtige Stille und statt Karriere und Reichtum Unschuld und reinherzige Armut das Ziel sind, viel erstrebenswerter erschienen. Zwar übte Ukon schon seit langer Zeit die Kunst des Teeweges aus, doch war er noch weit davon entfernt, das Niveau seines Meisters zu erreichen. So viel Zeit zu haben, dass er sich völlig dieser Kunst hingeben könnte, würde wohl große Freude in seine zweite Lebenshälfte bringen und eine sinnvolle Beschäftigung wäre es gewiss auch. Dass er auf des Regenten Botschaft hin mit den Taten seiner ersten Lebenshälfte abschließen und so zu seinem nächsten Lebensabschnitt übergehen konnte, ließ ihn den Willen und die Gnade Gottes erfühlen.

In dieser Nacht betete Ukon. Leidenschaftlich richtete er sein Gebet an die Anima Christi (die Seele Christi), bis der Morgen dämmerte.

Es war ein heißer Hochsommermorgen. Im vom lauten Zirpen der Zikaden erfüllten Hauptraum versammelte er seine Vasallen und teilte ihnen mit, dass er seines Ranges als Lehnsherr enthoben worden war. Alle Anwesenden ließen den Kopf hängen und eine düstere Stimmung breitete sich aus. Ukon begann gefasst und ruhig zu seinen Vasallen zu sprechen.

»Ich finde an meiner Notlage nichts, was ich bedauern würde. Nur dass ihr euren Herrn und damit euer Einkommen verliert, bereitet mir Kummer. Ihr seid mir teure Freunde und ihr seid tapfere Krieger. Zwar hatte ich gehofft, euch für den Kampfesmut, den ihr bewiesen habt, belohnen zu können, doch muss dies in der jetzigen Situation ein unerfüllter Traum bleiben ...«

Die Vasallen brachen in lautes Schluchzen aus. »Nur fünf von euch kann ich als Begleiter mit mir nehmen«, sprach Ukon, worauf die meisten der Anwesenden sagten, dass sie sich den Haarknoten abschneiden und ihm folgen würden. Erst als er erklärte, dass es den Verdacht erwecken werde, er plane eine Verschwörung, wenn er zu viele Männer mitnähme, gaben sie auf und kündigten ihren Dienst. Nach Akashi schickte er einen Boten, durch den er seine Familie anwies, sich vorläufig auf die Insel Awaji zu begeben. Im Schutz der Nacht bestieg er daraufhin mit fünf Begleitern ein Fischerboot und floh auf eine kleine Insel in der Bucht von Hakata ...

Heute nun blieb Ukon allein im Teezimmer zurück und betete, sich an diese frühren Begebenheiten erinnernd, zur trauernden Mutter Maria. »Gegrüßet seist du, Maria voll der Gnade. Der Herr ist mit dir. Du bist gebenedeit unter den Frauen, und gebenedeit ist die Frucht deines Leibes, Jesus. Heilige Maria, Mutter Gottes, bitte für uns Sünder, jetzt und in der Stunde unseres Todes. Amen.« Er wollte die Gemütsverfassung, in der er sich am Anfang seines neuen Lebensweges in der Verbannung vor Hakata befand, wieder aufleben lassen. Seele Christi, gewähre den in die Irre gegangenen Lämmern unter deinen Wunden Zuflucht.

5
Die Burg von Kanazawa

Am 12. Tage des 1. Monats im Jahre Keichô 19 (20. Februar 1614) machten die Vasallen der Familie Maeda ihre Neujahrsaufwartung. Eigentlich fand dieses Ereignis immer am 2. Tage des 1. Monats statt, diesmal musste es jedoch mit Rücksicht auf die gesundheitliche Verfassung Fürst Toshinagas, der in der Burg von Takaoka residierte, abgesagt werden. Am 11. nachmittags wurde jedoch überstürzt die Nachricht herumgeschickt, dass man sich am nächsten Morgen zum Neujahrsempfang in der Burg einzufinden habe. Worauf diese Inkonsequenz zurückzuführen war, wusste man nicht, aber es war zu vermuten, dass jemand geäußert haben musste, es wäre Glück verheißender, das neue Jahr innerhalb der ersten fünfzehn Tage zu feiern. Die Etikette beim Einzug in die Burg von Kanazawa war wie folgt festgelegt: Die Vasallen des höchsten Ranges und die Kommandeure der Waffengattungen erschienen zu Pferd, während die Samurai niederen Ranges und die Fußsoldaten die Burg marschierend betraten. Innerhalb des Burgtores mussten dann aber auch die ranghöheren Samurai absteigen und in Begleitung ihres Schwertträgers und ihres Sandalenträgers zu Fuß weitergehen. Ukon hatte es sich allerdings zur Gewohnheit gemacht, zur Burg zu laufen. Dieses Jahr diente ihm Ikoma Yajirô als Schwertträger, und als Sandalenträger beorderte er einen Fußsoldaten. Mit Hilfe Justas kleidete er sich in einen *itsutsumon*-Kimono, auf den an fünf Stellen das Familienwappen aufgedruckt war. Als er sich gerade erhob, um aufzubrechen, kam Yajirô herein.

»Herr«, sprach er mit ernstem Blick, als würde er beim Schwertkampf seinen Gegner fixieren. »Gerüchten zufolge sind Meuchelmörder der Shogunatsregierung heimlich in die Stadt eingedrungen.«

»Was sagst du da?«

»Es ist in aller Munde, auch die Bewohner des Südbarbarentempels reden davon. Man soll es auf Euer Leben abgesehen haben. Die Mörder seien mit der Absicht gekommen, die Anführer der üblen Religion umzubringen, heißt es ...«

»Ja, du machst dir immer wieder solche Sorgen, aber die sind völlig unbegründet.« Der junge Yajirô, übermäßig ernsthaft wie er war, reagierte äußerst empfindlich auf das Gerede der Leute, so dass ihn sein Argwohn manchmal Gespenster sehen ließ.

»Nein, diesmal ist der Verdacht begründet. Seit dem frühen Morgen herrscht irgendwie Unruhe in der Stadt. Normal kann man das nicht nennen.«

»Ist das nicht eher deine übertriebene Besorgtheit?«

»Nein, das sind keine übertriebenen Sorgen«, ereiferte sich Yajirô. »Ich kann die Mordlust, die in der Luft liegt, deutlich spüren. Schon seit Jahren betrachtet Euch das Shogunat als den Anführer der häretischen Lehre. Ich kann Euch nur zu äußerster Wachsamkeit raten.«

»Ich fürchte mich nicht vor Meuchelmördern, aber wenn du so sehr darauf bestehst, will ich mich in Acht nehmen.« Yajirô verbeugte sich tief. Leicht den Kopf hebend, fügte er hinzu: »Ich jedenfalls werde Euch beschützen und koste es mein Leben.«

Zu dritt schritten sie durch das Tor und verließen das Anwesen. Ukon ging direkt hinter einem Fußsoldaten, der sie führte. Er hatte das etwas drückende Gefühl, dass der wachsame Blick Yajirôs, der hinter ihm her schritt, mehr noch als sonst auf ihm ruhte. Doch konnte sich Ukon nicht beschweren, da er auch große Dankbarkeit empfand für diesen jungen Mann, der sich auf seine Weise um ihn sorgte. Darüber hinaus konnte er sich schon denken, dass die Regierung Spione nach Kanazawa geschickt hatte, um zu schauen, was sich bei den Jüngern der üblen Religion so tat. Auch wäre es nicht weiter verwunderlich, wenn es unter diesen Spitzeln einen gäbe, den in einem Anfall übertriebenen Eifers die Mordlust überkäme.

Auch aus den Häusern in der Nachbarschaft traten in formelle Kleider gewandete Samurai und grüßten Ukon. Es gehörte zur Etikette am Tage der Neujahrsaufwartung, dass der Schnee vor den Häusern geräumt und am Straßenrand aufgehäuft war. Ukon rutschte auf dem vereisten Schnee aus, der in einem Schlagloch festgefroren war, und musste von Yajirô gestützt werden, um nicht hinzufallen.

»Verzeiht«, sagte Yajirô mit einer Verbeugung, als er Ukon wieder losließ.

»Nicht doch, ich habe zu danken«, erwiderte Ukon mit einem selbstironischen Lächeln. »Ich bin nicht mehr der Jüngste. So etwas passiert mir, selbst wenn ich aufpasse.«

Wenn man zwischen dem Rechnungsamt und dem Verwaltungsgebäude des Westviertels, wo sich auch das Anwesen der Dame von Bizen befand, hindurchging, den Graben auf der Nordseite der Burg überquerte und den steilen Anstieg, der »Ôsaka-Steig« genannt wird, hinaufging, kam man zum Haupttor der Burg. Von überallher erschienen Samurai verschiedener Ränge und Fußsoldaten, die aus Nebenstraßen und hinter Ecken hervorkamen, zu einem großen Pulk verschmolzen, der sich auf das doppelte Haupttor zu bewegte, welches einen *masukata* genannten, quadratischen Innenhof bildete, in dem bei einem Angriff der Feind den Schüssen der Verteidiger ausgesetzt ist. Den »Neuen Wall«, wie dieser Teil des Burggeländes hieß, hatte Ukon auf Befehl Fürst Toshinagas einst selbst gebaut. Er wusste genau, wo die Schießscharten in den grau gekachelten Wänden versteckt waren, und kannte jedes Detail der Mauern, die zum Teil aus grob gehauenen und zum Teil aus exakt zugeschnittenen Steinen hochgezogen waren. Ja sogar darüber, wie der Grund des Burggrabens beschaffen war, hätte er genaue Auskunft geben können.

Immer wenn er an diesen Ort kam, musste er an den Zwist mit Shinohara Dewa no kami Kazutaka denken. In der Burg hatten sowohl Ukon als auch Kazutaka, die sich beide hervorragend im Burgenbau auskannten, hoch angesehene Posten inne und rivalisierten gleichsam miteinander. Als Kazutaka beim Bau des Ishikawa-Tors den Steinwall mit Stufen versah, ließ Ukon mit der Begründung, dass es verteidigungstechnisch unvorteilhaft sei, die Mauerkonstruktion nachträglich korrigieren, womit er Kazutaka verstimmte und ihrer beider Zwist seinen Anfang nahm. Später dann meinte Kazutaka, die Steine, die Ukon beim Mauerbau des Haupttores verwendet hatte, seien zu klein. Für den Frontwall einer Burg gehöre es sich, mit großen Steinen einen imposanten Anblick zu erzeugen. Deshalb ließ er die Mauer extra noch einmal mit Felsen, die er aus den Bergen von Echizen herbeischaffen ließ, neu bauen. Als Ukon jetzt mit kritischem Unbehagen den Burgwall, für den Kazutaka diese großen Brocken aneinandergeklotzt hatte, betrachtete, erschien er ihm doch sehr unharmonisch und grobschlächtig.

Nachdem man den Wachposten am Haupttor passiert hatte, weitete sich das Blickfeld, und der Zug der Vasallen ergoss sich wie ein Rinnsal aus Tusche über den breiten Kiesweg, der zum Ichinomon-Tor führte. Auch hier gab es eine große Veränderung. Der fünfstöckige Festungsturm, der zu Zeiten Fürst Toshinagas majestätisch in den Himmel geragt hatte, war verschwunden, weil er am letzten Tag des zehnten Monats im Jahre Keichô sieben (1602) wegen eines Blitzeinschlages niedergebrannt war. Das Feuer hatte sich, durch den Winterwind angefacht, über den ganzen Hauptwall ausgebreitet und zu einem Großbrand entwickelt. Als Ukon damals durch Wind und Regen herbeigeeilt kam, war Fürst Toshinaga samt seiner Diener und Zofen bereits aus dem Areal des Hauptwalls evakuiert worden. Die wild lodernden Flammen, die durch den Wind angefacht wurden, waren nicht zu bändigen und drangen bald in den Schießpulverspeicher ein, der mit einer gigantischen Explosion in die Luft flog. Die Aufregung steigerte sich noch, als Gewehre, Schwerter und Holzstücke durch die Luft wirbelten und viele Menschen dadurch zu Tode kamen. Danach gab es allerlei Gerede, wie etwa, dass das Feuer des Himmels niedergegangen sei, weil für den Zierbalken das Holz eines heiligen Baumes verwendet worden war, der auf dem Gelände eines Shintô-Schreins gestanden hatte; oder dass es die Strafe des Himmels gewesen sei, weil Jünger des üblen Glaubens am Bau beteiligt gewesen waren. Schließlich wurde entschieden, an derselben Stelle keinen großen Festungsturm mehr zu bauen, sondern nur noch ein dreistöckiges Gebäude.

Ukon, der es nicht eilig hatte, schaute sich gemächlich um. Seit Fürst Toshimitsu das Oberhaupt der Familie Maeda geworden war, waren einige Gebäude hinzugekommen, aber die Form des Zweiten Walls selbst, der sie Schnee geschmückt umgab, hatte sich nicht verändert. Auf der linken Seite des sorgfältig geräumten Weges befand sich das von einem Wassergraben umrahmte Echigo-Anwesen mit seinem Karamon-Tor, das ein geschwungenes Dach im chinesischen Stil hatte und, wie es sich gehörte, mit einem heiligen Strohseil und dem Neujahrsgesteck aus Kiefernzweigen und angespitztem Bambus geschmückt war. Auf der rechten Seite befanden sich hinter einem

Bretterzaun ein Sägewerk, Geräteschuppen und die Hütten der Zimmerleute. Außerdem reihten sich die Unterkünfte der Arbeiter, die auf der Baustelle oder in den Werkstätten beschäftigt waren, aneinander. Vor dem daneben liegenden Shigarami-Tor befand sich ein freier Platz, wo sich die Vasallen von ihren Begleitern trennten und allein durch das prächtige Kawakita-Tor weitergingen. Während die Samurai niederen Ranges und Fußsoldaten an der Wachstation die Registrierungsformalitäten erledigten und nach Hause gingen, schritt Ukon weiter in Richtung des inneren Zweiten Walls. Die Vasallen des höchsten Ranges, die Kommandeure der Waffengattungen und die Samurai der Leibgarde schritten feierlich schweigend den langen Gang entlang. Der Schnee im Garten reflektierte das schwache Sonnenlicht. Schließlich traten sie vor den Burgherren, Fürst Toshimitsu, der sie in der Mitte der großen Audienzhalle empfing.

Der junge Burgherr, Fürst Toshimitsu, der sein zwanzigstes Lebensjahr noch nicht lange überschritten hatte, trug das Festgewand, auf dem das Familienwappen, eine stilisierte Pflaumenblüte mit Schwert, auf golddurchwirktem Brokat glänzte. Seine Gemahlin, eine Tochter Shôgun Hidetadas, war noch jünger als er. Die beiden waren hübsch anzuschauen, wie Hina-Puppen, doch fehlte es dem jungen Patriarchen freilich an der Autorität und der Ausstrahlung väterlicher Vertrautheit, die Toshimitsus Vorgänger, Fürst Toshinaga, als Oberhaupt der Familie zu Eigen gewesen war. Rechts und links neben ihm saßen die ranghöchsten Beamten, die mit den Regierungsgeschäften betraut waren. Unter ihnen gab es einige, die Ukon gut kannte.

Zunächst war da der oberste Hausvasall der Familie Maeda, Honda Awa no kami Masashige mit 50 000 Scheffeln, der deutlich näher als die anderen Hauptgefolgsleute an der Seite seines Herrn saß. Er war der zweite Sohn Honda Sado no kami Masanobus, eines wichtigen Vasallen der Shogunatsregierung, und hatte zuvor unter Fürst Ukita Hideie mit Reisstipenden von 20 000 Scheffeln gedient. Nachdem dieser allerdings wegen der Niederlage bei der Schlacht von Sekigahara auf die Insel Hachijô verbannt worden war, ging Masashige mit 30 000 Scheffeln bei Fukushima Masanori in Dienst, von wo ihn Fürst Toshinaga abgeworben und als »Neuling« zum obersten Hausvasallen gemacht hatte. Der Familie Maeda kam es auch ein wenig vor, als fungiere er als Beobachter für die Regierung, und vor allem seit Tamahime aus der Familie Tokugawa als Toshimitsus Frau ins Haus gekommen war, hatte sein Wort an Gewicht gewonnen. Bei den eingesessenen Vasallen, die schon seit Fürst Toshiie der Familie dienten, und den direkten Gefolgsleuten Fürst Toshinagas löste er Unbehagen aus. Vor allem seit sich die Tendenz zum Verbot des christlichen Glaubens im Shogunat durchgesetzt hatte, war er für die Gläubigen zu einer unberechenbaren Größe geworden.

Honda Masashiges Rivale war Yokoyama Yamashiro no kami Nagachika mit einer Besoldung von 15 000 Scheffeln, ein direkter Vasall Toshinagas, der sich hohes Ansehen verdient hatte. Mit ihm war Ukon verschwägert, da er der Vater Yasuharus war, dem Ukon seine Tochter Lucia zur Frau gegeben hatte. In letzter Zeit hörte man oft von Meinungsverschiedenheiten zwischen Masashige und Nagachika, wie man in der Burg mit dem Problem der Christen verfahren solle. Als Ukon, vor seinem Lehnsherrn kniend, in tiefer Verbeugung verharrend aufblickte, schickte ihm Nagachika einen scharfen, vielsagenden Blick zu. Dieser Mann hatte den Ruf eines unerschrockenen Generals. Wegen einer Knieverletzung, die er sich auf dem Schlachtfeld zugezogen hatte, war es ihm nicht möglich, im Schneidersitz zu sitzen, ohne dabei seinen Körper unnatürlich zu verdrehen. Die Verletzung rührte von den heftigen Kämpfen bei der Belagerung der Burg von Hachiôji her, wo er unter Fürst Toshiie diente, als dieser mit dem Regenten Hideyoshi in die Schlacht von Odawara zog. Während er versucht hatte, die Burgmauer zu erklettern, hatte ihn die Lanze eines feindlichen Soldaten getroffen, und er war gestürzt. Nach der Schlacht hatte jemand anderes behauptet, dass ihm der Verdienst gebührte, die Vorhut gebildet zu haben. Erbost darüber kam es zur Streiterei zwischen ihm und Nagachika, doch aufgrund der Aussagen von Augenzeugen wurden schließlich Nagachika die Hauptverdienste zugesprochen. Nagachikas scharfer Blick rief vor allem das Ereignis aus dem Jahr, in dem Fürst Toshiie gestorben war, in Ukons Erinnerung wach. Nachdem Fürst Maeda Toshiie im Jahre Keichô vier (1599) am dritten Tage des dritten Monats – eines Schaltmonats, wie er im Mondkalender alle drei Jahre eingeschoben wird – in Ôsaka dahingeschieden war, wurde die Haltung Fürst Tokugawa Ieyasus gegenüber der Familie Maeda immer bedrängender. Im achten Monat forderte Fürst Ieyasu Fürst Toshinaga, den Nachfolger Fürst Toshiies, nachdrücklich auf, Ôsaka zu verlassen und sich nach Kanazawa zurückzuziehen. Da ihm nichts anderes übrig blieb, kehrte dieser in sein Lehnsgebiet zurück, woraufhin Fürst Ieyasu unter dem Vorwand des Verdachts auf verräterische Absichten mit den Vorbereitungen für einen Angriff auf das Lehen Kaga begann. Im Winter, es war der elfte Monat, schickte Fürst Toshinaga dann unter der Führung Nagachikas einige seiner Vasallen, unter denen sich auch Ukon befand, zu Fürst Ieyasu nach Ôsaka, um seine Rechtfertigungen zu überbringen. Der stattlich gebaute Fürst Ieyasu, der gerade auf sein sechzigstes Lebensjahr zuging, wurde auf allen Seiten von seinen dienstältesten Erbvasallen mit würdevoller Strenge abgeschirmt, als wolle man die Gesandtschaft der Familie Maeda einschüchtern. Ganz anders als jetzt bei Fürst Toshimitsu musste dort wohl eine arglistige, düstere Atmosphäre geherrscht haben. Doch ohne den geringsten Anflug von Angst, eher gar mit einem Gesichtsausdruck, der sein Gegenüber das Fürchten lehrte, grüßte Nagachika und übergab den Brief Fürst Toshinagas. Fürst Ieyasu sagte in strengem Ton, ohne den Brief auch nur eines Blickes zu würdigen: »Von den verräterischen Absichten Kômons (Toshinagas Amtstitel als Berater im Range eines chûnagon) habe ich in Ôsaka so einiges gehört. Was willst du mir da jetzt noch erzählen?«

»Wenn Ihr zuerst die Güte hättet, den Brief meines Herrn zu lesen, so werdet Ihr gewiss verstehen, weshalb wir gekommen sind.«

Fürst Ieyasu nahm das Schreiben zur Hand, ließ mit kritischem Gesicht schnell die Augen darüber schweifen und sagte dann mit höhnischem Unterton: »Wenn es denn stimmt, was hier steht, dann versteht es sich ja wohl von selbst, dass Kômon einen schriftlichen Treueschwur einreicht. Habt ihr einen solchen dabei?«

»Seinen Treueeid muss er sicherlich früher schon eingereicht haben. Daher ist es nicht notwendig, dass wir diesmal wieder einen neuen mitbringen. Denn wenn Ihr den alten für nichtig erklärt, dann ist es nur eine Frage der Zeit, bis auch der neue für nichtig erklärt wird. Mein Herr ist kein Mensch, der sich von dem abwendet, dem er einmal seine Treue geschworen hat.«

Offenbar um die richtigen Worte verlegen, wechselte Fürst Ieyasu plötzlich in einen etwas freundlicheren Ton: »Wenn Kômon eine solche Ergebenheit zeigt, wird er dann auch seine Mutter als Geisel in Edo wohnen lassen?«

»Dies ist für meinen Herrn eine wichtige Frage, und es kommt mir als Vasall nicht zu, an seiner Stelle darauf zu antworten«, verkündete Nagachika mit einer tiefen Verbeugung.

Nachdem sich Nagachika und Ukon beraten hatten, ritten sie schleunigst nach Kanazawa und überbrachten ihrem Herrn die Forderung Fürst Ieyasus. Schließlich einigte man sich mit Fürst Ieyasu darauf, dass Hôshun-in im nächsten Frühling als Geisel nach Edo geschickt würde, und ein Angriff auf das Kaga-Lehen konnte somit verhindert werden. Nagachikas Schlagfertigkeit und Unerschrockenheit war es zu verdanken, dass die Familie Maeda gerettet wurde. Normalerweise festigt man durch solche Verdienste seinen Rang innerhalb der Verwaltungshierarchie, Nagachika jedoch erbaute in Hatsusaka, östlich der Burg, einen Zen-Tempel namens Shôzan-ji, zog sich weitgehend aus den weltlichen Geschäften zurück und widmete sich der Übung der Zen-Meditation. Dass er sich zum einen mit großem Eifer in die einsame Zen-Meditation versenkte und es zum anderen liebte, sich in fröhlicher Gesellschaft heftig zu betrinken, war eine andere, äußerst eigenwillige Seite Nagachikas. Er neigte dazu, Unmengen an Sake zu trinken. Damals auf dem Heimweg nach der Instandsetzung der Burg Ôsaka verbrachte er zusammen mit dem Herrn der Feste von Komatsu, Maeda Nagatane, einen ganzen Tag damit, Sake in sich hineinzuschütten. Auch erlangte er unter den Vasallen des Hauses einige Berühmtheit dafür, was für ein unterhaltsamer Partner er Fürst Toshiie in Etchû bei dessen Trinkgelagen war.

In der Schlacht war er ein todesmutiger General, bei Verhandlungen ein schlagfertiger Partner mit großem Wissen, beim Gelage ein großer Zecher und bei der minutiösen Sorgfalt und Umsicht, die er bei politischen Geschäften an den Tag legte, kam ihm auch Honda Masashige nicht gleich. Bei dem bereits erwähnten Brand des Hauptturms war Ukon unter denjenigen, die in die Burg geeilt waren. Wie er später erfuhr, hieß es, Nagachika sei in dieser Nacht mit der Begründung zu Hause im Bett geblieben, dass man nicht unerlaubt mitten in der Nacht die Burg betrete, wenn es sich nicht um einen Verteidigungsfall handle. Masashige hatte sich damals versichert, dass Nagachika nicht in die Burg geeilt war und hatte dann selbst ebenfalls zu Hause abgewartet, was passieren würde. Daran musste Ukon erkennen, dass die beiden Beamten ihm doch überlegen waren.

Ihrer beider Charaktere waren von Widersprüchlichkeiten geprägt. Masashige war einerseits voller großmütiger Unbefangenheit, ganz im Stile eines Kriegsherrn aus der Zeit der streitenden Reiche, während er sich gleichzeitig durch jene Vorsicht auszeichnete, wie sie dem Blutsverwandten eines Shogunatsvasallen zu Eigen war. Nagachika widmete sich einerseits mit größter Hingabe seinen Amtspflichten, während er sich beim Feiern durch zügellose Dreistigkeit hervortat. Dass die beiden so hohe und verantwortungsvolle Posten innehatten, lag daran, dass diese Charaktereigenschaften, die sich normalerweise abstoßen, bisweilen zusammenwirkend große Energien gebären können.

Außer Masashige und Nagachika war Ukon auch Shinohara Dewa no kami Kazutaka, der mit 12 000 Scheffeln besoldet war, gut bekannt. Ihre Beziehung war seit den Meinungsverschiedenheiten, die beim Bau der Burg aufgekommen waren, durch eine betretene Stimmung gekennzeichnet. Eigentlich mochte Ukon Kazutaka wegen seiner unverhohlenen, offenen Art, in der er ihm selbst ähnelte. Jedoch mieden sich die beiden, weil sich immer ein unangenehmes Schweigen ausbreitete, wenn sie sich einmal trafen.

Ukon, der früher zu Zeiten Fürst Toshinagas das Amt des Kommissars für Kriegsbelange innegehabt hatte, war von allen Ämtern, die mit wirklichem Einfluss verbunden waren, zurückgetreten, nachdem Fürst Toshimitsu das Lehen übernommen hatte, und ging nun ausschließlich in seiner Funktion als Teemeister in der Burg ein und aus. Tatsächlich lernten auch Yokoyama Nagachika und viele weitere Vasallen des Hauses bei ihm die Kunst der Teezeremonie, so dass Ukons Gesicht und Name sehr wohl bekannt waren.

Nachdem Ukon seine Neujahrsgrüße entboten und von seinem Herrn mit jugendlicher Stimme ein kurzes Dankwort erhalten hatte, war für ihn die Aufwartung beendet. Als er zurückkehrte, wurde er von vielen, die er auf dem Flur traf, gegrüßt.

Als er aus der Burg heraustrat, schlossen sich ihm Yajirô und der Fußsoldat wieder an, und sie gingen gemeinsam weiter. Von der Erhöhung vor dem Burgtor aus konnte man die Stadt Kanazawa überblicken. Der Schnee auf den Dächern, die sich wie Silberbarren aneinanderreihten, reflektierte das Sonnenlicht und ließ die Hauptstadt des Nordens in der ihr angemessenen Schönheit erscheinen.

Die Menschen schaufelten den Schnee zur Seite und räumten die Wege zu ihren eigenen Toren frei, die sie, jeder nach seiner persönlichen Art, mit den Neujahrsgestecken aus Bambus und Kiefernzweigen sowie den heiligen Strohseilen geschmückt hatten. Die Stadt war von Neujahrsstimmung erfüllt, und in den Shintô-Schreinen versammelten sich die Familien für den Neujahrsbesuch. Seit der Schlacht von Sekigahara gab es keine Kämpfe mehr, und die friedvollen Tage hatten nun schon über zehn Jahre angehalten, doch wusste Ukon, dass der Schein trog. Die Tokugawa-Regierung war eifrig damit beschäftigt, den Angriff auf die Burg von Ôsaka vorzubereiten, während die Daimyô, die sich auf die Seite von Toyotomi Hideyori geschlagen hatten, ihrerseits mit allerlei Machenschaften zu Gange waren, und Fürst Hideyori im ganzen Lande immer mehr herrenlose Samurai rekrutierte. Die Wintersonne schien immer nur kurz in der Hokuriku-Gegend, und ebenso wie jetzt schon wieder graue Wolken von Norden heraufzogen, so näherte sich auch wieder die Zeit der Kriegswirren. Um das Geld für die Kriegsvorbereitungen bereitzustellen, wurden auch die jährlichen Steuern wieder strenger eingetrieben. Die Zeiten bleiben nie, wie sie sind, sondern drängen unweigerlich weiter, der Veränderung entgegen. Es erinnerte Ukon an die Worte Jesu Christi: »Ihr Heuchler! Über das Aussehen der Erde und des Himmels könnt ihr urteilen; warum aber könnt ihr über diese Zeit nicht urteilen?« Ukon besaß eine lateinische Bibel in der Übersetzung von Hieronymus, in der er diese Worte mit großer Aufmerksamkeit gelesen hatte. Natürlich hatte er die vier Evangelien mehrmals durchgelesen, und in allen möglichen Zusammenhängen erschienen ihm die Worte des Herrn mit größter Deutlichkeit in der Erinnerung.

»In der Burg war alles friedlich, keine besonderen Vorkommnisse«, wandte er sich an Yajirô, worauf der junge Samurai ihn mit einem Blick, wie er ernster nicht hätte sein können, anschaute und mit gedämpfter Stimmte sagte:

»Als ich in der Burg gewartet habe, ist mir ein sonderbares Gerücht zu Ohren gekommen, das zwischen den anderen Wartenden umging. Ein Eilbote, der aus Kyôto kam, soll das Christenverbot aus Edo überbracht haben, oder so ähnlich ...«

»Na ja, möglich ist das schon, aber ich habe davon nichts gehört.«

»Seid jedoch unbedingt auf der Hut«, erwiderte Yajirô und blickte sich dabei beim Gehen unverändert aufmerksam nach rechts und links um.

Sie erreichten Ukons Haus. Früher hatte er auf der Südseite der Burg ein Anwesen gehabt, das aber schließlich zu eng geworden war, weshalb er im Jahre Keichô 7, nicht zuletzt auf Anraten Fürst Toshinagas, sein jetziges Anwesen am Jin'emon-Steig erbaut hatte, das eher seiner Besoldung von 25 000 Scheffeln angemessen war. Anders jedoch als bei den übrigen Samurai-Anwesen stand sein überdachtes, im chinesischen Stil gebautes Tor immer offen, und es gab auch keine Wachen, auf dass jeder eintreten konnte, ohne zurückgewiesen zu werden. Wenn man am Eingang des Hauses rief, erschien sofort ein Diener, und wollte man den Hausherrn treffen, wurde man ohne Umstände in das Empfangszimmer geführt. Dies hatte sich so eingebürgert, weil immer mehr Gläubige zu ihm kamen, um ihn um Rat zu fragen. Nun, da überall der Trend aufkam, das Christentum zu verpönen, gab es nicht wenige, die diese Haltung des offenen Tors für sehr fahrlässig hielten, und Yajirô hatte Ukon deswegen schon direkt ermahnt, doch wenigstens eine Wache am Tor zu postieren. Dieser jedoch wollte davon gar nichts wissen und erwiderte nur, dass er sich vor niemandem zu verstecken brauche, und wenn sich schon jemand extra die Mühe machen wolle, ihn auf seine alten Tage noch zu ermorden, so fühle er sich dadurch allenfalls geehrt. Dies war einerseits, was sein Gewissen ihm gebot, und andererseits auch Berechnung. Sowohl in der Burg als auch in der Stadt gab es jede Menge Heiden, die meinten, die Südbarbarenlehre ausrotten zu müssen, oder solche, die aus Voreingenommenheit die Gläubigen, welche die Geheimlehre der Padres empfangen hatten, als Teufelsanbeter verabscheuten. Vor allem seit Fürst Toshinaga, der die Gläubigen stets leidenschaftlich beschützt hatte, zurückgetreten und die Regierungszeit Fürst Toshimitsus angebrochen war, nahm die Zahl derer zu, die sich dem Geist der Regierung beugten, den üblen Glauben auszutreiben, und Ukon, der weithin im Rufe eines Anführers stand, mehr und mehr als dubiose Erscheinung betrachteten. So sah sich Ukon durchaus vor die Notwendigkeit gestellt, sich offen zu gebärden und ihnen zu zeigen, dass es bei den Christen keine Geheimnisse und nichts Verdächtiges gab.

Als ihr Mann zurückkehrte, kam Ukons Frau Justa ihm bis zum Eingang entgegen. Ebenso wie er war sie recht mager und betagt. Er berichtete ihr ausführlich vom Neujahrsempfang in der Burg: »Angefangen bei unserem Fürsten, herrschte in der Burg eine ausgesprochen friedliche und harmonische Stimmung, es war wirklich äußerst erfreulich.«

»Es sind ziemlich viele gekommen, um ihre Aufwartung zu machen«, sagte seine Gemahlin und nannte die Namen von Ukons jüngerem Bruder Tarôemon, der mit der Verwaltung des Lehnsgebietes von Noto und der Kirche betraut war, Kataoka Kyûka vom Echizen-Laden und zehn weiterer Personen. Es war eine Ansammlung von Teemeistern und hochrangigen Gläubigen aus Kaga, Noto und Etchû.

Ukon zog sich um und wechselte sein Festgewand gegen einen einfachen Kimono. Dann ließ er sich im Schreibzimmer, das auch als Wohnzimmer diente, nieder und sagte, während er sich streckte, zu seiner Frau: »Meine Schulter ist verspannt. Ruf doch mal jemanden, dass er sie massiert.«

»Das kann ich auch selbst machen.«

»Nein, heute ist es schlimmer als sonst. Da hätte ich lieber, dass es ein Mann macht. Am besten Sôbê.«

»Herr Sôbê ist allerdings mit den Vorbereitungen für die Teezeremonie und der Bewirtung der Gäste sehr beschäftigt«, sagte Justa mit einem leichten Anflug von Missbilligung, als Sôbê genau in diesem Moment mit den Worten: »Ich bin es, Sôbê«, sein Gesicht in der Tür zeigte und augenblicklich, ohne erst auf Erlaubnis zu warten, hereinkam und Ukons Schulter zu massieren begann, als wolle er sagen: »Ich weiß doch, dass Eure Schulter immer verspannt ist, wenn Ihr in der Burg wart, und es ist doch eines meiner besonderen Talente, diese Verspannung zu lösen.« Da sich in den letzten Jahren viele der Hausvasallen etwas auf ihre Stellung als Samurai einbildeten und den alltäglichen Arbeiten des Haushaltes abgeneigt waren, war dieses bereitwillige Verhalten etwas Beispielloses. Ukon schloss die Augen und genoss, wie Sôbês geschickte Finger die Anspannung in seinem Nacken lösten.

»Es sind ja ziemlich viele gekommen«, murmelte Ukon vor sich hin.

»Ja, dieses Jahr quälen sich alle vor Sorgen wegen des anstehenden Christenverbots, und ich vermute, sie sind gekommen, weil sie Eure Meinung hören wollen. Wie war denn die Stimmung auf der Burg?«

»Wie immer.«

»Irgend etwas Verdächtiges geht da vor sich. Es wurde beobachtet, wie heute früh in der Morgendämmerung ein berittener Bote aus Takaoka in der Burg eintraf.«

»Yajirô wiederum hat von Gerüchten gesprochen, dass ein Bote aus Kyôto eingetroffen sei.«

»Nein, der Bote kam nicht aus der Richtung von Kyôto, sondern aus Takaoka. Dafür gibt es zuverlässige Augenzeugen. Ich denke, vielleicht ist irgend etwas mit Herrn Toshinaga.«

»Hm, in der Burg gab es dafür allerdings keine Anzeichen.« In Ukon kamen Zweifel auf.

»Heute früh hatte ich einen Traum«, wechselte Sôbê das Thema. »Darin wurden wir Gläubigen mit Wasser und Feuer gefoltert. Alle wurden ans Kreuz geschlagen und umgebracht, indem sie verbrannt oder ertränkt wurden. Und als wir verzweifelt versuchten zu fliehen, rief uns der Herr Christus mit den Worten ›hierher, hierher‹ zu sich. Über einen weißen Weg gelangten wir ins Paradies, wo der Herr Christus im Lotussitz unserer harrte. Auch ich wurde in die Lotusgemeinschaft derer, die im Himmel wohnen, aufgenommen, und leicht bekleidete Engel von wunderbarer Schönheit spielten Musik. Munter und freudig stimmten sie die Oratio an. ›Geehrt seist du, Amida-Buddha, Amen‹, da bin ich aufgewacht.«

»Hmm«, brummelte Ukon, der nicht recht wusste, was er darauf sagen sollte. Sôbê verzog keine Miene.

Ukon hörte sich mit halbgeschlossenen Augen das freudige Geschrei der Kinder an, das aus dem Garten herüberklang und ihm vorkam wie das vergnügte Zwitschern kleiner Vögel. Es waren die Kinder, die sein ältester Sohn João Jûjirô und dessen Frau, die beide verstorben waren, hinterlassen hatten. Angefangen beim sechzehnjährigen Jûtarô bis hin zu der Jüngsten hatte Ukon vier Enkel und eine Enkelin, die sehr an ihren Großeltern hingen und sie »werter Opa« und »werte Oma« nannten.

Direkt nachdem sein Sohn und dessen Frau auf tragische Weise einer Grippe erlegen waren, war auch Ukons Mutter Maria, der die

Erschöpfung durch die Krankenpflege und die Verzweiflung zu viel geworden waren, plötzlich von ihm gegangen. Wenn Ukon an seine Mutter dachte, kam ihm auch sein ebenfalls verstorbener Vater Dario Hida no kami in Erinnerung. Nachdem Ukon bei Fürst Toshinaga in Dienst getreten war, folgte ihm auch sein Vater und erhielt eine Besoldung von 6 000 Säcken Reis. Nach seinem Ableben wurde er allerdings auf dem Christenfriedhof in Nagasaki begraben. Während die Stimmen der Enkel, die Ukon großzog, seine Ohren umschmeichelten, dachte er an die Jahre, die verflossen waren und fühlte, dass er nicht mehr jung war.

Als sich die Verspannung in seiner Schulter etwas gelöst hatte, begab er sich in das Empfangszimmer und nahm von jedem Einzelnen seiner Gäste die Neujahrsglückwünsche entgegen. Nach einigem allgemeinen Geplauder kam man auf das Christenverbot zu sprechen.

»Was da konkret entschieden wird, weiß ich auch nicht. Aber dass die Regierung auch für das Kaga-Lehen irgendwelche Maßnahmen befehlen wird, ist deutlich abzusehen«, sagte Ukon mit angestrengt heiterem Ton. »Aus meiner eigenen Erfahrung allerdings kann ich sagen, dass es nichts zu fürchten gibt, wenn nur der Glaube stark genug ist.«

»Aber was ist mit einem wie mir, dessen Glaube nicht so tief ist wie der Eure …«, machte einer aufrichtig seinen Befürchtungen Luft. Es war ein Kesselschmied, der zwar die Taufe empfangen hatte, sich aber langsam von der Kirche entfernte.

Takayama Tarôemon fiel ihm ins Wort. Ihm hatte sein älterer Bruder Ukon die Verwaltung des Lehnsgebietes von Noto und der Kirche anvertraut. Auf zwei Kirchen in Noto konzentriert, gab er sich leidenschaftlich der Missionsarbeit hin, weshalb er bisher auch noch nicht geheiratet hatte. Vor etwa zehn Jahren hatte er seinen Status als Samurai aufgegeben und war einfacher Stadtbürger geworden. So verbrachte er nun seine Zeit als halber Missionar.

»Ich habe damals, nach der Verbannung aus Akashi, das Herumwandern meines Bruders mit eigenen Augen gesehen. Deshalb habe ich auch meine bescheidene Meinung zu der Sache. Ich rede aus Erfahrung und gewiss nicht, um euch falschen Trost zuzusprechen. Von den Bestrafungen, die in den letzten Jahren in Sumpu und Edo durchgeführt wurden, ist nicht die gesamte Bürgerschaft des Lehens betroffen, sondern es werden in Sumpu nur die direkten Vasallen des Shogunats und in Edo die Anführer der Kompanien bestraft, um an ihnen ein Exempel zu statuieren. Auch damals, als der Regent das Edikt zur Verbannung der Christen erlassen hatte, waren es nur die Familie meines Bruders und ich, die tatsächlich verbannt wurden, während die Bauern und einfachen Stadtbürger von weiteren Züchtigungen verschont blieben. Ich denke, auch diesmal wird es so sein, dass sich die Bestrafungen nicht auf alle von uns ausweiten.«

Dies schien den Kesselschmied zu überzeugen. Nachdem die Gäste nach einiger Zeit unverfänglicher Unterhaltungen gemeinsam aufgebrochen waren, besprach Ukon mit seinem Bruder noch dies und jenes wegen der Leitung des Noto-Gebiets. Sie sprachen darüber, dass die Liste mit den Namen der Gläubigen verbrannt werden müsse, der buddhistische Tempel, der damals in eine Kirche umfunktioniert worden war, wieder in seine ursprüngliche Form zurückversetzt werden müsse, indem man das Kreuz und die Marienbilder entfernte und ihn sozusagen in eine getarnte Kirche verwandelte, und dass die Häuser, die am Hang gebaut waren und durch den heftigen Schneefall beschädigt worden waren, repariert werden müssten. Über der Erörterung all dieser Einzelheiten verfloss die Zeit, und unversehens war schon die Abendstunde hereingebrochen. Ukon schlug seinem Bruder gerade vor, in seinem Hause zu übernachten und seit langem einmal wieder zusammen etwas Sake zu trinken, als am Eingang Aufregung aufkam. Das schrille Wiehern eines Pferdes war zu vernehmen, und Sôbê kam wie ein runder Schatten hereingeschossen und rief: »Der Herr Yamashiro no kami ist gekommen.«

»Hmm, den habe ich doch heute früh erst in der Burg gesehen. Was es wohl zu bedeuten hat, dass er direkt persönlich hier erscheint«, sagte Ukon nachdenklich. Er wollte sich gerade noch etwas passender kleiden, da fügte Sôbê hinzu: »Er lässt ausrichten, dass es von äußerster Dringlichkeit ist und jede Sekunde zählt.«

Als Yokoyama Yamashiro no kami Nagachika Ukon erblickte, richtete er sich schwungvoll auf und verharrte mit einem Knie aufgestellt auf dem Boden hockend. Ohne sich mit Begrüßungen aufzuhalten, kam er sofort zur Sache. Haare hingen wild über seine Schweiß glänzende Stirn. »Das Edikt zur Verbannung der Christen, das letztes Jahr vom Shogunat erlassen worden ist, wurde heute früh im Morgengrauen per Eilboten von Fürst Toshinaga in Takaoka in die Burg von Kanazawa übermittelt. Eigentlich wollte ich Euch schon heute früh Bescheid sagen, als Ihr Euch auf die Burg begeben habt, aber mir war es nicht erlaubt, darüber zu sprechen, weil noch nicht entschieden war, wie man die Lage zu beurteilen habe. Nun, da man in der Burg entschieden hat, wie zu verfahren sei, bin ich schnell hierher gekommen. Dies ist eine Kopie des Edikts. Ich habe es den Sekretär schnell abschreiben lassen. Das Verbannungsedikt ist ein amtliches Schreiben mit dem Siegel Shôgun Hidetadas.«

Ukon faltete das Blatt auf und schaute es sich an.

Es war ein langer Text, der mit dem langen Satz »Der Himmel ist der Vater, die Erde ist die Mutter, zwischen ihnen ward der Mensch geboren, so ist die Welt beschaffen, und ursprünglich ist Japan das Land der Götter« begann und in dem dann das Christentum als Häresie verurteilt wurde. Schließlich stand dort der folgende Passus: »Jene verschwörerischen Anhänger der Padres, sie verstoßen gegen die Verordnungen der Regierung, misstrauen dem Weg der Götter, lästern der wahren Lehre, schädigen die Moral und schädigen die Tugend. Wenn sie einen Sträfling sehen, dann freuen sie sich, dann rennen sie zu ihm, dann beten sie ihn an und verehren ihn. Dies ist das wahre Wesen ihrer Sekte. Was ist dies anderes als Häresie. Sie sind wahrlich die Feinde der Götter und die Feinde Buddhas. Wenn ihnen nicht umgehend Einhalt geboten wird, so wird es den Staat in Zukunft ins Unglück stürzen. Vor allem solchen, die in hohen Ämtern das Kommando haben. Wer diesen nicht Einhalt tut, über den wird die Strafe des Himmels kommen. Drum muss man beharrlich und ohne Unterlass jeden Zentimeter japanischen Bodens von ihnen befreien und sie schleunigst vertreiben. Gibt es solche, die sich dem Befehl mit Gewalt widersetzen, so sind sie zu exekutieren …«. Darunter befanden sich das Datum »im Jahr des Ochsen, Keichô 18, zwölfter Monat« und der Name des Shôguns. Ukon legte das Papier beiseite, nachdem er es zweimal sorgfältig durchgelesen hatte, und sagte nachdenklich:

»Das ist ein sehr heftiger Ton. Der Unterschied zu den Anordnungen Hideyoshis früher ist, dass hier nicht nur die Padres verdammt werden, sondern die ganze Religion an sich als Häresie abgestempelt wird. In diesem strengen Erlass werden nicht nur die Padres bedrängt, ihrem Glauben abzuschwören, sondern auch die anderen Gläubigen.«

»Es ist auch noch der gesonderte Befehl eingegangen, unverzüglich den Padre und den Ordensbruder in die Hauptstadt zu eskortieren. ›Unverzüglich‹ bedeutet, dass heute oder morgen aufgebrochen werden soll.«

»Das ist allerdings ein äußerst schnelles Vorgehen. Darüber muss man umgehend den Padre verständigen …«

»Zu dem habe ich bereits Leute von mir geschickt, um ihn zu benachrichtigen. Es scheint mir nur unverständlich, dass noch keine Maßregeln mitgeteilt wurden, wie mit den anderen Gläubigen zu verfahren sei. Da wird sicher noch bald was nachkommen.«

»Ich denke, jemand, der so unverhohlen Christ ist wie ich, wird einer Strafe nicht entgehen. Natürlich wird auch hier ein detailliertes Schreiben mit genauen Befehlen eintreffen«, sagte er und dachte sich, dass es gekommen war, wie es kommen musste. Der Sturm, den er längst erwartet hatte, erhob sich nun, und es kam ihm sogar vor, als wehe er die dunklen Wolken davon und mache so die Sicht frei. Ukon war auf alles gefasst.

»Ach übrigens«, hob Nagachika an, sich etwas nach vorne beugend. Es schien ihm nicht leicht zu fallen, das Folgende auszusprechen: »Wie sollen wir eigentlich mit Lucia verfahren?«

Es durchfuhr Ukon, als er bemerkte, dass es das war, was Nagachika eigentlich auf dem Herzen lag und weshalb er höchstpersönlich erschienen war.

Für den Fall, dass Ukon selbst in die Verbannung gehen müsste, hatte seine Frau Justa bereits deutlich gesagt, dass sie ihm, wie auch damals in Akashi, folgen würde. Dieser Punkt war also geklärt. Sollte Tarôemon als Nicht-Samurai der Verbannungsstrafe entgehen, so würde Ukon seine Enkel, die Waisenkinder seines verstorbenen Sohnes, wohl ihm anvertrauen. Doch war er sich noch nicht schlüssig, ob er sie, die so an ihren Großeltern hingen, zurücklassen und selbst zur Reise aufbrechen konnte, oder ob es richtig war, sie in die Sache hineinzuziehen, falls die Strafe denn alle treffen sollte. Seine Tochter, die ja verheiratet war, hatte er in seine Überlegungen allerdings gar nicht einbezogen.

Dass die Frau des Stammhalters jenes Hauptvasallen der gotteslästerlichen Sekte angehörte, war im Lehnsgebiet von Kanazawa eine allgemein bekannte Tatsache und ließ sich unmöglich verbergen. Um ihren Ehemann nicht in Schwierigkeiten zu bringen, blieb ihr zum Beispiel die Möglichkeit, sich selbst zu entleiben, wie es Garasha Shûrin-in Tamako getan hatte. Ukon war aber strikt dagegen, dass sich Gläubige selbst das Leben nehmen. Auch wenn er ihren Tod als verehrungswürdige Tat für die Frau eines Kriegers anerkannte, verstand er den Selbstmord doch im christlichen Sinne als eine Abkehr von Gott. Dass ihr Tod selbst bei den Christen so in den Himmel gelobt wurde, war ihm zutiefst suspekt.

Nagachika, dem der Anblick des in Gedanken versunkenen Ukon wohl nahe ging, sagte mit kräftiger Stimme: »Ich denke, es wird wohl am besten sein, wenn wir die Tatsache vertuschen, dass Lucia Christin ist. Fürst Toshinaga hat ja auch gesagt, dass es die Dame von Bizen ebenso tut und ihre Identität als Gläubige verstecken wird. Die Untersuchungen des Shogunats werden sich doch gewiss nicht bis in die innersten Angelegenheiten der Gefolgsleute hier im Kanazawa-Lehen erstrecken.«

»Die Regierung ist besser mit den inneren Angelegenheiten des Kanazawa-Lehens vertraut, als man es sich vorstellt. Es ist doch eine allgemein bekannte Tatsache, dass Spione des Shogunats, als reisende Kaufleute aus Ômi oder Ise verkleidet, alle möglichen Länder infiltrieren. Über die Schwiegertochter eines Herrn Yamashiro no kami, des wichtigsten Generals im Hause Maeda, wurden bestimmt Nachforschungen angestellt.«

»Fürst Toshinagas Meinung zufolge sollte man es mit der Frau von Yasuharu genauso handhaben wie mit der Dame von Bizen und vertuschen, dass sie Christin ist.«

»Bei der Dame von Bizen liegt der Fall aber anders. Sie ist durch Heirat mit der Familie Tokugawa verwandt und daher sogar für das Shogunat in dieser Sache nicht erreichbar. Lucia aber wird vor Gericht gestellt werden und damit der Familie Yokoyama Unannehmlichkeiten verursachen.«

»Notfalls kann sie dann ja sagen, dass sie ihrem Glauben abgeschworen hat.«

»Zu solch halbherzigen Lügen ist sie nicht im Stande.«

»Aber die Lüge wäre ja nur ein Mittel zum Zweck.«

Ukon wusste nicht recht, was er sagen sollte. Wie konnte er Nagachika klar machen, dass es für einen Christen unmöglich ist, seinen Glauben zu verleugnen, auch wenn es nur mit Worten geschieht. Die Dame von Bizen genoss selbst gegen die Untersuchungen der Regierung Immunität, aber Lucia würde bestimmt Verhöre über sich ergehen lassen müssen. Lucia wusste genau, dass sie ihren Glauben faktisch verriet, wenn sie in einer solchen Situation log. Außerdem war sie von Natur aus von unbefangener, fast naiver Lauterkeit und hatte noch nie die Unwahrheit gesagt.

»Wie immer wir auch verfahren, wir sollten auf jeden Fall mit ihr selbst darüber sprechen, bevor wir zu einer Entscheidung kommen.«

»Yasuharu und ich sind uns allerdings darin einig«, sagte Nagachika, »dass ein Bund, der einmal geschlossen wurde, wegen dieses Religionsverbots nicht einfach wieder gelöst werden darf. Er sagt, dass er das Ganze bis zum Schluss zusammen mit seiner Frau durchzustehen gedenke.«

»Für diese Einstellung bin ich Euch sehr dankbar, aber wegen der Wichtigkeit der Sache möchte ich mich doch erst mit Lucia besprechen, bevor ich mich weiter dazu äußere«, sagte Ukon.

Nagachika nickte nur knapp und machte sich eiligst auf den Weg. Er sah aus, als triebe ihn die Eile des Kriegers, der auf seinem Pferd in die Schlacht stürmt.

Ukon setzte sofort seine Frau Justa davon in Kenntnis, dass das Edikt zur Verbannung der Christen eingegangen war.

»Bisher ist nur die Deportation des Padre nach Kyôto befohlen worden. Welche Maßnahmen uns erwarten werden, ist noch nicht klar. Dass ich ohne Strafe davonkommen sollte, kann ich mir allerdings nicht vorstellen. Ich muss also entweder Kanazawa verlassen oder mir wird hier der Prozess gemacht. Wie dem auch sei, sieh zu, dass du alles erledigst, was es noch zu erledigen gibt und mache dich bereit, jederzeit aufzubrechen.«

»Du hast ja bereits früher darauf hingewiesen. Deshalb habe ich meine Vorbereitungen schon abgeschlossen. Ich werde dir folgen, wo immer du auch hingehst«, sagte seine Frau mit Bestimmtheit. Ukon fasste es so auf, dass sie mit ›wo immer‹ meinte ›auch wenn es in den Himmel ist‹ und sagte, in ihr heiteres Gesicht blickend: »Na, so weit wird es hoffentlich nicht kommen.« Justa, mit der er die Zeiten der

Kriegswirren gemeinsam durchlebt hatte, war eine energische Frau von männlicher Willensstärke und Beherztheit. Sie war eine Tochter der Familie Kuroda aus Yono im Lehen Settsu (heute Präfektur Ôsaka, Kreis Toyono). Als Ukon sie heiratete, war er achtzehn und sie vierzehn. Schon damals trug sie den Taufnamen Justa und war leidenschaftliche Christin.

Im Jahre fünfzehn der Ära Tenshô verlor Ukon wegen des Edikts zur Verbannung der Christen sein Lehen in Akashi und begab sich auf seine ziellose Wanderschaft. Zunächst ging er zusammen mit Justa auf eine kleine Insel, in der Bucht von Hakata, dann nach Shôdoshima, dem Lehnsgebiet des christlichen Daimyô Konishi Yukinaga, dem er dann nach dessen Versetzung nach Higo folgte, und schließlich nach Kanazawa, wo ihn Fürst Maeda Toshiie in seine Dienste nahm. Das Ehepaar hatte die Zeit, als Ukon Burgherr in Takatsuki und Akashi war, ebenso wie die Zeit der Verbannung, Verfolgung und der Wanderschaft gemeinsam durchlebt. Was das neue Edikt zur Verbannung der Christen nach sich ziehen würde, konnte man wohl als einen Zustand bezeichnen, mit dem die beiden schon hinreichend vertraut waren.

Ukon sah es so, dass er ohne etwas zu haben nach Kanazawa gekommen war und es ihm nichts ausmachte, diese Stadt auch wieder besitzlos zu verlassen. In zahlreichen Schlachten hatte er sich darauf gefasst gemacht, sein Leben zu lassen und mit aller Entschlossenheit gekämpft. Selbst wenn ihn nun wegen des Christenverbots die Todesstrafe ereilen sollte, bedeutete dies nur, dass er sein Leben Gott zurückgeben würde. Es gab nichts, wovor er sich zu fürchten hatte.

Kurz darauf ritt Ukon ohne Begleitung schleunigst zum Färbersteig.

Der Südbarbarentempel hatte die andächtige Stille verloren, die dort normalerweise herrschte, und war von Aufregung erfüllt. Die Laien, die normalerweise in geregelter Ordnung den ihnen zugeteilten Arbeiten – wie putzen, waschen, Essen zubereiten – nachgingen, irrten chaotisch und ziellos in den Gängen und im Garten umher. Die Gläubigen, die man in der Kirche versammelt hatte, um ihnen die schlechten Neuigkeiten mitzuteilen, schauten sich mit finsteren Gesichtern gegenseitig an. Als die Menschen jedoch bemerkten, dass Ukon erschienen war, erstarrte die ganze Szene wie zu einem Bild. Viele Augen schauten erwartungsvoll in seine Richtung. Bei den Anwesenden waren die verschiedensten Gesichtsausdrücke zu sehen. Manche blickten ernst drein wie vor einem Kampf, in der Miene anderer spiegelte sich schiere Angst, als hätte man ihnen ein Messer an die Brust gesetzt, während wieder andere einfach perplex dreinschauten. Als er in das Zimmer der Padres im ersten Stock ging, packten dort Clemente und Hernandez gerade Kleider in die Südbarbaren-Reisetruhe. Eine Südbarbaren-Reisetruhe ist ein stabiles Behältnis aus Holz, das man mit einer japanischen Schiffstruhe vergleichen kann und das ebenso wie diese mit einem Eisenrahmen verstärkt ist. Die beiden grüßten Ukon leicht, hielten aber nicht in ihrer Tätigkeit inne.

»Padre, es geht um den Inhalt des Verbannungsedikts …«

»Wir haben es schon gehört. Wir müssen uns umgehend auf die Reise in die Hauptstadt begeben. Aber da Ihr schon vorher darauf hingewiesen habt, dass es so ähnlich kommen werde, konnten wir uns darauf vorbereiten und sind jetzt durchaus gefasst. Nur den Gläubigen muss man die Situation noch genau erklären. Das ist noch nicht hinreichend geschehen. Auch sind viele gekommen, weil sie vor dem Abschied die Beichte, das Sakrament und das Abendmahl empfangen wollen. Wir sind sehr beschäftigt.«

Ukon nickte leicht. Eines allerdings wollte er noch loswerden: »Padre, hast du die Namensliste der Gemeindemitglieder verbrannt?«

»Ach das, kein Problem. Mit aller Gründlichkeit«, sagte Clemente, selbstbewusst in die Hände klatschend.

»Auf den Befehl des Gouverneurs von Kyôto hin wurde in Fushimi und Kyôto mit der Anfertigung von Namenslisten der Gläubigen begonnen. Der Stand der Dinge ist, dass der Generalbevollmächtigte zur Ausführung des Christenverbots vom Shogunatskabinett entsandt wird. Es ist das Bestreben der Regierung, die christliche Sekte mitsamt den Wurzeln auszurotten. Auch in Kanazawa wird früher oder später, vielleicht sogar morgen schon, mit den Untersuchungen begonnen.«

»So wird es wohl kommen. Deshalb habe ich die Namenslisten auch allesamt verbrannt«, sagte er mit einem leicht hochfahrenden Unterton.

»Um in die Hauptstadt zu gelangen, muss man die verschneiten Berge passieren. Ich gebe Euch zwei meiner Leute mit, die Euch beim

Tragen helfen. Außerdem werdet Ihr auf Eurem Weg auch auf Leute treffen, die den Südbarbaren feindselig gegenüber stehen. Es ist also dringend geboten, äußerste Vorsicht walten zu lassen.«

»Dafür bin ich Euch sehr dankbar. Wir wussten wirklich nicht recht, was wir mit dem schweren Gepäck hätten machen sollen.«

Ukon begann ihnen beim Aufräumen des Zimmers zu helfen. Die Namenslisten waren zwar verbrannt worden, aber wenn man genau nachschaute, fand man doch noch Briefe und signierte Geschenke der Gläubigen. Auch stapelten sich unsortierte Schriftstücke, wie etwa Briefe mit Weihnachtsgrüßen, die von mehreren zusammen verfasst waren usw. Schließlich ließ Clemente sich vernehmen: »Wenn man damit anfängt, das alles zu ordnen, kommt man nie zum Ende.«

»Die Schriftstücke werden alle verbrannt«, sagte Ukon und fuhr fort: »Die Notizen und Sachen der Bewohner werde ich auch untersuchen. Wir sollten sie alle verbrennen.«

Ukon machte aufgeregt seine Runde durch die ganze Kirche, um alle Dokumente gründlich entsorgen zu lassen, als Sôbê herbeigeritten kam. Mit einer Miene, als wolle er sagen: »Herr, es ist nicht recht, dass Ihr ohne Begleitung außer Hauses geht!«, erkannte er sofort die Absicht Ukons, drängte die Bewohner und Gläubigen, alles Geschriebene herbeizuschaffen, häufte dies im Garten auf und zündete es an. Die Bewohner, die verstanden hatten, um was es ging, brachten sogar Geschirrkästen und Bücher herbei, so dass die Flammen etwa zwei Meter hoch aufloderten und der Rauch über das Dach hinweg aufstieg. Doch als der Statthalter, bei dem das Feuer Argwohn geweckt hatte, mit seinen Wachsoldaten eintraf, war bereits alles verbrannt.

Kurz darauf hielt der Kommissar des Oberbevollmächtigten für Tempel- und Schreinangelegenheiten in Begleitung verschiedener Wachsoldaten ostentativ Einzug. Er verjagte die Leute, die sich in der Kirche versammelt hatten, und überbrachte Padre Clemente und Bruder Hernandez, die sich zu Boden geworfen hatten, den Befehl des Shôguns. Es war die strenge Order, dass die ausländischen Padres im Laufe des morgigen Tages in Begleitung einer Eskorte Kanazawa zu verlassen und sich in die Hauptstadt zu begeben hätten. Um Flucht und Vernichtung von Beweisen zu verhindern, sagte er, werde er einige seiner Wachen hier im Barbarentempel zurücklassen. Es war ganz die Behandlung, wie sie Verbrechern zukam.

Der Kommissar war schon von früher her gut mit Ukon bekannt und hatte einigermaßen Verständnis und Sympathie für die Gläubigen. Daher gab er leichthin seine Erlaubnis, als ihn Ukon fragte, ob der Padre für die Gläubigen noch eine letzte Messe abhalten dürfe. Die Bewohner des Südbarbarentempels wurden losgeschickt, allen Gläubigen, die ihnen einfielen, mitzuteilen, dass am Abend eine Messe abgehalten werde.

Nachdem Ukon seine Instruktionen gegeben hatte, kehrte er eiligst in Begleitung Sôbês nach Hause zurück. Es kamen ihm noch viele Dinge in den Sinn, die er selbst dringlich zu erledigen hatte.

Yokoyama Yasuharu und seine Frau erwarteten ihn mit ihrem Baby Tanenaga im Arm. Das junge Ehepaar war gekommen, um Ukon seine Neujahrsaufwartung zu machen. Yasuharu war fünfundzwanzig und Lucia vierundzwanzig. Seit sie im Jahre Keichô 8 (1603) geheiratet hatten, waren schon über zehn Jahre vergangen, doch das Kind war gerade erst geboren worden.

Nachdem Ukon die Begrüßung der beiden erwidert hatte, wandte er sich ohne Umschweife an Yasuharu, der etwas sagen zu wollen schien, aber zögerte:

»Vorhin habe ich von deinem Vater erfahren, dass das Christenverbot eingetroffen ist. Ich wüsste gerne, was ihr nun zu tun gedenkt.«

»Ich habe es meinem Vater auch schon gesagt«, begann Yasuharu mit deutlicher Stimme, sich über sein anfängliches Zögern hinwegsetzend. »Ich denke, dass meine Frau und ich zusammen bleiben sollten. Dann kann man die Tatsache vertuschen, dass sie eine Christin ist, das Religionsverbot ignorieren und wir können so weiterleben wie bisher.«

»Ja, das habe ich bereits von deinem Vater gehört. Ich würde aber gerne noch hören, was deiner Meinung nach das Richtige ist, Lucia.«

So aufgefordert, errötete diese. Vor ihrem Vater und ihrem Gatten so ihre Meinung zu äußern, trieb ihr vor Anspannung den Schweiß auf die Stirn. Die Nervosität der Mutter hatte sich wohl auf das Kleinkind übertragen und es begann zu quengeln, woraufhin Yasuharu es in den Arm nahm. Lucia antwortete mit einigem Zittern in der Stimme:

»Mich von meinem Mann zu trennen, alle Verbindungen abzubrechen und mit Euch, werter Vater, den Weg ins Martyrium zu gehen.«

»Aber das ist doch genau das Gegenteil von dem, was ich mir gedacht habe«, zuckte Yasuharu zusammen. Offensichtlich waren die beiden noch zu keinem gemeinsamen Schluss gekommen, wie mit dem Problem umzugehen sei.

»Von dem Christenverbot«, begann Lucia, ihren Mann ehrfürchtig anschauend, »habe ich gerade vorhin erst erfahren, und die Entscheidung habe ich getroffen, nachdem ich mir die Sache auf dem Weg hierher gründlich überlegt habe. Dass deine Frau eine Christin ist, wird bei einer Untersuchung sicherlich schnell ans Licht kommen. Die Leute im Haus wissen es genauso wie die Leute aus der Nachbarschaft, und es gibt auch gewiss viele, die bezeugen können, dass ich im Südbarbarentempel ein- und ausgegangen bin. Auch auf dich wird der Verdacht fallen, und das wird sehr unangenehme Folgen für die Familie Yokoyama haben. Sich hier zu trennen und zu tun, als wäre nie etwas gewesen, ist die beste Lösung.«

»Aber dann muss ich mich von dir trennen. Das ist bitter.«

»Für mich ist es ebenso bitter. Die Trennung zerreißt mir wahrlich das Herz«, sagte sie und wischte sich mit dem Ärmel die Tränen weg.

»Seid ihr damit beide einverstanden?«, fragte Ukon, die beiden abwechselnd anschauend. Lucia antwortete mit klarer Stimme: »Ja, so soll es sein.« Doch Yasuharu sagte mit vor Kummer verzerrtem, schweißglänzendem Gesicht: »Ich möchte das noch einmal mit meiner Frau besprechen, bevor ich antworte. Gebt uns noch einen Moment«, und verbeugte sich niedergeschlagen.

In einem anderen Zimmer begann die private Diskussion zwischen den Eheleuten. Sie unterhielten sich mit leiser Stimme und nur, wenn sie das Baby beruhigte, wurde Lucias Stimme etwas lauter. Nach etwa einer Stunde erschienen die beiden wieder vor Ukon. Yasuharu gab ihre Trennung bekannt und sagte, dass das einzige Kind bei seinem Vater aufwachsen werde. Ukon hörte schweigend zu und versank in Gedanken.

Ihm tat Lucia unendlich Leid, und gleichzeitig bewunderte er die Schönheit ihrer Glaubenstat. Um die Treue zu Jesus Christus zu beweisen, war dies der richtige Weg. »Denn ich bin gekommen, den Menschen zu entzweien mit seinem Vater und die Tochter mit ihrer Mutter und die Schwiegertochter mit ihrer Schwiegermutter. Und wer nicht sein Kreuz auf sich nimmt und folgt mir nach, der ist meiner nicht wert.« Der helle Blick, mit dem ihn seine Tochter anschaute, und der heitere Gesichtsausdruck gaben für Ukon den Ausschlag.

»Verstanden. Dann soll es so sein, wie ihr es entschieden habt.«

Nachdem das junge Paar die Zustimmung Ukons erlangt hatte, wandten sich die beiden ihre geröteten Gesichter zu, verbeugten sich höflich und kehrten ins Haus der Familie Yokoyama zurück.

Ukon informierte seine Frau von der Trennung ihrer Tochter. »Das arme Kind«, sagte sie und wischte sich die Tränen unter den Augen weg.

»Ja, bedauernswert«, sagte auch Ukon. »Aber meinst du nicht auch, das war eine würdige Entscheidung? Es war nicht falsch, wie wir sie erzogen haben.«

»Wahrhaftig«, entgegnete Justa, sich die Augen reibend.

Um seine Frau aufzumuntern, sagte Ukon: »Heute Abend hält der Padre seine letzte Messe. Ich möchte, dass du auch mitkommst. Ich werde einen Boten losschicken, der alle davon benachrichtigt.«

Als die Abendglocken erklangen, wurde im Südbarbarentempel die letzte Messe eröffnet. Ukon mit Frau und Enkeln, Tarôemon, Kyûkan, Joan, Kôji, der Herr vom Echizen-Laden und die wichtigsten Christen der Umgegend hatten sich versammelt. Dass das Abendmahl des Herrn, der seiner Passion entgegensah, nun von dem Padre wiederholt wurde, dem seine eigene Passionsreise bevorstand, verlieh der Atmosphäre einen Realismus und der Messe eine Ernsthaftigkeit, wie sie sonst nicht zu spüren war. Der Anblick der Betenden musste die Beamten des Kommissariats für Tempel- und Schreinangelegenheiten irgendwie beeindruckt haben; unter ihnen gab es einige, die ihrerseits, die Hände aneinandergelegt, das Haupt senkten.

Ukon und viele andere verbrachten diese Nacht im Südbarbarentempel, räumten eifrig auf und bereiteten die Reise des Padre vor. Die Bücher nahm Ukon zu Bündeln zusammengeschnürt in Verwahrung. Unter ihnen waren viele lateinische Liturgiensammlungen, portugiesische und spanische Schriften sowie eine größere Anzahl von Drucken, die im Kolleg in Nagasaki und Amakusa hergestellt worden waren. Ukon entschied sich, die Bewohner und Bediensteten in ihre Heimat zurückzuschicken. Es gab eine Menge wertvoller Gegenstände aus den Südbarbarenländern, wie etwa Kruzifixe, Marienfiguren, ein Taufbecken oder Abendmahlskelche. Da es aber allzu viele Sachen waren, entschloss sich Ukon, sie einfach da zu lassen, wo sie waren. Sie würden entweder konfisziert oder vernichtet werden. Aber wie dem auch sei, der Padre und die Gläubigen hingen nicht allzu sehr an den Gegenständen.

Spät in der Nacht war die gröbste Aufräumarbeit geschafft. Ukon machte in der Kirche für alle Tee. Der Pflaumenzweig mit einer weißen Blüte und Knospen, den er im Garten geschnitten und in eine Vase gesteckt hatte, kündigte den nahenden Frühling an. Für die Versammelten war dieses Teetreffen aber der Abschied vor dem Beginn ihres Leidensweges. Ukon bereitete jede einzelne Schale Tee mit voller Hingabe zu, als wäre es die letzte.

»Wie wird es wohl weitergehen?«, flüsterte Ukita Kyûkan. »Werden wir Christen nun ausgerottet?«

»Die Christen werden entweder eingekerkert, verbannt oder hingerichtet. Die Pläne des Shogunats lassen sich noch nicht durchschauen«, sagte Ukon. »Aber was letztlich auch geschieht, die Samen, die wir in diesem Land gesät haben, werden wohl überleben. Und wenn es auch nicht in der nahen Zukunft ist, so werden sie doch, vielleicht erst nach einigen hundert Jahren, zu sprießen beginnen und schließlich reiche Früchte tragen.«

»Nach einigen hundert Jahren ...«, entfuhr es Kôji mit einem tiefen Seufzer.

»Wenn wir das Unglück, das uns heimsucht, geduldig ertragen, werden die Früchte umso größer sein«, sagte Ukon und nickte Kôji aufmunternd zu.

»So ist es«, verkündete Padre Clemente. »Aus einem Weizenkorn, das stirbt, wird nachher eine Vielzahl neuer hervorgehen. Aber wann dies geschieht, weiß man nicht. Vielleicht erst sehr viel später.«

»Das ist richtig«, ließ sich Ukon mit einem Lächeln vernehmen. Er ahnte seinen nahenden Tod. Schon damals, als er aus Akashi verbannt worden war, hatte er mit seinem Leben abgeschlossen und sich auf den Tod gefasst gemacht. Er war keineswegs gewillt, sich mit Waffengewalt zu verteidigen, wie es Naitô Kôji im Sinn hatte. Er wollte selbst den Weg des Martyriums beschreiten, den Weg bis zum Kreuz, den auch Christus damals gegangen war.

Am Nachmittag des nächsten Tages brachen der Padre und der Ordensbruder in Begleitung mehrerer Beamter und zweier Untergebener Ukons auf. Eigentlich wollte Ukon sie noch bis zum Ortsausgang begleiten, änderte seine Absicht dann aber, weil sich sicherlich noch andere Gläubige dazugesellt hätten, wenn er mitgegangen wäre. Dies hätte als eine Versammlung Aufständischer missverstanden werden können, weshalb Ukon die Gruppe schließlich am Südbarbarentempel verabschiedete.

6

Der verschneite Hokuriku-Weg

Gleich nachdem der Padre und seine Begleiter aufgebrochen waren, rief Ukon seine Frau Justa und sagte ihr, dass es nur eine Frage der Zeit sei, bis der Befehl des Shogunats eingehen werde und sie entweder die Verbannung oder eine andere Strafe ereile. Außerdem fügte er hinzu, dass sie alles soweit in Ordnung bringen solle, dass nachher keine Panik aufkommen könne. Seine Frau antwortete ohne weitere Rückfragen mit einem einfachen Ja. Dann sagte sie irgend etwas zu ihren Enkeln, mobilisierte die Dienerinnen und begann, das Zimmer aufzuräumen, die Reisekleider zusammenzupacken und Schriftstücke zu verbrennen.

Ukon sah noch einmal seine eigenen Sachen durch und überzeugte sich davon, dass alle Vorbereitungen zur Genüge abgeschlossen waren. Er, der es sich zur Angewohnheit gemacht hatte, umsichtig vorauszuplanen, hatte seine Waffen, seine Bücher, sein Schreibzeug, seine Kleider und seine Teeutensilien ordentlich sortiert und verstaut. Die Tage der Kriegswirren und die Jahre der Wanderschaft, in denen man nie wusste, in welcher unerwarteten Situation man sich als nächstes zurechtfinden musste, hatten ihn dazu gebracht, immer in Bereitschaft zu leben. Auch jetzt ging es ihm leicht von der Hand, die Sachen für die Reise zusammenzusuchen, und da er sich keine Sorgen über Waffen und Rüstung zu machen brauchte, war es auch viel weniger Aufwand als früher vor dem Aufbruch in eine Schlacht. Welche Strafe die Regierung auch immer für ihn vorgesehen haben mochte, seine Frau hatte versichert, dass sie ihm stets folgen werde. Das Problem waren seine Enkel. Seinen Stammhalter Jûtarô musste er mitnehmen, das ließ sich nicht vermeiden, aber die Kleinen wollte er gerne in die Obhut seines Bruders Tarôemon geben.

Für Ukons Gefolgsleute aber war in seinem Gesicht nichts von dem abzulesen, worüber er sich Gedanken machte. Des Morgens begab er sich zum Gebet, mittags las er oder empfing Gäste und des Abends übte er Bogenschießen. Nicht die geringste Veränderung war in seinem Tagesablauf zu erkennen.

Am Morgen, nachdem zwei Tage verstrichen waren, erschien Yokoyama Yamashiro no kami Nagachika, diesmal als offizieller Bote Fürst Maeda Toshimitsus, in einer Sänfte und mit Gefolge. Auf dem Ehrenplatz des Schreibzimmers sitzend, verkündete er Ukon, der sich mit seinen Gefolgsleuten vor ihm niedergeworfen hatte, den Befehl des Shôguns. Die strikte Order besagte, dass Takayama Nagafusa, der den lästerlichen Glauben verbreite und vom wahren Glauben abgekommen sei, mitsamt Frau und Kind und der ganzen Familie von Kanazawa nach Kyôto eskortiert und dort in den Gewahrsam des Gouverneurs, Itakura Katsushige, übergeben werden solle. Ukon antwortete: »Ich habe verstanden. Morgen werden wir abreisen.« Nachdem er seine offizielle Aufgabe als Bote beendet hatte, lockerte Nagachika sofort seine Haltung. Als er sich unter vier Augen mit Ukon unterhielt, rechtfertigte er sich mit den Worten: »Auch wenn es mein Amt ist, einen solch strengen Befehl des Shogunats zu überbringen, es tut mir doch im Herzen weh.«

»Eine Frage hätte ich da noch«, sagte Ukon in vertraulichem Ton. »Ist die Klausel ›mit Frau und Kind und der ganzen Familie‹ so zu verstehen, dass auch meine Enkel nicht verschont bleiben?«

»Über diesen Punkt wurde auch auf der Burg diskutiert. Doch war man der Auffassung, dass er die ganze Familie umfasst, in der dasselbe Blut fließt, und also auch die Enkel dazugezählt werden müssen«, antwortete Nagachika mit gequältem Gesichtsausdruck und fügte mit einem Seufzer hinzu: »Es ist unmenschlich.« Wie um Ukon zu trösten, sagte er dann aber noch: »Honda Awa no kami ist allerdings der Auffassung, dass man Euren hochverehrten Bruder Tarôemon nicht dazuzuzählen habe.«

»Herr Honda hat das geäußert?« Für den obersten Vasallen des Hauses, der den Christen gegenüber bisher immer eine so strenge Haltung eingenommen hatte, war dies allerdings ein mildes Vorgehen.

»Weil es bei dem Verbannungsedikt diesmal nur um Personen vom Stande eines Samurai geht, hat er gesagt.«

»Ich verstehe.« Dies passte gut zur Denkweise Awa no kamis, fand Ukon. Während er sich einerseits darüber freute, dass sein Bruder verschont blieb, erfasste ihn doch großes Mitleid für seine geliebten, unschuldigen Enkel.

»Außerdem ist der Befehl, wie Ihr nach Kyôto geschickt zu werden, auch an Herrn Naitô Hida no kami Tadatoshi und Herrn Naitô Kôji sowie deren Familie ergangen. Für Herrn Ukita Kyûkan gilt eine andere Order. Er soll nach Tsuruga gebracht werden. Die Regierung untersucht genau, was es mit den Herren Christen hier auf sich hat.«

»Das heißt, die Dame von Bizen und Herr Yasuharu haben keine Benachrichtigungen bekommen ...«

»Richtig.« Nagachika machte ein etwas betretenes Gesicht. Während er sich einerseits über die Sicherheit der Frau aus der Familie seines Herrn freute, schien er über die Tatsache, dass sich sein Sohn in Sicherheit wiegen konnte, etwas beschämt zu sein.

»Dass die Verbannung zunächst nur uns Angehörige der Samuraiklasse trifft, erscheint mir ganz natürlich. Aber wie wird man Eurer Meinung nach mit den Bauern und Stadtbürgern verfahren?«

»Es verhält sich so, dass Awa no kami vorgeschlagen hat, man solle wie in Kyôto Namenslisten der Christen anfertigen und sie bedrängen, ihrem Glauben abzuschwören, während ich der Meinung bin, dass man sich mit einer öffentlichen Bekanntmachung begnügen sollte. Allerdings ist diese Position nicht leicht durchzuhalten, da es Leute gibt, die von Nepotismus reden, weil es unter meinen Verwandten Anhänger des falschen Glaubens gäbe.«

»Was meine Familie betrifft, so bin ich schon seit geraumer Zeit auf das Schlimmste gefasst. Aber um die, die hier zurückbleiben, mache ich mir große Sorgen«, sagte Ukon mit düsterem Gesicht. Er hatte die schamvolle Erfahrung gemacht, bei seiner Versetzung aus Takatsuki und der Verbannung aus Akashi die Untertanen, die sich hatten taufen lassen, weil sie ihrem Lehnsherren vertrauten, zurücklassen zu müssen. Ebenso fühlte er sich jetzt in Kanazawa gegenüber den Gefolgsleuten seines Hauses und sechstausend Gläubigen.

»Herr Takayama«, sagte Nagachika, sich plötzlich vorlehnend und mit einem Lächeln: »Wäre es nicht möglich, dass ich als bescheidenes Zeichen meiner guten Absicht die Vasallen Eures Hauses in meine Dienste nehme?«

»Dafür wäre ich Euch sehr dankbar. Ich hatte auch schon daran gedacht, aber es fiel mir schwer, Euch das vorzuschlagen. Ein oder zwei meiner Leute werden mich wohl begleiten, aber den Rest werde ich zurücklassen müssen.«

»Ich frage lieber ganz offen: Unter Euren Gefolgsleuten gibt es doch gewiss recht viele, die Christen sind?«, sagte Nagachika, dessen Lächeln in eine ernste Miene umschlug.

Ukon konnte sich ein inneres Lächeln nicht verkneifen, als er merkte, dass selbst ein Mensch wie Nagachika die christlichen Vasallen als eine Belastung betrachtete. Um ihn aufzumuntern, sagte er:

»Ja, es gibt einige, die fest an die christliche Lehre glauben, aber sie sind reinen Herzens und werden sich im Falle einer Untersuchung korrekt und aufrichtig verhalten, so dass sie Euch keine Unannehmlichkeiten verursachen werden. Einige bezeichnen sich selbst zwar als Christen, sind aber noch nicht getauft. Der Rest ist ganz normal. Ich denke, es besteht kein Grund, sich Sorgen zu machen. Ach übrigens, Herr Yokoyama«, diesmal war es Ukon, der sich etwas nach vorne lehnte, »ich möchte eiligst dem hohen Herrn in Takaoka meine Aufwartung machen und mich bei ihm beurlauben. Dürfte ich da um Eure Vermittlung bitten?«

»Dieser Bitte wird der hohe Herr in Takaoka nicht entsprechen. Es fällt mir schwer, das zu sagen, aber da Ihr von Seiten des Shogunats als Krimineller betrachtet werdet, können die Herren in Takaoka und Kanazawa euch nicht mehr empfangen.«

»Ja, ich füge mich der Entscheidung. Aber könntet Ihr Fürst Toshinaga zum Zeichen meiner Dankbarkeit diese Teedose übergeben? Es ist eine Wabisuke-Teedose.«

Erstaunt nahm Nagachika die Schachtel aus Paulowniaholz entgegen. »Diese Dose ist weithin bekannt. Der hohe Herr wird darüber gewiss sehr erfreut sein. Ihr könnt Euch auf mich verlassen. Ach ja, und wegen Lucia«, über Nagachikas Gesicht zog sich ein gequälter Ausdruck, »sie selbst wünscht die Trennung. Yasuharu und ich haben abwechselnd versucht, sie zu überzeugen, dass sie ihre Meinung ändert, aber es war vergebens. Sie weicht nicht einen Schritt von ihrer Position ab. Was sollen wir tun?«

»Nun ja, wenn sie einmal eine Entscheidung getroffen hat, dann gibt es daran nichts mehr zu rütteln …« Ukon dachte mit geschlossenen Augen nach. Das blasse Gesicht seiner Tochter, die ihrer Mutter ähnelte und die er vor zwei Tagen erst getroffen hatte, erschien vor seinem inneren Auge. Eigentlich war sie von sanftem Temperament, doch schon als Kind änderte sie ihren Willen nie, wenn sie sich erst einmal etwas in den Kopf gesetzt hatte. Diesmal hatte sie sich entschlossen, bis zum Ende an ihrem Glauben festzuhalten. Insofern war es schon zu verstehen, dass es für sie keinen anderen Weg als den der Trennung gab.

»Wie sollen wir also verfahren?«, drängte Nagachika, Ukons in Gedanken versunkene Gestalt betrachtend.

»Wenn sie selbst es so sagt, dann möchte ich Euch bitten, die Dinge ihrem Wunsch gemäß zu arrangieren«, sagte Ukon entschlossen und fügte nachdrücklich hinzu: »Vorausgesetzt natürlich, es ist möglich, Herrn Yasuharus Zustimmung zu erlangen.«

»Der hat bereits zugestimmt. Oder besser gesagt, seine Frau hat ihn irgendwie dazu gebracht, dies zu tun«, sagte Nagachika mit zunehmend schmerzlicher Miene.

»Wenn dem so ist, habe ich dazu nichts mehr zu sagen. Ich werde Lucia dann in meine Obhut nehmen.«

»Da kann man wohl wirklich nichts machen«, sagte Nagachika mit einem schwächlichen Seufzer, was so gar nicht zu ihm passen wollte. »Und wegen Tanenaga, er ist ja noch ein Baby und auch in der Burg noch nicht angemeldet. Deshalb würden wir gerne die Verantwortung für ihn übernehmen und ihn bei uns großziehen.«

»Uns steht die lange Reise nach Kyôto bevor. Für ein Baby wäre das mit Sicherheit zu viel. Bitte nehmt Euch des Kindes an.«

Sofort nachdem Yokoyama Yamashiro no kami gegangen war, teilte Ukon Justa mit, dass der Befehl des Shogunats, sich nach Kyôto zu begeben, eingegangen sei und dass auch Yamashiro no kami die Scheidung ihrer Tochter bestätigt habe. Zunächst verdunkelte sich das Gesicht der Mutter, dann aber spiegelte sich auch Stolz in ihren Augen. »Vorgestern hielt ich es noch für bedauerlich, heute aber denke ich, dass die Entscheidung unserer Tochter, dem Herrn zu folgen, eine große Tat ist. Auch ich möchte den Weg mit ihr zusammen gehen.«

Als sich Ukon an die letzten Reisevorbereitungen machte, kam sein Enkel Jûtarô herein und kniete nieder, die Handflächen auf dem

Boden. Zwar war er noch im jugendlichen Alter von sechzehn Jahren, doch zeigte er sich in letzter Zeit durchaus als reif und verständig. Er hatte gute Manieren, übte fleißig Fechten und Reiten und sein Körper hatte fast die Größe eines Erwachsenen erreicht.

»Ich habe von Großmutter gehört, dass wir morgen nach Kyôto abreisen.«

»Zunächst dachte ich, wir müssten nur dich mitnehmen, weil du Jûjirôs rechtmäßiger Erbe bist, doch auch deine Geschwister werden alle mitkommen. Da es eine äußerst eilige Reise ist, wird es wohl nicht erlaubt sein, den Seeweg über Tsuruga einzuschlagen, und wir müssen vermutlich den Hokuriku-Weg über die tief verschneiten Berge nehmen. Für die Kleinen wird es bestimmt eine äußerst anstrengende Reise.«

»Ich werde sie bis nach Kyôto bringen, und wenn ich sie Huckepack tragen muss«, sagte Jûtarô beflissen, mit stolz geschwellter Brust. Der magere Körper, der unter dem Ausschnitt zum Vorschein kam, als er sich in einer solchen Situation derart ins Zeug legte, hatte durchaus etwas Mitleid erweckendes.

Ukon versammelte alle Vasallen des Hauses im Schreibzimmer und auf dem Gang und gab offiziell die Verbannung der ganzen Familie Takayama bekannt. Okamoto Sôbê und Ikoma Yajirô wies er an, ihn auf der Reise zu begleiten, den anderen teilte er mit, dass Yokoyama Yamashiro no kami sie in Dienst nehmen werde.

Nach der Verbannung der Missionare hatte Ukon seine Gefolgsleute bereits darauf hingewiesen, dass es auch ihn in Bälde treffen werde, und so waren seine Untergebenen auf das Schlimmste gefasst. Trotzdem war in der ganzen Gesellschaft erleichtertes Aufatmen zu vernehmen, als sie hörten, dass sie alle im Hause Yokoyama unterkommen würden.

Die Neuigkeit von der Verbannung Takayama Ukons hatte sich offenbar wie ein Lauffeuer in der Stadt verbreitet, denn es kamen Freunde der Teezeremonie, Gläubige und Bekannte in steter Folge, um ihm ihre Aufwartung zu machen. Als erster seiner Teefreunde kam der Herr vom Echizen-Laden am Ôsaka-Steig, Kataoka Kyûka. Als Abschiedsgeschenk überreichte er Ukon eine hölzerne Schachtel für Teeutensilien, die bereits ein Kleinod seines Vaters, seinerzeit ein enger Freund Ukons, gewesen war. Da man sie auf der Reise gut gebrauchen konnte, wenn man unter freiem Himmel Tee machte, entschied sich Ukon, sie dankend anzunehmen. Aber die Abschiedsgeschenke aller anderen, waren es nun Gegenstände oder Geld, wies er zurück.

Ukon nahm sein Gehalt für dieses Jahr, 60 Barren Gold, und legte es in eine Kassette mit abgerundeten Ecken. Um es Fürst Toshimitsu zurückzugeben, begab er sich allein zur Burg. Aber offenbar hatten die Wachen am Haupttor bereits die entsprechenden Weisungen erhalten, denn Ukon wurde der Weg mit der Begründung versperrt, ihm sei der Eintritt untersagt, da er zum Verbrecher geworden sei. Ohne weitere Widerworte zog er sich zurück und begab sich direkt zur Residenz Yokoyama Nagachikas. Es war Yasuharu, der ihm mit von Trübsal gezeichnetem, erschöpften Gesicht öffnete. »Es tut mir wirklich Leid wegen der Trennung«, sagte er und verneigte sich. »Ich habe es von deinem Herrn Vater schon gehört. In dieser Situation gibt es wirklich keinen anderen Weg«, sagte Ukon tröstend.

In einem Zimmer im hinteren Teil des Hauses erwartete ihn Nagachika. Neben ihm saß Lucia und es waren noch zwei Dienerinnen anwesend. Ukon überreichte Nagachika die Kassette mit dem Gold, die er mitgebracht hatte. »Da ich zur Reise aufbrechen muss, ohne der Dienstpflicht für das mir gnädigst anvertraute Lehen zur Genüge nachkommen zu können, möchte ich dies meinem Lehnsherrn zurückgeben. Ich wollte es selbst in der Burg abliefern, aber man ließ mich nicht vor, da mir als Verbrecher der Eintritt versagt sei. Entschuldigt die Umstände, aber dürfte ich Euch bitten, dies für mich zu überbringen?«

»Als Verbrecher«, sagte Nagachika, dem man sein Unbehagen vom Gesicht ablesen konnte. »Obwohl Ihr Euch keines Verbrechens schuldig gemacht habt. Aber Ihr könnt Euch wegen des Goldes auf mich verlassen. Ich werde es umgehend unserem Herrn übergeben. Wir haben übrigens gerade den Abschiedstrunk für Yasuharu und Lucia beendet«, sagte Nagachika und schaute zu ihr hinüber.

Auf Nagachikas Betreiben hin konnte Ukon noch einmal seinen Enkel Tanenaga in den Arm nehmen. Wie es für Säuglinge typisch ist, strahlte der kleine Körper eine große Hitze aus und ein schmerzliches Gefühl der Blutsverwandtschaft breitete sich über die Handflächen aus. Das Baby schlief friedlich, ohne etwas zu ahnen.

Ukon kam als erster zu Hause an. Kurz darauf erschien Lucia in einer Sänfte mit den beiden Zofen. Untergebene des Hauses Yokoyama schleppten Kleidertruhen, Kommoden und verschiedene andere Gegenstände herbei. Lucia, die wieder in die Familie zurückkehrte, begrüßte aufs Neue ihre Eltern.

Ukon nickte nur leicht, aber Justa konnte beim Anblick der Tochter ihre Bewegtheit nicht mehr verbergen und sagte, sich mit dem Ärmel die Tränen von der Wange wischend: »Ja, es ließ sich wohl nicht vermeiden, wie es gekommen ist. Auch von jetzt an wird es nicht leicht sein. Also Kopf hoch, Kind.«

»Lucia«, sagte Ukon, »wir ehren deine Entscheidung, dem Herrn zu folgen, sehr. Dein Vater und deine Mutter sind schon ziemlich alt und wir möchten dich darum bitten, dass du dich um die Enkel kümmerst. Wie es jetzt weitergeht, weiß niemand, aber lass uns vereint der Dinge harren, die da kommen.«

»Ja. Ich will versuchen gefasst zu sein, welche weiteren Leiden uns auch noch erwarten, und um die Kinder werde ich mich gewissenhaft kümmern. Doch bitte helft mir, Vater und Mutter.«

Ukon schaute seine Tochter bewegungslos an. Seine drei Söhne waren bereits alle von ihm gegangen, und seit sein Ältester, Joan Jûjirô, vor einigen Jahren gestorben war, war Lucia Ukons einziges Kind. Fast zwanzig Jahre jünger als Jûjirô, war sie wohlbehütet aufgewachsen, fast wie ein Enkelkind. Da sie schon in jungen Jahren immer klar ihre Meinung geäußert hatte, gab es eine Zeit, da sich Ukon gewünscht hätte, sie wäre ein Junge.

Als seine Tochter das Zimmer verlassen hatte, sagte Ukon zu seiner Frau: »Das ist ja eine bewundernswerte Gefasstheit, die sie da an den Tag legt. Es will mir glatt das Herz zerreißen.«

»Ja, es sieht ihr ähnlich. Wegen der Trennung von ihrem Mann hört man kein Wort der Klage. Aber gerade das ist es wohl, was es mir so schmerzlich erscheinen lässt.«

»Das stimmt. Vor allem der Abschied von ihrem Baby muss bitter für sie sein«, nickte Ukon.

Dass Lucia auf den dringenden Wunsch Yokoyama Nagachikas mit dessen Stammhalter Yasuharu verheiratet wurde, lag etwa zehn Jahre zurück. Es war direkt nach Yasuharus Initiation. Er war damals vierzehn und Lucia dreizehn. Insofern waren sie wohl in der ersten Zeit eher der Form halber Eheleute. Letzten Herbst bekamen sie dann ihr einziges Kind Tanenaga. Und nun musste sie sich, wo sie doch erst vor kurzem ihre Mutterschaft gefeiert hatte, schon wieder von ihrem Mann und ihrem Kind trennen.

Obwohl diese Trennung auf Lucias Betreiben hin zustande gekommen war, gab es da im Hintergrund noch den stillschweigenden Wunsch ihres Schwiegervaters Nagachika, den sie gewiss in ihre Entscheidung mit einbezogen hatte, vermutete Ukon. Und auch dass ihr Mann Yasuharu der Scheidung zustimmte, ließ sich darauf zurückführen, dass er als Erbe des Hauses Yokoyama dem Willen seines Vaters folgte, der auf das sichere Fortbestehen seiner Familie bedacht war. Diesen hohen Vasallen des Hauses Maeda hatte der heftige, antichristliche Trend in eine äußerst unangenehme Lage gebracht.

Unter den Vasallen des Hauses Maeda gab es solche, die schon in der nächsten Generation seit dem ersten Patriarchen der Familie, Fürst Toshiie, dienten, sowie solche, die direkt dem zweiten Patriarchen, Fürst Toshinaga, oder dem dritten, Fürst Toshimitsu, unterstanden. Außerdem gab es auch solche, die durch die Empfehlung des Shogunats gekommen waren. Unter derartigen Bedingungen, wo Vasallen von so verschiedener Herkunft und Position vermischt waren, kam es unweigerlich zu Cliquenbildung und Machtkämpfen. Schon zu Zeiten Fürst Toshinagas gab es Reibereien zwischen dessen direktem Gefolgsmann Yokoyama Nagachika und den beiden Erbvasallen Shinohara Kazutaka und Murai Nagatsugu. Seitdem dann Honda Masashige, der Sohn eines Erbvasallen der Familie Tokugawa, nach der Mikawa-Zeit nach Kanazawa gekommen war, wurde die Machtverteilung unter den Vasallenfraktionen der Familie Maeda zunehmend komplizierter. Es war Nagachika, der als Mittelpunkt der Vasallen bisher das Steuer in der Hand gehalten hatte. Vor allem aber seit sich der Wind gegen die Christen gewendet hatte, gab es keinen, der nicht um den Zwist zwischen Nagachika und Honda Masashige wusste. Die missliche Lage, in der sich Lucia als christliche Schwiegertochter des sonst so offenherzigen und freimütigen Nagachika, dessen Seelenqual zu keinem Ende kam, befand, konnte Ukon durchaus nachvollziehen. Wie sehr Nagachika, der einen offenbar christlichen Sohn und eine christliche Tochter hatte, innerhalb der Familie Maeda in die Enge getrieben wurde, nachdem der Befehl zur Verbannung der Padres eingegangen war, konnte man sich lebhaft vorstellen. Um die Pein seines Vaters wissend, hatte sich dessen Erbe Yasuharu dann wohl entschlossen, seinem Vater zu folgen, und Lucia hatte es gewagt, nachdem sie sich dessen versichert hatte, die Bitte um Trennung vorzubringen, um ihrem Glauben treu zu bleiben. Ukon wollte seinen Schwiegersohn Yasuharu nicht bedrängen, doch bewunderte er die Entscheidung seiner Tochter, ihren Glauben höher zu stellen als ihren Ehemann.

Abends kam ein Bote Nagachikas und brachte die kantig gewölbte Wabisuke-Teedose zurück, die Ukon Fürst Toshinaga gegeben hatte. Der hohe Herr hatte mitgeteilt, dass er sie auf keinen Fall annehmen könne. Nachdem Ukon einen Brief an Nagachika geschrieben hatte, rief er den Boten und sagt zu ihm:

»Dies ist ein äußerst berühmtes Stück. Wenn man es mit auf die Reise nimmt, kann man nicht wissen, ob es dabei nicht vielleicht beschädigt wird. Und wenn dies geschieht, so ist es ein Verlust für unser Land. Bitte gebt es ihm zusammen mit diesem Brief und der Bitte, es unbedingt sicher aufzubewahren, zurück.«

In dieser Nacht richtete Ukon für seine wichtigsten Gefolgsleute ein Abschiedsbankett aus. Unter den Gästen waren mehr als zehn, die Ukon von Takatsuki und Akashi nach Kanazawa gefolgt waren, und als der Alkohol seine Wirkung zeigte, baten ihn einige unter Tränen darum, sie unbedingt mitzunehmen, obwohl sie wussten, dass die Zahl derer, die Ukon auf seinem bevorstehenden Weg begleiten würden, strikt begrenzt war. Es herrschte eine intensive Abschiedsstimmung, und die Feier endete mit einem drückenden Schweigen. Doch gab es auch glänzende Momente, als, durch den Reiswein beseelt, einige der Anwesenden Tänze aufführten oder chinesische Gedichte rezitierten.

Tarôemon traf aus Noto ein, als die Feier bereits in vollem Gange war. Er sagte, dass sein Pferd wegen des Schnees nicht so recht vorwärts gekommen sei. Ukon überreichte seinem jüngeren Bruder zum Abschied das Bild der trauernden Mutter Maria, von dem bereits die Rede war.

»Dieses Bild war mir immer das liebste von allen. Es ist ein Geschenk des Ordensgenerals der Jesuiten, Aquaviva, höchstpersönlich. Bisher war es für mich ein wahrer Familienschatz, doch nun, da die

Untersuchungen verschärft werden, stellt es eine Gefahr für den dar, der es besitzt. Deshalb möchte ich, dass du es verbrennst.«

»Nein, zum Verbrennen ist es zu schade. Vielleicht sollte ich es lieber in einem gut verschlossenen, großen Tongefäß irgendwo vergraben. Möglicherweise findet es dann in ferner Zukunft einer unserer Nachfahren«, sagte Tarôemon.

Ukon mischte sich wieder unter die Gäste, während sich sein Bruder in ein langes Gespräch mit Justa und Lucia vertiefte.

Am nächsten Morgen traf ein Eilbote Yokoyama Nagachikas ein. In der Burg habe sich das Gerücht verbreitet, es gäbe Anzeichen dafür, dass Takayama Nagafusa (Ukon) eine Verschwörung plane. Honda Masashige habe seine Leute zu einer außerplanmäßigen Beratung zusammengerufen und versammle bewaffnete Soldaten um sich. Ukon, der erkannte, dass man das gestrige Bankett, das bis spät in die Nacht gedauert hatte, als letzte Feier vor einem Kampf bis aufs Blut missverstanden hatte, schickte sofort Sôbê zur Burg, um seine Ergebenheit zu bezeugen. Kurz darauf überbrachte ein Bote aus der Burg den Befehl, dass sich Ukon mit seiner gesamten Familie und denen, die ihm folgen würden, weiß gekleidet zur Stunde der Schlange (zehn Uhr vormittags) auf dem Platz vor dem Westtor einzufinden habe.

Kurz vor der festgelegten Zeit machten sich Ukon, seine Frau Justa, seine Tochter Lucia, Jûjirô und die anderen vier Enkel, Okamoto Sôbê, Ikoma Yajirô und zwei Dienstmädchen auf den Weg zum Platz vor dem Burgtor. Der Haupttorgraben war mit pechschwarz glänzendem Wasser gefüllt und der dreistöckige Wachturm zeigte seine kalten Mauern, die dem eisigen Wind ausgesetzt waren. Polizisten mit ärmellosen Uniformmänteln und mit Lanzen bewaffnete Fußsoldaten mit Stirnbändern und Riemen, um die Ärmel für bessere Bewegungsfreiheit hochzuhalten, umringten die Gruppe. Es war ein wahrlich theatralischer Anblick. Ein leichtes Raunen ging durch die Menge der Neugierigen, die sich in einiger Entfernung versammelt hatten, als sie die Gruppe um Ukon erblickten und den Weg freigaben. Der Kommandeur der Eskorte, welche die Gruppe in die Hauptstadt bringen sollte, war Shinohara Dewa no kami Kazutaka. Er stammte aus vornehmer Familie, sein Vater Shinohara Nagashige war Hausvasall der Familie Maeda und ein jüngerer Cousin Hôshun-ins, der Gemahlin Fürst Toshiies. Zwar war er ein Adoptivsohn und es verbanden ihn somit keine Blutsbande mit Nagashige, doch erfreute er sich als gegenwärtiger Patriarch dieser berühmten Familie bei den Vasallen des Hauses Maeda großer Prominenz. Eines seiner hervorstechendsten Verdienste war es, den Sarg Fürst Toshiies aus Ôsaka, dem Einflussgebiet Fürst Ieyasus, unbeschadet nach Kanazawa gebracht zu haben. Diese Führungsstärke war wohl auch der Grund, weshalb er diesmal zum Kommandeur der Eskorte ernannt worden war. Ukon hatte bei der Schlacht von Odawara mit ihm zusammen gekämpft und kannte ihn daher sehr gut. Allerdings vertraten sie beim Burgbau unterschiedliche Positionen, und seit den Meinungsverschiedenheiten wegen der Stufen am Ishikawa-Tor und der Mauertechnik beim Bau des Steinwalls am Haupttor gingen sie sich gegenseitig aus dem Weg. Ukon vermutete, dass derjenige, der ihn ausgewählt hatte, dies unter Berücksichtigung ihrer Differenzen getan hatte. Auf den höflichen Gruß des zweiundsechzigjährigen Ukon, dessen Reisstipenden 25 000 Scheffel betrug, antwortete der dreiundfünfzigjährige Dewa no kami, dessen Besoldung bei 12 000 Scheffeln lag, nur mit jenem harten Gesichtsausdruck, wie man ihn Verbrechern gegenüber aufsetzt.

Als Unterkommissar bewachte Shôgen Asano den straffällig gewordenen Ukon und seine Angehörigen, die sich der verbotenen Lehre verschrieben hatten. Asano war ein kleiner Beamter, der als Vorsteher des Viertels mit den Samuraianwesen auch für den kleinen Bambushain innerhalb des Uchisôgamae-Grabens zuständig war. Er hatte Ukon schon behindert, als dieser eine kleine Teehütte bauen wollte oder als er jemanden losschickte, aus dem Bambusdickicht innerhalb des Burggrabens etwas Bambus zu schneiden, um daraus Blumenvasen zu fertigen. Auch hatte er Ukon einmal wegen eines Loches in der Lehmmauer gerügt, das seine Enkel beim Spielen gemacht hatten. Gerade weil er bei solchen Gelegenheiten ein so leidenschaftlich-pedantischer Regelfetischist war, war er für die Aufgabe des Kommandanten der Eskorte hervorragend geeignet. Als der Shôgen Ukon und seine Begleiter empfing, nahm er ihnen selbstverständlich die Lang- und Kurzschwerter und auch die Dolche ab. Überdies durchsuchte er sogar die Unbewaffneten unter ihnen.

Bald darauf erschienen Naitô Joan mit seiner Frau und seinen drei Kindern, Naitô Kôji mit seinen vier Kindern und Ukita Kyûkan mit seinen drei Kindern, um, nachdem sie vom Shôgen verhört worden waren, an einem Ort versammelt zu werden. Als es Zeit war aufzubrechen, wollte der Shôgen Ukon in eine so genannte Hühnerkorbsänfte setzen, wie sie für den Transport von Sträflingen verwendet wurde. Da gebot ihm Dewa no kami Einhalt, indem er die Hand hob.

»Herr Takayama ist eine hochgestellte Persönlichkeit des Kaga-Lehens. Eine solche Schande ist doch allzu unerträglich. Bring eine Sänfte mit geflochtenem Vorhang herbei.«

»Jawohl«, sagte der Shôgen mit einer Verneigung, schüttelte den Kopf und schaute gesenkten Hauptes grimmig auf: »Wenn es denn Euer Befehl ist ...«

»Wenn du eine solche Persönlichkeit in diesen Hühnerkorb zwängst, entehrst du das Haus Maeda. Und sollte unterwegs doch etwas Unerwartetes geschehen, dann reicht es, wenn ich, Kazutaka, mir als einziger den Bauch aufschlitze«, sagte Dewa no kami und befahl einem seiner Gefolgsleute, eine Sänfte mit einem geflochtenem Bastvorhang, die er offenbar schon im Voraus bereitgestellt hatte, zu Ukon zu bringen. Mit einer tiefen Verbeugung sagte er zu ihm: »Bitte, nehmt Eure Schwerter und steigt ein.« Um die Augen des Generalkommandeurs, der seine Aufgabe mit strenger Würde ausführte, spielte ein bescheidenes Lächeln.

»Nein, das kann ich nicht tun. Da ich durch Regierungsbefehl zum Sträfling erklärt worden bin, wäre es nicht richtig, die Schwerter bei mir zu tragen. Aber da Ihr Euch extra die Mühe gemacht habt, werde ich untertänigst die Sänfte benutzen.«

Die Gruppe setzte sich in Bewegung, mit Shinohara Kazutaka zu Pferde vorneweg, gefolgt von Ukons Sänfte, den Frauen und Kindern ebenfalls zu Pferde und dahinter den Männern zu Fuß. Rechts und links war der Zug durch die Fußsoldaten der Eskorte gesichert, deren Nachhut Shôgen Asano übernahm.

Ukon hob den Bastvorhang der Sänfte ein wenig an und betrachtete die Menge, die den Weg säumte. Zwischen den Neugierigen waren auch einige Bekannte auszumachen. Allen voran Ukons Vasallen, dann Tarôemon mit einer Gruppe Gläubiger aus Noto, die Bewohner vom Färbersteig, die Dienerinnen der Dame von Bizen, eine Vielzahl von Samurai und Stadtbürgern, die Ukon in der Kunst der Teezeremonie unterwiesen hatte, sowie Kataoka Kyûka vom Echizen-Laden, der seine gesamte Belegschaft mobilisiert hatte, erwiderten seinen Gruß mit einer tiefen Verbeugung. In den Augen vieler Menschen glänzten Tränen. Mit dem Gefühl des Abschieds in seinem Blick, sah sich Ukon jedes einzelne Gesicht derer an, mit denen er in den sechsundzwanzig Jahren seines Aufenthalts hier in Kanazawa freundschaftlich verkehrt hatte. Ukon bemerkte, dass Dewa no kami das Marschtempo absichtlich lockerte, um ihm mehr Zeit für den Abschied zu geben.

Im Westen Kanazawas befand sich der Tempelbezirk. In diesem Gebiet, das von den überdachten Mauern, welche die Straße säumen, still abgeschlossen ist, nahm die Zahl der Neugierigen, wie zu erwarten war, ab. Als Ukon auf seinen eigenen Wunsch hin aus der Sänfte ausstieg und sich umdrehte, verbeugten sich seine Vasallen und die Schar der Gläubigen, die ihm die ganze Zeit gefolgt waren. Ukon erhob die rechte Hand, um ihren Abschiedsgruß zu erwidern, und bat den Shôgen, sie wegzuschicken.

Nachdem sie den Tempelbezirk durchquert hatten, tat sich vor ihnen eine schneebedeckte Ebene auf. Diesmal bat Ukon Dewa no kami, ob er nicht aus der Sänfte aussteigen dürfe und diese nicht zurückgeschickt werden könne. Er wolle von hier ab selbst laufen. Nach einigem Hin und Her sagte er in entschiedenem Ton: »Ich möchte den Weg ebenso wie der Stifter unserer Religion zu Fuß gehen. Dies ist ein ernsthafter Wunsch, der meiner religiösen Überzeugung entspringt.«

Shinohara Dewa no kami gab nach. Als Ukon zu laufen begann, stiegen auch die Frauen und Kinder vom Pferd und schlossen sich ihm an. Vom bisher grau verhangenen Himmel tanzten Schneeflocken herab und der schneidende Nordwind blies auf sie ein.

Die streng bewachte Gruppe bewegte sich auf der nördlichen Landstraße nach Südwesten, in Richtung der Hauptstadt. Ein Windstoß wirbelte Schnee auf und schüttete ihn wie einen eisigen Wasserfall über die Reisenden. Ukon nickte Justa, die voller Schnee war, aufmunternd zu und schaute nach hinten, um Lucia und die Kinder anzuspornen. Doch es beruhigte ihn zu sehen, dass sie alle schweigend, aber munter vorwärts marschierten. Bald kamen sie nach Mattô. Dann folgten sie weiter der verschneiten Landstraße nach Komatsu und Daishôji. Eigentlich hätte diese übertrieben aufwändig bewachte

Gruppe weiß gekleideter Gefangener die Aufmerksamkeit der Leute auf sich ziehen müssen, doch wegen des strengen Winters befanden sich kaum Reisende auf der Straße und aufgrund des rasenden Windes liefen ohnehin alle mit halb zusammengekniffenen Augen und eingezogenem Kopf, so dass sie von den Blicken der Passanten nicht viel mitbekamen.

Sie verließen das Kaga-Lehen der Familie Maeda und kamen nach Echizen, das unter der Lehnsherrschaft des Hauses Matsudaira stand. Der vorhergehende Daimyô, dem dieses Gebiet mit Reisstipenden von 750 000 Scheffeln zugeteilt worden war, hieß Yûki Hideyasu und war der zweite Sohn Fürst Ieyasus. Ein so großes Lehen, dessen Herr mit der Familie Tokugawa verwandt war, in der Nachbarschaft zu haben, war für die Familie Maeda, die keine verwandtschaftliche Bindung zur Familie des Shôguns hatte, äußerst lästig und beängstigend. Und tatsächlich waren die Regelungen, wie man an der Grenzstation mit einer Gruppe bewaffneter Wachsoldaten und Sträflinge aus einer anderen Provinz zu verfahren habe, äußerst streng und überaus umständlich, so dass es sogar dazu kam, dass der ungeduldige Dewa no kami den Beamten gegenüber seinem Unmut Luft machte.

Die Burg der Familie Matsudaira wurde dort errichtet, wo einst die von Shibata Katsuie gestanden hatte. Wie es sich für die Burg eines Blutsverwandten des Shôguns gehörte, war sie, mit dem Hauptturm in der Mitte, doppelt und dreifach von Gräben umgeben, in Ausstattung und Würde von deutlich anderem Format als früher die Provinzfeste Katsuies. Man konnte auch sehen, dass sie die Burg von Kanazawa um einiges übertraf. Ukon, der schon von weitem erkannte, wie die Burg aufgebaut war, sagte zu Sôbê: »Die ist nicht schlecht.« Als er dies sagte, musste er an seinen Vater Hida no kami denken, der einst zwangsweise in die Dienste Katsuies überstellt worden war. Ein Jahr nach dem Honnôji-Zwischenfall (1582) wurde Katsuies Burg, Kitanoshô, in die Hida no kami von Fürst Nobunaga verbannt worden war, von der Armee Hideyoshis belagert und fiel. Daraufhin wurde er von Fürst Maeda Toshiie aufgenommen, der zu dieser Zeit in Fuchû (heute Takefu) residierte. Ukon traf seinen Vater schließlich wieder, als ihn Fürst Toshiie nach Kanazawa einlud, nachdem Ukon durch das Christenverbot Fürst Hideyoshis zur herrenlosen Wanderschaft gezwungen worden war. Drei Jahre später dann, als der Superintendent der Jesuiten, Padre Valignano, zur Audienz bei Fürst Hideyoshi nach Ôsaka kam, besuchten ihn Ukon und sein Vater dort, nachdem sie extra aus Kanazawa angereist waren. Ukon, der den Padre schon seit langem kannte, unterhielt sich lebhaft mit ihm, wohingegen sein Vater, der ihn zum ersten Mal traf, schweigend neben dem Sohn stand, während ihn Padre Valignano hoch dafür lobte, dass er ein Pionier der Mission in Japan sei und ein Mann von großen Verdiensten, der, angefangen bei seinem eigenen Sohn, eine Vielzahl von Gläubigen herangezogen habe. Valignano stellte Ukons Vater auch den jungen Herren der Europagesandtschaft vor, so dass ihm bei diesem Treffen große Ehre zuteil wurde. Fünf Jahre später starb Ukons Vater. Ukon ließ ihn in Kanazawa einäschern und schickte die sterblichen Überreste nach Nagasaki, um sie dort auf dem christlichen Friedhof beisetzen zu lassen.

Die Gruppe durchschritt die Ebene von Echizen und näherte sich Fuchû, wo Fürst Toshiie einst seine Burg hatte. In einem Teehaus in der Stadt machten sie Rast. Sôbê kam mit einer Teekanne zu Ukon, der sich allein auf einer Bank niedergelassen hatte, und fragte ihn, ob er nicht etwas heißen Tee wolle. Dann senkte er plötzlich die Stimme und sagte zu seinem Herrn, dass er mit ihm etwas Vertrauliches zu besprechen habe.

»Um was geht es denn?«, fragte dieser, mit einem kurzen Blick auf die Wachsoldaten, die sich in gemessenem Abstand postiert hatten und die beiden beobachteten. Sôbê sagte noch etwas leiser, aber mit düsterem Nachdruck: »Mein Vater war Bauer hier aus Fuchû. Er gehörte den Ikkô-Rebellen an und wurde zur Strafe mit jedem Bein an einen anderen Wagen gebunden und auseinander gerissen.«

»So war das also?«, sagte Ukon mit brummender Stimme. Dass Sôbês Vorfahren aus Echizen kamen, hatte er einmal gehört, doch dass sie Anhänger der Ikkô-Gruppe waren, das hatte er nicht gewusst. Die übermäßig grausamen Strafen, die der damalige Lehnsherr von Fuchû, Fürst Toshiie, vor etwas mehr als zwanzig Jahren über die Reste der Ikkô-Sekte verhängt hatte, waren noch jetzt geheimer Gesprächsstoff der Leute. Neben Selbstverständlichkeiten wie Köpfen und Verbrennen wurden auch exzessiv andere Extremstrafen wie Zweiteilung oder Sieden in einem Topf vollzogen. Es heißt, dass auf diese Weise um die Tausend Menschen niedergemetzelt worden waren. Da es sich um die Barbarei des ersten Patriarchen der Familie Maeda handelte, war es für die Samurai verboten darüber zu sprechen, aber unter den Bauern und Stadtbürgern war es ein offenes Geheimnis, das ihnen bis in die Gegenwart hinein furchtsamen Respekt vor ihrem Lehnsherrn einflößte. Da es sich bei Sôbê um den Sohn eines Anhängers der Ikkô-Gruppe handelte, musste im Grunde seines Herzen einiger Hass gegen die Familie Maeda schwelen. Auch wenn er dies selbstverständlich niemals gesagt hatte, war zu vermuten, dass das Motiv, sich taufen zu lassen, vielleicht eine Gegenreaktion war, weil die meisten der Hausvasallen der Familie Maeda der Rinzai- oder Sôtô-Zensekte beziehungsweise der buddhistischen Tendai- oder Shingon-Sekte angehörten. Dabei fiel Ukon ein, dass ihn Sôbê einmal nach dem Verhältnis zwischen dem Himmel, von dem Christus spricht, und dem »Reinen Land« (jôdo) des Amida-Buddha gefragt hatte, worauf ihm Ukon allerdings keine zufriedenstellende Antwort geben konnte. Seitdem hatte Sôbê ihn darüber auch nicht mehr mit weiteren Fragen bedrängt.

Nachdem sie Fuchû hinter sich gelassen hatten, näherten sie sich silbrig-weißen, schneebedeckten Bergen, und auch der Schnee wurde deutlich tiefer. Die Strohsandalen sanken tief in den Schnee und Kälte durchdrang die Füße, dass jeder Schritt schmerzte. Die Beine der Pferde, auf die das Gepäck verteilt war, blieben im Schnee stecken, und man musste sie regelrecht freischaufeln. Die kleinen Kinder wurden von den Männern Huckepack getragen, während die Frauen, den Saum ihres Kimonos hochhaltend, mit Mühe und Not vorwärts schritten. Jenseits eines zugefrorenen Flusses war der schneeweiße Hino-Berg mit seiner anmutigen Form zu sehen, der auch Echizen-Fuji genannt wurde. Allerdings hatte in dieser Situation keiner die Muße, seine Form zu bewundern, da alle mit ihrem Kampf gegen den Schnee vollauf beschäftigt waren.

So erreichten sie die Grenzstation von Imajô. Von hier im Tal des Kahiru-Flusses aus konnte man entweder über den Tochinoki-Pass in Richtung Ômi oder über den Kinome-Pass nach Tsuruga gehen. An diesem wichtigen Punkt auf der Grenzlinie zum Echizen-Lehen wimmelte es nur so von Beamten des Hauses Matsudaira.

Ab Imajô lag der Schnee etwa zwei Meter hoch, als wolle er den Weg versperren, und es war nicht mehr möglich, die Pferde weiter mitzunehmen. So war also abzusehen, dass die Mühen der Reise von nun an noch zunehmen würden. Die Reisenden verbrachten eine Nacht in der Herberge an der Grenzstation, nur mit den Kleidern, die sie am Leib hatten. Im Zimmer hingen zwar die Eiszapfen von der Decke und die Kälte kroch einem bis ins Mark, doch waren alle so erschöpft, dass sie fest schliefen. Nur Lucia und die Kleinen litten an Erfrierungen. Vor allem Lucias Hände und Füße waren so dick angeschwollen, dass es fraglich schien, ob sie überhaupt weitergehen könne. Sie selbst allerdings wiederholte immer wieder steif und fest, dass sie es schon schaffen werde. Früh morgens kam der Befehl, sich von der Gruppe Ukita Kyûkans zu trennen, die nach Tsuruga verbracht werden sollte. Es war ein so hastiger Aufbruch, dass es gar keine Zeit gab, den Abschied zu betrauern. Man befestigte die in der Herberge beschafften, aus Linderaholz geflochtenen Schneeschuhe an den Strohsandalen und machte sich fertig für den Weg. Das Gepäck wurde von den Pferden auf einen Schlitten umgeladen, den die Männer zogen. Vorne ging ein Holzfäller, der mit besonders großen Schneeschuhen, die man *sukari* nennt, den Weg festtrat, gefolgt von Shôgen Asano und seinen Leuten, deren Aufgabe es ebenfalls war, den Schnee festzutreten. Dann kamen Ukon und seine Begleiter, die Wachsoldaten und ganz am Schluß Dewa no kami. Glücklicherweise war der Himmel an diesem Morgen klar und das Sonnenlicht überflutete blendend hell die Schneedecke.

Der Weg wurde immer enger und steiler. Von den hohen Ästen der Zedern fielen Schneematten herab und begruben die Kinder unter sich. Oder der Schnee brach unter den Füßen weg, und wenn man dann wieder schaute, nachdem man hastig zurückgewichen war, sah man durch ein Loch hindurch den Fluss am Grunde des Tales aufblitzen wie die Klinge eines Messers, so dass es nicht recht vorangehen wollte. Für die Frauen, die ans Laufen nicht gewöhnt waren, war es schon schwer, überhaupt steil bergauf zu marschieren, und der tiefe Schnee, der ihnen die Kraft raubte, ließ sie heftig nach Luft schnappen, während sie vorwärts taumelten. Lucia, wegen der man sich anfangs Sorgen gemacht hatte, hielt sich unerwartet gut. Zusammen mit Jûjirô munterte sie die Kinder auf, nahm sie bei der Hand und trug sie schließlich, sich durch den Schnee nach oben kämpfend. Justa, deren Kräfte erschöpft waren, fiel immer weiter zurück, bis Yajirô sie schließlich auf den Rücken nahm. Ukon, der damit gerechnet hatte, dass solche Tage kommen würden, hatte sich immer bemüht, seine Beine zu stärken und in Form zu halten. Da er auch fest entschlossen war, sein Bestes zu geben, führte er sogar eine Zeit lang die Gruppe an. Langsam jedoch breitete sich die Schwäche des Alters in seinen Muskeln aus und ab einem bestimmtem Punkt war es ihm einfach nicht mehr möglich, die Beine zu heben, so dass es letztlich darauf hinauslief, dass er sich ausgerechnet von Sôbê helfen lassen musste. Nach einer kurzen Rast allerdings versetzte er alle in Staunen, indem er unter Aufbietung all seiner Kräfte wieder voranschritt.

Aus den Tiefen des Zedernwaldes und vom Gipfel her hörte man gelegentlich das ferne Heulen von Wölfen. Der sich lang hinziehende, düstere Ton ließ die Unbarmherzigkeit dieser Welt erahnen. Hasen mit safranfarbenem Winterfell und Marder huschten durch Eis und Schnee. Eine Wollhaargemse sprang über einen nur stellenweise mit Schnee bedeckten Felsüberhang. Beim Anblick dieser Tiere, die hier tief in den Bergen tapfer den Winter durchlebten, meinte Ukon, den Trost und die Gnade des Herrn zu sehen, von der in den Worten »Seht auf die Vögel des Himmels …« die Rede ist.

Eine gigantische Hand zog einen Vorhang aus Wolken vor den blauen Himmel. Gerade als man sehen konnte, wie sich unter dem einfarbig grauen Himmel schwarze Wirbel bildeten, begann es auch schon zu schneien. Die Wachsoldaten hatten einen ponchoartigen Umhang übergeworfen, während die Gefangenen einen breiten Strohhut und einen Strohüberwurf trugen. Obwohl es um die Mittagszeit war, herrschte tiefe Dunkelheit und man konnte nicht richtig ausmachen, was ins Blickfeld kam. Dewa no kami entschied, hier das Lager aufzuschlagen. Die Wachsoldaten und Gefangenen arbeiteten mit vereinten Kräften daran, am Abhang Höhlen in den Schnee zu graben. Inmitten dieser Arbeiten tauchten plötzlich zwei Reisende auf, die ebenfalls mit Strohhut und Strohüberwurf bekleidet waren. Als sie sich gerade von Imajô in Richtung Tsuruga auf den Weg machen wollten, seien sie auf eine Gruppe von einigen Dutzend Samurai getroffen, die sich mit Rüstungen und Gewehren versammelt hätten und aufgeregt behaupteten, dass sie an Stelle des Himmels die Jünger der falschen Lehre mit dem Tode bestrafen würden. Wahrscheinlich handle es sich um mordgierigen Pöbel aus Echizen. Sie selber, die beiden Reisenden, seien Arzneimittelhändler aus Etchû und stünden dem christlichen Glauben freundlich gegenüber. Deshalb seien sie vorweg geeilt, um die Gruppe der Gläubigen zu warnen, riefen sie und waren auch schon wieder in der Dunkelheit verschwunden.

Unruhe kam auf. Die Eskorte aus Kanazawa hatte lediglich zwei Bögen zu Jagdzwecken dabei und natürlich weder Gewehre noch Rüstungen mitgenommen. Gegen einen Haufen Feinde, die mit Schusswaffen ausgerüstet waren, konnten sie überhaupt nichts ausrichten. Shôgen Asano meinte, man solle sich in den Bergen entlang des Weges verstecken und sie aus dem Hinterhalt angreifen. Naitô Kôji und Ikoma Yajirô meinten aufgeregt, dass es der Feind ja nur auf die Christen abgesehen hätte und sie den Gefolgsleuten des Hauses Maeda diesen aussichtslosen Kampf nicht zumuten wollten. Es gebe nur eins: gemeinsam gegen den Feind zu kämpfen und in den Tod zu gehen. Ukon machte Dewa no kami den folgenden Vorschlag:

»Wir sind in der Erwartung auf die Reise gegangen, als Märtyrer zu sterben. Auch wenn uns jetzt diese bewaffnete Bande angreift, betrachte ich es nur als den Willen des Herrn und denke, dass wir auch in diesem Falle erhobenen Hauptes in den Tod gehen können. Der Pöbel wird sich damit zufrieden geben, uns zu lynchen, Euch wird er nicht noch extra angreifen. Wenn es zum Angriff kommt, zieht Euch zurück und schaut zu. Begrabt unsere Leichen danach bitte im Schnee.«

Ukon versammelte die Gruppe in einer Schneehöhle, ließ sie niederknien und begann zu beten. Oben am Himmel pfiff der Wind, doch in der Vertiefung war es warm und friedlich, als hätte der Herr die Gläubigen auf seine Handflächen gesetzt. Als sie aufblickten, bemerkten sie, dass die Wachsoldaten Holz gesammelt und für sie ein Feuer entzündet hatten. Als sie die Reisklöße, die sie in der Herberge gemacht hatten, über dem Feuer rösteten und sie zu heißem Wasser verzehrten, stellte sich wieder Gelassenheit ein. Es war bereits spät abends. Dewa no kami rief Ukon zu sich: »Ich denke, Ihr braucht Euch keine Sorgen mehr zu machen und könnt Euren Gefährten sagen, dass sie schlafen sollen. Ich werde eine Wache aufstellen.« Dann fügte er noch hinzu: »Was diese Händler da erzählt haben, war wohl glatt gelogen. Sie sind ja den gleichen Weg zurückgegangen, den sie auch gekommen sind. Wie hätten sie sich da vor dem angriffslustigen

Samurai-Pöbel rechtfertigen sollen, wenn sie ihn unterwegs getroffen hätten? Ich glaube, die hatten eher im Sinn, Euch einzuschüchtern und somit zur Abkehr von Eurem Glauben zu bewegen. Dass sich die Familie Matsudaira dem offiziellen Befehl des Shôguns widersetzt und Euch auf dem Weg nach Kyôto behindert, ist ebenso wenig anzunehmen wie die Tatsache, dass die Beamten der Grenzstation eine so große Bande bewaffneter Samurai übersehen haben könnten.«

»Das leuchtet ein«, sagte Ukon beeindruckt. »Ihr habt die Sache wohl durchschaut. Wenn ich es mir recht überlege, kommt es mir auch so vor.« Außer einem, der Wache hielt, schliefen alle bereits. Auch Ukon zog die bleierne Erschöpfung in einen tiefen Schlaf hinab.

Diese Nacht verging ohne weitere Zwischenfälle. In dem Gedanken, dass die beiden Händler ihnen eine Farce vorgespielt hatten, wachte Ukon auf. Justa und Lucia grüßten ihn mit einem Lächeln. Da kam Sôbê mit der Nachricht, dass Yajirô zusammengebrochen sei. Als sie schnell hineilten, um nachzusehen, rieben einige Wachsoldaten unter Anweisung Dewa no kamis gerade den Körper Yajirôs, der bewusstlos mit bleichem, fahlem Gesicht dalag.

»Er ist stark unterkühlt«, sagte Dewa no kami. »Er behauptete steif und fest, er müsse der erste sein, der kämpft, wenn der Feind angreift. Deshalb lehnte er sich über den Rand der Höhle und war die ganze Nacht Wind und Schnee ausgesetzt.«

»Yajirô.« Als Ukon seinen Namen rief, während er ihm die Wange tätschelte, kam dieser zu sich und sagte mit unerwartet fester Stimme: »Jawohl.« Er richtete sich auf und entschuldigte sich bei den Umstehenden: »Es geht schon wieder. Verzeiht die Umstände, die ich verursacht habe.« Nachdem er etwas heißes Wasser getrunken und heißen Reisbrei gegessen hatte, ging es dem jungen Samurai wieder besser. Außer dass Nase und Ohren von der Kälte rot angeschwollen waren, war nichts weiter passiert.

»Es geht nicht, dass du dich meinen Anweisungen widersetzt und dich so eigensinnig benimmst«, schimpfte ihn Ukon aus.

»Verzeiht vielmals, aber wenn diese Rabauken, diese Meuchelmörder des Shogunats, die meinem Herrn nach dem Leben trachten, angegriffen hätten, wollte ich der erste sein, der im Kampf erschlagen wird. Verzeiht, dass ich den anderen dadurch zu Last gefallen bin«, sagte Yajirô und ließ die Schultern hängen.

Die Reise auf den tief verschneiten Wegen wurde fortgesetzt und dieselben Strapazen wiederholten sich am folgenden und auch dem darauf folgenden Tag. Vielleicht ist es ja so, dass sich der Körper, der solchen Anstrengungen ausgesetzt ist, an diese gewöhnt. Jedenfalls ging es, den Schnee beiseite drückend, in den Schnee einsinkend, durch den Schnee schwimmend, irgendwie voran. Da es den beiden alten Männern Ukon und Joan so ging, schafften es auch Lucia und die kleinen Kinder, die fast überhaupt nicht ans Laufen gewöhnt waren, auf die Kraft der Jugend zurückzugreifen und marschierten tapfer weiter. Dabei musste Ukon daran denken, wie unmöglich es war, die Berge in dieser eisigen Jahreszeit mit einem schwer bewaffneten Heer zu überqueren. Dies war auch der Grund für Shibata Katsuies Niederlage gewesen, der in Kitanoshô festgesessen hatte, ohne ein Heer zur Unterstützung nach Ômi schicken zu können, als die Armee Hideyoshis zu eben dieser Jahreszeit dort seine Nebenburg belagerte. Diese Situation vorauszusehen und den Angriff zum richtigen Zeitpunkt zu beginnen, zeugte von Hashiba Hideyoshis weitsichtigem Scharfsinn.

Zwischen den Wachsoldaten und der Gruppe von Christen, die beide gegen dieselbe Unbill anzukämpfen hatten, entwickelte sich ein Gefühl der Vertrautheit, das einer freundschaftlichen Zuneigung ähnelte. Oft konnte man beobachten, wie sich die Menschen der verschiedenen Lager gegenseitig anspornten. So erreichten sie den höchsten Punkt des Passes. Als die Steigung nicht mehr so steil war und die Grenzstation des Tochinoki-Passes in Sicht kam, schritt die Gruppe leichteren Herzens voran.

7
Der Traum der Helden

Als sie an der Grenzstation des Tochinoki-Passes ankamen, war es der Abend des vierten Tages seit ihrem Aufbruch in Imajô. Wenn man die Zeit nachrechnete, konnte man sagen, dass es nur vier Tage waren. Allerdings kam es den Reisenden vor, als wären es zehn Tage gewesen. Hier waren sie an der Grenze zwischen Echizen und Ômi, und auf der eigenen Seite der Palisade hatte jedes der beiden Lehen seine Grenzstation mit einer schlichten Herberge errichtet. Die Herbergen waren jedoch menschenleer, weil sie während des Winters geschlossen blieben. Man bezog die Herberge auf der Seite von Echizen, wozu die Erlaubnis schon im Voraus eingeholt worden war. Im Eingangsbereich und dem nächstgelegenen Zimmer gab es Spuren nicht lange zurückliegender Benutzung. Es war zu vermuten, dass es die Gruppe des Padre gewesen war, die vor kurzem den Pass hier überquert hatte. Allerdings waren sowohl die Küche als auch das Bad vereist und im großen Gemeinschaftsraum und den Gästezimmern hingen Eiszapfen von der Decke. So war es zunächst mit einigem Aufwand verbunden, die Zapfen abzubrechen und Eis zu schmelzen. Doch als dann in den Feuerstellen und unter dem Kessel Feuer angemacht war und sich Wärme in den Räumen ausbreitete, kamen alle wieder zu sich. Nach der Strapaze, im tiefen Schnee den Berg hinaufzustapfen, bedeutete es ein unübertreffliches Gefühl der Geborgenheit, wieder ein Dach über dem Kopf zu haben und seine Füße auf festen Boden zu setzen, auch wenn es nur in einer schlichten Herberge war.

Vielleicht war es, weil Dewa no kami dachte, dass eine Flucht hier tief in den verschneiten Bergen ohnehin nicht möglich wäre, vielleicht auch aus einem Gefühl der Verbundenheit, das der zusammen durchlebten Mühsal entsprungen war, jedenfalls wies er den Gefangenen den großen Raum mit der in den Boden eingelassenen Feuerstelle zu und gestattete ihnen, das Bad zu benutzen. Sôbê und Justa, die sich gut mit der Zubereitung so genannter Tee-Gerichte auskannten, zeigten sich als große Hilfe. Sie nahmen die Hasen und Schneehühner aus, welche die Untergebenen Shôgen Asanos erlegt hatten, und bereiteten daraus, zusammen mit dem Gemüse und den getrockneten Fischen, die mitgebracht worden waren, ein Festmahl, wie man es sich hier oben in den Bergen wohl nicht hätte träumen lassen. Dewa no kami öffnete das Sakefass, das unter größten Anstrengungen zum Gebrauch für alle mitgeschleppt worden war, und erlaubte den Wachsoldaten, ungezwungen zu feiern. Auch Ukon und seinen Begleitern ließ er einen beachtlichen Teil des Reisweins zukommen. Ukon bat Dewa no kami, ob er damit nicht für den Vater seiner Religion eine Zeremonie, die sich »Missa« nenne, durchführen dürfe.

Dieser sagte: »Ich wollte schon immer einmal sehen, wie eine solche Zeremonie Eurer Religion aussieht«, und gab ihm ganz ohne Umstände die Erlaubnis. Außerdem befahl er seinen Leuten, zum Zwecke des Studiums ebenfalls zuzuschauen. Auf den niedrigen Esstisch, der als Altar diente, wurde ein improvisiertes Kreuz aus aufgelesenen Ästen gestellt. Als Brot für die Hostie wurden Reisklößchen auf einen irdenen Teller gelegt und anstelle des Rotweins nahm man Sake, den man in eine kleine Tonflasche gefüllt hatte. Die ganze Gruppe versammelte sich vor dem Altar. Zuerst schlugen alle das Kreuz im Namen des allmächtigen Vaters, des Schöpfers der Erde und des Himmels, und im Namen des Sohnes und des Heiligen Geistes.

Als nächstes las Ukon, der die Rolle des Priesters übernommen hatte, die Worte Jesu Christi vor:

»Und wer nicht sein Kreuz auf sich nimmt und folgt mir nach, der ist meiner nicht wert. Wer sein Leben findet, der wird's verlieren; und wer sein Leben verliert um meinetwillen, der wird's finden.«

»Das ist aber das ewige Leben, dass sie dich, der du allein wahrer Gott bist, und den du gesandt hast, Jesus Christus, erkennen.«

Ukon betete:

»Christus erbarme dich unser.«

Die Gruppe wiederholte im Chor:

»Christus erbarme dich unser.«

Ukon breitete seine Arme vor den Reisklößen und der Sakeflasche aus und sagte:

»Bevor unser Herr Jesus Christus sich schließlich selbst opferte und seine Passion antrat, nahm er das Brot, dankte und brach's und gab's den Jüngern und sprach: Nehmet, esset; das ist mein Leib. Und er nahm den Kelch und dankte, gab ihnen den und sprach: Trinket alle daraus; das ist mein Blut des Bundes, das vergossen wird für viele zur Vergebung der Sünden. So heißt es im Neuen Testament. Lasst uns, indem wir das letzte Abendmahl unseres Herrn Jesus Christus mit dieser Zeremonie wiederholen, des Testaments gedenken, welches uns der Herr hinterlassen hat, denn wollen nicht auch wir, unserem Herrn folgend, unsere eigene Passion antreten?«

Ukon und die anderen Christen stimmten zusammen das häufig gesprochene »Vater unser« an.

»Vater unser im Himmel, geheiligt werde dein Name. Dein Reich komme. Dein vontade (Portugiesisch für ›Wille‹) geschehe, wie im Himmel so auf Erden. Unser tägliches Brot gib uns heute. Und vergib uns unsere Schuld, wie auch wir vergeben unsern Schuldigern. Und führe uns nicht in tentação (Versuchung), sondern erlöse uns von dem Bösen. Denn dein ist das Reich und die Kraft und die Herrlichkeit in Ewigkeit. Amen«

Ukon nahm die geweihten Reisklöße, brach sie und gab jedem einzelnen ein Stück zu essen. Danach ging er mit der Sakeflasche um und ließ jeden einen Schluck trinken. Als Ukon den Rest des Reisweins in einem Schluck austrank, kam Dewa no kami mit dem Sakefass dazwischen.

»Darf ich Euch noch etwas Sake geben?«

»Nein danke, das ist nicht nötig«, antwortete Ukon. »Dieser Reiswein wird durch das Gebet zu einem heiligen Getränk. Eigentlich trinken wir Christen bei dieser Gelegenheit roten Traubenwein aus dem Land der Südbarbaren als das Blut unseres Herrn Jesus Christus. Deshalb mag es damit genug sein.«

»Was will dieser Jesus, oder wie er heißt, mit seinem Blut ausdrücken?«

»Als die Menge entschieden hatte, dass Jesus Christus den qualvollen Tod am Kreuz zu erleiden habe, sprach er bildhaft vom Wein als seinem Blut und dem Brot als seinem Leib, den er den Jüngern geben werde, um damit auszudrücken, dass er durch seinen Tod die Menschheit erlösen werde. Dieses letzte Mahl wieder aufleben zu lassen, nennt man auch ›Heilige Kommunion‹ und es ist für uns Christen die wichtigste Zeremonie.«

»Wein und Brot sind der Körper des Religionsgründers. Das ist allerdings schwer nachzuvollziehen«, gab Dewa no kami mit ungläubigem Gesicht offen zu.

»Der ›chinda‹-Wein der Südbarbaren wird aus roten Trauben gewonnen und sieht aus wie Blut, während ihr Gebäck, das sich ›hamu‹ (von port. ›pao‹ = Brot) nennt, weich ist und somit dem Fleisch ähnelt. Deshalb symbolisieren die beiden den Leib unseres Religionsvaters.«

»Unter chinda und hamu kann ich mir leider überhaupt nichts vorstellen«, sagte Dewa no kami mit einem Kopfschütteln. »Aber der Himmel, in den ihr Christen eingeht, nachdem ihr gestorben seid, gleicht doch sehr dem Reinen Land der Jôdo-Sekte.«

»Ja, das stimmt, sie ähneln sich«, sagte Ukon und beobachtete, wie Sôbê aufmerksam die Ohren spitzte. Halb hatte er das gesagt, damit es sein Vasall hören sollte. »Aber anders als im Reinen Land des Westens, in das die einfachen Sterblichen, die sich von ihrem leidvollen, irdischen Dasein getrennt haben, eingehen, um sich dort zu amüsieren, geht es denen im christlichen Himmel immer um die Menschen, die unten auf der Erde sind. Sie bemühen sich immer um diese und wünschen sich, dass sie glücklich werden.«

»Wenn das stimmt, ist es dann nicht genauso wie mit den Bodhisattvas im Reinen Land des Westens?«

»Man kann es wohl auch als dasselbe auffassen, aber anders als die Lehre, nach der man automatisch ins Reine Land eingeht, wenn man gestorben ist, geht es den Christen darum, dem Beispiel Jesu zu folgen und sich selbst zu opfern, um andere zu erlösen.«

Dewa no kami stellte eifrig weitere Fragen, die Ukon mit doppeltem Eifer beantwortete, während ihrer beider Vasallen der Unterhaltung zuhörten.

»Eins möchte ich noch fragen«, sagte Dewa no kami, dessen Ton strenger wurde. »Sind die Christen deshalb gläubig, weil sie in den Himmel kommen wollen?«

»Nein, der Eingang in das himmlische Paradies wird als Ergebnis des Glaubens gewährt.«

»Ob das wohl eine gute Sache ist?«

»Ja.«

»Dann frage ich: Können die Christen auch in den Himmel kommen, wenn sie hingerichtet werden, weil sie trotz des Religionsverbotes an ihrem Glauben festhalten?«

»Das Religionsverbot ist letztendlich eine Maßnahme, die nur für dieses irdische Dasein gilt. Der Glaube aber ist eine diese Welt ebenso wie den Himmel umfassende Sache. Daher kann man wohl sagen, dass man in den Himmel kommen kann, auch wenn man in dieser Welt hingerichtet wird.«

»Deshalb gedenkt Ihr, euch bereitwillig hinrichten zu lassen?«

»Es geht nicht darum, bereitwillig zu sterben. Es ist eher die Überzeugung, dass man auch dann nicht den Glauben verwirft, wenn man wegen ihm hingerichtet wird. Denn wenn man dem Glauben treu bleibt, ist das die Garantie dafür, in den Himmel einzugehen.«

»Das heißt ja dann, je mehr man den Christen den Prozess macht und sie somit in den Himmel befördert, desto besser ist dies für Euch.«

»Darauf läuft es hinaus. Die Hinrichtung ist für uns eine Gnade des Herrn.«

»Da habe ich es doch wahrhaftig mit jemandem zu tun, den man als Bedrohung für die Regierung betrachten könnte. Herr Takayama, fürchtet Ihr Euch denn nicht vor dem Tod im Falle einer Hinrichtung?«

»Das ist eine sonderbare Frage. Fürchtet Ihr Euch etwa davor, für Euren Herrn in den Tod zu gehen, Herr Dewa no kami?«

»Gewiss nicht, wo denkt Ihr hin«, verneinte dieser prompt und heftig.

Ukon sagte leise, aber nachdrücklich:

»Mir geht es da genauso. Solange Gott mein Herr ist und ich für ihn sterbe, fürchte ich den Tod nicht im Geringsten.«

Dewa no kami wusste nicht, was er darauf antworten sollte und schaute Ukon nur finster schweigend an. Dann drehte er sich unvermittelt um und befahl den Wachsoldaten, ihr Bankett zu eröffnen. Die Gefangenen nahmen ihr Essen zu sich, ohne Alkohol zu trinken.

Danach setzten sie sich alle zusammen und begannen unter Ukons Führung zu beten. Die Soldaten, bei denen der Alkohol langsam seine Wirkung tat, fingen an, ausgelassen zu lärmen, während die Gefangenen, vor dem Altar versammelt, noch stundenlang in stillem Gebet verharrten.

Am nächsten Morgen begann der Abstieg. Die Tatsache, dass hinter dem Pass die Südseite des Berges war und dort deshalb weniger Schnee lag, sowie die Aussicht, den Marsch durch die Berge bald hinter sich zu haben, gaben der Gruppe neuen Mut, und es ging zügig voran. Allerdings brauchten sie noch weitere drei Tage, um vom Tochinoki-Pass nach Kinomoto in der Provinz Ômi zu kommen. Dort angelangt, lag in dem Wind, der um ihre Wangen strich, ein Hauch von Wärme. Unter dem Schnee, auf dem sie liefen, konnte man deutlich harten Boden spüren und in der Stimmung dieser südlichen Gegend konnte man sich entspannen. Es wurden Pferde gemietet, auf die Dewa no kami und Shôgen Asano stiegen. Auch die Frauen und Kinder ließ man reiten, so dass die Reise zügig voranging. Es war schon spät nachts, als man in der Herberge von Kinomoto am Nordufer des Biwa-Sees ankam. Dort konnte man baden, sich die Haare neu richten und auf einer Matratze mit ordentlicher Zudecke schlafen.

Am nächsten Morgen wurde beim Hahnenschrei aufgebrochen. Weil es von nun an auf stärker frequentierten Wegen weitergehen würde, erlaubte Dewa no kami Ukon und seinen Begleitern, die weißen Gewänder gegen normale Kimono auszutauschen, um nicht so viel Aufsehen zu erregen. Auch Shôgen Asano hatte mittlerweile begriffen, dass die Christen nicht die Absicht hatten, zu fliehen und wies seine Leute an, sich nicht so auffällig martialisch zu gebärden. Während die Frauen und Kinder ritten, gingen die Männer zu Fuß. Ukon hatte man ebenfalls angeboten, entweder zu reiten oder in eine Sänfte zu steigen, aber er hatte beides abgelehnt und schritt mit den anderen Männern voran.

Vor der Herberge von Kinomoto lag still der hoch mit Wasser gefüllte Yogo-See, der verglichen mit dem Biwa-See wie ein winziger Teich wirkte. An die Kette niedriger Berge an dessen Ufer konnte sich Ukon erinnern. Vor ihm erhob sich der Iwasaki-Berg, dahinter der Ôiwa-Berg und den Hügel, der sich links daran anschloss, konnte er als Shizugatake identifizieren, da er an diesem Ort selbst schon in einer Schlacht gekämpft hatte. In den Hügeln, die sich entlang der Nordroute, nördlich des Yogo-Sees erstrecken, hatte Shibata Katsuie sein Heer von 20 000 Mann in Stellung gebracht, in Kinomoto befand sich die Armee Hashiba Hideyoshis. Als sich Ukon immer wieder umschaute, sprach ihn Kôji von hinten an.

»Das hier ist der Shizugatake. Die Hügel hier sind der Iwasaki und der Ôiwa. Es heißt, Ihr hattet die Stellung auf dem Iwasaki und Nakagawa Kiyohide die auf dem Ôiwa.«

»Du kennst dich gut aus. Genauso war es.«

»Darüber, dass Ihr Euch beim Ansturm der großen Armee Katsuies bis nach Kinomoto zurückgezogen habt, gibt es die verschiedensten Gerüchte. Wie hat es sich denn eigentlich in Wirklichkeit zugetragen?«

»Das war einfach eine glatte Niederlage«, sagte Ukon, der sich beim Anblick der von der Morgensonne blutrot eingefärbten Hügel an die Schlacht erinnerte.

Der Angriff begann schon vor der Dämmerung. Sakuma Morimasa kam mit einer Streitkraft von 15 000 Mann vom Shizugatake-Hügel zu diesen beiden Bergen gestürmt, wo ihn Nakagawa Kiyohide mit dreitausend Mann und Takayama mit zweitausend Mann erwarteten. Mit Gewehren und Lanzen ließ sich der Angriff zunächst auch zurückschlagen. Wegen der zahlenmäßigen Unterlegenheit zog sich Ukon dann mit seinen Leuten aber hastig zu Nakagawas Truppe auf dem Ôiwa-Hügel zurück und schlug vor, sich hier irgendwie zu verschanzen und auf Verstärkung zu warten. Der ungeduldige Nakagawa Kiyohide jedoch bestand hartnäckig auf einem Gegenangriff, so dass Ukon schließlich zustimmte und sie den Berg hinunter stürmten, um gegen die Überzahl der Feinde anzurennen. Es kam zum Kampf, Ukon stürzte sich auf Gruppen von Fußsoldaten, die, mit ihren Lanzen im Anschlag, auf ihn zurückten, so dass sie auseinander stoben, riss mehrere berittene Kommandeure vom Pferd und erschlug sie. Er kämpfte verzweifelt, sich durch einen Schleier von Blut hindurchprügelnd, und als er sich umschaute, waren nur noch drei seiner Verbündeten übrig und von allen Seiten drängten die feindlichen Soldaten herbei. Spontan entschied er sich zur Flucht. Er stieß durch eine Lücke in der Linie der Lanzenträger, danach kam nur noch besinnungslose Flucht und er schaffte es irgendwie bis in die Stellung Hashiba Hidenagas. Es waren nur drei seiner Vasallen, die ihm gefolgt waren.

Über sein Verhalten damals gab es viele Spekulationen. Ukon wusste, dass man ihm auch nachsagte, er hätte sich davon gemacht, noch bevor der Feind angegriffen habe, oder er wäre davongelaufen, ohne auch nur einen Kampf geführt zu haben. Nun wollte Naitô Kôji Ukons Rechtfertigungen zu diesen Vermutungen hören.

»An den Heldenmut Nakagawa Kiyohides, der in dieser Schlacht sein Leben gelassen hat, reiche ich nicht heran. Aber auch ich habe mit dem Feind gekämpft und dabei viele meiner Gefolgsleute verloren. Auch zwei Brüder Justas wurden erschlagen. Es war eine bittere Niederlage«, sagte Ukon und löste seinen Blick von den Bergen. Wenn man es auf den Punkt brachte, so war ein Kampf auch nichts anderes als Mord. Ein Held ist jemand, der sich seine Macht dadurch verdient, dass er eine große Anzahl Menschen umgebracht hat. Die mit Abstand blutverschmiertesten Mörder waren wohl die drei Helden Nobunaga, Hideyoshi und Ieyasu. Indem sie vielen Menschen das Leben nahmen, erlangten sie die Herrschaft über das gesamte Reich. Auf der Kehrseite dieses schönen Wortes »Landeseinigung« klebten die hasserfüllten Seelen der Ermordeten. So oft sich Ukon auch waschen mochte, der Geruch des Blutes verschwand nie. Der Glaube war nichts anderes als das Gebet zu Gott, dass er ihn von diesem Geruch befreien möge. Nach der Gnade des Herrn zu streben, half Ukon, den Schmerz zu ertragen, der ihn quälte, seit er sich seiner Sünden bewusst geworden war. Um zu einem naiven, kindlichen Glauben zurückzufinden, war es für ihn bereits zu spät. Kôji versuchte Ukon, der mit schmerzlicher Miene zu Boden blickte, mit heiterer Stimme aufzumuntern:

»Aber verloren nicht auch Fürst Ieyasu gegen Fürst Shingen in der Schlacht von Mikatagahara und Fürst Hideyoshi den Kampf gegen Fürst Ieyasu in Nagakute? Ob man siegt oder verliert, entscheidet die Gunst des Moments.«

»So wird es wohl sein ...« Ukon widersprach Kôji nicht, doch konnte er nicht umhin zu bemerken, dass sie sich immer ein wenig missverstanden.

Bald war jenseits der Pflaumenblüten, die in weißer und roter

Pracht um die Wette sprossen, die funkelnde Wellenfläche eines Sees auszumachen, dessen Größe an ein Meer erinnerte. Links reckte sich der Ibuki-Berg mit seiner weißen, kahlen Haut in den blauen Himmel, rechts reihten die Berge von Hira ihre schwarz-weiß gesprenkelten Kämme aneinander bis hin zum Hiei-Berg, den Ukon auf den ersten Blick erkannte. Hinter dem Hiei-Berg lag Kyôto – die Reise näherte sich allmählich ihrem Ende. Dass man nicht nur die nahe Chikubu-Insel, sondern auch die weit entfernte Okino-Insel deutlich sehen konnte, war dem kalten durchsichtigen Wind zu verdanken, der diesen Anblick reinwusch.

»Wir sind am Biwa-See«, sagte Ukon zu Jûtarô. »Ja«, antwortete dieser nickend und blinzelte mit seinen langen Wimpern in Richtung des berühmten Sees, den er zum ersten Mal erblickte. Die Aussicht, dass es nicht mehr weit war bis Kyôto, ließ die Gruppe leichten Schrittes voranschreiten. Nach einer Weile war in der Ferne eine auffällig große Burg auszumachen, die sich über dem Ufer des Sees erhob.

»Das ist die Burg Hikone auf der Konki-Anhöhe. Es ist der Sitz Ii Naokatsus«, sagte Kôji. Sie gingen die Nordroute, die am Ostufer des Biwa-Sees entlangführt, in Richtung Süden. Entlang dieser Straße gab es seit jeher viele Schlachten. Viele Helden hatten dort gegeneinander gekämpft, Burgen errichtet und den Traum der Herrschaft über das ganze Land geträumt. Naitô Kôji, der sich mit diesen historischen Begebenheiten gut auskannte, sprach Ukon immer wieder darauf an und ließ seine Beschlagenheit durchscheinen.

Als sie den Uferweg etwa fünfzehn bis zwanzig Kilometer weitergegangen waren und den Ane-Fluss überquert hatten, konnte man, von vertrocknetem Schilfgras überwuchert, die Formen eines ehemaligen Burgareals als Erhöhungen im Boden erkennen. Die Häuser, die es umgaben, waren angeordnet wie es für ein Burgdorf typisch war. Die Hälfte von ihnen war allerdings verlassen und es waren an ihnen Spuren von Kampf und Plünderung zu erkennen. Kôji sagte, es handle sich wohl um die Ruinen der Burg von Nagahama. Ukon versuchte anhand der Struktur der Überbleibsel die Burg in Gedanken zu rekonstruieren und kam zu dem Schluss, dass es wohl tatsächlich so sein müsse. Hideyoshi hatte sie erbauen lassen, nachdem er von Nobunaga zum Daimyô erklärt worden war. Als er dann nach Ôsaka ging, wurde Shibata Katsuies Adoptivsohn, Shibata Katsutoyo, der neue Burgherr. Dass Hideyoshi die Burg dann aber angriff und einnahm, war der Grund, weshalb der erzürnte Shibata Katsuie zurückschlug und es zur Schlacht von Shizugatake kam. Nun aber war die Burg vollständig abgerissen und die Steine der Mauern waren allesamt an einen anderen Ort gebracht worden. Über die winterliche Trostlosigkeit des mit Schilfgras überwucherten Areals heulte nun ein herzloser Wind.

Nach weiteren zehn Kilometern kamen sie in die Stadt Hikone, wo es äußerst lebhaft zuging. Auf den Straßen sah man Massen von Menschen, und offenbar florierende Geschäfte reihten sich aneinander. Als wäre sie der Magnet, der diese Lebhaftigkeit bündelt, streckte die Burg stolz ihren imposanten Hauptturm über dem Ufer in die Höhe. Momentan war sie im Besitz der Familie Ii, die den Daimyô des Ômi-Lehens stellt und seit Generationen dem Hause Tokugawa diente. Da sie sich noch im Bau befand, konnte man vom provisorischen Wachturm her emsiges Hämmern vernehmen und es wimmelte von Zimmerleuten und anderen Arbeitern, dass es an einen Ameisenhaufen erinnerte. Ukon schaute grimmig drein, da er sich sicher war, dass die Steine für die Mauern von verlassenen Burgen der Umgebung stammten. Höchstwahrscheinlich verwendete man Steine, die von der Nagahama-Burg und möglicherweise auch von der Azuchi-Burg stammten. Ukon vermutete, dass es sich bei den Arbeitern um die berühmten Anôshû-Steinmetzen aus Sakamoto handelte, die auch am Bau der Burgen von Azuchi und Takatsuki beteiligt gewesen waren. Als er die Burg von Takatsuki errichtete, hatte er sie mit dem Bau der Mauern beauftragt. Auch hatte er auf Befehl Nobunagas ihre Arbeiten an der Burg von Azuchi geleitet.

Nach einem weiteren Stück Weges kam die Azuchi-Anhöhe in Sicht, die sich über den See erhob. Ukon konnte sich an die Form des hohen Burgfrieds auf dem Hügel und das zum inneren Burggraben geformte Sumpfareal erinnern. Er, Joan und Kôji murmelten gleichzeitig den Namen der Burg, die da einst gestanden hatte: »Hier war die Azuchi-Burg«. Innerhalb der Gruppe waren es jene drei, die diese Festung noch aus Fürst Nobunagas Blütezeit kannten. Dewa no kami, der sie nie gesehen hatte, zeigte sich erregt und befahl Shôgen Asano, etwas von der Landstraße abzuweichen, um zum Hügel zu gehen, auf dem sich die Burgruine befand.

Man näherte sich den Überresten der Burg. Anders als die Flachlandburg von Nagahama war diese eine schwer einnehmbare Bergfestung gewesen, in deren Konstruktion der Azuchi-Hügel miteinbezogen worden war. Die gigantischen Felsbrocken, aus denen die Burgmauer bestanden hatte, waren verschwunden, und die Steinmauern, die den inneren Graben umschlossen hatten, waren zerfallen, so dass sich das Gebiet wieder in einen einfachen Sumpf zurückverwandelt hatte. Auf der mit Schilfgras bedeckten Fläche hatte sich ein Schwarm Wasservögel versammelt.

»Hier war das Haupttor«, erklärte Kôji Dewa no kami. Die Gruppe näherte sich dem Berg. Der Gipfel, wo einst, angefangen beim Burgfried, Türme mit vergoldeten Ziegeln gestanden hatten, war nun von Unkraut und Gestrüpp zugewachsen. Auf dem Abhang, wo sich einst Daimyô-Anwesen wie etwa die Hashiba- oder Tokugawa-Residenz befunden hatten, standen nun chaotisch aneinander gebaute Verhaue, aus denen etwas aufstieg, das wie Rauch aus einer Feuerstelle anmutete. Es sah so aus, als hätten sich hier streunende Samurai, die des Nachts auf Diebeszüge gehen, und dergleichen Volk niedergelassen.

»Von der einstigen Pracht ist keine Spur mehr vorhanden«, sagte Kôji zu Dewa no kami. Er begann stolz von der Azuchi-Burg zu berichten, wie er sie früher gesehen hatte, und die Samurai aus Kanazawa hörten ihm mit großem Interesse zu.

Ukon wusste auch über die frühe Phase der Bauarbeiten Bescheid. Ständig wurden große Felsbrocken mit Schiffen aus den verschiedensten Provinzen herbeigeschafft und an der Anlegestelle für Großschiffe, die hier am Ufer des Biwa-Sees errichtet worden war, abgeladen. Der Name des Daimyô, der die Steine geschickt hatte, wurde bei der Ankunft verlesen und die Felsen an Land gehievt. Diese dann den Berg hinaufzubekommen, war die nächste Schwierigkeit. Manchmal waren Monolithen dabei, für die man mehrere tausend Leute brauchte, um sie von der Stelle zu bewegen.

Das oberste Stockwerk des sechsstöckigen, unterkellerten Hauptturms mit seinen goldglänzenden Zierziegeln hatte rote Pfeiler und golden angestrichene Wände. Außerdem waren an allen möglichen Stellen goldene Beschläge angebracht. Es gab Schreibstuben, Lagerräume und eine Küche. Das riesige Audienzzimmer war mit Wandmalereien Kano Eitokus, des berühmtesten Malers dieser Zeit, verziert. Die Burg mit den Wachtürmen und dem schönen Garten konnte man von jedem Punkt im Burgdorf aus bewundern, und viele Reisende kamen extra dieses Anblickes wegen nach Azuchi. Es zeigte musterhaft die Macht Fürst Nobunagas, dessen erklärtes Ziel es gewesen war, das ganze Land mit Waffengewalt zu einen und unter seine Herrschaft zu bringen.

Ukon hatte einmal Gelegenheit gehabt, sich das Innere der Burg anzuschauen, als er sie zusammen mit Padre Organtino besucht und Fürst Nobunaga ihnen höchstpersönlich eine Führung gegeben hatte. Für Ukons Geschmack zeigte sich in ihr aber nichts anderes als die vulgäre Gesinnung, mit extravagantem Prunk zu protzen. Was da zur Schau gestellt wurde, waren Pomp und Überfluss, die mit der schlichten Reinheit, nach der er selbst strebte, nichts gemein hatten. Immerhin schien die Burg jedoch, zumindest innerhalb der Grenzen dieser Welt des Überflusses und Pomps, ein beachtliches Werk darzustellen, denn selbst Organtino, der aus Europa Bauwerke gewohnt sein musste, die mit noch mehr Prunk und Gold ausstaffiert waren, zeigte sich beeindruckt. Mit dem Ausdruck »beachtliches Werk« meinte der Padre allerdings nicht, dass es sich wirklich um ein Bauwerk der allerersten Klasse handelte, da er Ukon später bekannte, dass es etwa dem Petersdom in Rom sowohl in Größe als auch an baulichem Aufwand weitaus unterlegen war. Allerdings verstand der Padre durchaus das allgemeine japanische Prinzip, dass sich die einfachen Leute von extravaganten Prahlern beeindrucken und gängeln ließen, und dass solche Manifestationen der Macht daher notwendig waren, um das Volk zu beherrschen. Auch machte er sich diese japanische Gepflogenheit bei seiner missionarischen Tätigkeit zu Nutze und ließ zum Beispiel die Padres und Ordensbrüder im Land der Südbarbaren hergestellte Seidengewänder tragen, um aus der Masse der Japaner hervorzustechen. Deshalb kam es früher auch einmal zum Zwist zwischen ihm und dem Leiter der japanischen Jesuitenmission, Cabral, der die Meinung vertrat, dass sich die Geistlichen Bescheidenheit zum Prinzip machen sollten.

Fürst Nobunaga überließ seinen Hausvasallen Grundstücke, die direkt an seine Azuchi-Burg angrenzten, und ermutigte sie, dort Residenzen zu errichten. Ukon hatte hier, neben seinem Hauptsitz in Takatsuki, ebenfalls gebaut. Sein Haus hatte sich am Rand dieses Areals der Daimyô-Anwesen befunden. Als er nun genauer hinblickte, bemerkte er, dass davon nichts mehr übrig war.

Organtino hatte zunächst von Fürst Nobunaga die Erlaubnis erhalten, im Ubayanagi-Viertel in Kyôto, in der Nähe des Honnô-Tempels, welcher Nobunagas Hauptstadtresidenz war, einen Südbarbarentempel zu errichten. Nun war er gekommen, weil er um Erlaubnis bitten wollte, auch in Azuchi, welches sich anschickte, die neue Hauptstadt zu werden, eine weitere Kirche zu erbauen, was ihm schließlich auch gestattet wurde.

An bestem Ort direkt am Haupttor wurde dann mit dem Bau eines Seminars begonnen. Da es damals gerade den Plan gab, in Kyôto ein Seminar zu erbauen, waren das bereits zugeschnittene Holz und die dafür bestimmten Ziegel schon vorhanden, und man brauchte alles nur noch an Ort und Stelle zu schaffen. Ukon kümmerte sich mit Unterstützung anderer christlicher Daimyô und Samurai um den Transport des Materials, um die Zimmerleute und Handwerker sowie die anderen Angelegenheiten, die mit dem Bau zusammenhingen. Zu dieser Zeit lernte Ukon auch den damaligen Daimyô von Tamba, Naitô Joan, kennen und freundete sich mit ihm an.

Mit der Sondergenehmigung Fürst Nobunagas konnte der Dachgiebel mit denselben vergoldeten Ziegeln verziert werden wie das Dach der Burg. Das zweistöckige, in fremdländischem Stil gehaltene Gebäude mit seinem hohen Glockenturm und seinem prächtigen Haupteingang ließ ein goldenes Kreuz erstrahlen, das mit dem Hauptturm der Burg harmonierte. Diesmal versammelten sich Menschen aus verschiedensten Provinzen, die gekommen waren, um das Schloss zu sehen, in Scharen vor der neuen Attraktion, dem Kolleg.

Im Erdgeschoss befanden sich das Empfangs- und das Teezimmer, im ersten Stock die Kammern der Padres und Ordensbrüder und im zweiten die Seminarschule. Padre Organtino, dessen Gesicht noch röter glänzte als sonst, erklärte Ukon stolz, dass er von seinem Zimmer aus über das Burgdorf blicken könne. Die Landstraße führte mitten durch den Burgflecken. Auf beiden Seiten waren Kiefern und Weiden gepflanzt worden. Die Bewohner der umliegenden Dörfer kamen abwechselnd mit Besen, um die Straße zu fegen. An der Anlegestelle reihten sich die Lagerhallen der Großhändler aneinander und das Geschrei des Marktes kam herübergeweht wie das Heulen der Herbststürme. Das Seminar hatte fünfundzwanzig Studenten, die aus jugendlichen Samurai ausgewählt worden waren. Einschließlich der Padres, der Ordensbrüder und der Laien belief sich das Personal des Seminars auf über fünfzig Personen. Unterrichtet wurden Fächer wie Japanisch, Schreiben römischer Buchstaben, Latein, Dogmatik, Kalligraphie, Gesang, Clavo, Gitarre, Monochord und so weiter. Anders als bei der damaligen japanischen Gelehrsamkeit, die sich auf die Übung des Altchinesischen und des Japanischen beschränkte, wurde hier ein Studium im europäischen Stil eingeführt.

Unter den Studenten befand sich auch Miki Paulo, der später in Nagasaki den Märtyrertod starb. Er war kleiner als seine Altersgenossen und ziemlich unscheinbar, aber intelligent und äußerst aufgeweckt. Seine Fortschritte im Lateinischen waren spektakulär, so dass ihn Organtino bei Fürst Nobunagas gelegentlichen Besuchen immer als Vorzeigeschüler lateinische Texte rezitieren ließ. Padre Clemente hatte mehrmals erwähnt, wie vortrefflich seine Rede am Kreuz in Nagasaki gewesen war.

»Ihr, die ihr hier seid, hört alle zu, was ich euch zu sagen habe! Nicht weil ich ein Verbrechen begangen habe, werde ich ermordet, sondern weil ich die Lehre meines Herrn, Jesus Christus, verbreite. Für den Herrn zu sterben ist mir eine Freude, denn ich glaube, dass gerade dies eine große Gnade ist, die mir Gott, der Allmächtige, zuteil werden lässt. Ebenso wie Christus am Kreuz seinen Vater um Vergebung für seine Feinde und alle Menschen anflehte, so vergebe auch ich dem Herrn Regenten Hideyoshi und all seinen Henkern ...«

Da Fürst Nobunaga auf das Seminar in Azuchi, welches ja eine Seltenheit darstellte, stolz war, kam er es des Öfteren besuchen, und auch seine drei Söhne Nobutada, Nobukatsu und Nobutaka zeigten Interesse für die Christen.

Jedoch wurde die Burg nach dem Zwischenfall am Honnô-Tempel plötzlich von Mitsuhides Armee angegriffen und eingenommen. Organtino, der die Gefahr für das Seminar erkannt hatte, floh in Begleitung der Padres, Ordensbrüder und Studenten mit dem Schiff auf die Oki-Insel. Da alles so plötzlich kam, konnten nur wenige Kirchenutensilien und Bücher mitgenommen werden. Das leer stehende Seminar wurde von marodierenden Banden geplündert, bis nur noch die Außenwände und das Dach übrig blieben. Schließlich wurde die

Burg von Azuchi, die sich mit solch majestätischem Stolz erhoben hatte, niedergebrannt. Und nun war sie zu einer Ruine verfallen und zum Unterschlupf für Räuberbanden geworden. Auch die Stadt zeigte sich völlig verwahrlost. Die Häuser, in denen noch Menschen wohnten, sahen alt und schmutzig aus. Man erblickte schiefe Stützpfeiler, kaputte Dachtraufen, leere Häuser und freie Flächen, die mit Trümmern übersät waren. Ukon versuchte die Überreste des Seminars auszumachen, doch da, wo er dachte, dass es einst gestanden haben musste, war nur eine Grasfläche.

In der Abenddämmerung erreichte die Gruppe das Südufer des Biwa-Sees. Seit Tagesanbruch hatten sie strammen Schrittes an die achtzig Kilometer zurückgelegt.

Hier erhob sich die kleine, aber mit ordentlichen Mauern und Wachtürmen ausgestattete Zeze-Burg über dem See. Sie war der Sitz Toda Kazuakis, eines Hausvasallen der Familie Tokugawa, der diesen wichtigen Verkehrsknotenpunkt überwachte, an dem sich der aus dem Biwa-See kommende Seta-Fluß und der Hokuriku-Weg, der am Ostufer des Sees entlangführte, berührten. Offenbar hatte es eine vorherige Absprache gegeben, denn Dewa no kami schickte einen Boten in die Burg, woraufhin, angeführt von einem Polizisten, etwa zwanzig Wachbeamte aus dem Burgtor gestürmt kamen und die Gruppe Ukons umringten. Es waren Männer des Generalgouverneurs von Kyôto, die hier auf die Jünger der üblen Lehre, die von weit hergekommen waren, gewartet hatten. Ukon und seine Begleiter wurden demonstrativ wie Verbrecher behandelt und, auf allen Seiten von Beamten bewacht, in die Burg gehetzt. Nach einer Überprüfung der Personalien durch Polizeibeamte wurde ihnen mitgeteilt, dass sie nicht nach Kyôto, sondern am nächsten Tag in eine Herberge in Sakamoto verbracht und dort unter Hausarrest gestellt würden. Daraufhin sperrte man sie ins Verlies. Ukon nahm es gelassen hin, da er es nicht anders erwartet hatte, aber den Kindern sah man ihre Verstörung an, und Sôbê, der seinen Ärger nicht verbergen konnte, sagte zu Ukon: »Was für eine bodenlose Unverschämtheit, Euch so zu behandeln ...«

Am nächsten Tag mussten wieder alle die weißen Gewänder anziehen und wurden, auf allen Seiten von berittenen Polizisten verschiedener Ränge und von Wachbeamten wie ein offensichtlicher Gefangenentransport eskortiert, in die Herberge von Sakamoto verbracht.

8
Frühling am Ufer des Sees

Es war gegen Mittag, als die Gruppe um Ukon, streng von den eskortierenden Wachsoldaten umringt und zum Zeichen ihrer Gefangenschaft weiß gekleidet, in Sakamoto eintraf. Massen von Menschen waren auf den Straßen dieser Poststation und die Parade der Gefangenen wurde unter den Augen der schaulustigen Menge, die sich Worte wie »Das sind Christen« oder »Die Jünger der üblen Lehre« zuraunte, mitten durch den Ort geführt. Da sich der Postflecken in der Nähe des Hiei-Tempelberges befand, gab es dort auch ausgesprochen viele buddhistische Mönche. Nicht wenige von ihnen überschütteten die Ketzer mit offenen Schmähungen. Die kleinen Kinder zogen verängstigt die Köpfe ein, während Justa und Lucia sie aufzumuntern versuchten und Sôbê und Yajirô entrüstet irgendetwas vor sich her nuschelten. Ukon, der neben Joan herlief und sich schon längst mit allem abgefunden hatte, war hingegen ruhigen Herzens. Er schaute sich mit großem Interesse um und registrierte, wie sich diese Poststation verändert hatte, durch die er zuvor schon mehrere Male gekommen war.

Die Herberge von Sakamoto befand sich im Viertel vor den Toren des Hie-Großschreins, wo der Fuß des Hiei-Berges den Biwa-See berührt. Der Ort war sehr belebt, weil hier der Ausgangspunkt für den Aufstieg zum berühmten Enryaku-Tempel lag. Die Mehrzahl der Häuser waren kleine, »Satobô« genannte Tempelresidenzen, in denen die älteren Mönche des Enryaku-Tempels wohnten. Steinmauern, im Anôshû-Stil errichtet, und weiße Zäune umgaben sie. Aus dieser Gegend hier hatte Ukon die Steinmetze kommen lassen, die am Bau seiner Burg von Takatsuki beteiligt gewesen waren. Man konnte zahlreiche, aneinander gebundene Leihpferde sehen, die darauf warteten, an Pilgerreisende vermietet zu werden. Auch herrschte reger Verkehr an Sänften für den Berg- und Stadtgebrauch.

Ukon konnte sich schon denken, weshalb der Gouverneur von Kyôto sie in diesem für die Unterbringung von Sträflingen eigentlich ungeeigneten Tempelviertel, in dem Pilger aus allen möglichen Provinzen ein- und ausgingen, untergebracht hatte. Vermutlich befürchtete er, dass die mehreren tausend Christen, die in Kyôto lebten, in Aufruhr geraten und sich zusammentun würden, wenn so bekannte Persönlichkeiten wie Ukon und Joan nach Kyôto kämen.

Einst schickte Akechi Mitsuhide, der Burgherr von Sakamoto, von hier Güter aus Kyôto und Ôsaka mit dem Schiff nach Azuchi. Sakamoto war also ein wichtiger Verbindungspunkt zwischen dem Kyôto-Gebiet und Azuchi gewesen. Dies zeigte, wie tief Nobunagas Vertrauen in Mitsuhide gewesen war, der ihn dann schließlich verraten hatte. Mittlerweile war aber auch diese Burg verschwunden, und auf ihren Trümmern standen nun Privathäuser, Speicher und Tempel. Ukon und seine Begleiter wurden in einen kleinen Tempel gebracht, der auf den Resten der Anlegestelle stand, die zur Burg gehört hatte. Er war für die sichere Unterbringung Gefangener gut geeignet, da er direkt am Wasser stand und der Fluchtweg auf der hinteren Seite durch einen hohen Zaun versperrt war.

Die Gruppe bekam die vier Räume zugewiesen, in denen normalerweise der Priester wohnte. Ukon nahm zusammen mit Joan und Kôji ein kleines Zimmer am Rand, teilte das große Zimmer in der Mitte den Frauen und kleinen Kindern, das daran angrenzende Jûtarô, den ältern Enkeln und den Kindern Kôjis, und das Empfangzimmer in der Nähe des Eingangsbereiches Sôbê und Yajirô zu.

Nachdem sie das Gepäck geordnet und sich wieder normale Alltagskleidung angezogen hatten, öffnete Joan sein Tagebuch, das er seit der Abreise gewissenhaft geführt hatte, und sagte zu Ukon: »Heute ist der 26. Tag des 1. Monats des Jahres Keichô 19. Nach dem Gregorianischen Kalender ist das Donnerstag, der 6. März 1614«, dann fügte er hinzu: »Es sind ganze zehn Tage, seit wir aus Kanazawa aufgebrochen sind.«

Vor dem Wohnquartier befand sich ein ganz gewöhnlicher, kleiner Garten mit einem lichten Kiefernhain und einem Teich, der aus einer Quelle gespeist wurde. Wenn man ihn durchschritt, kam man zum

Ufer des Sees. Bis dahin war es ihnen erlaubt zu gehen, und natürlich war es streng verboten, sich in die Stadt zu begeben. Zuständig für die Bewachung war ein hoher Polizeibeamter, der den Generalgouverneur von Kyôto vertrat und dessen Befehle Shôgen Asano mit äußerster Ergebenheit ausführte. Vor den Zimmern, an der Holztür zum Garten, bei der Toilette, überall waren Wachsoldaten aufgestellt. Während der zehntägigen Reise hatte sich zwischen den Gefangenen und ihrer Eskorte eine Art freundschaftliches Gefühl entwickelt, doch nun, unter der Jurisdiktion des Gouverneurs von Kyôto, wurden sie behandelt wie eingekerkerte Verbrecher. Für jede noch so kleine Verrichtung mussten sie erst um Erlaubnis fragen, und die Wachsoldaten ungezwungen anzusprechen, war auch nicht mehr möglich. Als Sôbê vom Brunnen Wasser holen wollte, weil Ukon vorhatte Tee zu machen, wurde er mit der Begründung zurückgeschickt, dass sowohl zum Teekochen als auch zum Wasserschöpfen die Genehmigung des Shôgen erforderlich sei. Dergleichen war unter der Aufsicht Dewa no kamis erlaubt, doch nun ermahnte der Shôgen mit lauter Stimme, dass es auch Sôbê hören konnte, Dewa no kami wegen dessen warmherziger Haltung gegenüber Ukon und seinen Leuten.

Der Gouverneur von Kyôto, Itakura Iga no kami Katsushige, wartete unterdes noch auf den endgültigen Befehl des abgedankten Shôguns Ieyasu aus Sumpu, wie er mit Ukon und dessen Begleitern zu verfahren habe. Es gab drei Möglichkeiten, wie dieser Befehl aussehen könnte. Dass sie direkt in Sakamoto durch Köpfen hingerichtet wurden, dass sie nach Sumpu gebracht und dort in aller Öffentlichkeit gekreuzigt wurden, um ein Exempel zu statuieren, oder schließlich, dass sie getrennt wurden und man versuchte, sie dazu zu zwingen, ihren Glauben zu wechseln. Was die ersten beiden Möglichkeiten betraf, so war Ukon seit seiner Abreise in Kanazawa zum Äußersten bereit. Auch hatte er seiner Familie bei passender Gelegenheit so gut es ging zu erklären versucht, was es mit dem Märtyrertum auf sich habe. Wie die grausamen Hinrichtungen, die momentan in Edo und Arima stattfanden, in Wirklichkeit aussahen; wie es mit den Gruppenmartyrien war, von denen ihm Padre Clemente berichtet hatte; wie Miki Paulo direkt nach seiner Rede am Kreuz mit Lanzen brutal ermordet worden war; über all dies konkret zu sprechen, zögerte er aber noch. Justa, Lucia und Jûtarô würden die wahre Bedeutung seiner Worte wahrscheinlich verstehen. Wie aber sähe es mit den jüngeren Enkelkindern aus? Die meiste Angst hatte Ukon allerdings davor, dass sich der abgedankte Shôgun für die dritte Möglichkeit entscheiden würde. Wie könnten sich die kleinen Kinder wohl selbst schützen, wenn man ihnen erzählte, dass ihr Großvater und ihre Großmutter ihren Glauben verleugnet hätten. Falls denn jemand auf die Tricks des Feindes hereinfiele und seinem Glauben abschwören würde, so wäre er nur zu bedauern. Für ihn, der dies nicht abwenden konnte, gäbe es vor dem Herrn keine Entschuldigung mehr.

Eines Morgens wachte Ukon mit dem Gefühl auf, als wäre er gerade aufgesprungen, um den plötzlichen Angriff eines Feindes zu parieren, und erschrak selbst über die laute, gepresste Stimme, die seiner Kehle entfuhr, als er zu seinen Begleitern sagte: »Ich möchte, dass ihr euch alle versammelt.« Seit ihrem Aufbruch in Kanazawa hatte er keinen einzigen Befehl gegeben. Deshalb versammelten sich alle, vor allem aber die Mitglieder der Familie Naitô mit skeptischem Erstaunen. Ukon erhob seine Stimme, als wolle er seine Generäle und Krieger vor dem Gegenschlag auf den Angriff eines Todfeindes anstacheln.

»Von nun an erwarten uns schwere Prüfungen. Angefangen bei der Regierung, werden die Heiden versuchen, uns vom Weg des Glaubens abzubringen, indem sie uns wohl mit allen möglichen Lügen bedrängen. Aber wir müssen fest zu unserem Glauben an den Herrgott und Christus stehen und dürfen uns nicht beirren lassen. Die Kinder werden vielleicht von ihren Eltern und die Enkel von ihren Großeltern getrennt und dazu verleitet, ihren Glauben wegzuwerfen. Aber eines will ich euch sagen: Wenn euch jemand erzählt, dass euer Großvater oder eure Großmutter ihren Glauben verleugnet haben, dann dürft ihr dies auf keinen Fall glauben. Und ihr müsst wissen, dass es eine glatte Lüge ist, wenn euch jemand versucht weiszumachen, dass irgendeiner aus unserem Kreise sich vom Herrn abgewandt und dem Glauben abgeschworen hätte. Haltet stets den Gedanken an die Freuden des Himmels, die eurer harren, wenn der Tag des Martyriums gekommen ist, fest in eurem Herzen!«

So sprach Ukon mit ernstem Gesicht, jedes einzelne Wort mit Nachdruck artikulierend, zu Jûtarô, der aufmerksam nickend lauschte, und zu den anderen Enkeln.

Als er seine Rede beendet hatte und sich in das hintere Zimmer zurückzog, folgte ihm Sôbê und verbeugte sich tief. »Ich möchte Euch etwas äußerst Wichtiges fragen«, sagte er, und da er mit einer für ihn ungewohnt betretenen Stimme flüsternd hinzufügte, dass er hier nicht darüber reden könne, gingen die beiden nach dem Frühstück ans Ufer des Sees hinaus.

»Verzeiht die Sorgen, die ich Euch bereite«, begann er mit einer Entschuldigung und fuhr dann mit todernstem Gesicht fort: »Was wird Eurer Meinung nach, Herr, die Regierung mit uns machen?«

»Das weiß ich nicht. Ich bin allerdings auf die schlimmsten Strafen vorbereitet und wollte nur noch einmal darauf hinweisen, dass man die Freuden des Himmels nicht vergessen darf, die mit dem Tod als Märtyrer verbunden sind.«

»Welcher Art könnten die Strafen denn sein?«

»Selbstmord ist uns nicht gestattet, daher wird es kein Seppuku sein. Köpfen oder Kreuzigung …«

»Es könnte auch Kreuzigung sein?« Sôbê blinzelte.

»Hast du Angst davor, gekreuzigt zu werden?«

»Ja, also … Wenn es an Eurer Seite ist, fürchte ich mich nicht. Dann wäre es mir eine Ehre als Hausvasall der Familie Takayama.«

»Was machst du, wenn ich nicht dabei bin und du alleine ans Kreuz geschlagen wirst?«

»Wenn ich allein bin, gebe ich wohl ein Mitleid erregendes Bild ab. Damit habe ich überhaupt nicht gerechnet, ich bin ganz durcheinander«, sagte Sôbê, dem man seine Bestürzung vom Gesicht ablesen konnte, aufrichtig. Dann meinte er mit einem Seufzer: »Wenn es dazu käme, dass ich allein sterben muss, dann möchte ich Seppuku begehen. Sich den Bauch aufzuschlitzen ist ein Tod, wie er sich für einen Samurai gehört und mein wahrer Wunsch.«

»Sich selbst zu entleiben, ist nicht erlaubt. Man muss die zehn Gebote Moses streng befolgen. Auch Fürst Konishi Yukinaga und Fürst Arima Harunobu haben sich geweigert, Seppuku zu begehen und sind geköpft worden.«

»Solch hohe Persönlichkeiten sind aber aus ganz anderem Holz geschnitzt als ich. Ich wähle Seppuku, weil ich einer der niedrigsten unter den niedrigen Gläubigen bin. Angst vor dem Tod habe ich keine. Diese Welt ist eh nur Traum und Illusion. Die Flüchtigkeit des menschlichen Lebens, in dem der Tod den Jungen wie den Alten jederzeit ereilen kann, habe ich durchaus erkannt. Deshalb schätze ich das Leben nach dem Tode hoch ein, verlasse mich auf Christus und bete ›Geehrt seiest du Amida, Amen‹. Na ja, wie es jetzt aussieht, möchte ich wohl mit Euch zusammen ans Kreuz geschlagen werden. Ich werde Euch überall hin folgen, sei es bis ans Ende der Welt, in den Himmel oder in die Hölle.«

»Du bist ja eine wahre Last«, neckte ihn Ukon. »Aber die Regierung wird uns vielleicht voneinander trennen. Ieyasu ist ein niederträchtiger Mensch.«

»Na gut, auch wenn wir getrennt ans Kreuz geschlagen werden, solange wir uns dann aber im Paradies wieder treffen, soll dies auch mein Wunsch sein. Allerdings hat Yajirô gesagt, dass er sich vor der Kreuzigung fürchtet.«

»Aha?« Ukon war etwas befremdet, dass Sôbê, der sonst nie über andere lästerte, so etwas sagte.

»Der junge Spund meinte unerwartet offenherzig, dass er sich davor fürchte, umgebracht zu werden, ohne selbst etwas zu tun. Vor allem wusste er nicht, ob er die Schande ertragen könnte, vor einer großen Menge von Schaulustigen erniedrigt und ermordet zu werden.«

»Ich verstehe. Das war allerdings ein aufrichtiges Bekenntnis. Um ehrlich zu sein, auch ich fürchte mich davor. Unserem Herrn wurden die Kleider heruntergerissen und er wurde ans Kreuz genagelt. Er ertrug die Schmerzen des Fleisches und das höhnische Gelächter der Menge. Wie weit ich unserem Herrn da folgen kann, das weiß ich auch nicht so recht.«

»Auch Ihr, Herr?« Ukons Bekenntnis kam für Sôbê offenbar sehr überraschend, und er blinzelte ihn verdutzt an.

»Wenn man auf dem Schlachtfeld erschlagen wird, so geschieht dies, während man in einem heftigen Gefecht tötet, um nicht selbst getötet zu werden. Da gibt es nicht viel zu fürchten. Viel beängstigender ist es wohl, wenn man tatenlos auf den Tod wartet.«

»Ich war noch nie auf dem Schlachtfeld, aber ausmalen kann ich es mir schon. Yajirô sagte, wenn es darauf ankommt, wolle er lieber im Kampf mit der Regierung des Shôguns umkommen. Auf den ersten Blick erscheint dies wohl mutig, in Wirklichkeit aber glaube ich, dass es der Weg eines Feiglings ist.«

»Nun ja …« Ukon musste an Naitô Kôji denken, wie er den ganzen Tag in der Ecke des Zimmers in seine Lektüre versunken dasaß. Auch er wollte lieber kämpfen, aber einen Feigling konnte man ihn gewiss nicht nennen, dachte sich Ukon. Hier in Sakamoto, das nicht weit von Ôsaka entfernt war, beschäftigte es Ukon schon, was die Christen, die sich in der Burg von Ôsaka zusammengetan hatten, wohl machten. Auch fühlte er, wie ihm die Absichten Toyotomis, der Ukon zum Heerführer ernennen wollte, wenn er sich mit ihm verbündete, nahe gingen. Dass der Stellvertreter des Gouverneurs von Kyôto die Soldaten der Eskorte ermahnt hatte, die Gefangenen mit äußerster Strenge zu bewachen, geschah wohl aus Vorsicht, damit Ukon und seine Leute sich nicht mit Toyotomi kurzschlossen. Auch schien dies ein Grund zu sein, warum der Gouverneur sie nicht nach Kyôto einreisen ließ.

Da Ukons Schweigen anhielt, zog sich Sôbê mit einer Verbeugung zurück. Er bewegte sich leichten Schrittes, wie jemand, der sich durch sein Bekenntnis Erleichterung verschafft hat von Gedanken, die er die ganze Zeit auf dem Herzen hatte.

Die Tage in Gefangenschaft flossen dahin. Ukon stand morgens früh auf, übte mit dem Holzschwert, bis er in Schweiß geraten war und frühstückte dann. Tagsüber las er meistens. Als er noch in Kanazawa war, hatte er gerne Schriften über das Nô-Theater gelesen. Vor allem hatte er oft Bücher, die seit Generationen im Besitz von Nô-Schauspielern der Familie Maeda waren, ausgewählt und sie abschreiben lassen. Werke wie Zeamis »Spiegel der Blüte« oder Komparu Zenchikus »Sechs Ringe, ein Tautropfen« hatte er immer wieder gerne gelesen. Darüber hinaus hatte er sich Nô-Bücher von Zeami und Kan'ami, die Naitô Joan zusammengetragen hatte, geliehen und gelegentlich mit diesem zusammen auch Nô-Tänze geübt. Nun aber, seit etwa einem halben Jahr, da er sich bewusst geworden war, dass ihm nicht mehr allzu viel Zeit verblieb, war er dazu übergegangen, hauptsächlich christliche Literatur zu lesen. Das Buch, dessen Lektüre er gerade unterbrochen hatte, war durch die Dame von Bizen in seine Hände gelangt und trug den Titel »Spirituelle Übungen«. Es war zu Ukons täglicher Aufgabe geworden, mit Hilfe dieser erklärenden Schrift die geistlichen Übungen des Ignatius durchzuführen. Es sind dies Übungen der Seele, bei denen man sich die Verdienste des

Lebens Jesu Christi in Erinnerung ruft und so lange darüber nachsinnt, bis sie wie lebendige Bilder vor dem inneren Auge erscheinen. Ukon stellte sich immer vor, dass Jesus ein Gesicht haben musste wie die Menschen, die er auf den Heiligenbildern aus dem Land der Südbarbaren gesehen hatte, und auch ebenso gekleidet war. Er sah ihn am See Genezareth stehen und predigen, wie er das Kreuz, seiner Passion entgegengehend, auf dem Rücken schleppt, wie er blutüberströmt am Kreuz hängt ... doch manchmal wurde das Gesicht Jesu Christi am Kreuz plötzlich von dem Miki Paulos überdeckt. Ukon fand, dass Miki Paulo durchaus einem Fleisch gewordenen Christus gliche. Ob er selbst es auch schaffen würde, so zu werden? Er meditierte angestrengt darüber, ob er wohl die Schmerzen ertragen könne, die der Herr erlitten hatte, als man ihm Nägel durch Handflächen und Füße trieb. Manchmal ritzte er sich die Hände oder Füße mit dem Dolch, um den echten Schmerz zu fühlen. Eines Tages verursachte er Aufregung, weil er sich zu tief in die Fußsohle gestochen hatte und die Wunde heftig blutete. Nur Justa, die an die extremen Taten ihres Mannes gewöhnt war, blieb gefasst und machte ihm schweigend einen Verband.

Der Duft des Tagara-Holzes und des Räucherwerkes aus dem Südbarbarentempel, der das Buch durchdrungen hatte, ließ in Ukon die Erinnerung an die Dame von Bizen aufkommen. Ihre Einsamkeit hatte sich mit dem Geräusch des vom Dach herunterfallenden Schnees schwer und kalt auf sein Herz übertragen.

Ab und zu ging Ukon zusammen mit seinen Enkeln am See spazieren. Jûtarô und die anderen Jungen wetteiferten im Steinewerfen, während die Jüngste im Sand des Ufers Löcher buddelte, Krebse und Insekten beobachtete und Muscheln sammelte. Ukon dankte dem Herrn dafür, dass er ihm noch einmal die Zeit gab, mit seinen Enkeln zu spielen. Allerdings schmerzte es ihn sehr, wenn er daran dachte, dass das Leben der Kinder vermutlich nicht mehr lange währen würde.

Joans Chinesischkenntnisse waren so gut, dass er sich als Teilnehmer von Konishi Yukinagas Koreadelegation problemlos mit den Chinesen des Ming-Reiches hatte verständigen können und jetzt reihenweise chinesische Schriften las. Nun nahm er aber zu seiner Erbauung ein Buch über das Nô-Theater zur Hand. Momentan las er gerade die »Kûge-Sammlung« von Gidô. Mit Joans hervorragender Gelehrtheit konnte auch Ukon nicht mithalten. Versiert wie er in der Kunst des Nô-Spiels war, gab er abends mit sonorer Stimme Proben seiner Gesangs- und Tanzkünste. Auch unter den Kriegern der Wache gab es welche, die das Nô-Theater liebten, so dass sie für einen Moment ihre starre Haltung aufgaben und sich in einer Reihe niedersetzten, um zuzuschauen. Einmal bat Dewa no kami darum, dass Joan einen Nô-Tanz aufführen solle und begleitete ihn selbst auf der kleinen Trommel. Erstaunt über Joans reiches Wissen, ließ er ihn in sein Privatzimmer rufen und bat ihn um Unterweisung in der Lektüre chinesischer Schriften.

Kôji hatte nur die Bände des chinesischen Geschichtswerkes »Die Annalen« und einen Packen alter genealogischer Dokumente dabei. Im Moment war er vollauf damit beschäftigt, diese alten Schriftstücke zu sortieren und zu ergänzen, indem er Ukon, wann immer es sich einrichten ließ, über die Geschichte seiner Schlachten ausfragte. Der unveränderte Enthusiasmus, die Lebensgeschichte Takayama Ukons aufzuschreiben, und seine Hartnäckigkeit hatten es Ukon angetan, so dass er sich seinem Eifer ergab und Kôji bei seinen Nachforschungen Rede und Antwort stand, auch wenn ab und zu peinlich berührte Stille eintrat, weil Kôji dazu neigte, Ukons Fähigkeiten als General und Bauherr zu überschätzen.

Nachdem so ein halber Monat vergangen war, kamen die zwei Vasallen Ukons zu Besuch, die Padre Clemente und Bruder Hernandez auf ihrem Weg von Kanazawa nach Kyôto begleitet hatten. Der Shôgen wollte sie wegschicken, aber Dewa no kami bat den Vertreter des Gouverneurs, sie vorzulassen, so dass es ihnen erlaubt wurde, Ukon zu treffen.

»Geht es Padre Clemente gut?«

»Ja, er hat den Weg über die Berge mit erstaunlicher Ausdauer gemeistert. Es geht ihm gut, und er ist jetzt mit den anderen Padres zusammen in Ôsaka.«

»In Ôsaka … nicht in Kyôto?«

»Die Padres sind alle mit dem Schiff von Kyôto nach Ôsaka gebracht worden. Wir haben gehört, dass sie alle am Kai versammelt und irgendwohin gebracht worden sind.« An dieser Stelle unterbrach der Shôgen die Unterhaltung mit der Begründung, dass es sich hier um Staatsgeheimnisse handle. Ukon konnte sich allerdings denken, wie die Pläne der Shogunatsregierung aussahen, dass nämlich die Missionare mit dem Schiff nach Nagasaki geschickt wurden, um danach ins Ausland abgeschoben zu werden. Die Vasallen äußerten beide den Wunsch, Ukon zu begleiten. Dieser aber sagte: »Am Ende meines Weges wartet eine schwere Strafe. Ihr hingegen sollt noch lange leben. Kehrt nach Kanazawa zurück und tut euer Bestes für den wahren Glauben. Ich verfasse ein Empfehlungsschreiben an Herrn Yokoyama Yamashiro no kami Nagachika, das ihr mitnehmen sollt. Zeigt es ihm und bittet ihn darum, euch in seine Dienste aufzunehmen.« Daraufhin gingen die beiden, denen die Trennung sichtlich schwer fiel.

Seit der Überquerung des Tochinoki-Passes kam es immer häufiger vor, dass Shinohara Dewa no kami um eine Unterhaltung mit Ukon bat. Mehr als über den christlichen Glauben sprachen sie jedoch über die Kunst der Teezeremonie, die auch Dewa no kami begeistert ausübte, der gerne von Ukon, welcher als einer der besten Schüler Sen no Rikyûs angesehen wurde, dessen Art der Teezubereitung lernen wollte. Da es in dem Tempel zufällig ein Teezimmer gab und auch die notwendigen Utensilien vorhanden waren, bat er Ukon um Unterweisung. Ukon, der den ganzen Tag unter den Augen der Wachen zubringen musste, war dankbar dafür, dass er sich mit Kazutaka nur zu zweit in dem geschlossenen Zimmer aufhalten konnte.

So wiederholten sich ihre Teesitzungen, bei denen Ukon meistens die Rolle des Gastgebers und Kazutaka die des Gastes übernahm. Manchmal wechselten sie auch die Rollen. Eines Tages, nachdem sie Tee getrunken hatten, bedankte sich Ukon dafür, dass Kazutaka bei der Abreise aus Kanazawa die für Sträflinge bestimmte Hühnerkorbsänfte gegen eine mit Bastvorhang ausgetauscht hatte.

»Nicht doch, ich habe es nicht verdient, dass Ihr Euch für so etwas extra bedankt. Das war doch selbstverständlich.«

»Nein, nein. Jemand anderes hätte das nicht gekonnt«, bedankte sich Ukon noch einmal. Eines anderen Tages wiederum übermittelte ihm Kazutaka plötzlich eine Nachricht von Yokoyama Yamashiro no kami Nagachika.

»Herr Yokoyama bat mich bei der Abreise in Kanazawa, Euch dies heimlich auszurichten. Und zwar fügte er hinzu, dass ich es unbedingt erst tun solle, nachdem wir in Kyôto angekommen sind, aber jetzt kann ich es Euch wohl sagen. Er hatte vor, sich die Haare abzurasieren und zur Ruhe zu setzen, nachdem Ihr Kanazawa verlassen habt.«

»Was, die Haare abrasieren?« Ukon dachte erst, dass Kazutaka ihn auf den Arm nehmen wollte, so todernst wie er von Natur aus war, passte dies aber gar nicht zu ihm.

»Er sagte, er wolle seine Ämter aufgeben und ins Kloster gehen. Von dieser Absicht wusste keiner der Vasallen des Hauses Maeda etwas, und auch ich habe es niemandem gesagt. Den Grund dafür hat er nicht genannt, aber es schien, dass ihm Eure Verbannung das Herz gebrochen hat. Außerdem soll auch sein Sohn Yasuharu sich entschlossen haben, zusammen mit seinem Vater zurückzutreten.«

»Sogar Yasuharu?!«, sagte Ukon, dessen Verblüffung noch größer wurde. »Das ist schlimm, vor allem für die Familie Maeda.«

»Das kann man wohl sagen … Vor allem, wenn solch ein prominenter Hauptvasall und sein Erbe ihre Ämter niederlegen.«

»Wenn Yamashiro no kamis Entscheidung wirklich mit meiner Verbannung zusammenhängt, dann ist dies sowohl für Fürst Toshinaga als auch für Fürst Toshimitsu äußerst bedauerlich. Gibt es denn nicht irgendeine Möglichkeit, ihn umzustimmen?«

»Das dürfte äußerst schwierig sein, da er ein Mensch von größter Standhaftigkeit ist und sich nicht von anderen reinreden lässt. Wie ich es beurteilen kann, hat er sich so entschieden, weil ihn die Sache mit Eurer Verbannung schwer verletzt hat. Ich bewundere diese Tat der Rechtschaffenheit und der Solidarität.«

Ukon nickte. Dieses entschlossene Handeln sah Nagachika ähnlich. Es war gewiss, dass nach Ukons Verbannung die Untersuchungen der Gläubigen von Kaga, Etchû und Noto beginnen würden. Dann war auch abzusehen, dass er, der eng mit Ukon befreundet war, und sein Sohn Yasuharu, der sich überdies einmal hatte taufen lassen, ins Visier der Ermittler geraten würden. Vielleicht war es ja wirklich ein geschickter Zug von ihm, seine Ämter niederzulegen, bevor Honda Awa no kami, der dem Willen des Shogunats ergeben folgte, in der Sache etwas unternahm. Hieraus keimte für Ukon allerdings eine ganz andere Sorge. Was würde aus seinen Gefolgsleuten werden, die Nagachika in seine Dienste nehmen wollte? Umsichtig wie dieser war, konnte man sicher davon ausgehen, dass Nagachika natürlich auch irgendwie für seine Untergebenen gesorgt hatte.

Der Grund, weshalb Kazutaka Ukon nun über Nagachikas Vorgehen unterrichtete, obwohl dies in der Burg noch ein streng gehütetes Geheimnis war, lag wohl weniger in Kazutakas Wissen um Ukons verwandtschaftliche Beziehung zu Nagachika, als vielmehr darin, dass ihn selbst mit Nagachika eine tiefe Freundschaft verband. Hierbei musste Ukon an einen Zwischenfall bei der Hinrichtung eines hohen Vasallen in der Burg von Kanazawa denken.

Das Ganze hatte sich im Jahre Keichô 7 (1602) zugetragen, als Yokoyama Nagachika auf Befehl Fürst Toshinagas in der Burg von Kanazawa den straffällig gewordenen Altvasallen Tada Tajima hinrichtete. Nagachika hatte sich mit einem anderen Vasallen, Katsuo Hanzaemon, abgesprochen, bevor dieser zum Dienst in der Burg erschien. Als Katsuo in der Burg angekommen war, schrie ihn Nagachika plötzlich an, so dass es Tajima, der schon vorher gekommen war, hören konnte. Er stand erstaunt auf, kam herbei und fragte, was denn los sei. Nagachika sagte, er sei verärgert, weil er Hanzaemon einen Text zur Abschrift gegeben hätte, die Kopie aber voller Schreibfehler sei, und reichte Tajima das Dokument. Während dieser seine Augen über die Zeilen gleiten ließ, zog Nagachika sein Schwert und griff ihn mit einem Hieb zum Kopf an. Tajima zog wutentbrannt ebenfalls sein Schwert und versuchte es in Nagachikas Brust zu rammen, was allerdings nicht gelang, weil Nagachika einen Metallspiegel in sein Gewand gesteckt hatte und die Schwertspitze daran abprallte. Nagachika griff erneut an und erschlug seinen Gegner. Wegen des Blutvergießens kam es in der Burg zu großer Aufregung, und der Kastellan der Daishôji-Burg, Shinohara Kazutaka, wurde mit der Untersuchung des Falles beauftragt. Das erste, was Kazutaka tat, als er durch das innere Tor geeilt kam, war, seinen Mantel abzulegen und mit den Worten »Es ist nicht schön, das so zur Schau zu stellen«, die Leiche Tajimas damit zu bedecken. Die Anwesenden waren von Kazutakas ruhigem und pietätvollem Handeln beeindruckt, und bald sprach sich dies in der ganzen Burg herum. Da Nagachika aber auf geheimen Befehl Fürst Toshinagas gehandelt hatte, ließ Kazutaka die Sache mit der Bluttat auf sich beruhen und erwies Nagachika stattdessen große Ehre, indem er sein geschicktes Vorgehen und seine Loyalität lobend erwähnte.

Shinohara Kazutaka war ein Erbvasall, dessen Familie schon seit der Zeit in Owari dem Hause Maeda gedient hatte, und Yokoyama Nagachika ein direkter Gefolgsmann Fürst Toshinagas. So gab es zwischen den beiden alt eingesessenen Vasallen der Familie Maeda ein stärkeres Band als zwischen ihnen und dem als Hauptvasall in Dienst genommenen Neuling Honda Masashige. Ukon, der selbst ein Neuling im Hause Maeda war, konnte das Selbstbewusstsein der Eingesessenen, die sich für etwas Besseres als die später Gekommenen hielten, durchaus verstehen. Trotzdem hatte das Verhältnis zwischen Samurai immer etwas Umständliches, Deprimierendes. Die zwischenmenschlichen Beziehungen waren kompliziert verschlungen. Unter den Maschen eines Netzes aus Konkurrenz, Eifersucht und Konspiration musste alles Handeln, auch das alltäglichste, von wachsamer Vorsicht geleitet sein. Es war eine Gnade Gottes, dass er sich von dieser Welt lossagen und nun sein Leben ganz dem Glauben widmen konnte. Heute bedauerte Ukon Shinohara Dewa no kami dafür, dass er sein Leben in dieser starren, eingeengten Welt fristen musste.

Es war die Zeit, in der sich die Jahreszeiten abwechseln. Kaum erfreute man sich am blauen Himmel, regnete es, lag im einen Moment noch Nebel friedlich über dem See, erhob sich im nächsten Moment der Nordwind und kräuselte die Wasserfläche mit Wellen. Während mittags ein warmer Wind über den See blies, der an den Frühling denken ließ, wehte des Nachts ein kalter Wind vom hinter dem Haus liegenden Hiei-Berg herab und umgab die Unterkunft mit seinem frostigen Hauch. Trotzdem standen die Pflaumen in Blüte und auch die Knospen der Kirschen wurden zusehends dicker. Während die Erwartung des Frühlings in den Menschen einerseits eine fast muntere Stimmung hervorrief, beschlich sie andererseits ein düsteres Gefühl in Hinblick auf ihre ungewisse Zukunft, da vom Gouverneur von Kyôto keine neuen Befehle kommen wollten. Ukon konnte sich im Großen und Ganzen vorstellen, woran es lag, dass die Anordnungen so lange auf sich warten ließen – es dauerte eben einige Zeit, bis die Padres und Ordensbrüder aus den verschiedenen Gegenden am Hafen von Ôsaka versammelt waren. Während er sich denken konnte, dass die ausländischen Missionare wohl auf ihrem Weg in die Verbannung nach Macao oder Manila geschickt würden, konnte er nicht sagen, welche Strafe Japaner wie ihn erwarten würde. Hinrichtung,

Trennung oder Verbannung, auf jeden Fall zerrte das Spekulieren in diesem schwebenden Zustand an den Nerven.

Die Kraft des Frühlings nahm immer mehr zu und schlug die letzten Angriffe des Winters zurück. An der Seite des Tempels zog sich ein Gewässer hin, das Ômiya-Fluss genannt wird. Durch die Schneeschmelze angeschwollen, floss er mit heiterem Rauschen dahin. Auch der Stand des Sees stieg an, und es sah fast aus, als dehnte sich die Wasserfläche. Eines Nachmittags, an dem sich an den Kirschbäumen, die an einer sonnigen Stelle standen, die ersten Blüten öffneten, saß Ukon zusammen mit Kôji auf dem Sand des Seeufers und genoss die Aussicht. Da sich die Fußsoldaten und Wachen etwas weiter weg postiert hatten, war dieser Ort sehr gut geeignet, sich im Geheimen zu unterhalten.

»Als wir hier in Sakamoto ankamen, habe ich in der Menge der Schaulustigen einen meiner ehemaligen Gefolgsleute erkannt. Der hat nicht nur herausgefunden, dass wir hier eingesperrt sind, sondern überdies noch Kontakt zu mir aufgenommen. Er hat den Gärtner des Tempels mit Geld bestochen, dass er uns eine Nachricht zukommen ließe. Und zwar ist der Kabinettsälteste des Shogunats, Ôkubo Sagami no kami Tadachika, nach Kyôto gekommen und hat dort den Südbarbarentempel im Westviertel niederbrennen lassen. Den im Shijô-Viertel ließ er niederreißen, weil er nicht riskieren wollte, dass sich das Feuer auf die umstehenden Häuser ausbreitete. Die Gläubigen wurden gefangen genommen, in Säcke gesteckt, dass nur noch der Kopf rausschaute und dann auf dem Marktplatz verprügelt.«

»Dann hat man auch mit Strafen gegen die einfachen Gläubigen begonnen und nicht nur gegen die Padres und Ordensbrüder«, sagte Ukon mit betrübtem Gesicht.

Wie um den Nebel im Herzen zu vertreiben, wehte gerade ein abendlicher Wind über den See und gab eine für den Frühling nur selten so klare Sicht auf die Landschaft frei. Zwischen dem in der Brise raschelnden, trockenen Schilf schaukelten Wasservögel auf den Wellen, ein Fischer auf dem Heimweg näherte sich mit seinem kleinen Boot, und auf der anderen Seite des Sees leuchtete golden der Ômi-Fuji. Auch die sich in der Ferne anschließenden Berge, wie der Suzuka und der Ibuki. waren vom Licht der tief stehenden Sonne rot entflammt.

»Herr Naitô«, Ukon sprach etwas lauter, damit seine Stimme nicht im Wind verloren ging. »Von hier aus kann man den Aufstieg und Fall der Helden mit einem Blick überschauen. Ganz da hinten liegen die Überreste von Azai Nagamasas Odani-Burg. Und da beim Wald rechts neben dem Hachiman-Berg sind die Überbleibsel der Azuchi-Burg Oda Nobunagas, der Nagamasa in der Schlacht am Ane-Fluss besiegte. Und die Überreste der Sakamoto-Burg Akechi Mitsuhides, der Fürst Nobunaga erschlug, befinden sich schließlich direkt unter unseren Füßen. Auch die Nagahama-Burg Fürst Hideyoshis, der seinerseits Mitsuhide geschlagen hatte, ist bereits vom Erdboden verschwunden. Bis jetzt gehalten haben sich nur die Hikone-Burg und dort rechts die Zeze-Burg. Doch auch die werden irgendwann vom Fluss der Zeit davongeschwemmt, und alles war nur wie ein auf Sand gebauter Turm.«

»Ihr habt die Zeiten von Nobunaga, Hideyoshi und Ieyasu miterlebt, die drei Fürsten persönlich gekannt und alles das mit eigenen Augen gesehen.«

»Alles nicht. Für diese drei Fürsten war ich ja nur ein ganz unbedeutender, kleiner Feudalherr. Die haben sich ja nur mit mir abgegeben, weil ich mich einigermaßen mit dem Teeweg auskenne.«

»Das allein ist es nicht. Es gibt kaum jemanden, der wie Ihr als General, Architekt von Burgen und vor allem als Christ in so hohem Ruf steht«, begann Kôji mit seiner Lobrede. Für Ukon war dies eher beschämend, und er verfiel plötzlich in Schweigen. Schließlich bemerkte Kôji Ukons Betretenheit und schwieg ebenfalls.

Die vom Licht der untergehenden Sonne eingefärbten Berge und das Wasser muteten Ukon wie ein Sinnbild seines eigenen Lebensabends an. Es ärgerte ihn nur, dass seine späten Jahre nicht von solcher Schönheit erfüllt waren. Die Worte Kôjis riefen in ihm die Azuchi Momoyama-Zeit wach, die sich wie ein dicker Theatervorhang aus den Südbarbarenländern, der nie dünner wird, so sehr man ihn auch zu durchtrennen versucht, über die Vergangenheit senkt. Er dachte gerade, dass er doch in einer Zeit heftiger Veränderungen gelebt hatte, als der Mond hinter den Bergen hervorschaute. Es war Vollmond. Kôji sagte:

»Heute ist der 15. Tag des zweiten Monats, nach dem Gregorianischen Kalender Dienstag, der 25. März. In fünf Tagen ist Ostern.«

»Ah, Ostern«, in Ukons Hinterkopf lebte die wehmütige Erinnerung an das lebhafte Osterfest in Takatsuki auf. Als er solchermaßen in diese von Licht und Blumen geschmückte Szenerie versunken war, näherten sich stampfende Schritte und Sôbês laute Stimme war zu vernehmen.

»Meine Herren, Dewa no kami lässt ausrichten, dass sich alle Christen umgehend in der Haupthalle versammeln sollen, weil ein Gesandter des Gouverneurs von Kyôto eingetroffen ist, um den Erlass der Regierung zu verkünden.«

Ukon stand auf. Da er leicht benommen war, als wäre er gerade aus einem Traum erwacht, fühlte er sich etwas weich in den Knien, was sich aber nach zwei, drei Schritten wieder gab. In ihren Quartieren waren alle hektisch damit beschäftigt, sich umzuziehen. Ukon, der sich immer so kleidete, dass er sofort bereit war, wenn er gerufen wurde, hatte weiter nichts zu tun. Er wartete, bis alle fertig waren und führte die Gruppe dann zusammen mit Joan in die Haupthalle. Auf dem Podest des mit Tatami-Matten ausgelegten Zimmers saß als Bote des Shogunats ein hochrangiger Polizeibeamter des Gouverneurs von Kyôto, vor dem sich alle niederwarfen.

Der Bote erhob sich und begann mit würdig-feierlicher Stimme: »Auf Befehl des Shôguns sollen Takayama Nagafusa, Naitô Tadatoshi und Naitô Kôji, welche die allgemeinen Regeln in Unordnung bringen, die Gesetze des Staates ignorieren, sich nicht von der üblen Lehre distanzieren wollen und dem Irrglauben anhängen, nach Nagasaki gebracht werden. Den Frauen und Kindern ist es erlaubt, in Kyôto zu verbleiben. Von nun an ist es verboten, Untergebene mitzuführen.«

Nachdem der Gesandte gegangen war, gab Dewa no kami den Gefangenen bekannt, dass sie am nächsten Tag früh morgens von Sakamoto aufbrechen und sich auf dem Landweg nach Ôsaka begeben würden, das etwa sechzig Kilometer entfernt lag. Die Frauen und Kinder würden unterwegs in Kyôto freigelassen, ebenso wie die Untergebenen, die sich dann unverzüglich zerstreuen und ihrer eigenen Wege gehen sollten.

Ukon rief Justa, Lucia und die Enkel zusammen, sagte ihnen, dass sie sich morgen in Kyôto trennen würden und bedankte sich, dass sie ihn den langen, beschwerlichen Weg bis hier begleitet hatten. Daraufhin antworteten Justa und Lucia, dass sie Ukon überallhin folgen würden, und auch Jûtarô gab deutlich zu verstehen, dass er es genauso zu tun beabsichtige. Ukon wollte wenigstens die Enkel in Freiheit sehen und sie bei Bekannten in Kyôto in Obhut geben, doch auch diese sagten einhellig, dass sie es genauso machen würden wie Jûtarô, und schließlich verkündete seine jüngste Enkeltochter unter heftigen Weinkrämpfen, dass sie sich nicht von ihrem Großvater trennen wolle. So entschloss sich Ukon gezwungenermaßen, alle mitzunehmen, und gab dies Dewa no kami bekannt.

Sôbê, Yajirô und die Dienerinnen, die Ukon bis hierher gefolgt waren, kamen, um sich bei ihm zu verabschieden. Sôbê sprach stellvertretend für alle:

»Eigentlich war es unsere Absicht, Euch bis zum Ende des Weges zu begleiten, wo immer dies auch sei. Doch da es der Befehl des Shogunats ist, lässt es sich nicht ändern. Es ist dies ein schwerer Abschied für uns.«

»Geht ihr nach Kanazawa zurück und wendet euch an den Herrn Yokoyama Yamashiro no kami. Hier ist ein Empfehlungsschreiben«, sagte er und überreichte Sôbê den Brief. Dabei ging ihm Yamashiro no kamis Rückzug aus der Gesellschaft durch den Sinn und ein Gefühl der Unsicherheit befiel ihn. Aber es ging natürlich nicht, dass er diese Information, die ihm Dewa no kami im Vertrauen gegeben hatte, einfach an seine Gefolgsleute weitergab.

»Herr, ich wünsche Euch, dass ihr immer gesund seid«, sagte Sôbê und schaute Ukon mit Tränen in den Augen an. Yajirô blinzelte, als wolle er noch etwas sagen, verbeugte sich aber nur schweigend.

»Die Untersuchungen werden wohl auch in Kanazawa strenger werden. Seid also stets auf der Hut.« Als Ukon dies sagte, war ein kurzes Funkeln in Yajirôs Augen zu erkennen. Ukon sagte mit freundlicher Stimme zu dem jungen Mann, der ihm auf seinem schweren Weg bis hierher loyal gefolgt war:

»Du bist geschickt im Umgang mit dem Schwert. Du solltest bei der Familie Yokoyama als Vasall oder Lehrer der Fechtkunst Karriere machen.«

»Jawohl«, antwortete dieser mit leiser Stimme und einem leichten Schluchzen.

»Herr, bleibt mir gesund. Sôbê ist immer bei Euch, Herr«, wiederholte Sôbê, der nun hemmungslos weinte, während Yajirô nach wie vor mit ausdruckslosem Gesicht in ehrerbietiger Verbeugung dasaß.

In dieser Nacht trafen die Gefangenen und die Samurai der Eskorte eilig ihre Reisevorbereitungen. Als sich die Geschäftigkeit etwas gelegt hatte, bekam Ukon von Dewa no kami die Einladung zu einer Abschieds-Teezeremonie.

Es war eine helle Vollmondnacht. Ukon war der einzige Gast, der durch die Tür kam. Als er sich in aufrechter Haltung auf den Platz, der dem Gast zugedacht ist, hinsetzte, kam Shinohara Kazutaka aus dem Nebenraum, wo das Teegeschirr aufbewahrt und gespült wird. Ganz anders als zuvor in Gegenwart des Regierungsgesandten, wo er sich mit feierlicher Strenge gebärdet hatte, zeigte er sich nun ungezwungen und umgänglich.

»Ich danke Euch für die Gefälligkeiten, die Ihr mir habt zukommen lassen«, sagte Ukon, worauf Kazutaka erwiderte: »Nein, ich bin es, der zu danken hat. Vor allem Eure freundliche Unterweisung in der Kunst des Tees wird mir immer eine wertvolle Erinnerung sein. Auch konnte ich einen klaren Einblick in die Gefühle der Christen bekommen, was mich sehr beeindruckt hat.«

»Beeindruckt?«

»Öffentlich darf man dies nicht sagen, aber ich halte das Christentum für eine noble und bewundernswerte Religion, die ich aus verschiedenen Gründen schätze. Auch wenn ich nach Kanazawa zurückkomme, will ich im Privaten wie im Offiziellen versuchen dazu beizutragen, dass die Maßnahmen gegen die Christen nachsichtig ausfallen.«

»Dafür bin ich Euch sehr dankbar«, sagte Ukon mit einer leichten Verbeugung.

»Morgen werde ich Euch noch bis zum Ôsaka-Anstieg begleiten, dann aber werden sich unsere Wege trennen.«

»Richtet unserem Herrn, Fürst Toshimitsu und Fürst Toshinaga bitte mein Grüße aus«, sagte Ukon, sich tief verneigend.

»Dann ist da noch etwas. Bitte sagt es nicht weiter, weil es ein Regierungsgeheimnis ist. Es ist geplant, dass morgen in Kyôto noch fünfzehn Nonnen zu euch stoßen.

»Fünfzehn? So viele?«

»Es sind Naitô Hida no kamis jüngere Schwester und die Frauen aus deren Orden, wie ich gehört habe.«

»Ich verstehe«, sagte Ukon, der sich sofort denken konnte, um was es ging. Joans Schwester Julia hatte in Kyôto einen Frauenorden gegründet. Ursprünglich kam sie aus dem buddhistischen Glauben und lebte in einem kleinen Tempel, den ihr Bruder gestiftet hatte. Sie stand in hohem Ruf als buddhistische Nonne, doch nachdem sie ihr vierzigstes Lebensjahr überschritten hatte, konvertierte sie zum Christentum, missionierte Frauen in Kyôto und verbreitete den Glauben, angefangen bei Gô-hime, unter vielen Menschen. Deshalb wurde sie beim jetzigen Edikt zur Verbannung der Christen als ebenso gefährlich eingeschätzt wie die Padres aus den fremden Ländern selbst.

Ukon und Kazutaka, zwischen denen sich, obwohl sie einem anderen Glauben angehörten und trotz des Grabens, den ihre Beziehung als Wächter und Gefangener darstellte, durch die Reise und die Teesitzungen ein warmes Gefühl gegenseitiger Verbundenheit entwickelt hatte, unterhielten sich noch lange und angeregt.

9
Die blühende Westroute

Ein rötliches Flackern weitete sich auf den Wellen des morgendlichen Sees aus, als die Sonne ihr Gesicht hinter der Bergkette von Suzuka hervorstreckte und die restliche Dunkelheit, die sich auf dem Boden abgesetzt hatte, aufwirbelte. Strammen Schrittes kamen über 20 Polizisten verschiedener Ränge, angeführt von einem berittenen Polizeioberst des Gouverneurs von Kyôto, herbei. Um die achtköpfige Familie Takayama und die zehnköpfige Familie Naitô zu eskortieren, war die Zahl zwar leicht übertrieben, aber dahinter steckte wohl der Gedanke, dem Volk zu zeigen, wie ernst es das Shogunat mit den Maßnahmen gegen die Christen meinte. Vor den Toren des Tempels hatte sich ein Spalier Neugieriger gebildet.

Es war bestimmt worden, dass Ukon und seine Begleiter aus der Obhut der Eskorte des Hauses Maeda an die Beamten des Gouverneurs übergeben würden. Die unbewaffnete und weiß gekleidete Gruppe wurde von den bis an die Zähne bewaffneten Soldaten umringt.

Schließlich brach man auf. Sôbê, Yajirô, die beiden Zofen und drei Untergebene der Familie Naitô hatten sich zu Boden geworfen und sahen ihren Herren von Abschiedsschmerz erfüllt nach, einige von ihnen vergossen auch Tränen. Shôgen Asano und seine Männer trennten sich hier von Ukon, aber Shinohara Dewa no kami war mit einigen Vasallen erschienen, um ihn noch bis zum Ôsaka-Anstieg zu begleiten.

Am Anfang des Anstiegs verabschiedete er sich dann von der Gruppe. Ukon, Joan, Kôji und Justa bedankten sich aufs Herzlichste bei ihm. Sie drehten sich im Gehen noch des Öfteren um und verneigten sich in die Richtung dieses wichtigen Vasallen des Lehens von Kaga, der ihnen noch lange nachschaute, während sie den Anstieg hinaufschritten. Dies würde wohl das letzte Mal sein, dass sie Shinohara Kazutaka sahen. Die zuvorkommende und wohlwollende Behandlung, die er der Gruppe hatte zuteil werden lassen, obwohl er selbst kein Christ war, war überaus rühmenswert. Auch bei den Zusammenkünften zur Teezeremonie hatte er sich das Prinzip, den Partner so zu ehren, als wäre es das einzige Treffen im ganzen Leben, sehr zu Herzen genommen. Ukon, der den Abschied von Sôbê und Yajirô noch einigermaßen ruhig hingenommen hatte, merkte, wie ihm der Abschiedsschmerz Tränen in die Augen trieb. »Ein bemerkenswerter Mensch«, sagte Joan zu Ukon. »Solange es solche Männer gibt, braucht man sich um das Haus Maeda nicht zu sorgen«, erwiderte Ukon nickend.

Während die Kirschen bei der Unterkunft in Sakamoto gerade erst zu blühen anfingen, standen sie hier in Yamashina schon zu sieben Zehnteln in stolzer Blütenpracht. Als sie in der Nähe von Ogurusu vorbeikamen, fragte Kôji Ukon, ob es nicht hier gewesen sei, wo der Herr der Sakamoto-Burg, Akechi Mitsuhide, von Bauern mit Bambusspeeren erstochen worden war. Ukon sagte: »Ja, das stimmt«, und schaute sich um. Das wertlose Stück Wald mit seinen kahlen Bäumen gab nicht den geringsten Anhaltspunkt, der auf jene Ereignisse der Vergangenheit hinwies.

Sie erreichten Kyôto. Jenseits der wie eine Landmarke wirkenden fünfstöckigen Pagode des Ost-Tempels begrüßte ein Wellenmeer aus schillernden Ziegeldächern den Frühling. Das war eine wirkliche Großstadt und das Format der Tempeldächer war von völlig anderem Maßstab als in der Provinzstadt Kanazawa. Die Straßen waren breit, und die Landschaft, mit dem Hiei-Berg und der Bergkette von Higashiyama im Osten, zeigte ein filigranes Relief aus Wäldern, Blüten und Tempeln, in das sich die Geschichte tief eingeprägt hatte. Die Berge und Flüsse sind dieselben, doch die Menschen von damals sind verschwunden.

Farbe und Duft
mögen stets dieselben sein,
wenn die Kirschen blühen,
doch der Mensch verändert sich,
wenn die Jahre vergehen.*

Die Menschen wurden vom warmen Wind vorbeigetrieben wie flauschige Weidenpollen. Es herrschte reger Verkehr. In Kyôto, einer Station der Tôkaidô, der viel bereisten Ostmeer-Route, waren die Wege voller Menschen aller Stände, wie Samurai, Stadtbürger und Bauern, die durch die Straßen schwärmten. Die Gruppe um Ukon zog reges Interesse der Passanten auf sich, wie ein Umzugswagen bei einem Volksfest. Ein Mann rief: »Christen, Christen«, als wolle er schreiend für die Attraktion seiner Schaubude werben, und eine Frau murmelte: »Sogar kleine Kinder sind dabei. Die können einem ja Leid tun.« Ein professioneller Unterhalter und Possenreißer zeigte ungehemmt mit dem Finger auf Ukon und rief: »Der da ist schon ziemlich alt.« Ein Zen-Mönch der Fuke-Sekte mit Flöte und tief sitzendem Strohhut sagte: »Die Jünger der üblen Lehre. Die wird die Strafe des Himmels treffen. In die Ashura-Hölle des ewigen Kampfes werden sie hinabstürzen«, und unterstrich seine Worte, indem er demonstrativ mit den Fingern buddhistische Zeichen bildete. Doch gaben Ukon und seine Begleiter nicht allzu viel auf diesen Ansturm schlechten Benehmens, die Neugier, das Mitleid und den Spott und gingen – Augen zu und durch – einigermaßen gelassen weiter. Eher konnten ihnen noch die Wachbeamten Leid tun, denen der Schweiß in Strömen lief, als sie sich, die Schaulustigen anbrüllend, den Weg durch die Menge bahnen mussten.

Die Kuze-Brücke über den Katsura-Fluss, den die Gruppe überquerte, als sie Kyôto verließ, war offenbar renoviert worden, denn es duftete angenehm nach Holz. Allerdings waren die Bodenbretter schon wieder verschmutzt und ausgetreten, woran man erkennen konnte, welch reger Verkehr hier herrschte. Dass eine Brücke dermaßen frequentiert und so schnell abgenutzt würde, konnte man in abgelegenen Regionen wie Kaga und Etchû nicht beobachten. Jenseits der Brücke begann die West-Route, und bald drängte sich auf der rechten Seite ein mit Bambus bewachsener, steiler Abhang an den Weg. Es war der Tennô-Berg. Hier war die Entscheidung bei der Schlacht von Yamazaki gefallen. Auf der Stelle meldete sich Kôji mit

* Waka-Gedicht von Ki no Tomonori aus der Kokin Wakashû (»Sammlung alter und neuer Gedichte«, Band 1: Frühlingsgedichte, Nr. 57) aus dem Jahre 905: Iro mo ka mo / onaji mukashi ni / sakurame-do / toshi furu hito zu / aratamari-keru.

der Bemerkung: »Hier habt auch Ihr gekämpft, Herr Ukon« zu Wort. Dies war Ukons Heimat, als Kind war er oft in diesen Bergen herumgewandert, die Anhöhen und Täler sowie die Biegungen der Wege waren ihm bis ins Kleinste vertraut. Beim Anblick der Wälder und Gebüsche stiegen plötzlich Erinnerungen an den Lärm des Schlachtengetümmels auf, und es kam ihm vor, als höre er das Gebrüll, die Kriegsschreie, das Wimmern, das Knirschen der Klingen, wenn sie Knochen zertrümmern, und das Surren der Pfeile. Dann meinte er das Gefühl klebrigen Blutes an seinen Fingern zu spüren und ließ den Blick auf seine beiden Hände sinken.

Fürst Nobunaga hatte damals Akechi Mitsuhide befohlen, mit seinen Truppen Hashiba Hideyoshi zu Hilfe zu kommen, der bei der Belagerung der Takamatsu-Burg der Familie Môri in eine missliche Lage geraten war. Als Speerspitze der Armee Akechis zog Ukon mit zweitausend Mann gegen Takamatsu, als ein Bote aus Takatsuki kam und mitteilte, dass Fürst Nobunaga im Honnô-Tempel von Akechi Mitsuhide ermordet worden sei. Ukon war sofort klar, dass diese Verschwörung Mitsuhides, der in der Gunst Nobunagas gestanden und von ihm zum Burgherrn von Sakamoto befördert worden war, sich durch nichts rechtfertigen ließ. Als nächstes machte er sich Sorgen, welches Schicksal auf seine Familie und seine Vasallen wartete, die er in seiner Burg in Takatsuki zurückgelassen hatte. Es war zu erwarten, dass Akechi, der im Rufe eines sorgfältigen und erfahrenen Strategen stand, einen für die Region Zentraljapan so wichtigen taktischen Punkt wie Takatsuki auf jeden Fall besetzen würde. Deshalb eilte Ukon auf der Stelle dorthin zurück, wo aber entgegen seinen Erwartungen Mitsuhides Streitkräfte noch nicht eingetroffen waren. Dieser Mitsuhide ist wohl doch nicht so gut wie sein Ruf, war es Ukon damals mit einem Anflug von Verachtung durch den Kopf gegangen, und er war umso fester davon überzeugt, dass der Verschwörer erschlagen werden müsse.

Als er seine Vasallen zusammengerufen hatte und sie darüber berieten, wie sie gegen Mitsuhide vorgehen sollten, erreichte sie ein Schreiben desselben, in dem er um Ukons militärische Unterstützung bat. Dem Schreiben war auch ein Brief Padre Organtinos beigelegt. Mitsuhide hatte den Padre, den es von Okishima nach Sakamoto verschlagen hatte, darum gebeten, ihm dabei zu helfen, Ukon als Verbündeten zu gewinnen. Dem japanischen Text war aber noch eine portugiesische Abschrift beigelegt, die genau das Gegenteil des japanischen Briefes besagte und in welcher der Padre mahnte, dass es gegen alle Moral sei, dem Verräter Mitsuhide zu folgen. Unter Mitsuhides Leuten gab es keinen, der Portugiesisch verstand, und so kam es, dass niemand etwas von der klugen List des Padre gemerkt hatte. Kurz darauf erreichte Ukon ein Schreiben Hideyoshis aus Takamatsu, in dem es hieß, dass man gegen Mitsuhide vorgehen müsse und er darauf warte, dass sich Ukon ihm mit seinen Truppen anschließen würde. Ohne zu zögern entschied sich Ukon für Hideyoshis Seite, schwor seine Vasallen darauf ein und nahm an den Kriegsberatungen Hideyoshis teil, der seine Streitmacht bei Amagasaki liegen hatte.

Ukon hatte die vorderste Position übernommen und noch vor Sonnenaufgang seine zweitausend Mann die Westroute entlang geführt, exakt dort, wo er sich mit seiner Familie jetzt befand. Damals war er mit seinen Männern noch vor Ikeda Nobuteru, der seine Truppen unten am Yodo-Fluß entlang führte, und Nakagawa Kiyohide, der sich mit seinen Leuten durch die Berge bewegte, dort angekommen – mit beiden sollte er später auch in der Schlacht von Shizugatake auf derselben Seite kämpfen, doch hier war es das erste Mal. Ukon befahl seinen Männern, die mit erhobenen Lanzen vorrückten: »Wir müssen die Ehre des ersten Angriffs zur unseren machen«, und stürzte sich allen voran ungestüm auf den Feind, der sich ihnen in der Dunkelheit entgegendrängte. Mit diesem schnellen Angriff setzte er der 15 000 Mann starken Armee Akechis so zu, dass er sie nach relativ schwachem Widerstand in die Flucht zu schlagen begann. Seinen Feinden hatte es eindeutig an Kampfeswillen gefehlt. Zu dem schlechten Gewissen der Männer, in der Armee eines Verräters zu dienen, kam noch hinzu, dass sie sich vor der zahlenmäßigen Überlegenheit der Kräfte Hideyoshis fürchteten und Takayamas Truppe schon für die Hauptstreitkraft hielten, die auf sie losstürmte. Während die feindlichen Soldaten in kopfloser Flucht sich gegenseitig behinderten, schritten die zweitausend Mann der Armee aus Takatsuki so voran, dass sich das Gefühl der Speerspitzen, die Fleisch und Knochen durchbohren, auf ihre Handflächen übertrug und sich um sie herum Schmerzensschreie und das qualvolle Gewimmer der in Agonie Liegenden erhoben. Im ersten Licht des Morgens tauchten die Leichen der Gefallenen vor den Augen auf. Zum Beweis der eigenen Verdienste wurden Köpfe abgeschlagen, und die Hände der Krieger waren so voller Blut, dass der Griff des Schwertes ganz glitschig wurde. Es war ein vollkommener Sieg. Auf zweihundert erschlagene Feinde kam ein toter Soldat aus den eigenen Reihen. Während die Morgenröte die Gesichter der Soldaten entflammte, erhob das Takatsuki-Heer seine Stimme zum Siegesschrei. Die fliehende Armee Akechis wurde auf beiden Flanken von Nakagawas und Ikedas Truppen angegriffen und brach völlig zusammen. In jener Nacht wurde Mitsuhide, der nach Sakamoto fliehen wollte, im Dickicht bei Ogurusu von Bauern mit Bambusspeeren erstochen.

»Der Kriegsmut, den Ihr bei dieser Gelegenheit bewiesen habt, ist allgemein bekannt«, sagte Kôji weiter.

»Ach was, Kriegsmut kann man das gar nicht nennen. Zwar haben wir mit den Truppen Nakagawas und Ikedas darum gewetteifert, wer als erster angreift, doch hatten wir das Glück, dass meine damalige Burg Takatsuki von Yamazaki aus, wo Mitsuhide seine Hauptarmee in Stellung gebracht hatte, am nächsten lag und meine Soldaten daher das Terrain am besten kannten. Und dieser Heimvorteil kam meinen Leuten, die sich in der Gegend auskannten, natürlich besonders zu Nutzen, so dass sie sich trotz der Dunkelheit frei bewegen konnten.«

»Trotzdem ist der Hauptverdienst bei dieser Schlacht der Eure. Folglich kann man wohl sagen, Fürst Hideyoshi hat es Eurer Arbeit zu verdanken, dass es ihm gelungen ist, das Reich zu vereinen. Dass er Eure Reistipenden danach nur um 4000 Scheffel erhöht hat, war eine zu geringe Belohnung dafür.«

»Nein, dafür gab es einen Grund. Damals war Hideyoshi auch nur ein gewöhnlicher Daimyô und hatte kein Lehnsgebiet, das er mir als Belohnung hätte geben können. Und das Gebiet des besiegten Feindes Akechi bestand auch nur aus West-Ômi und Tamba.«

»Ich verstehe«, sagte Kôji, zu jedem einzelnen Wort Ukons geflissentlich nickend, als würde er sich alles notieren.

Die Gruppe machte eine Pause im Yamazaki-Takara-Tempel. Damals, als Akechi geschlagen wurde, war dieser Tempel wegen des guten Ausblickes, den man von hier hatte, der Stützpunkt für Ukons Truppen gewesen. Später wurde er dann zum Haupttempel Fürst Hideyoshis. Man konnte vermuten, dass die rot angestrichene dreistöckige Pagode, die es damals noch nicht gegeben hatte, zur Erinnerung an Hideyoshis Triumph aufgestellt worden war. Ukon setzte sich auf einen Stein vor der Pagode und sann über die Worte Kôjis nach. Ihm selbst war es nie in den Sinn gekommen, dass seine Belohnung zu gering gewesen sein könnte. Sein Interesse lag eher darin, den Glauben zu verbreiten, als seine Ländereien auszudehnen. Er war ganz davon eingenommen, Padre Organtino zu überzeugen, von Hideyoshi ein Grundstück in Ôsaka zu bekommen, wo er einen Südbarbarentempel errichten könnte, in Takatsuki Padres zusammenzurufen und die Bewohner seines Lehens zum Glauben zu bekehren. Auch bemühte er sich, einen Daimyô nach dem anderen zum Christen zu machen. Zusammen mit Konishi Yukinaga, der sich bereits hatte taufen lassen, gelang es ihm, Hideyoshis Strategen Kuroda Kambê, Gamô Ujisato aus Matsushima in Ise, Nakagawa Hidemasa aus Harima, Ichihashi Hyôkichi aus Mino und Seta Samanojô aus Ômi zu bekehren.

In der Abenddämmerung erreichten sie ihre Unterkunft in Takatsuki. Früher war Ukon der Herr dieser Burg gewesen, die nun der Sitz Naitô Nobumasas war. Mit der weiten Außenmauer, die sie jetzt umspannte, war sie von weitaus mächtigerem Maßstab als damals zu Ukons Zeiten. Allerdings waren noch Spuren des doppelten Grabens und der Wachtürme zu erkennen, die Ukon gebaut hatte und die nun still an frühere Zeiten erinnerten. Kôji kam näher.

»Wie ich es mir gedacht habe, Euer Stil des Burgenbaus ist wirklich hervorragend. Die Burgmauer dort beim doppelten Graben ist glatt und hoch. Da war es zu erwarten, dass Fürst Nobunaga bei seinem Angriff auf die Burg keinen Erfolg haben würde. Das war, glaube ich, im Jahre Tenshô 6 (1578), als Araki Murashige seinen Verrat beging.«

»Nein, meine Baukunst ist nichts Besonderes. Fürst Nobunaga wollte wohl eher die Burg intakt lassen und mich als Christen noch benutzen.«

Der Statthalter von Settsu, Araki Murashige, dessen Gefolgsmann Ukon damals war und der die Burg von Arioka hielt, hatte sich gegen Fürst Nobunaga verschworen, weshalb dieser von Gifu aus seine Armee in Bewegung setzte und die Burg von Takatsuki angriff. Plötzlich war die Burg von einer Unmenge Soldaten mit Bannern umstellt. Bei der Zahl der Angreifer, die gleichzeitig von allen vier Seiten über die

Gräben setzten und die Burgmauern erklommen, war es abzusehen, dass die Verteidigung nicht lange halten würde. Ukons Vater, Hida no kami, der fest entschlossen war zu kämpfen und wenn es das Leben koste, ermutigte trotzdem seine Vasallen, nicht aufzugeben.

Padre Organtino kam als Bote Fürst Nobunagas in die Burg und überbrachte einen Brief. Darin versprach er Hida no kami, dass er sein Lehen behalten dürfe und außerdem eine große Summe Geld als Belohnung bekäme, wenn er sich ergeben würde. Fürst Nobunagas Logik war die folgende: Araki Murashige war ein Verräter, der sich gegen seinen Herrn verschworen hatte. Deshalb war es für die Familie Takayama nicht nötig, ihre Loyalität gegenüber dem Hause Araki aufrecht zu halten.

Ukons Vater, stur wie er war, weigerte sich jedoch, auf das Angebot einzugehen. Daraufhin ließ Fürst Nobunaga die Ordensbrüder und Laien aus dem Südbarbarentempel in Kyôto holen und drohte damit, sie allesamt an Ort und Stelle an den Pfahl zu schlagen, wenn die Burg von Takatsuki nicht übergeben würde. Nun konnte es die Burg von Takatsuki nicht mit Nobunagas Heer aufnehmen, und es war nur eine Frage der Zeit, bis die Missionare und Gläubigen gekreuzigt und auch Ukons Vater mitsamt seinen Gefolgsleute im Kampf sterben würden. Deshalb entschied sich Ukon, allein zu Fürst Nobunaga zu gehen, der seine Truppen in Settsu Kôriyama stationiert hatte, um die Burg und die Menschen zu retten. Sollte dieser nicht darauf eingehen, so war Ukon dazu bereit, den Weg des Märtyrers zu gehen und sich ebenso wie der Herr selbst an das Kreuz schlagen zu lassen. Er legte seine Rüstung und seinen Kimono ab, zog stattdessen ein Kleid aus gegerbtem Papier über und schnitt sich die Haare ab. Dann machte er sich mit Padre Organtino auf den Weg zum Heerlager Fürst Nobunagas. Dessen Generäle, Sakuma Nobumori und Hashiba Hideyoshi, empfingen ihn freundlich und sagten, dass sich der Weg einer neuen Karriere auftue, wenn er unter Fürst Nobunaga dienen würde. Dies änderte aber nichts an Ukons Entscheidung, sich ganz dem christlichen Glauben hinzugeben. Damals war er ernsthaft entschlossen, seine Stellung als Samurai aufzugeben und sich nur noch im Glauben an den einen Gott seiner Tätigkeit als Missionar zu widmen. Von der Burg, der Familie, dem Lehen und seinen Bewohnern, von all dem wollte er sich trennen, um frei und ungebunden den Weg des Glaubens beschreiten zu können. Er glaubte, dass es keine hellere und befreiendere Art zu leben gäbe als diese.

Als er vor Fürst Nobunaga in dessen Heerlager geführt wurde, kam die Nachricht, dass sich die Herren der Burg von Takatsuki ergeben hätten. Nachdem Ukon die Burg verlassen hatte, hatten die anderen Vasallen die Überhand über den martialischen Hida no kami und seine Fraktion gewonnen und ihre Bereitschaft erklärt, die Burg zu übergeben. Hida no kami floh in die Arioka-Burg zu Araki Murashige, welcher aber an seiner Loyalität zweifelte und ihn gefangen nahm. Als Anerkennung dafür, dass er sich ergeben hatte und die Burg übergeben worden war, bekam Ukon das Lehen wieder zugewiesen und Reisstipenden in Höhe von 40 000 Scheffeln zugesprochen. Dies war das Ergebnis, ohne dass es Ukon allerdings so beabsichtigt hatte. Unter Berücksichtigung der Verdienste seines Sohnes wurde Hida no kamis Strafe um eine Stufe gelockert und statt hingerichtet zu werden, wurde er zu Shibata Katsuie nach Kitanoshô strafversetzt.

Die Unterkunft in Takatsuki befand sich in einem schäbigen Tempel abseits der Raststation mit der Herberge. Der Priester, der dort wohnte, kannte den vormaligen Lehnsherrn Ukon nicht, und die Gruppe wurde in den Lagerraum gezwängt. Da es im Zimmer dunkel war, wusste man nicht die Zeit, nur die Abendglocken waren zu hören. Im Licht der einzigen Kerze, die erlaubt war, sagte Naitô Kôji, auf den Gregorianischen Kalender schauend: »Bald ist Ostern.« In dieser Nacht sah Ukon inmitten der Finsternis eine frohe Vision, eine Szene, lebendig wie in einem Traum, und hörte die Musik, welche die Knaben im Seminar von Azuchi aufführten. Einerseits voller Freude, zog ihm diese Erscheinung aber auch vor verzweifelter Trauer die Brust zusammen. Tatsächlich, seitdem waren schon über dreißig Jahre vergangen. Ukon sagte zu seiner Frau: »Du erinnerst dich doch bestimmt noch an das Osterfest in Takatsuki.« Justa antwortete: »Ich kann mich gut daran erinnern. Es war ein wirklich traumhaftes Fest«, und erzählte Lucia und den Enkeln als Gutenachtgeschichte von der Zeit, als Takatsuki die Burg der Familie Takayama gewesen war. Jûtarô zeigte ausgesprochenes Interesse und wollte jede Kleinigkeit genau wissen.

In der Morgendämmerung des Frühlingstages ging es weiter. In den tiefblauen Himmel mischte sich ein violettes Leuchten und schenkte dem Beobachter eine für den Ostermorgen angemessene Festtagsstimmung. Vor dem rötlich gefärbten Himmel im Osten schwebte die Silhouette des Ziegeldaches der Burg, über dem eine Schar eben erwachter Vögel kreiste. Die Gruppe schritt schweigend auf der ausgestorbenen, menschenleeren Landstraße dahin. Ukon erinnerte sich an den Anblick der Prozession, wie sie damals aus der Gotteshalle herauskam, als wäre er gerade in diesem Augenblick, da er hier entlang lief, ein Teil davon.

Frühling, vor Sonnenaufgang, die Menschen in der Prozession trugen bunte Seidenfahnen und Laternen mit Bildern der Heiligen Familie darauf, die sie in die Höhe hielten, als sich der Zug in Bewegung setzte. Die Laternen hatten die Form einer Burg oder eines Fisches, die als Symbole für die ewige Stadt Jerusalem und Christus standen. Neben dem Kreuz schritten zwölf Samurai mit roten und blauen Rüstungen, welche die zwölf Apostel verkörperten, und fünfundzwanzig Knaben mit weißen Seidenumhängen als Engel, die Heiligenbilder hochhielten. Vier weitere Samurai trugen einen Baldachin, unter dem Valignano mit einem goldenen Kreuz einherschritt. Die Schüler des Seminars von Azuchi sangen Kirchenlieder, und der Rauch aus dem schwingenden, schiffsförmigen Weihrauchfass war wie Nebel, der aus dem Wald ins Dorf floss. Der Duft aus dem weit entfernten, fremden Europa verwandelte dieses Takatsuki in ein Paradies, das nicht von dieser Welt war.

Der Zug der Menschenmenge riss nicht ab, und das Halleluja klang durchs ganze Land. Die Zahl der gläubigen Samurai, Bauern und Stadtbürger, die in Scharen aus den benachbarten Provinzen gekommen waren, überstieg nach der Zählung, mit der Ukon seine Diener beauftragt hatte, die 20 000. Der Mittelpunkt dieser Osterprozession war Superintendent Valignano. Er war von hohem Wuchs, so dass er auch unter den anderen Padres hervorstach und den Japanern wie ein Riese vorkommen musste. Dieser blauäugige, hellhäutige Ausländer im Ornat aus weißer Seide zog die Aufmerksamkeit der Menge auf sich und erschien wie in von zahllosen Blicken reinpoliertem Glanz. Aus den Zentralprovinzen ohnehin, doch selbst aus Owari und Mino kamen die Menschen herbei, um diesen General der Padres einmal zu sehen. Vor und hinter dem Superintendenten glitzerten die silbernen Kerzenleuchter, die schwingenden Weihrauchfässer und Schmuckblättchen. Es herrschte ein Glanz, der aus dem Inneren der Padres um den Superintendenten, unter denen sich auch Ukons Freund Padre Frois befand, zu dringen schien.

Auch die große Gotteshalle, die Ukons Vater Hida no kami hatte errichten lassen, war Gegenstand allgemeiner Bewunderung. Sie war ganz aus dem frischen Holz des Hinoki-Baumes gebaut, dessen Duft, vom Wind verbreitet, die Menschen umfing wie die Hand Gottes. Auch das Wohnhaus für die Missionare, das neben der Gotteshalle stand, war ganz aus Hinoki-Holz. Hoch oben waren die dicken Dachbalken zu sehen, und auf dem blank polierten Holzboden erschienen die Reflektionen der Menschen wie in einem Spiegel. Im Garten waren wohlgeformte Natursteine arrangiert und in einen Teich ergoss sich plätschernd ein über zehn Meter hoher Wasserfall. Mehr als die Japaner zeigten allerdings die Padres Interesse für diesen Garten. Er erregte ihre Neugier, weil die Gärten in Europa offenbar völlig anders angelegt waren. Direkt vor der Gotteshalle stand eine große Muku-Ulme. Im Frühling trug sie blaue Blüten, doch während der Osterzeit kamen rote Knospen heraus, um den warmen Frühling zu begrüßen. Unter dem Muku-Baum befand sich ein dreistufiges Podest mit einem weißen Kreuz, das von einem Blumenbeet umgeben war, auf dem es Wiesenblumen, Gänseblümchen, die Hida no kami so liebte, Feldrosen und weiße Lilien gab, die extra von weit her zusammengetragen worden waren. Hinter dem Kreuz floss ein künstlich angelegter Bach in den Teich, und das in den Wellen schaukelnde Spiegelbild des schneeweißen Kreuzes war von wunderbarer Schönheit.

Die Osterprozession endete an diesem Kreuz. Die Menschen versammelten sich um den Teich, und unter Leitung des Superintendenten wurde eine Messe abgehalten. Die heilige Seele des im fernen Lande Israel geborenen Jesus Christus tanzte hier in Takatsuki vom Himmel herab und entzündete in den Menschen das Feuer des Heiligen Geistes.

Nach dem Osterfest besuchte Superintendent Valignano Fürst Nobunaga im Honnô-Tempel in Kyôto. Dabei wurde er von Padre Organtino, Padre Frois und Bruder Lorenzo begleitet. Der Fürst empfing den Südbarbaren als das Oberhaupt der Missionare in Japan in ausgesprochen guter Stimmung. Bei dieser Gelegenheit schenkte ihm Valignano den schwarzen Sklaven Yasuke, dessen Hautfarbe bei Fürst

Nobunaga großes Interesse hervorrief, das in Verwunderung umschlug, nachdem er ihn hatte waschen lassen und die Farbe trotzdem nicht verschwunden war. Im Sommer desselben Jahres, zu Urabon, dem buddhistischen Seelenfest, rief Fürst Nobunaga den Superintendenten in seine Azuchi-Burg und zeigte ihm den mit Laternen angeleuchteten Hauptturm und den Sôken-Tempel, in dem er selbst als Gottheit verehrt wurde. Passend zu der prächtigen Aufmachung des Schlosses, fuhren mit Fackeln erleuchtete Schiffe auf dem See. Dies war wohl die Blütezeit der christlichen Mission in Japan.

Etwa ein Jahr später im Sommer ereignete sich dann der Zwischenfall im Honnô-Tempel, und die Zeiten begannen sich zu ändern. Die Burg von Azuchi ging in Flammen auf und das Seminar dort wurde ausgeplündert und verwüstet. Ukon erbaute ein neues Seminar in Takatsuki und nahm die Schüler aus Azuchi dort auf. Verglichen mit dem in Azuchi war es recht ärmlich, doch es hatte auch eine Kapelle, und unter der Leitung Padre Organtinos konnten die Studenten dort fleißig lernen. Drei Jahre später allerdings wurde Ukon von Fürst Hideyoshi nach Akashi versetzt, die Burg von Takatsuki wechselte mehrere Male ihren Herrn und mit dem Seminar ging es immer mehr bergab. Nach Hideyoshis Edikt zur Verbannung der Christen wurde das Seminar niedergerissen, und seine Studenten verteilten sich in alle Winde.

Nun war nichts mehr davon zu sehen.

Die Sonne beschien die Gipfel der Berge, die sich rechter Hand aneinanderreihten. Die Dunkelheit, die sich wie Bodensatz auf der Landstraße abgelagert hatte, war verschwunden. Hinter diesen Bergen lag Yono, Justas Heimat. Ukon drehte sich zu seiner Frau um. Sie lief schweigend neben ihrer Tochter Lucia her. Als Reaktion auf Ukons Blick schaute sie auf die Berge, lächelte und sagte leise etwas zu Lucia, woraufhin diese in dieselbe Richtung schaute wie ihre Mutter …

Ukon war in seinem achtzehnten Lebensjahr, als er Justa heiratete und sie nach Takatsuki zog. Sie stammte aus dem Hause Kuroda, einer entfernt verwandten Familie leidenschaftlicher Christen. Das vierzehnjährige Mädchen eroberte mit seinem hübschen Gesicht schnell das Herz des jungen Samurai. Unter der Leitung Padre Organtinos feierten sie ihre Hochzeit vor dem Angesicht des Herrn. Ukon hatte zu Gott und zu Christus gebetet, dass sie ihm ein Leben lang als treue Gefährtin gegeben werde. Und seinem Gebet entsprechend, hatte er sein Leben lang nie eine Konkubine gehabt.

Damals gingen in Takatsuki die Missionare Frois und Organtino sowie der einäugige Bruder Lorenzo ein und aus. Um sich mit den Missionaren verständigen zu können, war es notwendig, Latein und Portugiesisch zu lernen. Da sich sein Vater Hida no kami beim Studium der Sprachen weniger geschickt anstellte, lernte Ukon unter Organtinos Anleitung umso fleißiger Latein und Portugiesisch, weil er für seinen Vater die Rolle des Dolmetschers übernehmen musste.

Einige Jahre später, als der Leiter der japanischen Jesuitenmission Cabral nach Takatsuki kam, beherbergte ihn Hida no kami in seinem Haus, und es wurden fast täglich Messen abgehalten. Ukon hörte die Predigten des Padre Cabral und übersetzte sie. Dass Hida no kami die Gotteshalle aus Hinoki-Holz erbauen ließ, fiel ungefähr in diese Zeit.

Kurz vor Mittag näherte sich die Gruppe der Gefangenen Ôsaka. Da es eine Großstadt war, nahm natürlich auch die Zahl der Menschen auf der Straße zu und die Christen-Rufe schallten noch lauter als in Kyôto. Auch die Zahl derer, die sie offen beschimpften, nahm zu. Doch sah man nun auch Menschen, die man als Christen erkennen konnte, weil sie stumm grüßten. Plötzlich erkannte Ukon Okamoto Sôbê. Er hatte sich zwar verkleidet, doch verriet ihn seine Figur, die Ukon so vertraut war. Er trug keine Schwerter und hatte sich auch die Haare in der Façon der Stadtbürger zurechtgemacht. Man hätte ihn glatt für einen wohlgenährten Kaufmann aus der Gegend von Sakai halten können. Ukons Blick erwiderte er mit einem leichten Nicken und verschwand dann in der Menge.

Sie kamen am Pier links der Flussmündung des Aji-Flusses an. Der Zugang zum Pier war von Wachsoldaten streng gesichert. An der Anlegestelle, die ausschließlich für die Nutzung durch den Gouverneur von Kyôto bestimmt war, drängten sich die Padres und Ordensbrüder. Der Wind, der ihnen vom Fluss her entgegengeweht kam, war geschwängert von den Ausdünstungen der Ausländer und dem Geruch von Leder und Räucherwerk. Unter all den Ausländern waren Ukon und seine Begleiter die Ausnahmen und zogen neugierige Blicke auf sich. Sie wurden in ein einfaches Gatter gedrängt, in dem sich bereits über zehn Frauen befanden. Eine ältere Dame trat vor und näherte sich, nachdem sie die Erlaubnis eines Beamten eingeholt hatte, Naitô

Joan. Es war dessen jüngere Schwester, Naitô Julia. Da es die Beamten nicht so eng sahen, was man innerhalb der Einzäunung tat, konnten sich Ukon und seine Begleiter frei mit Julia und den anderen Nonnen unterhalten. Als Naitô Kôji nach dem Schicksal der Christen in Kyôto fragte, antwortete eine der Schwestern.

Es sei vor etwa einem Monat gewesen, als der Kabinettsälteste des Shogunats und Generalbevollmächtigte für die Christen, Ôkubo Sagami no kami Tadachika, von Edo nach Kyôto kam. Zunächst habe er den Südbarbarentempel im Westviertel niederbrennen und dann, weil er um einen Großbrand fürchtete, den im Shijô-Viertel niederreißen lassen. Daraufhin habe er alle Christen verhaftet, die auf der Liste des Gouverneurs von Kyôto, Itakura Iga no kami Katsushige, standen und sie bedrängt, von ihrem Glauben abzuschwören. Jene, die sich weigerten, habe er in Reissäcke gesteckt, sie auf der Matsubara-Straße zur Schau gestellt und den Frauen unter ihnen damit gedroht, sie an ein Bordell zu verkaufen. Auch Julias Schwestern des Beatus-Ordens sei es so ergangen, sagte die Nonne. Merkwürdigerweise allerdings sei er, nachdem er zehn Tage lang wie der Teufel in Person die Verfolgung der Christen geleitet habe, selbst wegen irgendwelcher Bezichtigungen seiner Ämter enthoben und nach Ômi verbracht worden. Damit seien auch die Drangsalierungen zum Stillstand gekommen, hieß es. Dass der mächtigste Mann des Kabinetts bis ins weit entfernte Kyôto geschickt und dann seiner Privilegien als Samurai enthoben wurde, ließ darauf schließen, dass es zwischen ihm und Honda Masanobu, dem hochrangigen Vasallen und engsten Berater des abgedankten Shôgun, der in Edo geblieben war, irgendeinen Zwist gegeben haben musste, vermutete Ukon. Da er schon durch Fürst Toshinaga von den Streitereien unter den hochrangigen Vasallen des Hauses Tokugawa gehört hatte, schien ihm dies eine nahe liegende Erklärung zu sein. Ukon hörte dem Bericht der Schwestern um Naitô Julia mit gemischten Gefühlen zu. Einerseits war der Aufstieg Honda Masanobus, dessen zweiter Sohn als oberster Vasall der Familie Maeda diente, für diese sicherlich von Vorteil. Andererseits bedeutete es aber für die Christen in Kaga, Etchû und Noto, dass man bei der Durchführung des Religionsverbotes strenger gegen sie vorgehen würde.

Kôji fragte auch, wie es um die Partei Toyotomis in der Burg von

Ôsaka stand, doch hatte Julia für solcherlei Dinge nicht das geringste Interesse und wusste deshalb auch nichts darüber. Sie war von stiller Freude erfüllt, da sie dachte, dass diese Verbannung die erste Stufe ihrer Treppe zum Himmel sei.

Naitô Julia unterhielt sich freundschaftlich mit Justa und Lucia. Ukon war erstaunt, dass seine Frau und seine Tochter, obwohl sie Naitô Julia zum ersten Mal trafen und Lucia eher von zurückhaltend schüchternem Wesen war, von Anfang an so aus sich herausgingen. Es musste wohl an der umgänglichen Art ihrer Gesprächspartnerin liegen.

Am Pier lagen einige Boote, allesamt große Mietschiffe, längsseits vertäut, die Seeleute waren damit beschäftigt, Lasten zu verstauen und die Segel auszubessern. Vielleicht weil die Vorbereitungen noch nicht abgeschlossen waren, vielleicht auch weil Padres, die ebenfalls mitfahren sollten, noch nicht eingetroffen waren, wurde die Abfahrt verschoben, und die japanischen Christen wurden für die Nacht in einer schlichten Fischerhütte einquartiert.

Als die Möwen zu ihrem Nest zurückflogen und die Fledermäuse dicht über dem Wasser durcheinander flatterten, war aus der benachbarten Unterkunft das Gebet der Padres zu hören. Unter Führung Naitô Julias stimmten auch Ukon und seine Begleiter zusammen mit den Schwestern das Abendgebet an.

Auch in der Nacht drang das fremdländische Stakkato an ihre Ohren. Als erste erkannte Lucia Padre Clementes Stimme, und plötzlich erschien, mit Erlaubnis des Wächters, das lächelnde Gesicht des Spaniers in der Tür.

»Ah Padre, ich bin froh dass Ihr wohlauf seid«, grüßte ihn Ukon mit freundlicher Stimme, eingedenk der Strapazen, die auch Padre Clemente bei der Überquerung der zugeschneiten Berge durchgemacht haben musste.

»Ach mir geht es gut. Aber Ihr habt keine gute Gesichtsfarbe. Habt Ihr vielleicht irgendwelche Beschwerden?«

»Nichts Besonderes ... Es ist nur das Alter, da kann man nicht mehr so wie früher«, entgegnete Ukon und erinnerte sich daran, wie ihm seine Beine in den Bergen ein paar Mal einfach nicht mehr gehorchen wollten und er unter dem Nachlassen seiner Kräfte zu leiden hatte. Eigentlich hatte er sich weiter keine Gedanken darüber gemacht, da er die Schwäche seinem Alter zuschrieb, nun aber, da ihn Clemente, der sich in der Heilkunst gut auskannte, darauf ansprach, musste er noch einmal darüber nachdenken.

»Ihr seid alle vollständig beisammen«, sagte Clemente in die Runde blickend, wobei ihm jeder grüßend zunickte, den sein Blick traf. »Ob es Herrn Tomás Kyûkan wohl gut geht?«, fragte er.

»Wir wurden getrennt, und er wurde nach Wakasa gebracht. Von dort aus soll er vermutlich nach Tsugaru in die Verbannung geschickt werden.«

»Hm, über ihn erging ein anderer Befehl als über die anderen. Da könnte vielleicht die Dame Maria von Bizen nachgeholfen haben.«

»Nein, also …« Ukon hatte noch gar nicht darüber nachgedacht, weshalb nur Ukita Kyûkan von ihnen getrennt worden war, aber bei genauerer Überlegung konnte es vielleicht so sein.

»Wie geht es der Dame Maria denn?«

»Sie traf keine weitere Strafe, obwohl ich mir ja schon große Sorgen gemacht hatte.«

»Da bin ich aber beruhigt. Und blieben auch die anderen Christen von den Untersuchungen verschont?«

»So hat es den Anschein. Wie es nun weitergeht, weiß man natürlich nicht. Aber es gibt ja noch Fürst Toshinaga, da wird die Christen in Kaga schon keine allzu grausame Strafe erwarten.«

»Fürst Toshinaga ist auch schwer krank. Allzu viel Zeit wird er wohl nicht mehr haben.«

»Ich habe ihn zu Weihnachten getroffen. Er war ziemlich geschwächt …«, sagte Ukon, sich daran erinnernd, dass Clemente den Fürsten gelegentlich untersucht hatte. Er selbst kannte sich mit Medizin nicht aus und konnte deshalb auch nicht abschätzen, wie ernst Fürst Toshinagas Krankheit war. Allerdings war auch ihm nicht entgangen, dass er von Jahr zu Jahr schwächer wurde.

»Dies ist keine normale Krankheit.«

»Wie meint Ihr das?«

»Es ist eine tödliche Krankheit«, flüsterte Clemente. Dieses Urteil hinterließ einen kalten Hauch und sie verfielen in fröstelndes Schweigen. Um dieses Schweigen zu brechen, fragte Kôji:

»Herr Clemente, ist Padre Torres auch bei Euch?«

»Also …«, zögerte Clemente einen Augenblick, wie es für ihn sonst gar nicht üblich war. Dann wechselte er ins Portugiesische und sagte zu Ukon: »Der ist in Ôsaka irgendwo untergetaucht. Vermutlich ist er in die Burg von Ôsaka gegangen.« Mit Rücksicht auf Kôji, der nichts verstanden hatte und ein misstrauisches Gesicht machte, sagte Clemente auf Japanisch: »Demzufolge, was man von den Padres aus Kyôto und Ôsaka hört, sind ziemlich viele Christen in der Burg von Ôsaka untergekommen. Zum Beispiel Tannowa Shigemasa, Akashi Kamon oder …«

Mit einem besorgten Blick in Richtung der Tür, vor der ein Wachposten stand, sagte Kôji:

»Tannowa Shigemasa war ein Vasall Fürst Konishi Yukinagas und Herr Akashi, ein Kamerad von Herrn Kyûkan, war ein altgedienter Gefolgsmann Fürst Ukita Hideies. Da ist ja eine ziemliche Prominenz in der Burg versammelt.«

»Ja, das stimmt. Von den Missionaren, die aus Kyôto hierher gebracht wurden, hört man, dass in der Stadt eine Spannung herrscht, als ob die Schlacht jeden Moment losbrechen würde.«

»Früher oder später wird es wohl zum Kampf kommen«, sagte Kôji. »Man kann es auch so sehen, dass das diesmalige Christenverbot erlassen worden ist, um die Christen daran zu hindern, sich mit der Seite von Ôsaka zu verbünden. Wir vermuten, dass Herr Takayama in die Verbannung geschickt wird, weil sich der abgedankte Shôgun vor seinen Fähigkeiten als Kriegsherr fürchtet.«

»Ach woher. Solche Macht habe ich gewiss nicht«, wies ihn Ukon zurecht.

»Das ist meine feste Überzeugung«, beharrte Kôji und schüttelte entschieden den Kopf. »Wenn Ihr Euch auf die Seite Toyotomis schlagen würdet, so würde dies das Kräfteverhältnis von Ost und West deutlich aus dem Gleichgewicht bringen. Eine Chance wie diese, den Einfluss der Christen zu erweitern, kommt nicht noch einmal.«

»Ich habe es schon des Öfteren gesagt, an so etwas würde ich im Traum nicht denken.«

»Das habe ich verstanden. Ich wollte es nur gesagt haben«, bemerkte Kôji mit einem hastigen Seitenblick in Richtung des Wachbeamten. Dieser aber schien ganz in die abendliche Aussicht versunken zu sein.

10

Die Kommunionszüge von Nagasaki

Der Friede des Herrn sei mit dir,
meine über alles geliebte Schwester.

Nagasaki, Dienstag den 3. Juni 1614

Zwei Monate nachdem ich an Weihnachten letzten Jahres einem reisenden Händler meinen letzen Brief an dich anvertraut habe, erreichte am 20. Februar des Jahres 1614 (nach dem Mondkalender, den man hier verwendet, der 12. Tag des 1. Monats im Jahre Keichô 19) das Christenverbot von Großkönig Ieyasu – drei Wochen, nachdem es erlassen worden war – die Stadt Kanazawa. Bruder Hernandez und mir wurde befohlen, dass wir uns in die Hauptstadt zu begeben und dort den Anweisungen des Gouverneurs (des obersten Polizeichefs), Itakura Katsushige, Folge zu leisten hätten. Es war eine plötzliche Abreise, denn wir hatten nur vierundzwanzig Stunden Zeit für die Vorbereitungen. Allerdings hatten wir schon seit längerer Zeit damit gerechnet, so dass der Aufbruch ohne allzu große Hektik und Verwirrung vonstatten ging. Vor allem aber halfen uns Justo Ukon und viele Gläubige mit größter Aufopferung. Ohne an die Verfolgungen zu denken, die von nun an auch sie selbst durch Großkönig Ieyasu zu erwarten hatten, war es ihre einzige Sorge, ob wir unsere Reise heil überstehen würden und wie es uns in Zukunft ergehen würde. Man veranstaltete für uns gar einen Abschied, als wären wir hohe Ritter mit einer Vielzahl von Dienern, die uns zur Hand gingen. Die ängstlichsten unter den Christen, deren Glauben noch unreif war, entfernten sich von der Kirche, was auch nicht schwer zu verstehen ist. Selbst einige der Laienbrüder, die dort gewohnt hatten, flohen. Aber solche Leute gibt es eben überall.

Justo Ukon schickte uns zwei seiner Vasallen mit auf den Weg, die uns beim Tragen des Gepäcks halfen, und mit der fünfköpfigen Eskorte, die Fürst Maeda für uns abgestellt hatte, kämpften wir uns den Weg durch den tiefen Schnee und kamen nur stockend voran, als wir die tief verschneiten Berge überquerten. Als wir nach zehn Tagen Marsches in Kyôto ankamen, hatte man dort Missionare aus den verschiedensten Gegenden Japans versammelt. Acht Priester und sieben Mönche der Gesellschaft Jesu waren dort zusammengekommen. Auf Befehl des Gouverneurs von Kyôto wurden wir im zur Kirche gehörenden Wohnheim der Missionare untergebracht, welches wir nicht verlassen durften. Allerdings waren wir nicht allein, denn selbst auf die Gefahr hin, von den Aufsichtsbeamten als Christen erkannt zu werden, kamen unablässig Gläubige, die sich um unser Wohlergehen sorgten und Essen und Kleidung brachten. Sie beichteten und baten uns Messen abzuhalten, so dass wir für sie in der Gotteshalle mehrere Gottesdienste veranstalteten. Obwohl es in Kyôto siebentausend Christen gibt, war der Gouverneur Itakura Katsushige, der Verständnis für die christliche Lehre hat, so nachsichtig, bei 1600 Namen aufzuhören, als er seine Liste der Gläubigen erstellte. Dann jedoch kam aus Edo ein hoher Regierungsbeamter namens Ôkubo Tadachika, der als Generalbevollmächtigter für die Durchführung des Christenverbotes nach Kyôto geschickt worden war. Schlagartig brach ein wahrer Sturm der Unterdrückung über die Christen herein, die Kirchen wurden niedergerissen oder niedergebrannt, alle Christen wurden festgenommen, die weiblichen Gläubigen wurden in Säcke gesteckt und trotz der Kälte auf der Straße zur Schau gestellt, wo Passanten sie verhöhnten. Man drohte ihnen auch, dass man sie an ein Bordell verkaufen werde. Als ich diese Frauen sah, die solchen Drohungen und Schmähungen standhielten und ihrem Glauben treu blieben, ohne sich durch die Gefahr für ihre weibliche Ehre oder ihr Leben einschüchtern zu lassen, dachte ich mir, falls ich diese Unterdrückung zu ertragen in der Lage wäre, dann nicht nur durch den Willen, dem Befehl des Papstes, wie er in der »Introduction del symbolo de la fe« (»Einführung in den Glauben«) des Jesuitenordens festgehalten ist, gehorsam nachzukommen, sondern vor allem durch die unermessliche Kraft des Herrn, die mit unseren hiesigen Gläubigen war, die wir bekehrt hatten. Die Hauptakteure in den Aufzeichnungen über die Unterdrückung und die Martyrien dieser Epoche werden nicht wir Missionare sein, sondern diese namenlosen Gläubigen, und ich möchte, dass auch du dir wirklich vorstellst, welche Qualen sie erlitten haben, als man sie in Säcke stopfte und dem kalten Wind aussetzte, und dass du einmal versuchst nachzuempfinden, welche Angst sie überkommen haben musste, als man ihnen drohte, sie zur Prostitution zu zwingen.

Eigentlich hatte ich mich darauf gefreut, meinen alten Freund Balthasar Torres in Kyôto wiederzusehen, aber dieser war der Verfolgung der Beamten entflohen und spurlos verschwunden. Da er auch zwei anderen Padres des Öfteren davon erzählt hatte, dass er sich der Partei Hideyoris, der sich in der Burg von Ôsaka verschanzt hatte, anschließen wolle, um für das Seelenheil der gläubigen Krieger zu sorgen, vermute ich, dass er dieses Ansinnen nun schließlich in die Tat umgesetzt und sich in die Burg begeben hat. Eine Entscheidungsschlacht zwischen Großkönig Ieyasu und Fürst Hideyori ist nur noch eine Frage der Zeit, und es heißt, dass Hideyori daraus als Verlierer hervorgehen werde und die Burg in größter Gefahr sei. So war Balthasars Untertauchen, obwohl sein Leben dabei auf dem Spiel steht, eine Entscheidung, wie sie diesem Heißsporn aus Granada ähnlich sieht.

Wir wurden auf Schiffe verladen und fuhren den Kamo-Fluss hinunter, der von Nord nach Süd durch Kyôto fließt. Auf der Brücke neben Rokujô-Gawara, einem Ort, wo Kriminelle hingerichtet werden, befand sich eine große Menge Schaulustiger, die uns als Mönche der üblen Lehre beschimpfte. Als wir dann weiter im Süden in Fushimi ankamen, wurden die Franziskaner aus der dortigen Missionsstation in Schiffe gezwängt, die dann den Yodo-Fluss hinabfuhren. Denselben Fluss war ich damals mit den jungen Herren von der Europagesandtschaft der Tenshô-Zeit zur Audienz bei Großkönig Hideyoshi hinaufgefahren. Der Erinnerung an dieses große Ereignis nachhängend, erreichten wir den Hafen von Ôsaka, der an der Mündung des Flusses liegt. Wir wurden alle unter strenger Bewachung in einer Herberge untergebracht. Die Herbergen hier, die man *hatago* nennt, ähneln sehr den *ventas* unserer Heimat. Alle möglichen Leute finden in ihnen Unterkunft.

Allerdings ist es in diesem Land nicht üblich, in einzelnen Zimmern zu übernachten, die durch Wände abgetrennt sind, sondern in

Gruppen in einem großen Raum, der mit dicken, aus Stroh fein gewebten Matten ausgelegt ist. Dort schlafen die Leute in denselben Kleidern, die sie tagsüber tragen, auf dünnen Matratzen und mit einem harten Kopfkissen. Für die Beamten war dies sicher praktisch, da sie uns so gut im Auge behalten konnten, aber da wir ständig beobachtet wurden, war dies nicht die Atmosphäre, wo man, wie es der Herr empfiehlt, an einem abgeschiedenen Ort beten oder sich der einsamen Meditation hingeben konnte.

Hier habe ich Justo Ukon wieder getroffen. Wie er mir erzählte, haben er und seine Begleiter Kanazawa drei Tage nach meiner und Bruder Hernandez' Abreise verlassen und sind zwanzig Tage lang am Ufer des großen Sees im Osten von Kyôto untergebracht worden. Außerdem habe ich hier auch die Nonnen des Beatus-Ordens aus Kyôto und andere Gläubige hohen Ranges getroffen, so dass ich mich genau über die Situation in der alten Hauptstadt Kyôto informieren konnte. Da eine große Anzahl von Christen nach Nagasaki gebracht werden sollte, brauchte man sieben Schiffe, und noch zwei weitere wegen der Wachsoldaten. An einem Sonntagmorgen Anfang April legten wir in Ôsaka ab, fuhren durch die Inlandsee mit ihren vielen Inseln und an der Nordküste Kyûshûs entlang bis nach Nagasaki, an der Westseite der Insel. Die Schiffsreise dauerte ungefähr einen Monat.

An der Anlegestelle hatte sich eine große Menschenmenge eingefunden. In der ersten Reihe hatten sich die Beamten des Gouverneurs von Nagasaki mit demonstrativ hochgebundenen Ärmeln aufgebaut. Die schwarzen Roben der Missionare, die man dahinter erkennen konnte, erinnerten mich an mein erstes Eintreffen in diesem Hafen vor vierundzwanzig Jahren, als ich von Macao gekommen war. Anders als beim Empfang damals, wurden wir nun aber zu allererst von den Beamten kontrolliert. Es war die Bestätigung der Personen, bei der jeder Einzelne mit Rang und Namen aufgerufen wurde. An solche Prozeduren, mit denen man uns daran erinnerte, dass wir Sträflinge waren und die wir schon bei der Untersuchung durch den Gouverneur von Kyôto durchmachen mussten, war ich bereits gewöhnt. Deshalb kam es mir jetzt auch nur so vor, als ließe man mich an einem festgelegten Ritual teilnehmen, und ich hatte deswegen auch keine besondere Angst.

In der Menge derer, die zu unserem Empfang erschienen waren, konnte ich auf den ersten Blick Padre Mesquita erkennen. Aber nicht nur, weil mir sein vertrautes Gesicht sofort ins Auge fiel, sondern auch, weil er meine professionelle Aufmerksamkeit als Arzt auf sich zog. Er war auffällig abgemagert und sein durch Erschöpfung gekennzeichnetes Gesicht vermittelte mir den heftigen Eindruck einer Erkrankung. Dieser einst so große und stattlich gebaute Mann, der jetzt so um die sechzig sein musste, war stark gealtert, und es tat mir im Herzen weh, ihn faltig und eingefallen wie einen vertrockneten Baum zu sehen. Es war ein trauriges Gefühl, seine knochige Hand zu schütteln und bei der Begrüßung seinen ausgemergelten Körper zu umarmen. Seine Beredtheit und seinen Elan hatte er aber nicht verloren. Er unterrichtete im Kolleg, das von Amakusa nach Nagasaki verlegt worden war, und führte die Missionsarbeit dort fort, nachdem ich Nagasaki verlassen hatte. Außerdem hatte er den zur Kirche der Maria auf dem Berg gehörenden San Miguel-Friedhof angelegt und das Santiago-Hospital erbaut, wo er sich um die Behandlung der Leprakranken kümmerte. Wahrscheinlich hatte diese langjährige, von vielen Plagen erfüllte Arbeit so an seiner Gesundheit gezehrt.

Hinter Mesquitas Rücken kam Padre Pedro Morejon herbeigeeilt. Er war nach mir von Macao nach Japan übergesetzt und hatte dann als Nachfolger Padre Organtinos die Missionsarbeit in Kyôto weitergeführt. Vor zwei Jahren ist er dann nach Nagasaki gekommen. Außerdem traf ich dort an alten Bekannten noch Padre João Rodriguez Girão, Padre Spinola, der als Sekretär des stellvertretenden Provinzials den Jahresbericht der japanischen Mission geschrieben hat, den stellvertretenden Leiter des Kollegs, Padre Critana, und den Gesandten für ganz Japan, Procurador (Provinzial) Padre Vieira.

Als ich mit den Brüdern der Gesellschaft Jesu Begrüßungen austauschte, spürte ich die Blicke zweier Japaner, die in Priestergewänder der Jesuiten gekleidet waren und mich von etwas abseits zurückhaltend anschauten, jedoch den Eindruck erweckten, dass sie mit mir sprechen wollten. Als ich zu den mir irgendwie bekannt vorkommenden Gesichtern hinüber schaute, merkte ich, dass es Hara Martino und Nakaura Julião von der Europagesandtschaft aus der Tenshô-Zeit waren, lief schnell zu ihnen hinüber und umarmte sie nach westlicher Sitte. Die beiden, die nun Mitte vierzig waren, erwiderten unter Tränen die Umarmung. Sie erzählten mir, dass Martino die Drucktechnik, die er im Ausland erlernt hatte, hier zur Anwendung brachte, indem er als Assistent Mesquitas in der Druckerei arbeitete, die an das Santiago-Hospital angeschlossen ist. Während Hara Martino bleich war, wie ein Wissenschaftler oder Techniker, der nicht vor die Tür geht, hatte Nakaura Julião ein sonnenverbranntes Gesicht wie ein Fischer. Wie er berichtete, reiste er als Missionarspriester in Shimabara, Amakusa und Higo, also in den umliegenden Provinzen, herum. Er sprach nach wie vor etwas schwerfällig, fast stammelnd, doch verlieh dies seiner durch das Predigen geübten Rede einen starken Ausdruck von Ernsthaftigkeit. Die beiden waren zusammen mit Itô Mancio ins Jesuitenseminar von Amakusa Kawachiura eingetreten. Danach hatten Mancio und Julião drei Jahre lang als Mönche in Macao gelebt, bevor sie nach Japan zurückgekehrt waren. Vor sechs Jahren hatten alle drei dann durch Bischof Cerqueira die Priesterweihe erhalten. Itô Mancio jedoch erlag vor zwei Jahren einer Krankheit. Die Nachricht von seinem Tode betrübte mich sehr. Als ich die beiden nach Chijiwa Miguel fragte, machten sie ein zunehmend zerknirschtes Gesicht und zögerten, sich gegenseitig anschauend, mit der Antwort. Schließlich gab sich Julião einen Ruck uns erzählte mir vom Schicksal seines Freundes.

Bis zum Eintritt ins Seminar von Kawachiura waren noch alle vier zusammen und Miguel wurde auch in den Jesuitenorden aufgenommen. Obwohl er im Ruf stand, ein guter Schüler zu sein, schwor er aus unerfindlichen Gründen dem Glauben ab, nahm wieder seinen bürgerlichen Namen Chijiwa Seizaemon an und begab sich in die Dienste Sancho Ômura Yoshiakis. Dieser hatte allerdings selbst einst dem christlichen Glauben abgeschworen und sich zur buddhistischen Nichiren-Sekte bekehrt. Da er es deshalb wohl für schädlich hielt, einen Untergebenen zu haben, der auf eine Vergangenheit als Christ zurückblickt, schickte er einen Meuchelmörder, um Chijiwa aus dem Weg zu schaffen. Dieser wurde schwer verletzt und schließlich aus dem Lehen gejagt. Wo er sich jetzt aufhält, weiß keiner, berichtete Julião. Tief erschüttert rief ich mir Chijiwas Gesicht ins Gedächtnis zurück. Er, der von ziemlich schwächlicher Konstitution war, wurde immer sofort seekrank, wenn er ein Schiff bestieg, hatte sich in Toledo gleich die Pocken geholt und neigte überhaupt dazu, zu kränkeln. Auch war es bei ihm im Studium nicht so schnell vorangegangen und Latein konnte er überhaupt nicht. Dafür war er äußerst umgänglich sowie voller Liebe und Bewunderung. Auch gefiel mir seine gepflegte, etwas naive Art, die er wohl seiner Erziehung als Sohn aus gutem Hause zu verdanken hatte. Dieser liebenswürdige Mann soll seinen Glauben verraten haben und nun verschwunden sein …

Die Missionare wurden im Kolleg und im Seminar am Hafen sowie im Missionarswohnheim der San Paulo-Kirche untergebracht. Justo Ukons Gruppe stellte man in einem Privathaus in der Nähe des Gouverneurssitzes unter Bewachung. Während die Zahl der Wachbeamten gleich blieb, kamen immer mehr Missionare hinzu, so dass es den Wachen nicht mehr möglich war, ihre Augen überall zu haben. Wahrscheinlich lag es auch daran, dass Nagasaki eine enge Stadt ist, die auf drei Seiten von Bergen und auf einer Seite vom Meer eingeschlossen wird, so dass es einfach ist, sie abzuriegeln, wenn man nur die Berg- und Seewege bewacht. Jedenfalls war die Überwachung längst nicht so streng wie ursprünglich angekündigt und wir konnten ungehindert in der Stadt umherlaufen. Dasselbe galt auch für Justo Ukon und seine Begleiter, die uns besuchten, sich in der Kirche oder im Kolleg blicken ließen und sich frei bewegten. Nach einer Weile zog Ukon mit seiner Gruppe in das Missionarszentrum der Todos os Santos-Kirche um, wo sich das Hauptquartier der Jesuiten befand. Dort widmete sich Ukon, der seinen Glauben vertiefen wollte, unter der Leitung Padre Morejons eifrig den geistlichen Übungen oder brachte seine Zeit lesend in der Bibliothek zu.

Ich allerdings zog ins Santiago-Hospital, das von Padre Mesquita geleitet wurde, und kümmerte mich um die Untersuchung der Patienten. Als einziger Arzt war dort Bruder Calderon tätig, der im Almeida-Hospital in Funai (heute Ôita in Ostkyûshû), das wegen des Verbannungsedikts geschlossen worden war, schon Erfahrung gesammelt hatte. Da die Bevölkerung von Nagasaki rapide anstieg, nahm auch die Zahl der Erkrankten zu. Hinzu kam, dass es Padre Mesquita, der sich einigermaßen auf dem Gebiet der Heilkunde auskannte, gesundheitlich überhaupt nicht gut ging und er häufig das Bett hüten musste. Insofern waren meine medizinischen Kenntnisse und meine Erfahrung auf diesem Gebiet hier äußerst willkommen.

Auch Justo Ukon, mit dem mich die Freundschaft aus der Zeit von Kanazawa verbindet, traf ich häufig. Er überraschte mich letztens, indem er mir sagte, dass er auch im Krankenhaus arbeiten wolle. Dann erzählte er mir, dass sich sein Vater ganz gut in der Heilkunde auskannte, vor allem in der Behandlung von Augenkrankheiten schien er bewandert zu sein. Auch er, Ukon, habe von seinem Vater einiges über Heilkräuter und die Behandlung von Wunden gelernt. Da wir stark an Personalmangel litten, sagte ich ihm natürlich erfreut zu, obwohl ich meine Bedenken hatte, ob ein Samurai von solch hohem Rang auch wirklich in der Lage sein würde, Patienten zu pflegen. Ihm schien es aber durchaus ernst zu sein, denn er wählte als Arbeitsplatz zunächst die Abteilung für die Leprakranken. Dass er sich als Angehöriger der Kriegerkaste zu einer so unangenehmen Arbeit überwinden kann wie Patienten mit verstümmelten und fehlenden Körperteilen mit Chaulmoograöl einzureiben und ihnen Verbände zu machen, dass er also den entsetzlichen Anblick der sich auflösenden, erkrankten Stellen und den beißenden Gestank des Chaulmoograöls ertragend diese harte Arbeit auf sich nahm, begründete er damit, dass er den Anblick von Blut und Eiter durch die vielen Schlachten, die er mitgemacht hatte, gewöhnt sei und sein Geruchssinn wegen des Alters schon nachgelassen habe. Deshalb sei er für diese Art von Arbeit hervorragend geeignet. Nachdem Justo Ukon angefangen hatte, im Krankenhaus zu arbeiten, kamen auch seine Frau Justa und seine Tochter Lucia und sagten, dass sie gerne helfen würden. Da ich mir dachte, dass die Arbeit in der Lepraabteilung für sie zu hart sein würde, bat ich sie, beim Flicken der Kleidung für die Patienten zu helfen, woraufhin auch die Schwestern des Beatus-Ordens ihre Hilfe anboten. Zuschauend, wie die anderen es machten, betätigten sie sich dann schließlich auch bei der Pflege der Kranken. Da es alles gebildete Damen aus gutem Hause sind, eigneten sie sich die notwendigen medizinischen Kenntnisse schnell an und wurden bald zu einer unabkömmlichen Hilfe bei der Krankenpflege. Das alles war Justo Ukons Einfluss zu verdanken, dieser aber mischte sich in die ganze Sache überhaupt nicht ein und kümmerte sich nur schweigend um die Pflege der Leprakranken.

Die meisten der Patienten, die in dieses Hospital kamen, waren arm. So trat zu ihrer Misere der Armut auch noch die Misere der Krankheit hinzu, was das Innere des Krankenhauses wie die Vorhölle selbst erscheinen ließ. Am allerelendsten aber ging es jenen, die an der tödlichen Krankheit Lepra litten. Da sich an ihren Gesichtern und Extremitäten Zersetzungserscheinungen zeigten und sie zum Teil gelähmt und nicht mehr zu laufen im Stande waren, fanden sie keinen Platz in der Welt, wo sie nicht aus Angst gemieden und gehasst wurden. Für die Schwerkranken benutzte man auch Betten im westlichen Stil, da die Zahl der Patienten aber deutlich die Kapazitäten überstieg, lagen die nicht so schwer Erkrankten auf Strohmatten auf dem Holzfußboden oder im Eingangsbereich. Jedoch mangelte es dem Hospital nicht nur an Zimmern, sondern auch an Kleidung, Arznei und medizinischen Geräten. Eines allerdings war der Stolz des Krankenhauses: dass es nämlich mit chirurgischen Instrumenten ausgerüstet war. Es war ganz hervorragendes Gerät, das Padre Almeida, der das erste Krankenhaus im westlichen Stil in Japan gegründet hatte, aus Italien mitgebracht hatte und das aus eben diesem Hospital in Funai stammte. Darüber hinaus hatte Bruder Calderon an der Universität von Paris studiert und dort die Technik, die Arterie abzubinden, erlernt, die der Leibarzt des Königs von Frankreich, Ambroise Paré, entwickelt hatte. Seine Operationen waren wahre Meisterstücke, bei denen es nur zu geringem Blutverlust kam. Das Problem war nur, dass es keine fähigen Assistenten gab. Die Laienbrüder aus der Stadt oder vom Land waren dafür nicht zu gebrauchen, weil ihnen beim Anblick des vielen Blutes mulmig wurde, und ich bin eher Internist. Ukon, der sich diesen Zustand nicht länger ansehen konnte, bot zwar seine Hilfe an, gab aber nach zwei, drei Versuchen wieder auf, da seine Hände wegen des Alters dafür zu sehr zitterten. Schließlich meldete sich Schwester Ignatia vom Beatus-Orden und sagte, dass sie sich nicht vor dem Blut fürchte, weil sie als Tochter eines Samurai ihren Vater gepflegt hatte, als er in der Schlacht schwer verwundet worden war. So kam es, dass sie Bruder Calderon bei den Operationen assistierte, da sie sowohl tapfer genug war als auch geschickte Hände hatte.

In der zum Hospital gehörenden Druckerei war Hara Martino unter der Führung Mesquitas zum leitenden Drucktechniker aufgestiegen und hatte mit Hilfe einiger Laien und der Gutenbergschen Druckmaschine, dieser Errungenschaft der modernen Zivilisation, bereits über zehn Bücher mit kirchlichen Texten veröffentlicht, was er auch jetzt noch fortführt. Nakaura Julião war sofort nachdem er die Priesterweihe erhalten hatte, nach Hakata gegangen, wo er bis letztes Jahr missionarisch wirkte. Als Fürst Kuroda Nagamasa dann auf die Linie des Shogunats einschwenkte und auch dort die Kirchen niederreißen und die Missionare vertreiben ließ, floh er nach Nagasaki und betätigte sich als Priester für die Gläubigen der Umgebung, wie etwa in Higo, Arima, Ôtomo und Satsuma. Deshalb wusste er auch sehr genau darüber Bescheid, was dort vor sich ging und berichtete uns anschaulich aus erster Hand über den Zustand der Verfolgung in diesen Gebieten.

Am frühesten, brutalsten und gründlichsten begann der Herr von Higo, Fürst Katô Kiyomasa, mit der Unterdrückung der Gläubigen. Als Anhänger der militanten buddhistischen Nichiren-Sekte verhaftete und vertrieb er die Missionare aus seinem Herrschaftsgebiet und strich seinen christlichen Vasallen das Salär. Es waren eben diese Drangsalierungen, vor denen João Naitô Joan und Tomás Kôji geflohen waren, bevor sie schließlich nach Kanazawa kamen. Fürst Kiyomasa verhaftete Samurai, die dem christlichen Glauben nicht abschwören wollten, mitsamt ihren Familien und kerkerte sie ein, ließ sie ans Kreuz schlagen oder köpfen. Ja, manchmal erdreistete er sich sogar der beispiellosen Grausamkeit, selbst sechsjährigen Kindern den Kopf abschlagen zu lassen. Die Gläubigen riefen im Angesicht des Todes den Namen des Herrn, und im Moment des Ablebens waren ihre Gesichter erfüllt vom Ausdruck der Freude über das Martyrium. Es gab auch eine Episode, bei der ein Kind, im Blute seiner eben gerade geköpften Mutter kauernd, den zögernden Beamten stoischbrav den Kopf entgegenstreckte, dass sie auch ihn abschlagen möchten. Schließlich erkannte Fürst Kiyomasa die Tatsache, dass er die Glorie der Märtyrer nur steigerte, je mehr von ihnen er hinrichten ließ und verstieg sich darauf, die gläubigen Samurai aus seinem Herrschaftsgebiet zu vertreiben. Viele von ihnen flohen nach Arima oder Ômura.

Nach dem Tod des gläubigen Fürsten Protasio Arima Harunobu, der Chijiwa Miguel mit der Europagesandtschaft auf die Reise geschickt hatte, übernahm dessen Sohn Miguel Naozumi mit Reisstipenden von 40 000 Scheffeln das Lehen von Arima, das direkt an Nagasaki angrenzte. Wohl auch unter dem Einfluss des Gouverneurs von Nagasaki, Hasegawa Sahyôe, dem Vormund von Naozumis

Frau Kuni-hime, welche wiederum eine Adoptivtochter Ieyasus war, schwor er dem Glauben ab und begann mit rigorosen Maßnahmen zur Umsetzung des Glaubensverbotes. Wegen des starken Widerstandes der Christen in seinem Lehen wollten sich dabei aber keine rechten Erfolge einstellen, weshalb er am Strand eine Feuerhinrichtung veranstaltete, bei der er acht Menschen, Männer und Frauen, darunter auch einen elfjährigen Jungen und ein achtzehnjähriges Mädchen, an Pfähle binden und auf dem Scheiterhaufen verbrennen ließ. Die Namen Jesu und Marias anrufend, starben die Märtyrer, während 20 000 Christen für sie beteten. Auch gab es Menschen, welche die noch nicht vollständig verbrannten Leiber der Märtyrer umarmten. Den Beamten gelang es nicht, den an Wahnsinn grenzenden Enthusiasmus der Gläubigen zu bändigen, und schließlich wurde Naozumi, weil er bei der Ausrottung des Christentums versagt hatte, seines Lehens enthoben und nach Nobeoka versetzt.

Fürst Sancho Ômura Yoshiaki, der einst die Europagesandtschaft empfangen und die Missionsarbeit unterstützt hatte, indem er eine große Kirche erbauen ließ, lud unter dem Einfluss seines Freundes Katô Kiyomasa Mönche der Hokke-Sekte aus Higo ein und errichtete buddhistische Tempel. Dafür ließ er die Kirchen innerhalb seines Lehens abreißen und verbannte die Jesuiten. Auch sein Erbe, Bartolomeo Sumiyori, schwor dem Glauben ab und leistete seinen Beitrag zur Unterdrückung der Christen. Ich kann nur staunen über das Tun der beiden Apostaten. Aber so scheint es nun einmal zuzugehen in dieser Welt.

Wegen des diesmaligen Christenverbotes von Großkönig Ieyasu waren Missionare aus ganz Japan nach Nagasaki deportiert worden, ein ausgesprochen großer Teil von ihnen kam aus Arima, Ômura, Amakusa, Higo, Funai und anderen Gebieten in Kyûshû. Diese Tatsache zeigt den glänzenden Erfolg der Missionare in diesen Gegenden.

Die Bevölkerung von Nagasaki, wo schon vorher über 50 000 Christen zusammen gewohnt hatten, hat drastisch zugenommen, seit die Missionare und Gläubigen aus dem ganzen Land hierher zurückgeschickt worden und Massen Verfolgter aus den benachbarten Provinzen in die Stadt geflohen waren. So drängten sich in diesem engen, von den Bergen und dem Meer eingekesselten Tal die Christen in einer enormen Dichte zusammen, erhitzten sich gegenseitig in ihrem

Glauben und es war, als würde sich der Druck des Feuers, der sich schon lange tief unten im Bauch der Erde aufgestaut hatte, in einer gewaltigen Eruption entladen.

Am letzten Mittwoch des April zogen die Bewohner von Nagasaki durch die Straßen, als wären sie die von Josua angeführten Israeliten selbst. Sie folgten dem Superior der Franziskaner von Nagasaki, Padre Chichan, der zuerst auf der Straße predigte, dann wie der Heilige Franz von Assisi zwölf Leprakranken die Füße wusch und sie küsste, woraufhin er sich einen Sack mit einem Loch darin überzog, ein Halseisen anlegte, sich Asche übers Haupt schüttete und, von Kindern am Seil gezogen, wankenden Schrittes ein schweres Kreuz schleppend voranschritt. Die Missionare hinter ihm hatten sich alle nackt ausgezogen und schlugen sich selbst mit Peitschen, dass das Blut floss, während sie ihm folgten. Hinter ihnen kam dann ein langer, langer Zug von Gläubigen, ein jeder nach eigenem Gutdünken aufgemacht. Unter ihnen sah ich auch den Vogt von Nagasaki, Antonio Murayama Tôan, mit Frau und Kindern. Ich war sehr erstaunt über das merkwürdige Phänomen, dass ein Regierungsbeamter vom Rang eines Vogts es wagte, an dieser Prozession teilzunehmen, die ja gegen das Verbot des Shogunats verstieß, und überdies noch in Begleitung von Frau und Kindern. Vom Aussehen her ist Antonio Murayama eigentlich ein ganz normaler Japaner. Für den Umzug hatte er sich extra ein Tuch aus grobem Stoff um die Hüfte gewickelt und schlug sich mit einer Kette auf den Rücken. Er war in dem Zug so unscheinbar, dass ich gar nicht mitbekommen hätte, wer es ist, hätte mich nicht jemand darauf aufmerksam gemacht. Bei genauerem Hinsehen allerdings fiel mir die Energie auf, die sein Gesicht ausstrahlte, und der Reichtum seines Mienenspiels, an dem man erkennen konnte, um welch außergewöhnlichen Mann es sich handelte. Der Ausdruck des Schmerzes auf seinem Gesicht erinnerte an den des Herrn, als dieser das Kreuz schleppte, und die Schnelligkeit und Präzision, mit der er sich die Kette auf den Rücken schlug, vermittelten die Illusion, dass es die Peitschen der römischen Soldaten wären, die da auf ihn niedergingen. Es war eine perfekte Doppelrolle, die er aufführte. Was Antonio Tôan darüber hinaus von den anderen abhob, waren seine Frau, die ihm, in beiden Händen ein Kruzifix haltend und Arme und Schultern mit einem groben Seil zusammengeschnürt, barfuß folgte, sowie seine zahlreichen Söhne und Töchter, die alle Kreuze und Heiligenstatuetten emporhielten und funkeln ließen. Antonios zweiter Sohn, Francisco, übernahm die Regie bei der Prozession. Da er der Pfarrer der San Antonio-Gemeinde im Hondaiku-Viertel war, trug er die Priestertracht der Dominikaner. Der älteste Sohn, ebenfalls Mönch, stand der Rosenkranz-Bruderschaft vor, die aus dem Orden der Dominikaner hervorgegangen war und 20 000 Mitglieder zählte. Die 20 000 Menschen, die sich hinter ihm aufreihten, sahen wahrhaftig aus wie die Armee der Israeliten, die einst über die eingestürzten Stadtmauern hereinbrach.

Am Freitag, dem fünften Mai, fand der Kommunionszug der Benediktiner und am darauf folgenden Tag die Prozession des Augustinerordens statt, so dass die Gläubigen entbrannten Herzens überall aktiv wurden und die ganze Stadt in den Flammen des Glaubens aufging, dass es aussah, als hätten sich die neun Stämme von Israel erhoben. Mit diesem Eifer wiederholten sich die Ereignisse bis Ende Mai. Die Menschen hatten sicher die Absicht, ein Zeichen des Widerstandes gegen die Unterdrückung durch die Regierung und den Gouverneur von Nagasaki zu setzen, doch gerade in diesem Punkt waren wir Jesuiten anderer Ansicht als die Franziskaner, Benediktiner und Augustiner. Die Jesuiten hielten sich zurück, weil sie befürchteten, dass die Kirche beschuldigt würde, mit solchen Protestaktionen den Widerstand der Bürger zu organisieren, und der Gouverneur von Nagasaki dadurch nur drastischere Maßnahmen ergreifen würde. Also beschränkten wir uns zunächst darauf, die Entwicklung der Situation kühlen Kopfes zu beobachten, doch konnten auch wir Jesuiten nicht ewig in solch unentschlossenem Zögern verharren und veranstalteten schließlich am Donnerstag, dem 29. Mai, auf Druck der Gläubigen hin ebenfalls eine Corpus Christi-Prozession. Am Morgen versammelten sich die Ordensbrüder der Gesellschaft Jesu sowie die Missionare und Gläubigen aus den Einrichtungen der Jesuiten bei der Todos os Santos-Kirche auf der Erhebung in der Mitte der Stadt. Auch wir, Bruder Calderon, Hara Martino, Nakaura Julião, die Laien, die Gläubigen und ich, schritten zusammen mit denjenigen Patienten, die laufen konnten, vor allem Leprakranken, den Anstieg in Richtung Kirche hinauf. Während wir darauf warteten, dass sich alle versammelten, ging ich mit Justo Ukon auf die Terrasse der Kirche, und wir ließen unsere Blicke über die Stadt schweifen. Meine Schwester, ich will darauf hinweisen, wie hoch diese Terrasse ist und an welchem Punkt sie sich in der Stadt befindet.

Nagasaki liegt am Ende einer tief ins Land hineinreichenden Förde. Wie man sich denken kann, wenn man weiß, dass der Ort eng von Bergen umrandet ist, eignet sich die Bucht mit ihrer Wassertiefe gut als Hafen. Als erster erkannte dies Padre Xaviers Begleiter, Padre Cosme de Torres. Seitdem machten ihn viele Missionare zum Ausgangspunkt ihrer Tätigkeit in Japan, Menschen siedelten sich an, und es entstand eine Hafenstadt auf dem knappen, flachen Land, auf dem Boden des mörserförmigen Talkessels, der bald voll bebaut war, so dass man begann, auch die Berghänge zu nutzen, was der Stadt ihr eigentümliches Bild mit den vielen steilen Gassen verlieh. Das auf den flachen Teil gebaute Viertel in der Nähe der Anlegestelle wird »Innenstadt« genannt. Hier gibt es prächtige Gebäude, und die ausländischen Händler mit ihren Schiffshäusern und Geschäften haben offenbar keine Kosten gescheut, ein Viertel mit massiven Häusern zu errichten, über welches sich der Amtssitz des Gouverneurs, von Mauern und hohen Zäunen umgeben, erhebt. Auf den Hängen der sich in das Tal hineinschiebenden Berge befindet sich die so genannte »Außenstadt«. Hier drängen sich, von Zäunen umschlossen, schlichte, kleine Wohnhäuser aneinander, deren Bretter vom Schweiß harter Arbeit getränkt sind.

Über dieses ganze japanische Stadtbild verteilt, heben sich übrigens durch ihren völlig andersartigen Stil die Kirchen mit den dazugehörigen Gebäuden und Friedhöfen ab und erzeugen eine europäische Atmosphäre. Vor allem aber springt die Mariä Himmelfahrtskirche, die in der Innenstadt am Ufer steht, mit ihrem großen Uhrturm ins Auge. (Auf der Uhr sind sowohl die zwölf japanischen Tierkreiszeichen für die Stunden als auch das westliche Zifferblatt abgebildet, und zur vollen Stunde läuten mechanische Glocken.) Diese und die weit vom Meer aus sichtbare San Paulo-Kirche bilden zusammen zwei Torpfosten von majestätischem Anblick, welche von der Geschichte der europäischen Christen zeugen, die hier an Land gegangen sind, und von Ferne anmuten wie das Tor von Brindisi in Italien. Zwischen den beiden Gotteshäusern befinden sich das Kolleg (wo Astronomie, Mathematik, Geographie und Latein unterrichtet wird) und die Druckerei (hier werden Texte mit Metalllettern gedruckt und verlegt).

Was ich als Besonderheit des Stadtbildes von Nagasaki ansehe, ist, dass Wohnhäuser und Kirchen gemischt nebeneinander stehen und den Kirchen Einrichtungen angegliedert sind, die dem Wohle der Bürger dienen, wie etwa bei der Santiago-Kirche auf der Grenze zwischen Innenund Außenstadt, neben der sich ein Hospital und eine Schule befinden. Eigentlich war es sogar so, dass Padre Mesquita zuerst das Krankenhaus gegründet und danach für die Patienten eine Kirche errichtet hatte. Hier in dem Wald unter der Todos os Santos-Kirche befindet sich die Kirche der Maria auf dem Berg mit dem Santa Cruz-Friedhof für die Gläubigen, und der San Francisco-Kirche gehört der San Miguel-Friedhof an. So erbaut die Kirche hier für die Bürger Einrichtungen zum Lernen, Beten, Heilen und für die ewige Ruhe. Die Kirchen in Nagasaki sind keine »Südbarbarentempel«, wie man sie mit reichlich pejorativem Unterton in Kanazawa, Kyôto oder Ôsaka nennt, sondern auf sie trifft die ehrenvolle Bezeichnung »Iglesia« zu, da sie fest mit dem Leben der Menschen verbunden sind.

In der Bucht lagen außer den japanischen Booten und Küstenschiffen auch große und kleine Handels- und Kriegsschiffe aus Portugal und China. Gerade bewegten sich ein zweimastiges portugiesisches Schiff und eine große chinesische Dschunke, deren typisches Leinensegel sich im Wind bläht, weiter draußen waren Fischerboote auf Fangzug. Der Inasa-Berg auf der anderen Seite der Förde war von der Sonne schon hell beschienen und man konnte fühlen, dass sie auch bald das Kreuz auf dem Turm der Todos os Santos-Kirche golden erglänzen lassen und dann auf die Stadt und die Schiffe herabscheinen würde.

Der sanfte Klang männlicher und weiblicher Stimmen, das Geräusch langsamer Schritte – eine große Schar von Menschen kam die Steigung zur Kirche herauf. Die Priester und Mönche aus Europa, die sich unter sie gemischt hatten, stachen wahrlich wie Hirten aus einer Herde von Schafen hervor. Als sie erfahren hatten, dass heute die Prozession unter Leitung der Jesuiten stattfindet, waren Hirten aus allen möglichen Ecken der Stadt mit ihren Lämmern herbeigekommen.

Weil ein Laie kam und uns mitteilte, dass die Messe beginne, begab ich mich zusammen mit Justo Ukon in die Kirche, wo sich bereits einige Dutzend Padres in reinweißen Priestergewändern beim Altar aufgestellt hatten. Als Hauptpriester fungierte der Generalvertreter der Jesuiten, Pacheco, an seiner Seite der stellvertretende Leiter des Kollegs, Critana, dazu noch Vieira, Zora aus Italien, Alvarez, Justos Beichtvater Morejon, Hara Martino und Nakaura Julião. Ich zog mich schnell um und gesellte mich zu ihnen.

Da die kleine Kirche voll war, ließ man während des Gottesdienstes mit Rücksicht auf die Gläubigen, die nicht mehr hineinpassten, die Türen offen.

Die Messe begann mit einem gregorianischen Choral, den der Knabenchor des Seminars vortrug. Ich war schon immer erstaunt über das hohe Niveau der Schülerchöre in den Seminaren und Kollegien von Nagasaki. Auch in Kanazawa gab es einen Kirchenchor, der jede Messe begleitete, doch konnte sich dieser nicht mit dem hiesigen messen, wo die Stimmen der Erwachsenen und der Kinder geschickt aufeinender abgestimmt waren. Sie trugen die in Nagasaki verlegte Sammlung »Manvale ad Sacramenta« vor und waren durchaus in der Lage, die fahnenförmigen Neumen* korrekt zu intonieren. Als erstes Stück erklang »Veni, Creator Spiritus« (Komm Heil'ger Geist, der Leben schafft).

Veni, Creator Spiritus, mentes tuorum visita,
imple superna gratia, quae tu creasti pectora.

Qui diceris Paraclitus, donum Dei altissimi,
fons vivus, ignis, caritas, et spiritalis unctio

Deo Patri sit gloria, et Filio, qui a mortuis
surrexit, ac Paraclito, in saeculorum saecula. Amen.

(Komm, Heilger Geist der Leben schafft, erfülle uns mit deiner Kraft. Dein Schöpferwort rief uns zum Sein, nun hauch uns Gottes Odem ein.

* Vorläufer der modernen Notenschrift

> Komm, Heiland, der die Herzen lenkt, du Beistand, den der Vater schenkt; aus dir strömt Leben, Licht und Glut, du gibst uns Schwachen Kraft und Mut.
>
> Den Vater auf dem ew'gen Thron und seinen auferstand'nen Sohn, dich, Odem Gottes, Heil'ger Geist, auf ewig Erd' und Himmel preist, Amen.)

Der Gesang wusch die Herzen derer rein, die sich in und vor der Kirche eingefunden hatten, und die Kraft des Heiligen Geistes, der die Seelen tief durchdrang, verband die Gläubigen, als wären sie ein einziges Lebewesen. Vom Wind getragen, verbreitete sich der Gesang wie unzählige Engel von unglaublicher Schönheit, dass man glauben mochte, Gott sei aus Zion erschienen. Ich versenkte mich begeistert in den Vortrag des Chores, welcher auch der Rezitation gregorianischer Choräle, wie ich sie in Spanien von dem berühmten Chor des Santo Domingo de Silos-Klosters gehört hatte, in nichts nachstand. Diese himmlisch klaren Stimmen der noch jungen Knaben bewegten meine Seele, und Bewunderung erfasste mich über die unergründlichen Künste des Herrn, der ihnen den Kern der Lehre so tief einzupflanzen wusste. Dies bestärkte mich in meiner Gewissheit, dass der Glaube auch in diesem abgelegenen Inselreich die Verfolgung, welcher Art auch immer sie sein mag, überdauern und wie einst in Rom wieder zu neuem Leben erwachen wird.

Als die Messe zu Ende war, verließen alle im Gefolge der Padres die Kirche und vereinten sich mit der wartenden Menge, um mit den Vorbereitungen für die Kommunionsprozession zu beginnen. Neben Kruzifixen und Heiligenbildern gab es auch jemanden, der ein aus Kanthölzern zusammengebautes Kreuz in Originalgröße geschultert hatte, und Leute, die sich, nur mit einem derben Sack bekleidet, zusammenschnüren ließen. Andere hatten mit nacktem Oberkörper Dornengestrüpp geschultert, das mit Reetmatten beschwert war, oder ließen sich ans Kreuz binden und auspeitschen. Es gab eine Vielzahl an Verkleidungen, um den leidenden Heiland nachzuahmen. Ich übernahm die Rolle, zusammen mit den Leprakranken des Santiago-Hospitals zu gehen und sie vor den Augen der Menge demonstrativ zu küssen.

Justo Ukon jedoch sagte, dass es eine allzu große Provokation für den Gouverneur wäre, wenn er an dem Umzug teilnähme, und entfernte sich, worauf es ihm Justa, Lucia sowie Naitô Julia und ihre Ordensschwestern gleichtaten. Einer nur, nämlich Tomás Kôji, der seine Haartracht zu der eines einfachen Stadtbürgers geändert hatte, rieb sich Ruß ins Gesicht, zog sich nackt aus und lief, sich mit einer Kette auf den Rücken schlagend, in der Prozession mit.

Als wir den Anstieg vor der Todos os Santos-Kirche hinuntergingen und an der Kirche der Maria auf dem Berg ankamen, gesellte sich der Vogt von Nagasaki, Antonio Tôan, mit seiner Familie zu uns. Eigentlich sollten wir wegen des extremen Schauspiels, von dem ich oben schon berichtet habe, die Reaktion der Obrigkeit fürchten, doch sahen die Beamten des Gouverneurs schweigend darüber hinweg. Diese Begebenheit zog die Aufmerksamkeit der Menge auf sich. Der Gouverneur von Nagasaki vertritt die lokale Autorität des Großkönigs Ieyasu und sollte als Exekutivorgan bei der Umsetzung des Christenverbots somit auch die uneingeschränkte Macht besitzen, jederzeit zu intervenieren. Nun ist es aber so, dass der Vogt als lokale Größe von hohem Einfluss einerseits die Aufgabe hat, den Willen der Obrigkeit durchzusetzen, andererseits aber auch seine Rolle als Repräsentant der Bevölkerung von großem Gewicht ist. Diese Situation erinnert an das Verhältnis zwischen dem Statthalter Roms und dem König von Judäa. Auch Pontius Pilatus hatte nicht die Macht, sein Amt auszuführen, indem er Herodes Wille ignorierte. Und wie er vor allem während des Passah-Festes auf die Stimme des Volkes von Judäa hören musste, so konnte man nun beobachten, dass auch das Amt des Gouverneurs von Nagasaki nicht die Macht hatte, in das Geschehen dieses leidenschaftlich entflammten Kommunionszuges einzugreifen, und es war der Vogt Antonio, der, diesen Sachverhalt verkörpernd, die Blicke der Massen auf sich zog.

Die Prozession machte zunächst ihre Runde an allen Kirchen der Außenstadt vorbei, wo sich ihr die Gläubigen eines jeden Gotteshauses anschlossen, weshalb die Zahl derer, die mitliefen, immer mehr anschwoll. Da sich an der Todos os Santos-Kirche bereits siebenhundert Menschen versammelt hatten, waren das vordere und hintere Ende des Zuges, der sich wie eine lange Wolke ausdehnte, nicht mehr zu sehen, und es war unmöglich zu schätzen, wie groß die gesamte

Teilnehmerzahl überhaupt war. Gebete, Rufe, Schmerzensschreie, das Geräusch der Schritte und der fallenden Blumensträuße, welche die Menge am Wegesrand den Vorbeiziehenden zuwarf, das Peitschen des Leders und das scharfe Rasseln der Ketten vermischten sich zu einem Dröhnen, das vom frischen Grün der Berge so stark widerhallte, dass es der Herr wohl unmöglich überhören konnte, und dessen Kraft mich umschloss und mir Mut gab, als ich neben den Leprakranken einherging.

Nachdem wir die Tour der Kirchen in der Außenstadt abgeschlossen hatten und sich die Prozession in die Innenstadt hineinbewegte, erhob sich an der Spitze des Zuges Aufregung und eine Gruppe von Leuten kam zurückgelaufen, um dem Vogt Murayama Bericht zu erstatten. Obwohl es bisher die Gepflogenheit gewesen war, die Prozession, die zur Santa Maria-Kirche am Hafen führte, wo sie sich dann auflöste, beim Einzug in die Innenstadt möglichst weitläufig am Amtssitz des Gouverneurs vorbeizuführen, hatte sie diesmal irgendjemand direkt in Richtung des Amtssitzes geführt, und es war zu Plänkeleien mit den Beamten des Gouverneurs gekommen, die sich dem Zug in den Weg gestellt hatten. »Wer hat das gemacht?«, brüllte der Vogt aufgebracht. »Auch wenn der Kommunionszug ein Zeichen des Widerstandes gegen das Christenverbot sein soll, habe ich euch doch immer wieder gesagt, dass es nicht angeht, die Autoritäten vorsätzlich zu provozieren. Was soll das also? Und wer war das überhaupt?« Als er auf diese Frage die Antwort »der Herr Francisco« bekam, stürmte Tôan mit hochrotem Kopf und die Kette schwingend, mit der er sich auf den nackten Rücken geschlagen hatte, los, indem er sich plötzlich mit den Worten: »Folgt mir bitte, Padre« zu mir umwandte. Ich rannte also hinter ihm her, und als wir am Kopf des Zuges ankamen, starrten sich dort die Soldaten des Gouverneurs und Tôans zweitgeborener Sohn, der Gemeindepriester Murayama Francisco, mit giftigen Blicken gegenseitig an.

Von Tôans Söhnen war er der enthusiastischste Christ, der überdies von äußerst impulsiver Art ist. Er liebt es, auf der Straße zu beten und bei Prozessionen an der Spitze mitzugehen. Als er einen Schritt nach vorne tat, reagierten die Beamten, die sich vor ihm aufgebaut hatten, indem sie die Hände an die Griffe ihrer Schwerter legten. Die Situation war bedrohlich angespannt.

»Was soll das?«, fuhr der kleingewachsene Vater seinen stattlichen Sohn mit grimmigem Gesicht an, während er ihn zurückdrängte. »Ich wollte beim Amt des Gouverneurs eine Petition gegen die Unterdrückung der Kirche einreichen.«

»Vergiss es. Der Herr Gouverneur ist nicht da, weil er sich nach Sumpu begeben hat.«

»Das weiß ich. Ich wollte das Schreiben nur schon mal abgeben, dass er es sofort lesen kann, wenn er zurückkommt. Ich dachte mir, man sollte es den Herrn Gouverneur wissen lassen, dass wir hier fast jeden Tag eine Prozession veranstalten, um für die Sicherheit der Kirche zu bitten.«

»Dann hättest du seinem Vertreter das Schreiben auch auf ganz normalem Wege zukommen lassen können, statt die für die Prozession hier zuständigen Herrschaften extra mit einer direkten Demonstration zu belästigen. Solche Demonstrationen sind verboten. So etwas kann ganz schnell ins Auge gehen.«

»Ich bin durchaus bereit zu sterben. Meiner Meinung nach hat es gerade Wirkung, die Petition direkt einzureichen, vor allem, wenn man dabei sein Leben aufs Spiel setzt.«

»Hat es nicht«, sagte Tôan, entschuldigte sich höflich bei den Beamten und packte seinen hoch gewachsenen Sohn am Ärmel, der ihm erstaunlich willig folgte. Diesmal war es Naitô Kôji, der sich Tôan in den Weg stellte und sagte: »Ich glaube, es ist besser, die Petition heute direkt zu überreichen. Lasst mich zusammen mit Herrn Francisco zum Amtssitz des Gouverneurs gehen«, worauf der Vogt mit einem entschiedenen »Nein« antwortete. Da sich zwischen den Dreien nun eine Diskussion entspann, merkte ich, dass es für mich an der Zeit war, einzuschreiten. Also versuchte ich den Priester und den Gläubigen aus Kanazawa, die ich beide gut kannte, zu überzeugen.

»Es ist wohl wirklich nicht so geschickt, hier in Form eines Volksauflaufes das Schreiben zu übergeben, wenn der Gouverneur abwesend ist. Denn wenn er in Sumpu von der Sache erfährt, wird er sich vielleicht denken, dass es hier in Nagasaki einen Aufstand gegeben habe und die Christen gegenüber Großkönig Ieyasu weitaus gefährlicher darstellen, als sie es wirklich sind. Den Beamten des Gouverneurs jetzt den Eindruck einer direkten Demonstration, also von Gewaltbereitschaft zu vermitteln, schadet nur …« Da meine Worte bei

Francisco Wirkung zeigten und er beigab, zeigte sich auch Tomás überzeugt, wenngleich es ihm gegen den Strich zu gehen schien.

Allerdings war es die letzte Prozession, die da an jenem 29. Mai stattfand, und die Serie der Kommunionszüge, welche die Hafenstadt seit dem 9. Mai zum Brodeln gebracht hatte, riss damit ab. Es ist wirklich merkwürdig, warum diese Aufregung und die Aktivitäten, welche die Geistlichen und Gläubigen für eine Zeit von genau zwanzig Tagen zum Kochen gebracht hatten, so plötzlich endeten. Es war ja nicht so, dass vom Amt des Gouverneurs von Nagasaki ein Verbot für die Prozessionen ausgegangen wäre oder jemand der Gläubigen die Meinung geäußert hätte, dass man sie einstellen solle. Nur eines kann man wohl sagen, dass es sich mit der Leidenschaft für die Umzüge ähnlich verhalten hatte wie mit einem Flächenbrand, der, wenn alles abgebrannt ist, genauso schnell wieder zum Erlöschen kommt, wie er sich zunächst ausgebreitet hat. Ich weiß nicht, ob es wirklich so war, aber was danach kam, war jedenfalls eine düstere Niedergeschlagenheit, getragen von schwarzen Vorahnungen der unvergleichlichen Härte, mit der die Verfolgung der Obrigkeit über uns hereinbrechen würde.

Meine Schwester, ich kann jetzt noch nicht sagen, was von nun an geschehen wird. Das Amt des Gouverneurs von Nagasaki hüllt sich weiterhin in unangenehmes Schweigen und die Beamten verhalten sich uns Missionaren gegenüber freundlich. Es ist uns zwar streng verboten, Nagasaki zu verlassen, aber wir dürfen uns frei in der Stadt bewegen, im Hospital die Patienten pflegen und in der Kirche Messen abhalten. Ich treffe momentan Justo Ukon sehr häufig, der jeden Tag ins Krankenhaus kommt, und wir haben sehr vertrauten Umgang miteinander. Über eines allerdings mache ich mir Sorgen, nämlich den Rückgang seiner körperlichen Kräfte. Er ist schnell gealtert und auch seine Haare sind ergraut. Entweder hat er irgendwelche Sorgen, die ihn zermürben, ohne dass er mir davon erzählen kann, oder es hat sich eine Krankheit in ihm eingenistet. Da ich fast glaube, dass es sich um das Letztere handelt, habe ich ihm vorgeschlagen, sich untersuchen zu lassen, aber er schüttelte nur lachend den Kopf und sagte: »Wer gesund ist, braucht keinen Arzt.« Auch die Krankheit Padre Mesquitas hat sich verschlimmert, so dass er fast die ganze Zeit das Bett hüten muss. Hara Martino kümmert sich eifrig um seine Pflege und auch Justo Ukon hat es sich zur täglichen Routine gemacht, als erstes nach ihm zu schauen, wenn er ins Hospital kommt.

Liebe Schwester, an dieser Stelle muss ich meinen Brief nun abrupt abbrechen, weil gerade ein portugiesisches Schiff der Nao-Klasse im Hafen eingetroffen ist und ich den Kapitän darum bitten möchte, diesen Brief an dich mitzunehmen. Eine solche Gelegenheit gibt es selten, deshalb beende ich den Brief nun. Bleib gesund. Bei der nächsten Möglichkeit, die sich ergibt, schreibe ich dir wieder.

Der Friede des Herrn sei mit dir,
meine über alles geliebte Schwester.

Juan Bautista Clemente

11
Der Christenfriedhof

Heute Morgen hatte es seit längerem einmal nicht geregnet, und die Sonne, die durch die perlenfarbigen Wolken hindurchbrach, ließ das Meer, die Berge, die Stadt und die Kirche erstrahlen. Auch der Wind, der von See her wehte, war erfrischend trocken. Die frühsommerliche Regenzeit hatte begonnen und der tagelang anhaltende Regen wusch die Pflastersteine und ließ sie geschmeidig erglänzen. Ukon begutachtete starren Blickes die akkurate Arbeit, mit der die gewissenhaft geschliffenen, flachen Steine mit denen der Platz bedeckt war, zu Fächermustern ausgelegt waren. Die auf dem Kopf stehende Reflexion der San Francisco-Kirche auf dem silbrigen Spiegel des Pflasters bot einen schönen Anblick.

Auf der Rückseite der Kirche breitete sich ein Friedhof aus. Ein schnurgerader Weg aus Steinen verlief mitten durch die Ansammlung der Gräber und unterteilte sie exakt in eine rechte und eine linke Hälfte. Die meisten Gräber beherbergten portugiesische und spanische Missionare und waren mit Südbarbarenbuchstaben beschriftet. Auf einigen wenigen Grabsteinen sah man auch japanische Schriftzeichen.

Der Vogt von Nagasaki, Murayama Tôan, der sich in der Gegend offenbar gut auskannte, bog schnurstracks in einen Nebenpfad ein, nachdem er sein ihm wohl bekanntes Ziel ausgemacht hatte. Außer Atem folgte Ukon dem Mann, der flink wie ein Fuchs voranstürmte.

»Das hier ist es«, sagte Tôan, der vor einem Grab stehen blieb und sich umwandte.

Es war ein kleines Grab mit einem steinernen Kreuz. Aus dem portugiesischen Epitaph ging hervor, dass Dario Hida no kami im Jahre 1595 in Kyôto verstorben war und seine sterblichen Überreste nach

Nagasaki überführt worden waren. In den Vertiefungen der Buchstaben hatte sich Schlamm abgesetzt, der nun mit Moos überzogen war. Ukon begann mit dem Wasser aus dem Holzeimer, den er mitgebracht hatte, den Grabstein abzuwaschen.

»Lasst Euch helfen«, sagte Tôan und gab dem jungen Mann, der ihn begleitet hatten, mit den Augen ein Zeichen.

»Nein, das ist eine Aufgabe, die mir als Sohn zukommt«, lehnte Ukon ab und wusch, mit dem Finger kratzend, den Schmutz ab. Die erodierte Oberfläche des Steins ließ ihre grobe Haut erglänzen, und es sah aus, als würde das Wasser über die faltige Haut eines Greises geschüttet. Nachdem Ukon ein Kreuz geschlagen hatte, legte er die Hände zum Gebet zusammen.

Da überkam ihn das Gefühl, als wäre sein hoch gewachsener Vater dem Grabe entstiegen und stünde nun plötzlich vor ihm. Ukon, du bist auch alt geworden. Es kam ihm vor, als spüre er den Blick seines Vaters, und er senkte lächelnd den Kopf zum Gruße. Wir haben uns lange nicht gesehen. Sein Vater, einst Herr der Burg von Sawa in Yamato, war ein General gewesen, der bei allem, was er tat, vollkommene Gründlichkeit walten ließ. Anfangs war er leidenschaftlicher Buddhist gewesen. Ukon konnte sich nicht mehr erinnern, ob sein Vater der Nichiren- oder der Zen-Sekte angehört hatte, jedenfalls besaß er tiefe Einsicht in die Lehre des Buddhismus und lehnte den Gott der Christen ab, weil er ihn als eine Gefahr aus dem Ausland betrachtete. Doch ebenso wie Paulus änderte er plötzlich seine Einstellung. Er hatte Ukon nie erzählt, weshalb er so überaus plötzlich zum Christentum konvertiert war. Er war noch ein Kind gewesen, als sein Vater plötzlich den buddhistischen Hausaltar weggeräumt und stattdessen ein silbernes Kreuz aufgestellt hatte, das aus den Ländern der Südbarbaren stammte. Statt des buddhistischen hielt er nun einen christlichen Rosenkranz in der Hand, und die Verneigungen wurden durch das Zeichen des Kreuzes ersetzt. All diese Veränderungen hatte Ukon mit größtem Erstaunen beobachtet.

Eines Tages rief sein Vater Frau und Kinder zusammen und teilte ihnen mit, dass am nächsten Tag ein hoher Mönch namens Lorenzo kommen werde, um über Christus zu reden und dass sie aufmerksam zuhören sollten. Am betreffenden Tage hatte sich dann außer den Eltern und Kindern auch eine große Anzahl Vasallen des Hauses versammelt, die sich ein Lachen nicht verkneifen konnten, als Ukons Vater zusammen mit Lorenzo vor sie trat. Wegen des Namens Lorenzo hatten alle erwartet, dass es sich um einen Südbarbaren handeln würde, doch wer da vor ihnen erschien, war ein Japaner um die vierzig, der mit seiner schäbigen schwarzen Kutte, ausgemergelt wie ein vertrockneter Baum und darüber hinaus noch einäugig, ein wenig eindruckvolles Bild abgab. Doch als er zu sprechen begann, erfüllte der wohlklingende Ton seiner klaren, sonoren Stimme den ganzen Saal. Seine ausgefeilte Sprechkunst rührte daher, dass er früher als Geschichten erzählender Mönch mit der Biwa-Laute durchs Land gezogen war. Wie dem auch sei, Ukon wurde von Anfang an gleichsam in diese Rede hineingesogen, die auch für ihn als Zwölfjährigen gut verständlich war und deren Inhalt darüber hinaus so herzbewegend und imposant war. Das Land und das Meer, das alles befände sich auf einer gigantischen Kugel, die Erde genannt werde, und diese Erde, ebenso wie alle Sterne, die man am Nachthimmel sehe, seien von Deus erschaffen worden. Deus sei der König der Götter, der alle acht Millionen Gottheiten Japans, die verschiedenen Buddhas und selbstverständlich auch die Menschen, alle Lebewesen also, die diese Erde bevölkern, erschaffen habe ... Es war eine Rede, bewegend und eindrucksvoll, wie Ukon sie noch nie gehört hatte. Am meisten beeindruckte ihn, dass sich dieser unendlich große König der Götter unter den Menschen selbst befinde, dass dieser Deus das Leben der Menschen in Bewegung versetze, und sogar die kleinsten Tätigkeiten wie das Atmen oder das Krümmen eines Fingers allein durch ihn zustande kämen.

Auch die Person Jesu Christi erweckte Ukons Interesse. Es hieß, dieser sei arm geboren worden, habe im Alter von dreißig Jahren Menschen geheilt, den Hungernden Brot gegeben, er habe die Leidenden getröstet und sich geopfert, nachdem er viele gute Taten vollbracht habe, indem er am Kreuz starb, um die Menschen von ihren Sünden zu befreien und danach wieder aufzuerstehen. Christus sei der einzige Sohn Dei, des Königs aller Götter. Wer dem Beispiel Christi, dieses Mensch gewordenen Gottes, folge und sein Leben aus Liebe zu den anderen opfere, den erwarte die Gnade, in den Himmel zurückzukehren und dort das ewige Leben zu erlangen ...

Ukon hatte man gelehrt, es sei der Stolz eines Kriegers, das Leben für seinen Herrn hinzugeben, und er hatte dies auch eingesehen. Doch gerade die Lehre, dass die wahre Glorie darin liege, nicht nur für seinen Feudalherrn, sondern für jeden Menschen, sei er auch nur aus dem einfachen Volke oder ein armer Schlucker, das eigene Leben wegzuwerfen, blitzte vor ihm als etwas erfrischend Neues auf.

Einige Tage später erhielten Ukons Mutter und die Kinder sowie hundertfünfzig Hausvasallen durch Lorenzo die Taufe. Ein jeder bekam einen Christennamen. Ukon erfuhr, dass der seines Vaters Dario sei. Seine Mutter bekam den Namen Maria und sein Christenname wurde Justo, was so viel heiße wie »der Aufrichtige« und in diesem Fall bedeute, dass ein Aufrichtiger derjenige sei, welcher der Lehre Christi bis zum Schluss treu bleibe, so wurde ihm gesagt. Mit einem Gefühl des Stolzes fühlte Ukon die Kühle des Wassers, mit dem ihm Lorenzo die Stirn benetzt hatte, und roch den Duft des Räucherwerks, als über ihm das Zeichen des Kreuzes geschlagen wurde.

Damals allerdings war Ukons Glaube noch oberflächlich. Mehr als Glaube war es das Interesse an den seltenen Dingen aus den Ländern der Südbarbaren, und es war tatsächlich auch so, dass vor allem der wundersame Klang der portugiesischen Sprache seine Aufmerksamkeit auf sich zog. Ukon, den Lorenzo in das Portugiesische einführte, scheute sich nicht, die ausländischen Missionare, die sein Vater aus der Hauptstadt nach Sawa einlud, anzusprechen und so die Sprache in praktischer Anwendung zu üben. Die Gelegenheiten dazu nahmen vor allem deshalb zu, weil viele Missionare sich mit der Bitte um Schutz an Dario wandten, als nach dem Mord an Shôgun Ashikaga Yoshiteru die Situation im Lande immer unsicherer wurde und die Kräfte, die sich gegen das Christentum aussprachen, immer mehr an Stärke gewannen. Es war zu eben jener Zeit, dass Ukon den brillanten Sprachlehrer Padre Frois kennenlernte. Er war sehr locker und gesprächig, lästerte gelegentlich über den Shôgun und verstand es, Leute mit Witzen zum Lachen zu bringen. Von ihm konnte Ukon viele Ausdrücke der gesprochenen Sprache lernen.

Diese ausländischen Missionare, die mit mehr oder weniger abschätzigem Unterton »Südbarbaren« genannt wurden, stammten in Wirklichkeit aus Europa, einem Kontinent im Westen, und waren mit ihren Schiffen tausende von Meilen über die wogende See nach Japan gekommen. Dieses Japan war ein fremder Flecken jenseits des Meeres am Ende der Welt, und es wäre überhaupt schon anmaßend, China und Indien mit Europa vergleichen zu wollen. Ukon hatte gelernt, dass es aus Sicht der restlichen Welt eine zu vernachlässigende Belanglosigkeit war, wer in diesem Zwergstaat Herr wurde und die Macht über das ganze Reich an sich riss.

Hida no kami, der die Burg von Takatsuki in Settsu erhalten hatte, übertrug das Amt des Familienoberhauptes auf Ukon, um sich ganz auf seine Missionstätigkeit konzentrieren zu können, und lud den Leiter der japanischen Jesuitenmission, Cabral, der zu dieser Zeit gerade die Zentralprovinzen Japans besuchte, zu sich ein, wo dieser an mehreren aufeinander folgenden Tagen Messen abhielt. Da Hida no kami auf Fürst Nobunagas Befehl hin später nach Kitanoshô versetzt wurde, konnte er das große Ereignis des Osterfestes, das Valignano in Takatsuki veranstaltet hatte, nicht miterleben, und Ukon beschrieb ihm alles ganz genau in einem Brief, worauf er von seinem Vater eine freudige Antwort bekam, in der dieser mitteilte, dass auch in Kitanoshô die Zahl der Christen zugenommen habe und er als spiritueller Führer dort hoch geschätzt werde. Auf Anordnung des Superintendenten besuchte Frois als dessen Repräsentant Kitanoshô, um sich von der Richtigkeit der Beschreibungen in Hida no kamis Brief zu überzeugen. Seinem Bericht zufolge war der Besuch eines Südbarbaren in der Gegend von Echizen ein großes Ereignis. Die Menschen betrachteten den Padre aus einem fremden Land mit größter Neugier, und Scharen von Schaulustigen folgten ihm auf Schritt und Tritt.

Nach dem Zwischenfall im Honnô-Tempel folgte Ukon Fürst Hideyoshi, und es trieb ihn von einem Schachtfeld auf das andere, von Yamazaki nach Shizugatake, Kameyama, Saika, Negoro und Shikoku. In diesen Tagen des fortwährenden Kämpfens hatte Ukon keine Zeit, an seinen Vater zu denken. Als er dann schließlich in seinem dritten Jahr als Lehnsherr von Akashi mit Hideyoshis Edikt zur Verbannung der Christen konfrontiert wurde, begab sich sein Vater mit ihm zusammen auf Wanderschaft, und als Ukon dann auf Einladung von Fürst Maeda Toshiie nach Kanazawa kam, wurde auch Hida no kami dort ein Salär von 6000 Säcken Reis gewährt, so dass er von nun an mit seinem Sohn zusammen leben konnte. Danach, als die Nachricht eintraf, dass Superintendent Valignano wieder nach Japan gekommen sei, brachen Ukon und Hida no kami zusammen von Kanazawa nach Ôsaka auf. Während sich sein Sohn freundschaftlich mit dem Superintendenten unterhielt, stand der Vater mit geschlossenen Augen schweigend daneben. Einerseits lag dies wohl daran, dass es mit seinem Portugiesisch nicht weit her war, andererseits aber auch daran, dass das Alter seine Lebenskraft geschwächt hatte. Dieser von Natur aus beherzte Mensch, der sein Leben lang mit äußerster Kühnheit vorangeschritten war, hatte begonnen zu altern und seine Kräfte zu verlieren. Einige Jahre später starb dann Ukons Vater, wie wenn ein ausgetrockneter, welker Baum umknickt.

Unwillkürlich war Ukon gesenkten Hauptes in Gedanken versunken. Als er dies bemerkte, korrigierte er hastig seine Haltung und legte die Hände wieder zusammen. »Ich habe an meinen Vater gedacht und dabei kamen alle möglichen Erinnerungen von früher hoch«, entschuldigte er sich für seine Selbstvergessenheit beim Vogt, dem man ansehen konnte, dass er wartete. Dann fügte er hinzu: »Ich würde auch gerne die Gräber von Bruder Lorenzo, Bruder Simeãn Almeida sowie Padre Frois, Padre Coelho und Padre Organtino sehen. Sie alle waren mir vertraute Freunde.«

»Ihr wart mit erlesenen Persönlichkeiten befreundet, Herr Takayama«, erwiderte Tôan, der zu Ukon als prominentem Herrn unter den Christen aufschaute, mit ehrerbietiger Haltung.

»Ach, ich hätte gleich als erstes, als ich hierher kam, den Friedhof besuchen sollen, aber es bot sich einfach keine Gelegenheit, und ich wusste ja auch nicht, wo sich die Gräber befinden. Habt vielen Dank für die Mühe, mir alles zu zeigen«, bedankte sich Ukon höflich.

Tôan wiederholte die Namen, die Ukon ihm genannt hatte, im Stillen und verharrte eine Weile, angestrengt nachdenkend. Kurz darauf hatte er dann offenbar einen Plan gefasst und marschierte resoluten Schrittes los. Souverän bahnte er sich seinen Weg durch den Wald der Grabsteine, bis er plötzlich abrupt hinter einem alten Grab stehen blieb, an dem er soeben vorbeigegangen war, und sich umdrehte.

»Das Grab gehört keinem, den Ihr mir genannt habt, aber ich wollte es Euch doch zeigen: Hier liegt Padre Torres«, sagte Tôan, auf das Grab zeigend. Der Grabstein war von einem Netz feiner Sprünge überzogen, in denen sich Moos festgesetzt hatte, dass es anmutete wie die filigranen Risse in der Glasur eines getöpferten Gefäßes. Der

Name Torres rief in Ukon die Erinnerung an Balthasar Torres wach. Er war der Vorgänger Juan Bautista Clementes in Noto und hatte dort viele Menschen bekehrt.

»Was, Balthasar Torres?«, fragte Ukon erstaunt.

»Nein, Cosme de Torres«, verbesserte ihn Tôan. »Er und Padre Xavier gingen als erste Missionare zusammen in Kagoshima an Land.«

»Ah, der Torres, der als erster die heilvollen Samen in diesem Land gesät hat. Selbstverständlich ist mir sein Name bekannt«, sagte Ukon. »Er war es doch auch, der Padre Vieira und Bruder Lorenzo nach Kyôto gesandt hatte. Ich habe durch Lorenzo die Taufe erhalten, insofern steht Torres zu mir als Geistlicher sozusagen in einem großväterlichen Verhältnis. Es heißt, dass Xavier gerne Witze machte und sehr umgänglich gewesen sei, während Torres von äußerst steifer und nüchterner Art gewesen sein soll. Wären die beiden nicht nach Japan gekommen, wäre die christliche Lehre nicht hierher überliefert worden, und wir Japaner hätten nie etwas von den kulturellen Errungenschaften aus Europa erfahren.«

»So ist es. Auch für die Menschen in Europa hätte sich nicht die Gelegenheit ergeben, von Japan, dem Land im östlichsten Winkel des Ostens, zu hören«, erwiderte Tôan nachdenklich. »Darüber hinaus war es auch Padre Torres, der als erster mit dem Vorschlag an Fürst Ômura herantrat, in Nagasaki einen Hafen zu bauen. Wäre also Torres nicht gewesen, gäbe es auch den Hafen und die Stadt, so wie sie heute aussieht, nicht.«

»Wann war es doch gleich, als Xavier und Torres in Kagoshima an Land gingen?«

»Das war am 22. Tag des 7. Monats im Jahre Tembun 18 (25. August 1549). Etwas über sechzig Jahre ist das nun her. Die beiden Herren hatten zunächst hauptsächlich in Hirado den Glauben verbreitet. Als Torres damals durch seine Missionsarbeit nach Nagasaki kam, erkannte er, dass der Ort geeignet war, um eine Anlegestelle für Großschiffe zu bauen, da sie in der Förde auch bei Sturm sicher sind. Dies war scharfsinnig beobachtet. Ursprünglich waren es aber Padre Gaspar Vilela und Bruder Luis de Almeida, die als erste in Nagasaki missioniert hatten.«

Ukon wollte schon sagen, dass Vilela der Taufvater Hida no kamis war und er ihn deshalb persönlich gut kannte, schwieg aber, da es ihm peinlich gewesen wäre, wenn Tôan sich deshalb wieder beeindruckt gezeigt hätte. Mit Luis de Almeida, der dafür berühmt war, dass er in Funai ein Hospital errichtet hatte, war Ukon persönlich nicht bekannt gewesen, aber mit Simeãn Almeida hatte er in Azuchi und Takatsuki freundschaftlichen Umgang gepflegt. Als er diesen Namen nannte, führte ihn Tôan zu Almeidas Grab, das sich neben dem von Lorenzo befand. Der Grabstein Bruder Lorenzos war etwas kleiner als die der Padres und auch die Inschrift war kürzer. Es waren dort nur der Christenname und das Jahr des Todes verzeichnet: »Lorenzo, gestorben 1592«. Das Grab Bruder Simeãn Almeidas beherbergte dessen sterbliche Überreste, die aus Takatsuki hierher überführt worden waren, und man hatte es deshalb nur mit einem kleinen Kreuz versehen. Er war im Jahre 1585 in Takatsuki in den Himmel eingegangen und 1592 in Nagasaki beerdigt worden.

Verglichen mit den Padres, war die Tätigkeit der Ordensbrüder eher unauffällig. Lorenzo hatte unter anderem als Assistent der Padres Vieira, Frois, Organtino und Coelho gearbeitet, und es ist fraglich, ob diese auch ohne seine leutselige Art, seine erfrischende Beredsamkeit und seine Fähigkeiten als Dolmetscher für Portugiesisch bei ihrer Missionarsarbeit solche Erfolge hätten erzielen können. Für die Entwicklung dieses Landes und die Verbreitung der Lehre hatte er durch sein Tun genau das verkörpert, was der Herr mit den Worten: »Der Stein, den die Bauleute verworfen haben, ist zum Eckstein geworden«, meinte. Er war ein Mensch, wie man ihn nur selten findet.

Als Organtino dem Seminar in Azuchi vorstand, hatte Almeida dort die Aufsicht über die Lehre und unterrichtete auch Latein. Nach dem Zwischenfall im Honnô-Tempel begab er sich mit den Schülern auf die Oki-Insel, und auch nachdem das Seminar nach Takatsuki verlegt worden war, blieb er seiner Berufung als Lehrer treu ergeben. Während Organtino durch heitere Reden und große Worte auffiel, übte sich Almeida eher in unscheinbarer Bescheidenheit. Darüber hinaus verfügte er über herausragende Fähigkeiten als Lehrer, der es verstand, seinen Unterricht genau auf das Niveau der Schüler abzustimmen. Auch für Ukon war es eine große Bereicherung, von ihm Einzelunterricht in Latein zu bekommen. Allerdings erkrankte Almeida – vielleicht, weil er sich bei seiner Arbeit zu stark verausgabt hatte – an Tuberkulose. Doch auch als er immer schwächer wurde und ihn der Husten plagte, hörte er nicht auf zu unterrichten, bis er schließlich Blut spuckte und zusammenbrach. Ursprünglich war sein Grab in Takatsuki, doch als Superintendent Valignano dorthin kam, ordnete er an, dass man es unbedingt auf den Christenfriedhof von Nagasaki verlegen solle, was dann auch geschah. Genau gegenüber den kleinen, einfachen Grabstätten Lorenzos und Almeidas waren drei große, prächtige Gräber. Hier lagen die Padres Coelho, Frois und Organtino.

Padre Coelho war stellvertretender Provinzial Japans, als Fürst Hideyoshi das Edikt zur Verbannung der Christen erließ. Für Ukon war es jemand, zu dem er eine unvergessliche Beziehung hatte. Auf dem Grabstein stand, dass er im Jahre 1590 in Kazusa verstorben sei, dies war nun auch schon vierundzwanzig Jahre her. Auch stand dort, dass das Grab nachträglich von Kazusa nach Nagasaki verlegt worden sei. Da es sich um den stellvertretenden Provinzial handelte, hatte das Grab auch einen großen Grabstein aus schwarzem Granit. Die Oberfläche des Steins war durch den Wind vom Meer erodiert, doch man konnte sehen, dass das Grab auch jetzt noch weiterhin besucht wurde, denn erst am Tag zuvor schien es jemand mit frischen Blumen geschmückt zu haben. Daneben ruhten Luis Frois, im Jahre 1597 verstorben, und Gnecchi-Soldo Organtino, der 1609 verstorben war. Ukon legte vor jedem einzelnen Grab Blumen nieder, brannte Räucherwerk ab und faltete in andächtiger Ehrfurcht die Hände. Der Wind vom Meer war so stark, dass er einem die Ohrmuscheln verbog. Am Kai konnte er die weiße Gischt der Wellen sehen. Ukons Erinnerungen wurden vom Wind davongetragen. Der Sturm der Zeiten war durch sie hindurchgeweht. Er hatte das Gefühl, als würde er von diesem Sturm, der in rascher Abfolge Geschichte, Menschen und Ereignisse auf ihn losließ, hin und her geworfen.

Almeida, Coelho, Frois, Organtino. Die unergründliche Fügung des Schicksals hatte ihn mit ausländischen Missionaren Bekanntschaft machen lassen. Doch auch jeder dieser Ausländer unterschied sich in seinem Charakter deutlich von den anderen, oder kurz gesagt, sie lebten in derselben Welt der Menschen wie wir Japaner. Padre Vilela, der nach Xavier und Torres kam, erkannte, dass die Japaner ein Volk mit langer kultureller Tradition waren und legte große Erwartungen in seine missionarische Tätigkeit. Dann jedoch kam als

Leiter der Mission Cabral. Er hatte eine lange, nach unten gebogene Nase, auf der, wie es heißt, vor seinen blauen Augen, die aussahen, als hätte man Seidenmalfarbe hineingegossen, eine so genannte Südbarbarenbrille saß, wie sie Japaner nicht benutzten. Er trug lediglich eine schäbig anmutende Soutane aus grobem, schwarzem Baumwollstoff und geriet daher mit Organtino aneinander, der normalerweise auffällig glänzende Seidengewänder zu tragen pflegte. Organtinos Meinung war, dass man der Missionsarbeit in prächtigen Gewändern nachgehen müsse, weil die Japaner auf Menschen mit schäbiger Erscheinung herabblickten. Cabral ignorierte dies, trug weiterhin seine groben Kleider, aß bedenkenlos Fleisch, was Japaner verabscheuen, und verschreckte die Menschen, indem er in einer Ecke der Kirche eine Kuh schlachtete. Außerdem machte er sich unbeliebt, indem er einen Schreibtisch und Stühle auf die Tatami-Matten stellte, die den Ort der täglichen Verrichtungen eines Japaners ausmachen; ein Verhalten, das sich in den Augen der Leute nicht anders denn als Dreistigkeit widerspiegeln musste. Auch ließ er die japanischen Mönche und Laien kein Latein oder Portugiesisch lernen, und es lief schließlich darauf hinaus, dass sich viele von ihnen abwandten. Organtino andererseits, der in seinen Seidengewändern herumlief, ungezwungen mit Japanern verkehrte und wie diese Reis und Fisch aß, erlangte das Vertrauen und die ergebene Bewunderung vieler Gläubiger. Superintendent Valignano widersetzte sich der Vorgehensweise Cabrals, ließ Schulen für Japaner bauen und eröffnete Japanern den Weg, Priester zu werden. Außerdem verbot er den Verzehr von Fleisch außerhalb festgelegter Gebiete auf Kyûshû. Auch widersetzte er sich dem stellvertretenden Provinzial Coelho, der die Androhung militärischer Gewalt gegen Japan in Betracht zog, zerstörte die Waffen und das Schießpulver, welche die Jesuiten in Nagasaki lagerten, und verbot den Gebrauch von Waffen. Wenn man darüber nachdenkt, muss man zu dem Schluss kommen, dass es ohne den Scharfsinn Valignanos in Japan nicht so viele Gläubige sowie japanische Priester und Ordensbrüder gegeben hätte.

Mit Organtino, der viele Jahre lang in der Hauptstadt missioniert hatte und dort unter dem Namen »Padre Urugan« bekannt war, verband Ukon eine enge Freundschaft. Ukon hatte ihm beim Bau des Südbarbarentempels in Kyôto und des Seminars in Azuchi geholfen, und auch bei der Errichtung des Seminars in Takatsuki hatten sie eng zusammengearbeitet. Der rotgesichtige, hoch gewachsene Priester aus Italien hatte ein sonniges Gemüt, verstand es, Witze zu machen und war überhaupt sehr umgänglich. Er hatte Ukon auch begleitet, als dieser wegen Fürst Hideyoshis Christenverbots auf der Insel Shôdô untertauchen musste.

Superintendent Valignano überragte alle mit seiner Größe und war darüber hinaus von stattlichem Körperbau. Bei der Osterprozession in Takatsuki zog er inmitten der großen Menge die meiste Aufmerksamkeit auf sich. Mit seinen gleichmäßigen Gesichtszügen, seinen Autorität gebietenden schwarzen Augen und der deutlichen Aussprache, die dem Streben entsprang, anderen seinen Willen verständlich zu machen, gelang es ihm, die Hochachtung der Japaner zu gewinnen. Er und Fürst Nobunaga unterhielten sich wie Gleichrangige, und selbst Fürst Hideyoshi, der das Edikt zur Verbannung der Christen erlassen hatte, begegnete ihm mit einigem Respekt. Sowohl körperlich als auch seelisch war er ein wahrer Riese.

Soweit Ukon wusste, waren die Padres allesamt gebildete Menschen, die auch in ihren eigenen Ländern herausragende Führungsrollen hätten innehaben können. Für den Mut und den Eifer, mit dem sie ihre Heimat verließen und zum Zwecke der Mission in die entferntesten Länder auf der anderen Seite der Welt kamen, empfand Ukon größte Bewunderung. Natürlich nahm das Amt des Papstes in Rom in ihrem Herzen eine zentrale Stelle ein, und sie wünschten, dass ihre Missionsarbeit dort anerkannt werde, weshalb sie auch jährlich offizielle Berichte dorthin schickten. Doch trotzdem kam man nicht umhin anzuerkennen, dass ihnen eine Selbstlosigkeit eigen war, mit der sie für den Glauben des japanischen Volkes alles taten, auch wenn sie dafür ihre weltliche Karriere und den Ruhm in der Heimat opfern mussten. Coelho, Frois und Organtino hatten ihr Leben zum Wohle der Japaner dem Herrn zurückgegeben. Auch hegte Ukon größten Respekt vor der reinen Lebensweise von Menschen wie Torres und Clemente, mit denen er in Kanazawa zusammen gewesen war, oder Mesquita und Morejon, die er in Nagasaki kennengelernt hatte, und die aus Liebe zu den Japanern bereits ihr Letztes gegeben hatten. Er empfand für sie eine tiefe Freundschaft und betete von Herzen für ihr Seelenheil. Ukon senkte sein Haupt im Gebet.

Er hob den Kopf und blickte angestrengt zur Bucht hinüber. Vor dem Hafen ankerte ein großes Schiff der Nao-Klasse, das kürzlich aus Macao gekommen war. Es hatte zwei dicke Masten, war auf beiden Seiten mit einer Reihe Kanonen bestückt und deutlich größer als das Fusta-Schiff, das Ukon einmal in Hakozaki gesehen hatte. Der Kapitän hatte seinen Sekretär mit einer mehrköpfigen Delegation nach Sumpu geschickt, um mit Fürst Ieyasu über das Edikt zur Verbannung der Christen zu verhandeln, doch bei der Persönlichkeit des abgedankten Shôgun, der so stark auf das gewaltsame Durchsetzen seiner Autorität fixiert war – wie er es bei der Androhung gegenüber Fürst Toshiie, das Lehen von Kaga anzugreifen, gezeigt hatte –, war nicht zu erwarten, dass er einfach zurücknahm, was er einmal ausgesprochen hatte. Die Christen würden wohl aus Nagasaki verbannt und die Kirchen würden abgerissen werden, wie es in Kyôto und Ôsaka geschehen war. Dieser Friedhof würde umgegraben werden, und die sterblichen Überreste würde man einfach sich selbst überlassen. Gebäude und Knochen, materielle Dinge, sie alle gehen den Weg alles Zeitlichen. Auch der prächtige Tempel Salomons ging unter, ebenso wie der gigantische Tempel des Herodes. Angefangen bei der Festung von Azuchi war dies auch das Schicksal vieler Burgen. Ebenso wird es den Kirchen in Nagasaki ergehen und dann auch der Burg von Ôsaka …

Dass der Burg von Ôsaka stürmische Zeiten bevorstehen würden, war auch hier in Nagasaki zu erahnen. Ursprünglich schien es ohnehin so gewesen zu sein, dass Ukon und Joan nach Nagasaki verbracht worden waren, weil man vermeiden wollte, dass sich die christlichen Krieger mit der Burg von Ôsaka verbündeten. Einmal aber nach Nagasaki deportiert, gab es für die dort versammelten Christen kein Entkommen mehr. Sie waren Gefangene an diesem von Bergen und dem Meer hermetisch abgeriegelten Ort ihrer Verbannung. Wer immer diesen Ort verlassen wollte, brauchte die Genehmigung des Gouverneursamtes. Auch Ukon konnte sich innerhalb der Stadt relativ frei bewegen, aber die Augen der Beamten des Gouverneurs waren immer wachsam. Tatsächlich waren ihm auch jetzt zwei Beamte bis zum Eingang des Friedhofs gefolgt, von wo aus sie beobachteten, was hier vor sich ging.

»Habt herzlichen Dank, dass Ihr mich herumgeführt habt, obwohl Ihr so beschäftigt seid«, bedankte sich Ukon bei Tôan.

»Ach, das ist doch nicht der Rede wert«, entgegnete Tôan mit einer höflichen Verbeugung und ging voran, um Ukon mit ehrfürchtiger Haltung aus dem Friedhof herauszuführen. Ukon hielt ihn mit den Worten: »Ach, das hatte ich ja ganz vergessen« zurück. »Wo befinden sich eigentlich die Gräber der Herrschaften, die auf Befehl des Regenten Hideyoshi zu Anfang der Keichô-Zeit gekreuzigt worden sind?«

»In Manila«, antwortete Tôan prompt. »Und zwar verhielt es sich so: Der Vorfall ereignete sich im Dezember. Als abschreckendes Beispiel ließ man die Leichen noch bis zum Sommer des folgenden Jahres dort an den Kreuzen hängen, wo sie zum Futter für die Vögel wurden, bis nur noch die ausgebleichten Knochen übrig waren. Schließlich kam ein Padre als spezieller Gesandter aus Manila, holte bei der Verwaltung die Genehmigung ein und nahm sowohl die sterblichen Überreste als auch die Kreuze mit nach Manila.«

»So war das …« Ukon wollte Tôan noch fragen ob er Augenzeuge des Martyriums gewesen sei, verstummte aber, weil sie am Tor des Friedhofs ankamen und Ukon die Aufsichtsbeamten erblickte. Plötzlich schritt Tôan wie verwandelt, aufrecht, mit geschwellter Brust und festen Schrittes auf die Beamten zu, sagte etwas zu ihnen, kam zu Ukon zurück und meinte lachend: »Ich musste mich für die Anstrengungen im Dienst erkenntlich zeigen«, worauf er plötzlich wieder ein ernstes Gesicht aufsetzte. Sein Gesichtsausdruck wechselte ständig.

»Würdet Ihr mir vielleicht die Ehre erweisen, noch auf einen Tee in meinem Haus vorbeizukommen? Aber wahrscheinlich ist dies gegenüber einem berühmten Teemeister wie Euch eine Anmaßung meinerseits.«

»Nicht im Geringsten, ich nehme gern Eure Einladung an«, sagte Ukon.

Murayama Tôans Residenz befand sich neben dem San Miguel-Friedhof im Sakura-Viertel. Sie hatte ein überdachtes Tor im chinesischen kôraei-Stil, war von einer Mauer aus gestampftem Lehm mit einem kompliziert angelegten Dach eingefasst und von beeindruckender Weitläufigkeit. Das Anwesen war nicht so starr angelegt wie die Krieger-Residenzen in Kanazawa, wo Größe und Lage der Grundstücke festgelegt waren, sondern es hatte eine heimelige Atmosphäre, weil es aus mehreren Gebäuden bestand, die über einen längeren Zeitraum hinweg nach eigenem Gusto dazugebaut und erneuert worden waren.

Die Gänge waren verwinkelt wie in einem Labyrinth. Es gab ein Gebäude für junge Frauen, das wie ein Lustpavillon anmutete, etwas schäbigere Winkel, in denen wohl Diener und Lakaien untergebracht waren, und weiter innen einen Garten mit künstlich angelegten Hügeln und einem großen Teich, an dessen Anlegestelle ein ziemlich großes Segelboot festgemacht war. Über der Steinmauer erhob sich ein solider Wachturm, der an die Befestigungsanlage einer Burg erinnerte und auf dem bewaffnete Männer postiert waren. Wenn man aus dem Aussichtszimmer des Turms blickte, schaute man genau darunter auf die vorderste Anlegestelle und konnte erkennen, dass der Teich durch einen Kanal mit dem Meer verbunden war.

Sie begaben sich in ein Zimmer im Südbarbarenstil. Es gab Stühle aus Quittenholz und einen runden Mahagonitisch. Im Zierregal waren Rotweinflaschen aus buntem Glas, portugiesisches Zuckerwerk und Kekse, sowie ein Fernrohr. Was aber Ukons Augenmerk auf sich zog, war eine Reihe filigraner Modelle von Südbarbarenschiffen wie der Nao, der Fusta oder der Galeone, an denen man ihre Konstruktion bis ins Detail nachvollziehen konnte.

Die Fusta war ein Schnellboot mit länglich-schmalem Rumpf. Ein Schiff der Nao-Klasse lag momentan im Hafen, und die Galeone war das größte Schiff von allen, an zwei Masten waren verschiedene Arten von Segeln angebracht, die den Wind herbeirufen. Die Quersegel, die den Seitenwind aufnehmen, wölben sich straff und treiben das Schiff unter effizienter Nutzung des Windes sogar gegen den Wind voran. Die japanischen Segelboote, die mit nur einem Segel am Mast der Willkür des Windes ausgesetzt waren, konnte man nicht mit diesen hochfunktionalen Schiffen vergleichen, deren Vorderteil niedrig gehalten war, um den Reibungswiderstand zu verringern. Ukon war aufrichtig von der europäischen Schiffbaukunst beeindruckt. Er bemühte sich, mit Hilfe dessen, was er aus Büchern darüber wusste, den Aufbau des Schiffes zu verstehen, indem er die Anordnung der Segel und der Ruder sowie das Kaliber der Kanonen genau betrachtete.

Tôan, der sich kurz zurückgezogen hatte, erschien plötzlich in extravagantem Aufzug mit einer hellblauen, gestreiften Rockhose, deren gewebter Baumwollstoff aus dem Ausland stammte, und einer goldenen Jacke aus Velours.

»Ihr scheint Euch für Südbarbarenschiffe zu interessieren. Die habe ich alle selbst gemacht.«

»Ihr habt die Modelle selbst gebastelt? Eine hervorragende Arbeit.«

»Ich hatte Baupläne und habe die Modelle angefertigt, um die Konstruktion der Schiffe zu studieren. In der Mitte des Rumpfes verläuft ein Kielbalken, der die Konstruktion stützt. In Stabilität und Langlebigkeit sind diese Schiffe den unsrigen ganz eindeutig überlegen. Ich habe auch selbst einige kleinere Schiffe bauen lassen und benutze sie. Ach übrigens, entschuldigt mich für einen Moment«, sagte Tôan mit einer Verneigung und verschwand eiligen Schrittes. Er war wirklich ein unruhiger Mensch.

Für Ukon war die Person Tôans ein Rätsel. Er hatte etwas, das sich über die Klassentrennung in Krieger, Stadtbürger, Bauern und Handwerker hinwegsetzte. Ursprünglich entstammte er der Kriegerklasse, verdiente dann aber durch den Handel mit den Ausländern, was ihn zu einem der reichsten Männer Nagasakis machte, und gewann als hoher Beamter im Ort an Einfluss. Als Fürst Hideyoshi in der Bunroku-Zeit wegen des Koreafeldzuges nach Nagoya kam, verstand es Tôan, dessen Gunst zu gewinnen, und er wurde als oberster Verwalter von Nagasaki eingesetzt. Nun hatte er das Amt des Vogts von Nagasaki inne. Er sah sich selbst als Repräsentant der Bürgerschaft gegenüber dem von der Regierung in Edo eingesetzten Gouverneur und wurde auch als solcher anerkannt.

Aufgrund seines Amtes trug er Lang- und Kurzschwert im Gürtel und hatte Fußsoldaten und Diener im Gefolge. Einmal lief er herum wie ein von Erde und Schweiß verdreckter, stinkender Bauer, und Ukon hätte ihn gar nicht erkannt, wenn dieser ihn, sehr zu seinem Schrecken, nicht angesprochen hätte. Vor einigen Tagen hatte Ukon zwei Padres in schwarzen Soutanen getroffen. Als er sie grüßte, stellte sich heraus, dass es Tôan in einer weiteren Verkleidung und sein Sohn, der Gemeindepriester Francisco, waren.

Gerüchten zufolge war er ein wahrer Casanova, der in seiner Residenz von mehreren jungen Frauen umgeben war und darüber hinaus auch überall im Ort seine Gespielinnen hatte. Im Gegensatz dazu war er ein frommer Christ, der den Namen Antonio Tôan trug und umgeben von seiner Frau Justa, seinem ältesten Sohn Tokuan und seinen anderen Söhnen und Töchtern, die alle getauft waren, in der Kirche auf dem Ehrenplatz in der Nähe des Altars saß. Zu solchem Anlass trug er dann reich verzierte Gewänder aus Übersee und eine kleine Kappe. Sein ältester Sohn Tokuan, der neben ihm saß, fiel dadurch auf, dass er mit seinem kahl geschorenen Haupt eher wie ein buddhistischer Mönch aussah, war aber dafür bekannt, dass er sich als Kopf des Rosenkreuzordens für die Armen aufopferte, ihnen Unterkunft gewährte und Speisung gab.

Auch unter den Padres gingen die Meinungen über Tôan weit auseinander. Manche lobten ihn dafür in den Himmel, dass er an die verschiedenen Kirchen großzügig Spenden verteilte, andere verabscheuten sein maßloses Liebesleben und hielten ihn für ebenso übel wie Herodes, wiederum andere bezeichneten ihn wegen seiner extravaganten Kleider und des extremen Verhaltens bei der Pfingstprozession als Heuchler, vor allem aber gab es die Meinung, Tôan sei gar kein echter Christ, sondern in Wirklichkeit ein Spitzel und Informant der Shogunatsregierung.

Von dem Zwischenfall, als vor etwa vier Jahren ein portugiesisches Schiff mit dem Namen Madre de Deus von japanischer Seite angegriffen und versenkt worden war, hatte Ukon durch einige Jesuitenbrüder gehört. Damals hatte das Gerücht, an Bord des portugiesischen Schiffes habe sich der Oberbefehlshaber für Macao, Pessoa, befunden, in Nagasaki für Aufregung gesorgt. Im Jahr zuvor war es in Macao zu einem Zwischenfall gekommen, bei dem mehrere Japaner im Streit mit Portugiesen umgebracht worden waren. Als das Wort nach Japan kam, dass dies unter der Führung Pessoas geschehen sei, waren es der damalige Herr von Takaku in der Provinz Hizen, João (früher Protasio) Arima Harunobu, und der Gouverneur von Nagasaki, Hasegawa Sahyôe, die wütend Vergeltung forderten. Die Japaner schickten eintausend Krieger in kleinen Schiffen los, welche die Madre de Deus aus der Richtung, wo der Wind herkam, mit Brandpfeilen angriffen. Am Ende der über drei Tage andauernden Seeschlacht legten die Portugiesen schließlich Feuer an ihre Pulverkammer und sprengten so ihr eigenes Schiff in die Luft. Es wurde behauptet, dass Harunobu und Sahyôe davor in der Residenz Tôans eine geheime

Versammlung abgehalten hätten. Zumindest sollen dies, wie es die Brüder des Jesuitenordens erzählten, die Padres der Augustiner und die anderen Portugiesen, die mit dem Schiff untergingen, geglaubt haben. Allerdings sprach Tôan bei Ukons Besuch nicht darüber, und so konnte Ukon auch nicht herausbekommen, wie es sich in Wirklichkeit zugetragen hatte.

Jemand schien im Flur zu sein. Die Schiebetür öffnete sich leise, und herein kam Naitô Kôji. Ukon blickte erstaunt drein, da er nicht mit ihm gerechnet hatte, als noch ein weiterer, als Matrose gekleideter dicker Mann auf den Knien rutschend hereinkam. Es war Okamoto Sôbê, der bei Ukons Anblick geschwind zur Türschwelle zurückwich und sich bis auf den Boden verneigte.

»Wir haben uns lange nicht gesehen. Ich bin überglücklich, Euch gesund anzutreffen, Herr.«

»Sôbê? Nun komm schon her und setz dich auf einen Stuhl. Wann bist du denn angekommen?«

»Vorgestern bin ich heimlich auf einem Schiff des Herrn Murayama hier eingetroffen«, sagte Sôbê und wandte sich träge um. Tôan nickte lächelnd, bot Sôbê einen Stuhl an und setzte sich selbst daneben auf den Boden.

»Einer meiner Leute hat Herrn Okamoto zufällig in Ôsaka getroffen, und weil dieser den Wunsch äußerte, unbedingt nach Nagasaki kommen zu wollen, habe ich mir erlaubt, ihn als Seemann verkleidet auf einem meiner Lastschiffe hierher zu bringen.«

»Ich muss Euch etwas sagen«, fuhr Sôbê hastig dazwischen. »Herr Toshinaga ist dahingeschieden.«

»Was sagst du da?!«

»Am 20. Tag des 5. Monats (27. Juni) soll er verstorben sein. Ich habe es von einem Eilboten aus Kanazawa erfahren, der zur Residenz der Familie Maeda in Fushimi gekommen war. Seine sterblichen Überreste wurden beerdigt, nachdem im Zuiryû-Tempel in Takaoka unter Beteiligung des ganzen Lehens eine Trauerfeier abgehalten worden war. Herr Toshimitsu, die Dame von Bizen und die ganze Familie seien in tiefe Trauer versunken, hieß es.«

»Das ist verständlich«, sagte Ukon betreten. »Als ich ihn Ende des Jahres besuchte, sah er schon sehr abgezehrt aus, aber dass es so schnell gehen würde, hätte ich nicht gedacht.«

»Auch die Christen von Kaga haben eine wichtige Stütze verloren. Und da ist noch etwas, das ich Euch mitteilen muss. Ich habe gehört, dass Herr Yokoyama Yamashiro no kami sich den Schädel kahl rasiert hat, von seinen Ämtern zurückgetreten ist und sich ins Kloster nach Yamashina in Kyôto zurückgezogen hat. Auch Herr Yasuharu hat es seinem Vater gleichgetan und ist in den Mönchsstand eingetreten.«

Ukon hatte von Shinohara Dewa no kami bereits erfahren, dass sich Nagachika mit dieser Absicht trug, doch nun hörte er zum ersten Mal, dass er dies auch wirklich in die Tat umgesetzt hatte.

»Hmm«, seufzte Ukon. »Auch Yasuharu. Welche Gründe der wohl hatte. Vielleicht aus Loyalität zu Fürst Toshinaga, weil dieser verstorben ist.«

»Nein, er tat dies direkt, nachdem Ihr Kanazawa verlassen hattet. Meine Vermutung ist, dass er nach dem Erlass des Christenverbots der Kritik der anderen Vasallen ausgesetzt war, weil er Euer Schwiegersohn ist.«

»Das ist durchaus möglich ...«, sagte Ukon und versank mit verschränkten Armen in Gedanken. »Andererseits glaube ich nicht, dass es nur wegen der Christen war. Die Verbindung mit Lucia war ja bereits gelöst, so dass sie mit der Familie Yokoyama nichts mehr zu tun hatte, und Yasuharu hatte dem Glauben gewiss abgeschworen. Vermutlich zog er sich eher aus Bedenken gegenüber Fürst Ieyasu zurück. Der abgedankte Shôgun hat bestimmt nicht vergessen, wie geschickt sich Herr Nagachika damals in der Krisensituation verhalten hat, als es fast zum Angriff auf das Lehen von Kaga kam. Es war von vornherein Fürst Ieyasus Absicht, dafür zu sorgen, dass die Familie Maeda nicht über Vasallen verfügt, die für ihre Fähigkeiten bekannt sind. Vermutlich hatte Herr Nagachika dies in Erwägung gezogen und vor dem Hintergrund des nahenden Konflikts mit der Burg von Ôsaka mutig seinen Rücktritt erklärt, weil er dies als das Sicherste für die Familie Maeda betrachtete.«

»Ich verstehe«, sagte Kôji, der bis dahin geschwiegen hatte. »Das ist eher ein Verhalten, wie man es von Herrn Nagachika erwarten würde. Er legt seine politischen Ämter im Lehen von Kaga nieder und geht nach Yamashina in die Abgeschiedenheit, um sich den Augen des Shogunats zu entziehen. Und plant insgeheim, aus Kyôto herbeizueilen und Fürst Toshimitsu zur Hilfe zu kommen, wenn es zum Angriff auf die Burg von Ôsaka kommt. Das heißt: Die Situation in der Burg von Ôsaka spitzt sich immer mehr zu.«

»Das ist wahr«, sagte Sôbê und beugte sich zu Ukon und Kôji herüber. »Nachdem Ihr alle nach Sakamoto losmarschiert wart, bin ich zusammen mit Ikoma Yajirô nach Ôsaka gegangen, dort haben wir uns mit den Christen aus der Burg von Ôsaka getroffen.«

Sôbê berichtete, dass sich auf der Burg viele der früheren Vasallen Ukons aus Takatsuki und Akashi eingefunden hätten und dort eine große Zahl christlicher Krieger im Dienst stehe.

»Diese Leute wünschen sich bestimmt, dass Ihr Euch mit ihnen verbündet, Herr Takayama«, sagte Kôji.

»Das versteht sich von selbst«, bestätigte Sôbê mit einem ausladenden Nicken. »Wenn Ihr euch der Sache annehmen und aufbrechen würdet, könntet Ihr ein Heer von tausend Mann zusammenbekommen.«

»Wieviel Mann gibt es denn in der Burg?«, fragte Kôji dazwischen.

»Das weiß ich nicht«, antwortete Sôbê. »Aber Gerüchten zufolge muss sich dort eine große Menge an Kriegern und herrenlosen Samurai zusammengefunden haben.«

»Um die hunderttausend werden es wohl sein«, sagte Tôan. »Darunter dürften sich etwa zehntausend Christen befinden. Die Erbvasallen der Familie Toyotomi, die Daimyô, die ihres Ranges enthoben wurden, und herrenlose Samurai aus dem ganzen Land sind dort versammelt. Als berühmte Kriegsherren wären da außer Tannowa Shigemasa und Akashi Kamon unter anderem noch Sanada Yukimura, Chôsokabe Morichika und Kimura Shigenari zu nennen. Es werden auch am laufenden Band Proviant, Gerätschaft, Waffen und Rüstungen sowie Gewehre, Kugeln und Schießpulver auf die Burg geschafft. Vor allem in der Gegend von Kyûshû und Sakai werden in großen Mengen Gewehre aufgekauft.«

»Ihr kennt Euch wirklich gut aus, Herr Tôan«, sagte Kôji beeindruckt und fuhr dann zu Ukon gewandt fort: »Herr Tôan tut einiges, um die Christen in der Burg von Ôsaka zu unterstützen. Dank seiner eifrigen Hilfe konnten bereits große Mengen an Gewehren und Munition zusammengetragen werden.«

»Ach, das braucht Ihr doch nicht extra zu erzählen«, unterbrach ihn Tôan.

»Doch, doch«, erwiderte Kôji nun erst recht. »Über diesen Sachverhalt wollte ich Herrn Takayama unbedingt informieren. Da Herr Okamoto heute eingetroffen ist, bietet sich hierfür ja die beste Gelegenheit. Ich weiß zwar genau, wie Ihr zu der Sache steht, Herr Takayama, aber darf ich Euch nicht doch noch einmal ernsthaft bitten, Eure Position zu überdenken und Euch mit der Seite von Ôsaka zu verbünden, um mit Waffengewalt wieder eine christliche Macht zu errichten? Wenn es so weitergeht, werden die zarten Sprossen, die aus der Saat Padre Xaviers hervorgegangen sind, mitsamt der Wurzel wieder ausgerissen. Wenn auf Ieyasus Befehl hin erst Todesstrafen und Verbannungen verhängt werden, dann verschwindet die Lehre Gottes aus diesem Land. Ist es da nicht unsere Aufgabe, eine große entscheidende Schlacht zu kämpfen, um die Lehre wieder aufleben zu lassen?«

»Ich habe es ja schon mehrmals gesagt, ich werde diesen Weg nicht gehen, denn wer zum Schwert greift, wird durch das Schwert umkommen.«

»Aber wenn man jetzt nicht zum Schwert greift, wird die christliche Lehre in diesem Land ausgerottet.«

»Ich glaube nicht, dass man das so sagen kann. Die Unterdrückung der Christen in Rom hat vierhundert Jahre angedauert, und die Lehre hat sich danach aufs Vortrefflichste wieder belebt. Tokugawa wird auch nicht ewig an der Macht bleiben.«

»Ob das wirklich so sein wird?«, sagte Kôji, dem man ansehen konnte, dass er die Worte Ukons halb glaubte und halb bezweifelte, mit zitternder Stimme.

»Ich bin davon überzeugt. Die Regierungen in Kamakura, Muromachi, Azuchi und Momoyama sind alle untergegangen, weil ihre Macht auf dem Schwert fußte. Mit der in Edo wird es sich nicht anders verhalten.« Nach kurzem Schweigen fügte Ukon, der an seinen Besuch auf dem Friedhof denken musste, hinzu: »Viele Padres und Ordensbrüder aus dem Ausland sind in dieses Land gekommen, und ihre Knochen liegen hier begraben. Unter ihnen gab es auch einige wenige, die gern mit Waffengewalt missioniert hätten, der überwiegende Teil von ihnen aber opferte sein Leben nur für den Herrn und für die Lehre. Ihre Absichten waren rein und heilig. Diese dürfen nicht durch Kriegstaten beschmutzt werden.«

Kôji verfiel in Schweigen. Auch Tôan schwieg. Dass der eloquente, diskussionsfreudige Redner und der geschwätzige Vogt einmal still blieben, war ein seltener Anblick.

»Ach übrigens«, sagte Sôbê, in die Pause dieser schwierigen Diskussion hinein, als wäre ihm gerade etwas eingefallen. »In der Burg von Ôsaka habe ich den Herrn Padre Torres getroffen. Nach dem Erlass des Christenverbotes ist er untergetaucht und befindet sich nun in der Burg. Er wohnt in der Residenz des Herrn Akashi Kamon und kümmert sich um das Seelenheil der christlichen Krieger.«

»Ja, vorhin, als ich auf dem Friedhof war, musste ich an Padre Torres denken. Sich dem Befehl der Regierung zu widersetzen und unterzutauchen sieht diesem Heißsporn ähnlich. War er wohlauf?«

»Ja, er war bei bester Gesundheit und sprach wie immer mit lauter Stimme. Er sehnte sich nach Kanazawa zurück und machte sich Sorgen um Euch und Padre Clemente, als er hörte, dass Ihr nach Nagasaki gebracht wurdet.«

»Padre Clemente sehe ich des Öfteren. Ihm geht es gut.«

»Zwar widerspricht es Eurem Standpunkt, den Ihr eben dargelegt habt, aber Yajirô, der von Torres die Taufe erhalten hat, meinte, er entspräche dem Willen Gottes am besten, indem er bei Padre Torres bliebe, um ihn zu beschützen. Deshalb ist er Vasall des Herrn Akashi Kamon, bei dem sich der Padre aufhält, geworden und befindet sich nun ebenfalls in der Burg von Ôsaka.«

»Yajirô … ?«

»Seid Ihr verärgert, Herr?«

»Nein, ärgern tu ich mich nicht. Es gibt verschiedene Arten, sein Leben dem Glauben zu widmen. Ich kann durchaus verstehen, was in seinem Herzen vorgeht. Da bleibt nur noch, für sein Kriegsglück zu beten«, sagte Ukon mit einem flüchtigen Blick zu Kôji, dem man ansehen konnte, wie neidisch er war.»Und was willst du nun tun, Sôbê? Wirst du in die Heimat zurückkehren?«

»Auf keinen Fall. Selbstverständlich werde ich bei Euch bleiben, Herr. Mit diesem festen Entschluss bin ich hierher gekommen, ob es nun in den Himmel geht oder ans Ende der Welt«, sagte Sôbê mit strahlendem Gesicht.

»Nun denn«, sagte Tôan. »Darf ich Euch zur Feier Eures Wiedersehens zu einem meiner Südbarbarengerichte einladen? Herr Naitô sagte ja auch, dass er von Herrn Okamoto noch mehr über die Lage in Ôsaka hören möchte.«

»Das ist äußerst großzügig von Euch, aber meine Frau und die Kinder werden sich Sorgen machen, wenn ich so spät nach Hause komme, und auch die Beamten des Gouverneurs werden dies sicherlich nicht gern sehen.«

»Ich schicke einen Boten in die Kirche. Und die Beamten, die werde ich einfach hereinrufen und bewirten …«, sagte Tôan, über das ganze Gesicht grinsend, und verschwand im hinteren Teil des Hauses, ohne eine Antwort abzuwarten.

Unverzüglich begann Kôji Sôbê eine Frage nach der anderen zu stellen. Was die Besonderheiten bei den Vorbereitungen im Lager Toyotomis seien? Wie es um die Moral der herrenlosen Samurai stehe? Sanada Yukimura sei ja ein bekannter General, aber was könne man in Wirklichkeit von ihm erwarten?

12

Die Europadelegation

Fünf Monate in Nagasaki waren vergangen, und der Herbst war gekommen. Nachdem im Frühling der Rausch brodelnder Leidenschaft bei den Leib-Christi-Prozessionen verflogen war, hatte die Regenzeit begonnen, die Menschen hatten sich vor dem tagelang andauernden, feinen Regen in die Häuser zurückgezogen, und während sie den Tropfen lauschten, die von den Vordächern herabfielen, durchdrang die schwüle Feuchtigkeit sie bis ins Innerste. Bald darauf hatte der brennend heiße Sommer des Südens eingesetzt, und die Menschen versteckten sich im Schatten. Während Ukon den Wechsel der Jahreszeiten auf der Haut spürte, hörte er sich aufmerksam um, was in der Regierung und auf dem Amt des Gouverneurs vor sich ging. Er bereitete sich auf den Tag vor, der kommen würde, und versuchte seinen Glauben durch Gebet, Lektüre und Kontemplation, vor allem mit Ignatius' spirituellen Übungen zu stärken. Ab Ende Mai bemühte er sich, es dem Herrn nachzutun, indem er hauptsächlich bei der Krankenpflege im Santiago-Hospital half. Darüber verging der Sommer, und der Herbst kam. Zwar brachte dieser auch einige Stürme, was für die Gegend nicht selten war, doch die meisten der Herbsttage waren sonnig und angenehm. Im Amt des Gouverneurs wurde die Zahl der Soldaten aufgestockt, und aus dem Munde Kôjis, der sich eifrig um die Beschaffung von Informationen über den Feind kümmerte, sowie der Jesuitenpadres mehrten sich die Hinweise darauf, dass die Vorbereitungen zur Verbannung der ausländischen Missionare und der einflussreichen japanischen Christen immer mehr vorangetrieben wurden. Wenn man durch die Stadt ging, funkelten an allen wichtigen Punkten die Augen der Wachsoldaten, und im Hafen mehrten sich aus der Nachbarschaft herbeigebrachte, große Segelschiffe, von denen man annehmen musste, dass sie für den Transport der Christen in die Verbannung vorgesehen waren. Das Ziel würde wohl entweder Macao oder Manila sein. Darüber, wie es in Macao aussah, hatte Ukon bereits von Padre Mesquita und einem der Herren von der Europagesandtschaft, nämlich Nakaura Julião, der früher zusammen mit Itô Mancio in Macao studiert hatte, einiges gehört. Dort gab es einen prächtigen Dom, ein Kolleg und ein Japanerviertel. Der Ort schien bestens dafür geeignet, seinen Glauben zu vertiefen, doch würden die Älteren wie Ukon wohl nie wieder einen Fuß auf japanischen Boden setzen können.

Ukon hatte es sich zur täglichen Aufgabe gemacht, sich frühmorgens mit Hilfe des Buches »Exercitia Spiritualia«, das er von der Dame von Bizen bekommen hatte, und unter Anleitung seines Beichtvaters, Padre Morejon, in den Kontemplationen des Ignatius zu üben. Dank der unablässigen Übung bewegte sich sein Herz willig, und als der Herbst kam, konnte er das Leben jenes Menschen am eigenen Leibe nachvollziehen. Es war Ukon nun möglich, Gegenden wie den See Genezareth oder die Stadt Jerusalem, die jener in Armut geborene Mensch aus Nazareth durchwandert hatte, um die Lehre zu verbreiten, im Geiste erscheinen zu lassen, als hätte er sie mit eigenen Augen gesehen. Vor allem half ihm Morejon dabei, sich die Leiden des Gekreuzigten vorzustellen. Bei dieser Meditation spürte Ukon heftige Schmerzen an Händen und Füßen, als hätte man tatsächlich ihn selbst ans Kreuz geschlagen. Als er eines Tages im Morgengrauen mit heftigen Schmerzen, als hätte man ihm glühende Eisen in die Hände und Füße gerammt, wieder zur Besinnung kam und nachschaute, da es ihm merkwürdig vorkam, waren auf seinen Handrücken und Fußspannen rötlich-schwarze Verfärbungen zu sehen, von denen der Schmerz ausstrahlte. Als er aufstand und beide Arme erhob, war es, als hinge er auf dem Hügel Golgatha am Kreuz und sehe direkt vor sich die Bürger Jerusalems und den Hohepriester, die ihn verspotteten. Er selbst wurde zu diesem nackten, machtlosen Mann, der nichts besaß und als Übeltäter hingerichtet wurde. Auch als die Sonne herauskam, ließen die Schmerzen nicht nach, und Ukon ging ins Santiago-Hospital, um sich von Padre Clemente untersuchen zu lassen. Dieser warf einen Blick auf die betreffenden Stellen und sagte: »Das sind äußerst seltene, heilige Wunden, wie sie bei Menschen mit wahrhaft tiefem Glauben auftreten und die man ›Stigmata‹ nennt.« Schließlich hatte Ukon noch eine weitere rötlich-schwarze Stelle am Seitenbauch, aus der Blut rann. Er ließ sich einen Verband legen und ging zu Padre Morejon, um ihm davon zu berichten. Dieser lobte ihn mit den Worten: »Dies sind die Früchte Eurer spirituellen Übungen. Das ist ein Glück verheißendes Zeichen.« Doch Ukon litt auch später noch unter Schmerzen an den Händen und Füßen und hielt sich deshalb mit spirituellen Übungen, deren Gegenstand die Kreuzigung war, zurück.

Padre Morejon war ein äußerst gelehrter Jesuit, der früher im Kolleg von Amakusa auf Japanisch und Latein Unterricht über Astronomie, Seelenlehre und katholische Dogmatik gehalten hatte. Als sich Organtino, die Hauptfigur der Missionstätigkeit in den fünf Zentralprovinzen Japans, aus gesundheitlichen Gründen nach Nagasaki zurückzog, nahm Morejon dessen Platz ein und war hauptsächlich in Kyôto aktiv. Wegen des Christenverbots war er nun nach Nagasaki verbracht worden. Als sich Ukon mit Fragen zum tieferen Verständnis der »Exercitia spiritualia« an seinen alten Freund Clemente wandte, stellte ihm dieser ohne Zögern Morejon als den besten Lehrer vor.

Es war nach dem Gregorianischen Kalender Freitag, der dritte Oktober. Ukon hatte sich bis kurz vor Mittag in einem Zimmer des Priesterhauses der Meditation hingegeben. Wie es seine Gewohnheit war, seit er nach Nagasaki gekommen war, nahm er nur eine leichte Mahlzeit aus Südbarbarengebäck (hostia) und grünem Tee ein und begab sich dann zusammen mit Sôbê zum Santiago-Hospital. Ukon trug keine Schwerter und war so gekleidet, dass man nicht recht sagen konnte, ob er nun dem Samurai- oder dem Bürgerstand angehörte. Sôbê hatte eine einfache Jacke übergezogen und zeigte seine nackten Unterschenkel. Er war ganz in die Tracht eines Matrosen gekleidet. Anders als Ukon, der abgenommen hatte und dessen Figur immer mehr der des Herrn glich, hatte Sôbê, der zu viel von den chinesischen Gerichten aß, für die Nagasaki bekannt war, immer mehr zugenommen und war nun so dick, dass er selbst außer Atem geriet, wenn es bergab ging. Den beiden folgte ein Polizist des Gouverneursamtes, der sie nicht aus den Augen ließ. Sôbê sprach den Beamten, dessen Gesicht ihm mittlerweile gut vertraut war, an und schmeichelte sich eifrig bei ihm ein.

Als sie im Hospital angelangt waren, entschied sich Ukon, zuerst zu dem Arzt Clemente zu gehen, um sich bei ihm über das Befinden des Hospitalleiters Diogo de Mesquita zu erkundigen. Dem Leiter des Hospitals ging es seit Ukons Ankunft in Nagasaki nicht gut, er klagte über Schmerzen in der Brust und Ödeme an den Beinen, weshalb es ihm auch schwer fiel zu laufen. Seit der Regenzeit ging es mit ihm zusehends bergab, und er hütete nun, stark geschwächt und ausgezehrt, in einem Zimmer der zum Hospital gehörenden Kirche das Bett. Clemente diagnostizierte neben der Herzkrankheit auch noch Melancholie. Als die Kunde vom Christenverbot Nagasaki erreichte, schickten die Missionare Mesquita an Stelle von Padre Cerqueira, der im Februar verstorben war, nach Sumpu, zu Fürst Ieyasu. Allerdings wurde er auf Betreiben des Gouverneurs von Nagasaki, Hasegawa Sahyôe, in Ôsaka abgefangen und festgehalten, so dass er unverrichteter Dinge zurückkehren musste. Der Stress und die Anstrengungen dieser Tage hatten sehr an seiner seelischen und körperlichen Gesundheit gezehrt. Nachdem die Regenzeit vorüber war, ging es ihm für kurze Zeit besser, und er konnte wieder im Hospital auf Visite gehen. Doch seit zu Beginn des Herbstes der Wind kühler wurde, war er wieder bettlägerig. Nun war er ausschließlich damit beschäftigt, in seinem Bett liegend Schriften zu ordnen, die er zusammengetragen hatte.

»Heute scheint es ihm ganz gut zu gehen. Er hat sich sogar an die frische Luft begeben«, sagte Clemente und führte Ukon in den Garten. Der Wind fühlte sich auf den Wangen kalt wie Wasser an. Die Sonne schien durch die bunten Blätter, die sich bewegten als schwämmen sie im Strom des blauen Himmels. Auf einem einfachen Bett an einer sonnigen Stelle zwischen den Bäumen lag Padre Mesquita, neben ihm saß sein treuer Schüler Padre Hara Martino. Mesquita schien tatsächlich bei bester Laune zu sein. Der Bart, den er einfach wachsen ließ, versteckte sein Lächeln. Als Ukon die Hand ergriff, die ihm der Kranke entgegenstreckte, wurde ihm schwer ums Herz, denn die schlaffe Haut gab in seiner Handfläche nach wie ein Wasserbeutel, doch der alternde Priester sagte in fließendem, vom Selbstvertrauen eines Lehrers erfüllten Duktus zu Ukon, der etwa gleichen Alters war wie er:

»Das hier habe ich Euch noch gar nicht gezeigt, Justo Ukon, meinen Gras- und Baumgarten.«

»Gras und Bäume?«

»Ja, ein Paradies aus Gras und Bäumen. Das hier (er zeigte auf den Baum über sich) ist ein Feigenbaum. Ich habe ihn aus Portugal mitgebracht. Er trägt gerade Früchte. Getrocknet kann man sie als Abführmittel verwenden.«

»Mein Meister«, nahm Hara Martino das Gespräch auf, »hat aus Luzon Quitten und Oliven mitgebracht und sie angepflanzt. Beim Kolleg gibt es ein Feld mit Olivenbäumen, dort wird deren Öl gewonnen. Außerdem keltert mein Meister auch Rotwein aus Trauben.«

»Das ist der Wein, den wir bei der Messe trinken«, sagte Ukon nickend. »Den Wein, den der Herr sein eigenes Blut genannt hat, habe ich zum ersten Mal hier in Nagasaki getrunken. Den habt also auch Ihr gemacht, Padre Mesquita.«

»Die wilden Trauben, die es hier in Japan gibt, sind anders als die in Europa. Sie sind nicht so gut. Deshalb ist auch die Qualität des Weines nicht hoch. Aber für die Messe reicht es. Die Menge hält sich auch in Grenzen. Wenn man europäische Traubensorten anbaut, kann man in Zukunft auch hier guten Wein herstellen«, sagte Mesquita.

»Ihr habt ziemlich lange in der Sonne gesessen und seid sicher erschöpft«, sorgte sich Hara Martino um seinen alten Lehrmeister, aber Mesquita schüttelte den Kopf.

»Es geht schon. Heute ist so schönes Wetter, da ist es angenehm draußen. Ich möchte gerne noch etwas von der Sonne abbekommen. Ach übrigens, Bautista«, wandte er sich, plötzlich ins Portugiesische wechselnd, an Clemente. »Was treibt Sahyôe in letzter Zeit?«

»Der vergrößert stetig seine Truppen«, antwortete Clemente, ebenfalls auf Portugiesisch. »Seitdem der Apostat Miguel Naozumi versagt hat, die Christen in seinem Lehen zur Abkehr von ihrem Glauben zu zwingen und dieser deshalb nach Hyûga versetzt worden ist, verstärkt Sahyôe den Druck auf seinen gesamten Machtbereich, das Lehen von Arima. Aber die Christen dort sind widerspenstig und weigern sich standhaft, ihrem Glauben abzuschwören. Auch Sahyôe machen sie ganz schön zu schaffen. Er ließ zwölf Anführer der Christen zu sich rufen und drohte ihnen mit dem Tod, falls sie ihren Glauben nicht ablegen würden, allerdings zeigte dies keine Wirkung. In nicht allzu ferner Zeit wird er mit den grausamsten Mitteln über alle Gläubigen des Lehens von Arima herfallen.« Hier hielt Clemente inne, als ob er sich darum zu sorgen schien, den schwer kranken Padre mit seiner langen Rede zu ermüden, doch Mesquita hörte seinen Ausführungen mit leicht erhobenem Kopf aufmerksam zu.

»Gestern ist der Repräsentant des Kapitäns des portugiesischen Nao-Schiffes aus Sumpu zurückgekommen. Die Friedensverhandlungen mit Großkönig Ieyasu seien ergebnislos beendet worden. Er habe angeboten, Ieyasu auch weiterhin zu Reichtum zu verhelfen, indem er mit dem Nao-Schiff die Handelsbeziehungen aufrechterhält, und im Gegenzug gefordert, zum Zeichen des guten Willens das Christenverbot aufzuheben. Ieyasu aber habe gesagt, dass er ebenso gut am Handel mit den Holländern verdienen könne und daher lieber auf die Beziehungen mit den Portugiesen verzichten würde, da sie immer diese lästigen Christen im Schlepptau hätten. Jedenfalls kamen der Repräsentant des Kapitäns und seine Begleiter überstürzt zurück, da man sie bedroht und ihnen befohlen hatte, Nagasaki umgehend zu verlassen. Von ihnen habe ich auch gehört, dass Ieyasu plane, Geheimbotschaften an alle Feudalfürsten des Landes zu senden, in denen er sie zu einem Großangriff auf die Burg von Ôsaka unter seinem Befehl auffordern will. Auch hat er behauptet, dass die Inschrift auf der Glocke des Hôkô-Tempels, den Fürst Hideyori gestiftet hatte, eine Beleidigung sei, und hetzt nun gegen Hideyori.«

»Dann wird es wohl schließlich zum Krieg zwischen den Häusern Tokugawa und Toyotomi kommen.«

»Wenn Toyotomi auf die Provokationen eingeht und den Krieg erklärt, wird der Kampf beginnen. Tokugawa will die Familie Toyotomi mit einem Schlag auslöschen und die vollkommene Macht über dieses Inselreich erlangen.«

»Dieses kleine Inselreich zu beherrschen, ist das nicht ein engstirniges Verlangen?«

»Das stimmt schon, aber man muss auch anerkennen, dass er Frieden über das Land gebracht hat. Das Problem allerdings ist, dass er glaubt, Voraussetzung für die Erhaltung des Friedens sei es, die christliche Lehre zu verbieten.«

»Ganz genau«, sagte Mesquita und ließ erschöpft den Kopf auf das Kissen fallen. Die Bewegung des halbkahlen Hauptes mit dem eingefallenen Gesicht sah hart und einsam aus, gerade so, als würde ein Totenschädel fallen. »Meine bescheidenen Unternehmungen hier in diesem Inselreich werden damit dann auch zunichte gemacht ...«

Ukon fand, dass die Taten Mesquitas von großer Bedeutung waren. Er hatte das Kolleg in Nagasaki gegründet und sechzehn Jahre lang das Hospital geleitet. Er hatte die Santa Maria-Kirche am Hafen und die Kirche der Santa Maria auf dem Berg gebaut, den San Miguel-Friedhof angelegt und das Santiago-Hospital aufgebaut. Er hatte als Berater Sahyôes bei der Instandhaltung der Straßen von Nagasaki seinen Beitrag geleistet und eine Vielzahl christlicher Schriften ins Japanische übersetzt und verlegt. Während er das Kolleg leitete, hatte er gleichzeitig die Kunst des Buchdrucks verbreitet und eine Werkstatt für Heiligenbilder eröffnet. Er hatte Bäume aus dem Ausland mitgebracht und sie in Japan angepflanzt, war als Vermittler zwischen den Missionaren tätig gewesen, hatte schlichtend eingegriffen, wenn es zu Streitereien kam, und auch als Abgesandter gegenüber der Shogunatsregierung fungiert. Sein größtes Verdienst aber war, dass er die Betreuung der vierköpfigen Europagesandtschaft übernommen hatte und zu diesem Zweck eigens von Japan nach Europa und dann wieder von Europa nach Japan reiste und allein die Aufgabe ihrer Ausbildung auf sich nahm. Das höfliche Verhalten, das Hara Martino gegenüber seinem Lehrer zeigte und die Hochachtung, die aus seinem Blick sprach, zeugte von der Erziehung, die ihm Mesquita hatte zuteil werden lassen.

»Meister, vielleicht wäre es doch besser, wenn Ihr Euch wieder ins Zimmer begeben würdet«, sagte Hara Martino auf Japanisch. Diesmal stimmte ihm auch Clemente zu: »Er hat Recht, Diogo. Das würde ich auch raten.« Hinter dem Dickicht seines Bartes versteckte Mesquita ein Lächeln, das einen Hauch von Selbstverachtung in sich barg.

Ukon half Hara und Clemente, das einfache Bett, auf dem der Kranke lag, ins Zimmer zu tragen. Das Regal war mit Büchern vollgestopft, und auch Tisch und Fußboden quollen von ihnen über. Man konnte sehen, dass der Bewohner des Zimmers ein eifriger Leser war. Wenn man sich die Titel auf den Buchrücken anschaute, sah man, dass es viele lateinische, spanische und portugiesische Werke gab. Auch die etwa dreißig in Japan verlegten christlichen Schriften standen stolz aufgereiht da, und es war eine große Anzahl japanischer Bücher in Schutzschachteln aufgestapelt.

Die Mitte der Wand schmückte ein großes Ölgemälde, auf dem die vier Herren der Europagesandtschaft abgebildet waren. Rechts und links neben den Jünglingen, die scharlachrote Mäntel mit goldenen Knöpfen trugen, welche mit Fischgrätenmustern verziert waren, standen Valignano und Mesquita. Im Hintergrund war der Petersdom in Rom zu sehen. Mesquitas Erklärung zufolge war das Bild im Jahre 1585 nach einer Audienz bei Papst Sixtus V. von einem italienischen Künstler gemalt worden. Die Gesandten strahlten noch die Naivität Sechzehnjähriger aus, und auch Valignano und Mesquita waren noch jung. Zwei der abgebildeten Personen kannte Ukon nicht: Itô Mancio, der zwei Jahre zuvor verstorben war, und Chijiwa Miguel, der spurlos verschwunden war.

Ukon dachte an das ferne Europa, als er das Bild betrachtete, oder sollte man besser sagen, er träumte davon? Wie war wohl der gigantische, aus Steinen errichtete Petersdom? Wie sah es in Italien, Spanien oder Portugal aus? Gerne hätte Ukon einen Blick in die Tiefen der Erinnerung jener vier jungen Männer, die all dies mit ihren eigenen Augen gesehen hatten, geworfen. Natürlich hatte er darüber gelesen und Berichte gehört, doch ist dies genauso, wie wenn man versucht, sich eine Frau vorzustellen, die man nie getroffen hat und nur vom Hörensagen kennt. Es ist nicht mehr als ein flüchtiger Schatten.

Ukon hatte einmal von Kanazawa aus einen Brief in Portugiesisch an den Ordensgeneral der Jesuiten, Claudio Aquaviva, geschrieben. Es war ein Dankesschreiben für das Bild mit dem Titel »Die trauernde Santa Maria«, das ihm Valignano im Namen des Jesuitenordens als Geschenk mitgebracht hatte. Das Gemälde hatte er seinem Bruder Tarôemon gegeben. Wo es sich jetzt wohl befand? Anstelle einer Antwort vom Ordensgeneral erhielt er einen Brief aus Rom von Papst Sixtus V., der voller leicht übertriebenen Lobes darüber war, dass sich Ukon von seiner Betätigung als Kriegsherr abgewandt und dem Glauben verschrieben hatte. Einerseits hatte Ukon das Gefühl, als wäre er eines solchen Lobschreibens nicht würdig, andererseits erfüllte ihn der Gedanke, dass sein Name in Rom mehr oder weniger bekannt war, mit Stolz. Es war Papst Sixtus V., welcher der Europagesandtschaft eine Audienz gewährt hatte, und von dem Mesquita und Hara

Martino mit großer Ehrfurcht sprachen. Doch selbst einmal die Hauptstadt Rom zu besuchen und dort den Papst zu treffen, war wohl ein allzu verwegener Wunsch.

Während Ukon so in Gedanken versunken das Bild betrachtete, zeigte Mesquita auf ein dickes Buch neben seinem Kopfkissen und sagte in einem Ton, der von der Freude erfüllt war, anderen etwas beizubringen, zu Clemente:

»Bautista, das hier ist ein Buch mit Bildtafeln von Vesalius. Ich konnte mich erinnern, dass ich es mitgebracht habe, als ich nach Japan kam, aber irgendwie ist es abhanden gekommen. Nun hat Martino es in einer Ecke des Buchspeichers entdeckt. Das ist ein seltenes Buch. Es wäre ein Verlust für die Menschheit, wenn es von jemandem, der seinen Wert nicht kennt, zerstört würde. Wenn du wegen des Christenverbots in die Verbannung ins Ausland gehst, möchte ich, dass du es unbedingt nach Macao oder Manila mitnimmst.«

»Was, dieses Buch gab es in Nagasaki? Das ist kaum zu glauben«, sagte Clemente, nahm es ehrfürchtig in die Hand und zeigte es Ukon. Wenn man die erste Seite aufschlug, konnte man das Bild eines Professors der Medizin sehen, der gerade an einem vor ihm liegenden Toten eine Leichenöffnung vornahm und von einer großen Anzahl Menschen umringt war. Diese, in einem großen runden Gebäude zusammengedrängt, verfolgten mit eifriger Aufmerksamkeit das Tun des Lehrers, aber rechts und links unten neben dem Operationstisch waren auch Männer mit einem Hund und einem Affen zu sehen.

»Was bedeuten wohl der Affe und der Hund?«, murmelte Ukon wie zu sich selbst.

»Für solche Autopsien hatte man lange Zeit Affen und Hunde verwendet. Der Affe und der Hund im Bild sollen veranschaulichen, dass Vesalius der erste war, der Autopsien am Menschen bildlich festgehalten hat«, erklärte Mesquita und fügte hinzu: »Hier ganz vorne ist ein Mann mit einem Rasiermesser. Das kommt daher, weil in Europa die Barbiere gleichzeitig Chirurgen waren. Die moderne Medizin hat ein Franzose namens Paré begründet, der auch die Technik, Adern mit einem Faden abzubinden, um die Blutung zu stoppen, erfunden hat.«

»Ich verstehe. Eine solche öffentliche Leichenöffnung wäre in Japan unvorstellbar.« Ukon las den Titel des Buches laut vor.

ANDREAE VESALII
Bruxellensis Scholae
Medicorum Patauinae Professoris:
De humani corporis fabrica
Libri septem.

»Äh, er kommt aus Brüssel und ist Lehrer an der medizinischen Schule zu Padua. Ein Buch mit sieben Kapiteln über die Anatomie des menschlichen Körpers, von Andreas Vesalius«, sagte Ukon ohne viel Selbstvertrauen in der Stimme.

»Das ist treffend übersetzt«, lobte ihn Clemente. »Herr Justo Ukon, dies sind die ersten und exaktesten Bildtafeln über die Autopsie des menschlichen Körpers. Dieses Exemplar hier stammt aus der zweiten Auflage, die 1555 in Basel herausgegeben wurde. Das hier ist wirklich ein originelles, wertvolles Buch und stellt den Ausgangspunkt der gegenwärtigen Medizin dar. Auch ich habe es bei meinem Studium der Medizin oft verwendet. Schaut nur hier, die Schönheit der menschlichen Muskeln und inneren Organe. Das delikateste der mysteriösen Meisterwerke, die Gott erschaffen hat.«

»Ich verstehe ...«, sagte Ukon, die Bilder betrachtend, während er die Seiten des dicken Buches durchblätterte. Knochen, Muskeln und Eingeweide hatte er bisher allesamt als etwas Hässliches betrachtet, doch nun war er höchst erstaunt darüber, welch streng geordneten Aufbau sie hatten, ja dass ihnen sogar eine gewisse Schönheit anhaftete. Er erkannte, dass es die europäischen Wissenschaften verstanden, hässliche Dinge als etwas Schönes neu zu sehen.

»Vesalius hat dieses Buch geschrieben, indem er echte menschliche Körper untersuchte und analysierte. Wissenschaft bedeutet, sich die Werke des Herrn zunächst gründlich und ohne Hast anzuschauen. Hierdurch kann man die Schönheit entdecken, die Gott in den Dingen versteckt hat.«

»So ist es ...«, dies leuchtete Ukon ein. »Ob es in meinem Körper wohl genauso aussieht?«

»Selbstverständlich. Gott hat die Körper der Menschen alle gleich geschaffen.«

»Auch die der Japaner ...«

»Und die von uns Ausländern ebenfalls«, fügte Clemente schnell hinzu und lachte. »Als Menschen sind wir alle von gleichem Aufbau.«

»Es ist eigentlich unverzeihlich, dass der Mensch solch kunstvoll gearbeitete Meisterwerke eigenmächtig zerstört«, klagte Ukon. Wie viele Menschen hatte er wohl selbst schon umgebracht? Er konnte sie gar nicht mehr zählen.

Bei seinem ersten Kriegseinsatz, in der Schlacht von Yamazaki, gingen etwa zweihundert Feinde auf sein Konto. Auch wenn die meisten von ihnen durch die Hand seiner Untergebenen umgekommen waren, so hatte er selbst, wahllos um sich schlagend, immerhin über zehn Menschen getötet. Das Gefühl, wie die Spitze seiner Lanze das weiche Fleisch durchdringt und die Knochen zerbricht, konnte er auch jetzt noch deutlich auf seinen Handflächen spüren.

»Herr Justo Ukon«, sagte Mesquita. »Das Buch scheint Euch zu interessieren. Ich leihe es Euch gerne. Lest solange darin, wie es Euch beliebt.«

»Das ist sehr freundlich, aber ich glaube nicht, dass ich die lateinische Fachsprache verstehe, und es gibt auch eine ganze Menge anderer Bücher, die ich noch zu lesen habe ...«, lehnte Ukon ab.

»Diogo, was liest du denn im Moment?«, fragte Clemente Mesquita, auf dessen Nachttisch sich die Bücher stapelten.

»Natürlich etwas über Theologie«, antwortete Mesquita und reichte Clemente ein Buch.

»Was ist das denn«, erhob dieser überrascht seine Stimme. »Das ist doch ›Don Quixote‹.«

»Ja, Bautista. Das ist das Buch, das du aus Kanazawa mitgebracht hast. Leider ist es auf Spanisch geschrieben und daher für mich als Portugiesen nicht so einfach zu lesen, aber da es ein so bahnbrechend neues Theologiebuch ist, kann ich es nicht mehr aus der Hand legen, nachdem ich einmal angefangen habe, es zu lesen.«

»Herr Ukon«, sagte Clemente lachend. »Das hier ist kein Buch über Theologie. Es ist ein Roman. Es ist eine Erzählung über die Reise eines verrückten Mannes, der sich für einen wandernden Ritter der alten Schule hält. Er ist eine naiv-aufrichtige Person, die überall, wo sie hinkommt, zum Narren gehalten und ausgelacht wird. Die Geschichte ist aber so angelegt, dass es diejenigen sind, die sich über ihn lustig machen, welche schließlich selbst zu Narren werden und über die gelacht wird.«

»Dann ist es wohl eine ernsthafte Erzählung«, sagte Ukon. »Auch unter den Nô-Stücken gibt es solche über den Wahnsinn. Eine Person, die aus übermäßigem Gram die Sinne verloren hat, wird zum Gespött der anderen. Aber wer sich wirklich lächerlich macht, sind diejenigen, die über sie lachen. Heute macht man sich in ganz Japan über die Christen lustig und verlacht sie, aber eigentlich sind es die Verfolgten, die ausgelacht werden sollten.«

»Das ist wahr«, sagte Clemente, sein Lachen unterdrückend, mit ernstem Gesicht. »Die wahrhaft lächerlichen Menschen sind solche von Sahyôes Schlag.«

»Wahrhaft lächerlich sind solche humorlos-ernsthaften Personen, die von den Menschen für die erklärten Verfechter der Gerechtigkeit gehalten werden, Pilatus und Kaiphas ebenso wie die Pharisäer.«

»So ist es«, sagte Clemente mit strenger Miene und nickte. Auf dem Gesicht dieses fröhlichen, immer zu Scherzen aufgelegten Menschen wirkte dieser Ausdruck wie aufgesetzt.

»Es wird Euch gewiss ein großer Gewinn sein, dieses profunde theologische Werk einmal zu lesen, Herr Ukon«, sagte Mesquita. Über sein Gesicht zog sich ein Lächeln, aber in seinen Augen lag eine durchdringende Strenge.

»Nein, nein. Ein solch profundes Theologiebuch zu studieren, fehlt mir die Zeit. Da sind noch so viele Bücher, die es zu lesen gilt, obwohl mir nicht mehr viel Zeit bleibt.«

»Wie alt seid Ihr eigentlich, Justo Ukon?«

»Zweiundsechzig.«

»Ich bin einundsechzig, also etwa genauso alt wie Ihr. Bautista ist siebenundfünfzig und du, Martino …«

»Ich bin sechsundvierzig.«

Mesquita, Clemente und Ukon tauschten einen Blick und schauten dann erwartungsvoll zu Martino, als wollten sie sagen: »Du bist noch jung.«

»Es ist schade um Itô Mancio«, sagte Mesquita. »Dabei hätten wir seine Fähigkeiten als Missionar gerade in diesen Zeiten nötig.« Als er zu dem Ölgemälde aufblickte, glänzte eine Träne in seinem Auge.

Danach ging Ukon ins Hospital und half bei der Behandlung der Kranken. Er hatte damit begonnen, nachdem er im Trubel der Kommunionsumzüge, die sich im Mai in Nagasaki stets mehrmals wiederholten, Clemente wieder getroffen hatte und dieser über Personalmangel im Hospital geklagt hatte. Nun war die Arbeit zu seiner täglichen Aufgabe geworden. Zu Clementes Freude beteiligten sich auch Justa und Lucia an der Arbeit, indem sie im Krankenhaus flicken halfen, und die Schwestern des Beatus-Ordens beteiligten sich unter Führung Naitô Julias an der Pflege der Patienten.

Im Krankenhaus arbeiteten zusammen mit den Laienbrüdern, die seit früher da wohnten, auch weiß gekleidete Schwestern des Beatus-Ordens bei der Krankenpflege mit. Naitô Justa machte Clemente Meldung. Sie sagte, dass der Zustand eines Mannes, der vor einigen Tagen eingeliefert worden war, weil die Beamten des Gouverneurs ihn in einen Sack gesteckt und geprügelt hatten, merkwürdig sei. Der Mann, dessen Kopf durch den Verband wie eine Zwiebel aussah, gab grunzende Geräusche wie die eines Wildschweins von sich, und sein Bauch bebte verzweifelt. Clemente sprach ihn an, doch es kam keine Reaktion. Nach einer Weile hörte auch die Bewegung des Bauches auf. Clemente schüttelte den Kopf. Der Mann war tot.

Ukon war gerade anwesend, als ein blutverschmierter Mann auf einer Holztür, die als Bahre diente, hereingetragen wurde. Er war ein Laie aus der San Antonio-Kirche, der Murayama Tôans zweiter Sohn, Padre Francisco, vorstand. Da er für die Verbindungsarbeit zwischen den Kirchen zuständig war, kam er auch häufig in die Todos os Santos-Kirche. Er war gerade auf dem Weg gewesen, einen Brief ins Kolleg zu bringen, als er von Leuten aus dem Amt des Gouverneurs angerufen wurde, er solle stehen bleiben. Da er aber floh, verfolgten sie ihn und prügelten exzessiv auf ihn ein. Gerade als eine der Nonnen das Gesicht des Toten mit einem Tuch bedeckte, kam Padre Francisco. Dieser hatte ebenso wie sein Vater ein großes Gesicht, aber anders als dieser war er von hohem Wuchs. Er sprach mit lauter Stimme, worin er wiederum seinem Vater glich.

»Dabei wäre es doch gar nicht so schlimm gewesen, wenn sie ihm den Brief abgenommen hätten. Aber im Amt des Gouverneurs glaubt man, dass die Familie Murayama mit der Seite von Ôsaka unter einem Hut steckt, und deshalb hat man unsere Bewachung verstärkt. Dieser Mann ist wohl aus Loyalität mir gegenüber geflohen.« Es wurde entschieden, dass Padre Francisco an diesem Abend eine Messe abhalten werde, und die Beerdigung wurde auf nächsten Morgen angesetzt.

Danach ging Ukon auf die Leprastation, den erbärmlichsten Ort in diesem Krankenhaus. Er kannte diese mysteriöse Krankheit, bei der der Körper zerfällt, bereits durch seinen Freund, den Daimyô Gamo Ujisato, der an seinem Lebensabend unter ihr litt. Aber dass es in diesem Krankenhaus so viele gab, die von dieser Krankheit befallen waren, verblüffte ihn. Dass er die Deformationen, Geschwülste und Verfärbungen an Gesicht, Händen und Füßen anfangs abstoßend fand, ist eine Tatsache. Doch die Menschen litten bitter unter der Krankheit, und seitdem Ukon dieses Leiden an seinem eigenen Körper nachzuempfinden begann, überstieg sein Mitleid die Abscheu und wurde zum Antrieb, sich selbst für die anderen aufzuopfern. Den Anlass hierzu gab ihm die Kontemplation über seinen eigenen toten Leib mit den »Exercitia spiritualia«. Dabei stellte er sich vor, wie er selbst sterben würde: Das Gesicht durchgeht eine finale Veränderung, er wird kalt, Hände und Füße werden starr, er wird zu Grabe getragen, schließlich verwest er und strömt einen üblen Geruch aus, Würmer ergießen sich über ihn. Bei diesen erbärmlichen Betrachtungen angelangt, kam ihm der miserable Zustand der Leprakranken auch nicht mehr erbärmlicher vor als sein eigener Tod.

Ukon half gerade Bruder Calderon, der zusammen mit einem Laien Verbände wechselte. Er wusch die Wunden mit Wasser aus, rieb sie mit Chaulmoograöl ein und legte dann einen neuen Verband an. Dabei waren seine Hände und Arme mit dem gelben Öl verschmiert, das so heftig stank, dass einem davon schwindlig werden konnte. Dieser Geruch erfüllte die gesamte Lepraabteilung. Sôbê, der hierher gekommen war, weil er es seinem Herrn nachtun wollte, konnte dies nicht ertragen und floh in die allgemeine Abteilung, wo er sich unter einfacheren Bedingungen behilflich machte. Ukon aber ertrug den Geruch und arbeitete weiterhin auf der Leprastation. Er dachte sich nämlich, dass er durch dieses Erdulden der Passion des Herrn, und somit dessen Liebe, näher kommen könne.

Ukon verbrachte viel Zeit auf der Leprastation. Ein Grund hierfür war auch, dass es auf der allgemeinen Station Menschen mit den verschiedensten Krankheiten gab und daher auch die Aufgaben der Krankenpfleger um einiges vielfältiger waren, so dass es für ihn schwierig war, geeignete Arbeit zu finden. Auf der Leprastation war dies viel einfacher, da er dort nur eine festgelegte Routine zu wiederholen brauchte. Außerdem öffneten ihm die Patienten immer mehr ihr Herz und erzählten ihm von ihren Leiden. Dass diese Menschen, von denen man glaubte, dass sie von den Göttern und Buddhas mit dieser Befleckung bestraft wurden, weil sie Sünder seien, und die man als Aussätzige beschimpfte und hasste, von mildem und subtilem Wesen waren und sich trotz ihrer eigenen Lage um das Wohlergehen ihrer Eltern und Freunde sorgten, fand Ukon bewundernswert. Eines Tages sagte ein Mann, der Arme und Beine verloren hatte, so dass ihm nur noch der Rumpf blieb, zu Ukon:

»Seid Ihr Christ?«

»Ja.«

»Und aus welcher Gegend kommt Ihr?«

»Aus Settsu.«

»Das muss ziemlich weit sein.«

»Ja, es ist weit weg von hier.«

»Und warum seid Ihr nach Nagasaki gekommen?«

»Ich bin verbannt worden, und von hier werde ich noch weiter in ein anderes Land gehen.«

»Wo liegt dieses ferne Land?«

»Das weiß ich nicht.«

»In ein unbekanntes Land. Das tut mir Leid für Euch. Während ich das Glück habe, hier in Nagasaki bleiben zu können.« Der Mann begann ein Gebet vor sich hin zu murmeln.

»Und du bist wirklich glücklich?«

»Ja, ich bin wirklich glücklich. Ich bin glücklicher als Ihr, weil ich weiß, wo ich bin.« Auf dem Gesicht des Mannes lag ein Lächeln, und in seinen Augen war ein Funkeln auszumachen. Während Ukon seine von Eiter durchtränkten Tücher zusammenräumte, neigte er den Kopf, als wäre der Mann der Herr selbst.

Nach vier Stunden geschah es, dass Ukon seinen Köper nicht mehr bewegen konnte, als wäre dieser eingerostet. Es war genauso wie damals in den verschneiten Bergen, als ihn die eisernen Fesseln der übermäßigen Erschöpfung umschlungen hielten. Als er sich nur etwas niederbückte, drohte er vornüber auf den Patienten zu fallen, und er war schon froh, dass er auch nur einen Schritt machen konnte. Außerdem vernebelte sich sein Blick, und die eigenen Hände verschwammen vor seinen Augen. Als er sah, dass die Laienbrüder und

Diener noch problemlos weiterarbeiteten, merkte er, dass ihn das Alter doch sehr geschwächt hatte. Es fiel ihm ja schon schwer, bergauf zu gehen. Wenn er einmal etwas weiter ging, schmerzten ihn gleich die Knie, und wenn er filigranere Arbeiten machte, ermüdeten seine Augen, und er sah die Gegenstände verschwommen wie durch einen Nebel. Da es nicht anders ging, entschied sich Ukon, eine kurze Pause zu machen. Er verließ die Leprastation und legte sich auf dem Holzboden des kleinen Zimmers neben der Näherei, in der Justa und Lucia arbeiteten, nieder. Sofort erschien Lucia und deckte ihn mit ihrem Mantel zu.

Als er sich niederlegte, spürte er plötzlich die Erschöpfung, die sich in seinem ganzen Körper ausgebreitet hatte. Doch da er gearbeitet hatte, war sein Kreislauf angeregt, und er fühlte sich eigentlich recht frisch. Ukon schloss die Augen und verließ sich darauf, dass sein Herz in leichtem Rhythmus weiterschlagen würde. Die Freuden, die er in Kanazawa neben seiner Missionstätigkeit gehabt hatte, waren, dass er zur Erbauung las, Lektüre und die Kunst der Teezeremonie genoss und, wie es für einen Krieger üblich war, seinen Körper beim Reiten und Bogenschießen trainierte. Seit er nach Nagasaki gekommen war, wurden Reiten und Bogenschießen, was hier nicht möglich war, durch die spirituellen Übungen und die Pflege der Kranken ersetzt. Bei der Pflege der Kranken hatte sich Ukon zunächst auf Naitô Julias Einladung hin durch Zuschauen und Nachahmen nützlich gemacht, und schließlich hatte ihm Clemente die Grundlagen der europäischen Krankenpflege beigebracht. Sowohl bei den spirituellen Übungen als auch bei der Krankenpflege konnte man am eigenen Leibe etwas lernen. In dieser Hinsicht glichen sie der Teezeremonie und den Kriegskünsten, weshalb sie Ukons Wesen auch so nahe kamen.

»Darf ich kurz stören?«, war Hara Martinos Stimme zu vernehmen. »Einen Moment«, sagte Ukon, richtete sich schnell auf und begann seine Kleider zurechtzuzupfen. Er hatte nicht bemerkt, wie Sôbê gekommen war, doch dieser saß direkt neben ihm und richtete Ukons Kragen. Hara Martinos Stimme war erneut zu hören: »Ich fange jetzt an zu drucken. Wollt Ihr es Euch anschauen?«

»Das ist eine Gelegenheit, wie man sie nicht noch einmal bekommt. Ich begleite Euch sofort«, antwortete Ukon. Als er zuvor einmal die ans Hospital angeschlossene Druckerei besichtigt und Erklärungen über die Druckkunst gehört hatte, hatte er darum gebeten, ihm Bescheid zu sagen, wenn sich einmal die Gelegenheit böte, den Druckvorgang selbst zu beobachten.

In der Druckerei standen zwei Laienbrüder an der Maschine. Zunächst wurden die Bleilettern gesetzt und danach schwarze Druckfarbe auf den Satz aufgetragen, dann das Papier aufgelegt und von oben angepresst. Für das Auftragen der öligen Farbe und das Auflegen des Papiers waren die beiden Laienbrüder zuständig, und um eine möglichst hohe Qualität zu erzielen, war das Pressen, wozu man ausreichend Übung brauchte, Martinos Aufgabe. Ukon, der sich ein fertiges Blatt anschaute, war von dem Ergebnis tief beeindruckt. Dieser Druck unterschied sich in Präzision und Klarheit deutlich von den Holzblockdrucken, die es in Japan seit der Heian-Zeit gab. In dieser Werkstatt waren bereits viele christliche Bücher gedruckt worden, und die meisten von ihnen waren durch Martinos Bemühungen entstanden, wessen sich Ukon hier aufs Neue versichern konnte.

Es war Superintendent Valignano, der die Gutenbergsche Druckerpresse aus den Ländern der Südbarbaren mitgebracht hatte, und aus der Europagesandtschaft, die er angeführt hatte, war es Hara Martino, der viel über die Kunst des Druckens gelernt hatte. Der früheste Druck war die in Amakusa hergestellte »Doctrina Christan (Dochiriina kirishitan)«, ein Buch, das sowohl in japanischen Silbenschriftzeichen (kana) als auch in römischen Buchstaben gedruckt war. Die Bücher mit den Südbarbarenbuchstaben waren auch für Menschen zugänglich, die keine chinesischen Schriftzeichen lesen konnten, da man nur wissen musste, wie die Buchstaben des Alphabets auszusprechen waren. Deshalb fanden die Drucke nicht nur bei ausländischen Missionaren, sondern auch bei den einfachen Leuten weite Verbreitung. Doch hier wurden nicht nur christliche Bücher verlegt, sondern auch zum Beispiel das »Feique no Monogatari (Heike monogatari)« oder die »Esopo no Fabvlas (Äsops Fabeln)«. Was Ukon besonders nützlich fand, war das »Dictionarivm Latino Lvsitanikvm ac Japonicvm (Lateinisch-portugiesisch-japanisches Wörterbuch)«. Beim Studium der lateinischen und portugiesischen Sprache war es ein unverzichtbarer Begleiter, dank dessen auch Ukon in Kanazawa Latein und Portugiesisch lernen konnte. Nachdem Fürst Hideyoshi gestorben war, wurde die Druckerei nach Nagasaki in das Santiago-Hospital verlegt. Unter den dort gedruckten Büchern mochte Ukon besonders solche mit Erläuterungen über den Glauben, wie zum Beispiel »Gvia do Pecador (Anleitung für den Sünder)« oder »Manvale ad Sacramenta (Handbuch der Sakramente)« sowie Bücher über den Ablauf der Liturgie, Sammlungen von Chormusik und Kirchenliedern und dergleichen. Die »Exercitia spiritualia«, die er momentan mit großem Eifer las, hatte er erst kurz vor seiner Verbannung aus Kanazawa von der Dame von Bizen bekommen.

Die drei Mitarbeiter der Druckerei waren bei ihrer Arbeit exakt aufeinander eingespielt und handhabten die Druckmaschine mit großer Präzision. Während sich der frische Duft der Druckfarbe ausbreitete, stapelten sich die Bündel frisch bedruckter Blätter.

»Dieser Druck ist der letzte, den wir hier anfertigen«, sagte Martino. »Der Gouverneur beabsichtigt nicht nur die Kirchen niederzureißen, sondern er will alle Spuren des üblen Glaubens vernichten. Er hat es auch auf diese Druckmaschine abgesehen, weil er sie für das Instrument des Teufels hält, mit dem dieser seine subversiven Schriften verbreite. Aber die Lettern der chinesischen wie der kana-Schriftzeichen, die wir hier hergestellt haben, sind äußerst selten und wertvoll. Wir treffen Vorbereitungen, sie zusammen mit der Maschine nach Macao zu bringen. Diese Schrift hier enthält Informationen, wie sich die Gläubigen gegenüber den Repressalien des Gouverneurs verhalten sollen. Natürlich wird sie als gefährliches Schriftstück als erstes die Aufmerksamkeit der Behörden auf sich ziehen.«

»Was ihr hier gerade druckt?«

»Ich habe niedergeschrieben, was Herr Mesquita gesagt hat und den Text dann noch einmal überarbeitet. Selbstverständlich steht kein Name darunter. Aber wenn dies den Beamten zu Gesicht kommt, wird es natürlich auf der Stelle konfisziert.«

»Du verstehst wirklich, wie man Texte schreibt, Padre.« Ukon betrachtete Martinos hervorstehende Stirn und seine scharfsinnigen Augen mit Bewunderung, die von Herzen kam. Vermutlich war er der erste Japaner, der im Ausland etwas veröffentlicht hatte. Seine sprachlichen Fähigkeiten wurden in Italien hoch geschätzt und mit den Worten »Er ist ein seltenes Talent« gepriesen. Die Reden, die er auf Lateinisch gehalten hatte, wurden in Goa unter dem Titel »Oratio

Habita à Fara D. Martino Iaponio (Die Reden des Hara Don Martino aus Japan)« veröffentlicht. Auch Ukon hatte sie gelesen. Sie waren in wahrlich meisterhaftem Stil geschrieben.

»Erzähl mir bei Gelegenheit wieder von Italien und Spanien«, bat ihn Ukon. Es gab vieles, was er von Martino gelernt hatte, wie etwa über die Beziehungen zwischen Portugal und Spanien, wie es in Rom, wo sich der Papst aufhielt, aussah, über den Aufbau des Jesuitenordens oder über die Unterschiede zwischen der Gemeinschaft Jesu und anderen Orden, wie etwa den Dominikanern oder Franziskanern.

»Ich bin es, der Euch bitten wollte, Herr Takayama, mir vom Wesen der wichtigen Persönlichkeiten des Shogunatskabinetts und ihren Verdiensten, von den verschiedenen Daimyô, ihrer Geschichte und ihren Taten zu berichten, aber leider bin ich nicht dazu gekommen, weil ich so beschäftigt war.« Martino verneigte sich demütig.

In diesem Moment waren aufgeregte Stimmen aus Richtung des Hospitals zu vernehmen. Die Anwesenden dachten, dass vielleicht ein Notfall eingeliefert worden sei, als Nakaura Julião laut stampfend herbeigeeilt kam. Er schien auch in letzter Zeit noch in der Nachbarschaft umherzulaufen und seiner Missionstätigkeit nachzugehen. Auf seinem sonnenverbrannten Gesicht lag ein entschlossener Ausdruck, und seine schwarze Missionarsrobe war mit weißem Staub bedeckt. Julião ging schnurstracks auf Martino zu und sagte mit unterdrückter, aber scharfer Stimme:

»Ich habe Chijiwa Miguel mitgebracht. Am Wegesrand habe ich einen halbtoten Bettler gefunden. Ich wollte ihm helfen, und als ich genauer hinsah, stellte sich heraus, dass es Miguel ist. Er ist vollkommen erschöpft. Doktor Clemente untersucht ihn gerade …«

»Das ist ja unglaublich«, sagte Martino, unterbrach den Druckvorgang und wusch sich die Farbe von den Händen. Da bemerkte Julião die Anwesenheit Ukons und Sôbês und grüßte sie stumm.

Die vier Männer eilten zum Krankenzimmer. Laienbrüder und Nonnen, die die Neuigkeit gehört hatten, schlossen sich ihnen an.

Das Zimmer war erfüllt von üblem Verwesungsgeruch, den Ukon bereits vom Schlachtfeld her kannte. Auf dem Antlitz des mit einer Dreckkruste überzogenen Kranken klebte ein kriecherischer Gesichtsausdruck. Die wenigen Zähne, die er noch im Mund hatte, der eher an einen After erinnerte, waren schwarz und von faulem Atem verschmiert. Zwar atmete er noch, doch schienen seine Augen nichts zu sehen und seine Ohren nichts zu hören. Als Julião ihn mehrmals ansprach, kroch schließlich eine heisere Stimme über den Boden: »Eine milde Gabe bitte.« Clementes Gesicht verfinsterte sich und er zuckte in der Weise, wie es die Südbarbaren tun, mit der Schulter, um den Anwesenden zu signalisieren, dass der Zustand hoffnungslos war. Martino näherte sich seinem alten Freund und streichelte ihn an der Seite. Unter den Kleidern kam ein Arm wie der eines Skeletts hervor. Auf Martinos Wangen glitzerten Tränen. Er presste seine Stirn auf die des Freundes und verharrte so eine Weile weinend. Auch in den Augen Juliãos, der mit gesenktem Kopf daneben stand, sammelten sich Tränen. Martino fragte Clemente:

»Sollen wir nicht lieber Meister Mesquita benachrichtigen?«

»Ja, sagen wir ihm Bescheid.«

»Aber«, meinte Julião mit kritischem Blick, »Miguel hat sich von der Lehre Meister Mesquitas abgewendet. Er hat dem Glauben abgeschworen.«

»Wir wissen doch gar nicht genau, ob er dem Glauben wirklich abgeschworen hat«, sagte Martino mit Bestimmtheit. »Außerdem war es eine der Sorgen unseres Lehrers, dass er nicht wusste, was aus Miguel geworden ist. Und jetzt haben wir Miguel gefunden. Meister Mesquita freut sich bestimmt, dass der verlorene Sohn zurückgekehrt ist.«

»Nun ja, das mag schon sein ...«, nuschelte Julião, der dem heftigen Tonfall des sonst so ruhigen Martino nichts mehr entgegenzusetzen hatte.

»Genau so ist es. Ich sage ihm Bescheid«, sagte Martino selbstbewusst und ging.

Julião begann das Gesicht und den Hals des Kranken mit feuchten Tüchern abzureiben. Als Ukon ihm dabei helfen wollte, kam ihm Naitô Julia zuvor, nahm die schwarz gewordenen Tücher und wechselte sie gegen frische aus. Schließlich machten sich doch die Nonnen, die an die Pflege von Kranken gewöhnt waren, an die Arbeit und rieben den ganzen Körper des Patienten ab. Sie zogen ihm die verdreckten Kleider aus und wechselten sie gegen frische.

Unter Anweisung Martinos wurde Padre Mesquita auf einer Bahre herbeigetragen.

»Oh, Miguel. Gesegnet seiest du im Namen des Vaters, des Sohnes und des heiligen Geistes«, sagte Mesquita und schlug das Kreuz. Nach portugiesischer Sitte begrüßte er den im Sterben Liegenden, indem er seine Wangen an die Miguels legte. Dann wies er die anderen an zu beten, um dem Sterbenden das Sakrament der letzten Salbung zu geben. Der Padre benetze Augen, Nase, Mund, Ohren und Füße mit geweihtem Duftöl und betete für die Vergebung seiner Sünden und die Gnade des Herrn. Die anderen wiederholten die Worte des Padre. Vielleicht war es nur Einbildung, aber es sah so aus, als erschiene ein friedvolles Lächeln auf Miguels Gesicht.

Etwa eine Stunde später holte der Herr Chijiwa Miguel zu sich in den Himmel.

13
Das Schiff in die Verbannung

Es war frühmorgens, die heilige Kommunion in der Todos os Santos-Kirche war gerade zu Ende, und Padre Morejon, der die Messe gehalten hatte, zog sich in sein Zimmer zurück. Da wandte sich Ukon an die Anwesenden und sagte: »Dürfte ich kurz um Aufmerksamkeit bitten?« Justa, Lucia Jûtarô und die Enkelkinder, Joan, Kôji und seine Familie, Naitô Julia, die Schwestern des Beatus-Ordens und Sôbê, alle schauten gemeinsam zu Ukon herüber.

»Wahrscheinlich werden im Laufe des heutigen oder morgigen Tages die Häscher des Gouverneurs kommen. Ich nehme an, ihr habt eure persönlichen Sachen alle in Ordnung gebracht, denn ich gehe davon aus, dass der Augenblick der Wahrheit naht. Es bleibt uns nur noch, in tadelloser Ordnung voranzugehen. Da es entschieden ist, dass wir ins ferne Luzon deportiert werden, liegt es in der Hand Gottes und Christi, dass wir die Überfahrt wohlbehalten überstehen. Verzeiht meine besorgte Geschwätzigkeit.« Als Ukon dies gesagt hatte, kamen ihm seine hochgestochenen Worte eher peinlich vor, doch es beruhigte ihn, dass Lucia ihm mit strahlenden Augen zunickte und die Schwestern des Beatus-Ordens sich in seine Richtung verneigten, bevor sie gingen. Auch Joan und Kôji grüßten mit einem Nicken zu ihm herüber, als wollten sie sagen, dass dies eine gelungene Ansprache war, und verließen die Kirche.

Ukon kniete vor dem Altar nieder und schaute zum Kruzifix auf. Jener Mensch, der da am Kreuz hing, hatte den Kopf leicht zur Seite geneigt und die Augen halb geschlossen. Hinter seinem Lächeln schauten die weißen Zähne hervor. Zu diesem Zeitpunkt hatten sich seine Jünger bereits von ihm abgewandt, wurde er von der Menge verhöhnt, war ihm eine Dornenkrone aufs Haupt gedrückt worden, und er verspürte heftige Schmerzen wegen der Nägel, die seine Hände und Füße durchbohrten. Umso mysteriöser erschien das Lächeln auf seinem Gesicht. Es hieß, dass Padre Francisco Xavier eine Zeichnung von jenem Kruzifix, das er in seiner Heimat Spanien so verehrt hatte, angefertigt und es ein Schreiner aus Funai nach dieser Vorlage geschnitzt habe. Ukon glaubte, dass besagtes Lächeln der Heiligen Mutter Maria unter dem Kreuz galt. Stellte man das Bildnis der »trauernden Santa Maria« unter das Kreuz, mussten die Gesichtsausdrücke jenes Menschen und seiner Mutter aufs Vortrefflichste harmonieren. Jenseits dieser unendlich einsamen und schmerzvollen Strafe wartete die Heiterkeit der Auferstehung. Ukon hatte erkannt, dass es ohne die Auferstehung auch keinen Glauben geben konnte. Es erschütterte Ukons Seele, als ihm klar wurde, dass selbst jenes strahlend heitere Osterfest in Takatsuki, das Padre Valignano organisiert hatte, durch die Leidensgeschichte jenes Menschen geprägt war. Anima Christi – erlöse mich. Verbirg in deinen Wunden die Lämmer, die sich verirren. Die Schritte einer großen Anzahl von Menschen waren zu hören. Mit einer Fackel den Weg weisend, angeführt von Judas Ischariot, einem der zwölf Jünger, und vom Hohepriester geschickt, nahte eine Schar Soldaten, bewaffnet mit Lanzen und Schwertern.

Wie eine rollende Kugel kam Sôbê hereingepoltert. Angesichts dieses panischen Gebarens ahnte Ukon, was geschehen war und konnte sich das Lachen nicht verkneifen.

»Sind die Beamten also gekommen?«

»Ja, der Befehl lautet, unverzüglich aufzubrechen.«

»Ich habe meine Vorbereitungen getroffen«, sagte Ukon und begab sich in Richtung seiner Unterkunft. Angeführt von einem berittenen Polizeihauptmann sicherten zwei Polizisten und etwas über zehn Beamte niederen Ranges mit zur Schau gestellter Strenge den Eingang. Der Polizist, der gewöhnlich für die Bewachung Ukons zuständig war, sagte dem Polizeihauptmann, welcher der Männer Ukon wäre. Der Hauptmann näherte sich und sagte höflich:

»Ich komme vom Amt des Gouverneurs. Es ist an der Zeit aufzubrechen. Würdet Ihr mir bitte folgen.«

»Sehr wohl«, sagte Ukon ehrerbietig und verneigte sich. In den Unterkünften sortierten die Leute ihr Gepäck. Die Padres und Ordensbrüder waren eifrig bei der Arbeit, wobei ihnen die Laien geflissentlich halfen. Sôbê brachte Ukons Sachen, die schon seit geraumer Zeit ordentlich gepackt bereit standen, herbei. Schließlich ließen alle in einer Gruppe und unter den Anweisungen des Polizeihauptmanns die Kirche hinter sich.

Der Weg von der Todos os Santos-Kirche zum Santiago-Hospital war Ukon sehr vertraut, da er ihn jeden Tag gegangen war, doch bei dem Gedanken, dass es nun das letzte Mal sei, erschienen ihm die beschädigten Dachtraufen, die Unregelmäßigkeiten, die Biegungen des ansteigenden Weges, ja selbst die Muster des Schlamms, der sich an den Steinmauern festgesetzt hatte, irgendwie in sehnsuchtsvollem Licht. Da es noch früh am Morgen war, sollte eigentlich nicht viel los sein auf der Straße, doch die Bürger hatten mitbekommen, dass etwas vor sich ging und die Situation verstanden, denn sie grüßten die eskortierten Menschen traurig, und einige unter ihnen machten das Zeichen des Kreuzes.

Auch das Santiago-Hospital war von einem Trupp Beamter umstellt. Einige Laienbrüder, die Ukon vom Sehen kannte, wurden von Polizisten angeschrieen, aber von Clemente, Martino und Julião war nichts zu sehen. Über das Misericordia-Hauptquartier und die dazugehörige Kirche sowie die San Pedro-Kirche in der Nähe des Hafens fielen Schwärme von Beamten her. Vermutlich standen hinter den Ereignissen dieses Morgens die groß angelegten Maßnahmen des Gouverneurs.

Vor der Anlegestelle erhob sich ein Gebäude des Gouverneursamtes. Es war eine Festung, umgeben von einer soliden Steinmauer. Auf dem Platz vor dem Tor standen in Gruppen bewaffnete Polizisten und Beamte verschiedener Ränge sowie eine große Zahl Krieger, die aus den Nachbarprovinzen einberufen worden waren und deren Waffen im Lichte der Morgensonne funkelten. Auf dem oberen Teil der breiten Steinstufen, die zur Anlegestelle hinabführten, saßen inmitten flatternder Banner die wichtigsten Beamten des Gouverneurs in einer Reihe auf Feldstühlen, um das Oberkommando zu übernehmen, wenn die Jünger des üblen Glaubens in die Verbannung geschickt wurden. Der Polizeihauptmann, der für die Eskorte der Gruppe zuständig war, grüßte ehrerbietig in Richtung der Steintreppe.

Kôji flüsterte Ukon zu: »Der in der Mitte ist bestimmt der Gouverneur.« Ukon erblickte diesen etwas molligen Mann namens Hasegawa Sahyôe Fujihiro zum ersten Mal. Er sieht aus wie Fürst Ieyasu, als er noch etwas jünger war, dachte er.

Der Polizeihauptmann ließ die Gruppe am Fuß der Steintreppe anhalten, kam zu Ukon und verneigte sich. »Der Herr Gouverneur wünscht Euch zu sprechen, Herr Takayama. Bitte folgt mir.«

»Um was geht es?«

»Das weiß ich nicht«, sagte der Polizist, der schon auf der Treppe war, indem er sich umdrehte und Ukon mit den Augen bedeutete, ihm zu folgen. Als Ukon losging, rief ihm Kôji mit scharfer Stimme nach: »Nehmt Euch bloß in acht!« Kôjis Theorie war, dass man auf der Hut sein müsse, weil Meuchelmörder Tokugawas nach Nagasaki gekommen seien. Seiner Meinung nach führten die Beamten des Gouverneurs diese Meuchelmörder an, und man durfte ihnen keinen Fußbreit über den Weg trauen.

Als sich Ukon dem Gouverneur näherte, gebot ihm dieser mit einem Handzeichen, sich auf den Feldstuhl vor ihm zu setzen. Dies war eine äußerst ungewöhnliche und freundliche Behandlung, da Verbrecher normalerweise auf der Erde zu knien hatten. Doch Ukon blieb einige Stufen unter dem Gouverneur stehen und verbeugte sich tief. Er fühlte sich wie Jesus, der vor Pilatus gebracht worden war.

»Entschuldigt die Umstände, dass ich Euch extra habe rufen lassen, ich wollte gerne den berühmten Herrn Takayama, der Fürst Ieyasu nicht aus dem Kopf geht, einmal treffen«, sagte der Gouverneur halbherzig. Ukon erwiderte seinen Gruß schweigend mit einem Nicken. Man konnte nicht recht erkennen, wie alt der Gouverneur war, aber aus der Nähe sah er längst nicht so jung aus wie von weitem. Sein erschöpft wirkendes Gesicht war von einem komplizierten Geflecht von Falten überzogen. Der Gouverneur von Nagasaki, Hasegawa Sahyôe Fujihiro, älterer Bruder von Ieyasus geliebter Konkubine, der Dame O-Natsu, sah nicht aus wie der mächtige Mann im Kabinett des Shôguns, der er war, oder gar wie der Drahtzieher, der bei der Verfolgung des üblen Glaubens seine Gerissenheit unter Beweis gestellt hatte. Er wirkte eher schwächlich.

»Habt Ihr nicht noch etwas zu sagen, bevor Ihr nach Luzon aufbrecht?«, sagte er in einem Tonfall, als würde er das Gesagte ablesen.

»Nein«, antwortete Ukon laut und deutlich, so dass es die Anhänger des Gouverneurs hören konnten.

»Wenn Ihr nach Luzon geht, werdet Ihr dort unter anderem gewiss auch den Kommandanten von Luzon treffen. Könntet Ihr ihm bei der Gelegenheit vielleicht ausrichten, dass Fürst Ieyasu, anders als zuvor der Herr Regent, keinen Tribut von Luzon zu erhalten wünscht.« Ukon, dem es reichlich dreist erschien, jemanden, den man in die Verbannung schickte, auch gleich noch als Gesandten einspannen zu wollen, schwieg. Der Gouverneur schien zu ahnen, was Ukon durch den Kopf ging, und sagte mit einem selbstverächtlichen Lächeln: »Aber was rede ich da für überflüssiges Zeug.« Darauf fügte er schnell mit einschmeichelnder Stimme hinzu: »Ich finde, man muss einen Kriegsherrn von Eurem Format, Herr Ukon, auch angemessen behandeln, und deshalb möchte ich Euch eine Rüstung mit Helm schenken, in der sich auch ein Samuraigeneral aus dem Land der aufgehenden Sonne nicht zu schämen braucht. Wollt Ihr dieses Abschiedsgeschenk von mir, Fujihiro, annehmen?«

Ukon neigte schweigend den Kopf.

»Oh, Ihr nehmt es also an. Das freut mich sehr. Außerdem schenke ich jedem in der Gruppe, der vom Rang eines Samurai ist, je ein Lang- und ein Kurzschwert. Die Sachen werden alle zum Zeitpunkt der Abfahrt auf das Schiff gebracht.« Als er zu Ende gesprochen hatte, verhärtete sich plötzlich sein Ausdruck und er deutete dem Polizeihauptmann mit einem Schwenk des Kinns an, dass dieser Ukon abführen solle, und wie um zu zeigen, dass dieser jetzt nur noch eine Sträfling sei, mit dem er nichts mehr zu tun habe, schloss er die Augen. Ukon schaute sich langsam um. In den Blicken der Menschen konnte er Verachtung und Abscheu gegenüber den Sonderlingen, die an die üble Lehre glaubten, erkennen. Als er die Steinstufen herabschritt, hatte er das Gefühl, als würden hinter ihm Pfeile der Verachtung und des Hohns abgeschossen. Um zu versuchen, ob auch ihm das Lächeln jenes Menschen gelingen würde, versuchte er, seine versteinerten Gesichtszüge ein wenig zu lockern.

Die anderen waren bereits auf ein Boot verbracht worden. Sobald Ukon eingestiegen war, begannen die Matrosen zu rudern. Allerdings umfuhren sie sowohl das bereitliegende Großschiff als auch die Landzunge und ruderten in Richtung des Strandes von Fukuda, wo man ihnen befahl, an Land zu gehen. Dort wurde ihnen gesagt, dass sie in den Häusern der Fischer einquartiert würden und warten sollten, bis weitere Anweisungen eingingen.

An der Küste von Fukuda vergingen über zehn Tage. Die Hütte, in der Ukon unter Arrest gestellt wurde, lag nah beim Wasser, und das Geräusch der Wellen war den ganzen Tag über zu hören. Auch wenn es in einer Hafenstadt war, so hatte er doch in der Todos os Santos-Kirche gewohnt, die auf einem Berg liegt, und deshalb von den Wellen überhaupt nichts mitbekommen. Nun aber dröhnte deren monotones Geräusch in seinen Ohren und erinnerte ihn, ob er es wollte oder nicht, an die nahende Überfahrt. Darüber hinaus wurde es November, und das Wetter verschlechterte sich. Die kalten Tage, an denen Regen und Stürme wüteten, zogen sich hin und gaben ihm eine Vorahnung der Gefahren, die auf ihn zukamen.

Eines Morgens, nachdem es aufgehört hatte zu regnen, gingen Ukon und Kôji mit Erlaubnis der Wachsoldaten ans Wasser und betrachteten die düsteren Wolken, die schwer über dem Meer hingen.

»Ich habe Sahyôes Absichten durchschaut«, sagte Kôji. »Er wollte über sein Verdienst, dass sich in Nagasaki kein einziger Missionar und kein einziger Führer der Christen mehr befindet, nach Sumpu Bericht erstatten können. Yamaguchi Suruga no kami ist bereits aus Sumpu gekommen, um den Daimyô in Kyûshû auf die Finger zu schauen und dafür zu sorgen, dass man sich den Befehlen des Shôguns auch beuge. Vor kurzem erst ist der Inspekteur Mamiya Gonzaemon angekommen, hat dem Gouverneur die letzten Befehle Ieyasus überbracht und ihn bedrängt, umgehend den Befehl zur Verbannung auszuführen. Da musste Sahyôe irgendwelche Ergebnisse vorzeigen, und zu diesem Zweck hat er uns alle aus Nagasaki entfernt.«

»Das ist gut möglich«, sagte Ukon. »Sahyôe wird jetzt wohl verzweifelt nach Großschiffen suchen, mit denen er uns nach Manila oder Macao schicken kann. Mit Sicherheit wird uns bald die Nachricht erreichen, dass wir an Bord gehen sollen.«

»Nur, wir sind hier am Strand ganz isoliert. Es ist überhaupt nicht möglich, etwas über die Lage der Padres zu erfahren.«

»Das gehört bestimmt auch zu Sahyôes Strategie. Er trennt die Jesuiten und die anderen Orden, die Gemeindepfarrer und uns einfache Christen voneinander und schneidet alle Verbindungen zwischen uns ab. Er erlaubt uns nicht, uns abzusprechen, um eine Petition einzureichen, weil er uns alle auf einmal in die Schiffe laden will.«

»Es ist auch denkbar, dass es in Ôsaka schon Anzeichen für Krieg gegeben hat, und diese Maßnahme uns daran hindern soll, mit der Partei Toyotomis Kontakt aufzunehmen.«

»Dass Ieyasu und das Shogunat so darauf drängen, das Religionsverbot durchzudrücken, könnte man auch als Indiz dafür deuten, dass sich die Situation in Ôsaka plötzlich zugespitzt hat. Nun, was auch immer die Zukunft bringt, unsere Verbannung ins Ausland ist beschlossene Sache. Das alles hat mit mir nichts mehr zu tun«, sagte Ukon und ging zwei Schritte zurück, um einer heranrollenden Welle auszuweichen.

»Wenn man vom Teufel spricht …«, sagte Kôji. Eben hatte es noch ausgesehen, als hätte sich schwarzer Nebel über das Wasser gelegt, da zeichneten sich deutlich die Silhouetten mehrerer Schiffe ab. Sie kamen mit kräftigem Ruderschlag näher. Die Gestalten der Beamten wurden langsam größer.

An der Anlegestelle herrschte panisches Durcheinander, als wäre eine große Lagerhalle eingestürzt. Die Padres und Ordensbrüder bewegten sich, zu schwarzen Klumpen zusammengedrängt, Reisetruhen im Südbarbarenstil und anderes Gepäck schleppend, vorwärts. Eine Gruppe mit Gepäck beladener Japaner war vollauf damit beschäftigt, mit den Menschen, die hinter ihnen hergingen, Abschiedsgrüße auszutauschen. Die Leute, die zum Abschied erschienen waren, schreckten vor dem Gebrüll der Beamten zurück, näherten sich aber wieder, als würden sie von einem starken Tau herbeigezogen und riefen die Namen ihrer Freunde und Bekannten, die auf die Reise gingen. Auch Ukon näherten sich immer mehr Gläubige. In der Menge waren viele unbekannte Gesichter, so dass es nicht möglich gewesen wäre, einen Meuchelmörder als solchen zu erkennen. Sôbê und Kôji versuchten Ukon vor einem möglichen Anschlag zu schützen, indem sie ihn in ihre Mitte nahmen.

»Es ist ja gut jetzt. Ist ja gut jetzt«, sagte Ukon abwechselnd zu den beiden. »Selbst wenn ich hier niedergestreckt werde, dann ist das doch nur eine Gnade des Herrn. Es ist genau mein Wunsch, wie der Herr selbst, vor aller Augen von der Menge verspottet zu werden.«

Ukon ging zu Justa und Lucia, die sich um seine Enkel kümmerten. Angefangen bei Jûtarô waren alle einschließlich des Jüngsten schwer bepackt. Die Kinder schienen sich eher auf die Abenteuer, die sie draußen in der großen, unbekannten Welt erwarteten, zu freuen, da sie des bedrängten Lebens des letzten halben Jahres in dieser engen Stadt überdrüssig waren. Dem fröhlichen Lärm der kleinen Kinder war nichts von Kummer darüber anzumerken, dass sie eigentlich in die Verbannung geschickt wurden.

Die Beamten trieben die Menschen, welche gekommen waren, um die Verbannten zu verabschieden, aus der Absperrung heraus, innerhalb derer nun Ukon und die anderen Japaner seiner Gruppe gegenüber all den ausländischen Missionaren auffielen. Jenseits der Absperrung scharten sich die Schaulustigen bis auf die Anhöhe hinauf. In den Lärm der Menge mischte sich eine vielstimmige Oratio. Viele der Menschen waren Gläubige, die von tiefer Trauer über den Abschied von ihren verehrten und geliebten Padres und Ordensbrüdern erfüllt waren. Es hatten sich riesige Scharen versammelt, und falls sich darin Spione befanden, hätten sie jetzt die günstige Gelegenheit gehabt, irgendwo von der Anhöhe herab ihre Pfeile abzuschießen. Ukon trat aus seiner Gruppe heraus und wandte sich mit absichtlich vorgestreckter Brust den Schaulustigen zu. Er trug durchaus den Wunsch zu sterben in seinem Herzen und dachte sich, dass es wohl am einfachsten wäre, wenn er denn hier und jetzt mit einem Pfeil in der Brust sterben müsste. Wenn er es sich recht überlegte, so hatten sich schon beim Aufbruch aus Kanazawa die Samen dieser finsteren Ideen im von schwarzem Sand bedeckten Boden seines Herzens festgesetzt und feine Wurzeln zu schlagen begonnen, die wieder zu entfernen es nun zu spät war. Dies war ihm bereits auf dem San Miguel-Friedhof aufgefallen. Vor den Leuten sagte er immer, dass er danach strebe, es Christus gleichzutun, und dies wollte er auch sich selbst glauben machen, aber war das nicht eigentlich Heuchelei, und sehnte er sich, wenn er ehrlich war, nicht in erster Linie nach dem Tod? An Leib und Seele erschöpft, mischte sich in sein Verlangen der Wunsch, im Tod endlich Ruhe finden zu können. Ukon rief sich, während er mit vorgestreckter Brust auf die Menge zuging, selbst zur Ordnung, verneigte sich zum Ausdruck eines Abschieds für immer respektvoll und wandte sich ab. Dann sagte er zu Sôbê: »Lass uns gehen«, und schritt forsch auf das Schiff zu. Als seine Familie dies sah, ging sie in einer Reihe hinter ihm her, während die Padres, erstaunt über die schwungvolle Energie, ihnen den Weg frei machten.

Von den fünf Schiffen, die unter Kommando des Gouverneursamtes standen, waren drei bereits am Vortag in Richtung Macao ausgelaufen. Die übrigen zwei waren für Manila bestimmt und nun am Pier festgemacht. Das eine Schiff gehörte dem Vogt Murayama Tôan und war eine umgebaute, chinesische Dschunke. Das andere und größere, das zu besteigen Ukon und seine Gruppe den Befehl erhielten, war ein spanisches Schiff, dessen Kapitän Stefano da Costa hieß und das, aus den Schrammen am Rumpf und den verdreckten Segeln zu schließen, schon ziemlich alt sein musste.

Auch die Padres der Gemeinschaft Jesu gingen zusammen mit Ukon an Bord. Unter ihnen waren viele bekannte Gesichter: Ukons Beichtvater, Pedro Morejon, der ihn auch bei den spirituellen Übungen anleitete, der vormalige Gesandte der Jesuiten für Japan, Procurador Sebastiãn Vieira, der stellvertretende Leiter des Kollegs, Antonio Francisco Critana sowie Antonio Alvarez, der Priester von Uragami. Unter ihnen waren es Morejon und Alvarez, die seinerzeit die Europagesandtschaft begleitet hatten. Auf dem Schiff befanden sich etwa zwanzig Jesuiten, außerdem noch Franziskaner, Dominikaner und Augustiner, dazu Gemeindepfarrer wie Murayama Francisco, Ukon mit seiner Gruppe, andere Japaner und die Seeleute. Insgesamt wurden dreihundertfünfzig Menschen auf das alte, heruntergekommene Schiff gedrängt, als wären sie Abfall, den es zu entsorgen gelte. Den Japanern wurde auf der Backbordseite hinten ein großer Raum mit niedriger Decke, Bretterboden und einem gewölbten Fenster in der Mitte zugewiesen. Außer Ukon und seinen Begleitern kamen dort noch etwas über zehn weitere japanische Gläubige unter. Kôji, der von hoher sozialer Stellung war und sich darauf verstand, Dinge zu handhaben, nahm die Organisation für die ganze Gruppe in die Hand. Sôbê, der sich gerne um andere kümmerte, erklärte sich, auch wenn es etwas Aufdringliches hatte, zu Kôjis Assistenten und legte sich eifrig ins Zeug. Zunächst wurde das Gepäck sortiert. Alles außer den Dingen des täglichen Gebrauchs und des Bettzeugs wurde um die beiden Stützpfeiler herum gestapelt und gründlich mit groben Seilen festgezurrt. Ukon wurde der helle Platz in der Nähe des Fensters zugeordnet. Er wollte eigentlich ablehnen, entschied sich dann aber doch für den Ort, weil man dort gut lesen konnte, und lud Joan ein, sich neben ihm niederzulassen. Um sie herum nahmen ihre Familien Platz. Am Eingang waren Eimer für die Notdurft aufgestellt. Kôji wollte sie für den Fall festbinden, dass das Schiff schaukelte, und wies die Männer und Jungen an, ihre Notdurft vom Deck aus ins Meer zu verrichten.

»Das hier ist der übelste Ort auf dem ganzen Schiff«, sagte Sôbê, der eine Inspektionsrunde gemacht hatte, zu Ukon und Kôji.

»Wie es auf einem spanischen Schiff zu erwarten ist, den südbarbarischen Seeleuten und den Padres sind die besseren Quartiere vorbehalten, uns drängt man am schlechtesten Ort zusammen.«

»Nein, überall ist es überfüllt«, sagte Ukon. »Die Kapazität des Schiffes ist um ein mehrfaches überstiegen. Man kann sehen, dass auch die Padres zusammengepfercht wurden, dass sie kaum mehr in der Lage sind, sich zu bewegen, und die Seeleute brauchen einen Ort, um sich auszuruhen, damit sie ihre Arbeit auch richtig erledigen können. Für uns ist das hier genug.«

»Hier ist es aber gefährlich«, setzte Sôbê noch eins drauf. »Es kommt ja jetzt schon reichlich Wasser herein. Wenn das Schiff erst mal von hohen Wellen umspült wird, kommt es hier zur Überschwemmung, und dann wird es aussehen, als hätte Asura hier gewütet. Sôbê zerrte Ukon in eine Ecke des Raumes. Die alte Bretterwand war vom Schimmel dünner geworden. Durch die Ritzen drang Wasser herein und bildete auf dem Fußboden eine Pfütze. So sehr man auch versuchte, mit Lumpen das Wasser aufzuwischen, es sammelte sich immer wieder neues an.

»Gerüchten zufolge«, berichtete Sôbê weiter, »ist das hier ein altes heruntergekommenes Schiff, das diesmal nur in See sticht, weil ihm wegen des plötzlichen Regierungsbefehls nichts anderes übrig bleibt. Wenn das in einen Sturm kommt ...«

»Schweig!«, fuhr Ukon Sôbê an. »Ich habe gehört, dass der Kapitän schon mehrmals nach Japan gekommen ist und sich auf den Meeren Ostasiens gut auskennt.«

»Dieser von Salzwasser tropfende, altersschwache Greis macht mir aber keinen sehr zuverlässigen Eindruck«, sagte Sôbê, zog dann aber leicht den Kopf ein und schwieg, da ihn Ukon mit einem grimmigen Blick zurechtwies.

Die Rufe der Matrosen wurden lauter, und ein Knarren war zu vernehmen, als die Segel hochgezogen wurden. Der Gong erklang. Die Zeit der Abfahrt war gekommen.

Das Schiff setzte sich in Bewegung. Nur wenigen war es erlaubt, an Deck zu gehen. Als Ukon, Joan und Kôji hochgingen, standen dort etwa dreißig Padres und Ordensbrüder. Auch Murayama Franciscos Gesicht war zu erkennen. Die Menschen schauten zum Hafen von Nagasaki hinüber, der sich langsam entfernte. Dies war nicht das Nagasaki, dessen Anblick sie gewohnt waren. Zwei Tage zuvor hatte der Gouverneur den Befehl gegeben, alle Gebäude der üblen Lehre niederzureißen. Die Kirchen und Kollegien sowie die Gebäude im ausländischen Stil, welche die Besonderheit des Ortes ausgemacht hatten, waren erbarmungslos aus dem Stadtbild herausgerissen worden, das nun mit offenen Wunden übersät war. Die Berge mit ihren herbstlich eingefärbten Wäldern sahen aus wie mit einem Südbarbarenteppich überzogen, und ihre Schönheit ließ die Hässlichkeit der Trümmer nur noch mehr hervortreten. Einige Boote des Gouverneurs folgten ihnen, vermutlich um auch die letzte Phase der Verbannung zu überwachen. Als Ukon auf dem vordersten der Boote Tôan erkannte, nickte er ihm zum Gruße leicht zu. Tôan winkte zurück. Aufgrund seines Amtes als Vogt hatte er auf Befehl des Gouverneurs hin Schiffe aufgetrieben und die Vorbereitungen der Verbannung überwacht, andererseits hatte er Ukon eine praktische Schiffstruhe geschenkt und sich auch in anderer Hinsicht als hilfreich erwiesen, indem er Ukon etwa Medikamente und Getrocknetes als Proviant mitgab. Als sie um die Landspitze herum auf die offene See hinausfuhren, kam günstiger Wind auf, der die Segel blähte. Die Wolken hatten sich etwas aufgetan, und die Sonne schien zwischen ihnen hindurch. Die Boote Tôans fielen immer weiter zurück und verschmolzen mit den Silhouetten der Inseln.

»Bis hier haben wir es ja unbeschadet überstanden«, sagte Kôji, der mit halb zugekniffenen Augen dem sich entfernenden Festland nachschaute. Was meint er wohl mit ›unbeschadet‹? Wahrscheinlich bezieht er sich damit auf die Gefahr eines Meuchelmordes bei der Abfahrt, dachte sich Ukon und nickte schweigend. Aus der Geste war nicht zu ersehen, ob er Kôjis Gemütsbewegung zustimmte oder nicht.

»Herr Ukon«, sagte Padre Morejon. »Der Herr hat Mesquita zu sich geholt.« Ukon blieb der Atem weg. Auch wenn Mesquita sehr geschwächt war, so hatte er doch nicht gedacht, dass ihn der Tod so bald heimsuchen würde.

»Es geschah vor vier Tagen an der Küste von Jûzenji (heute das JûninViertel).«

»Ach so …« Ukon ließ den Kopf hängen. Vor vier Tagen war es finster verhangen und hatte gewittert. Der Tod eines Menschen, der in Nagasaki sein Leben für die Verbreitung der christlichen Lehre und die Entwicklung der Stadt hingegeben hatte, war schmerzlich, vor allem zu dieser Zeit. Gerne wäre Ukon am Sterbebett zugegen gewesen, um von der Seele, die in den Himmel aufsteigt, Abschied zu nehmen.

»Der Gouverneur hat das Santiago-Hospital in einem Überraschungsangriff überfallen und all die Bücher, die Mesquita mit viel Liebe gesammelt hatte, sind verbrannt worden. Die verschiedenen Bäume, die er angepflanzt hatte, wurden allesamt gefällt. Sein einziger Trost war, dass er in den Himmel einging, bevor er sich noch hätte anschauen müssen, wie die Kirchen und das Kolleg, die er gebaut hatte, niedergerissen wurden.«

»Was ist aus Padre Clemente geworden? Sein Name steht zwar auf der Liste derer, die auf diesem Schiff mitfahren sollen, aber ich habe ihn nicht gesehen.«

»Er ist untergetaucht. Und Nakaura Julião hat ihn begleitet.«

»Das war eine heldenhafte Tat«, sagte Ukon und musste an seinen Freund Torres denken, der sich in der Burg von Ôsaka verschanzt hatte. Ukon bewunderte die unbeirrbare Tatkraft der Spanier.

»Als dies während der Fahrt mit dem Boot ans Licht kam, gerieten die Beamten in helle Aufregung«, sagte Vieira.

»Das war eine wahrhaft mutige Tat«, sagte Kôji mit einem Anflug aufrichtigen Neids in der Stimme. »An diese Möglichkeit habe ich überhaupt nicht gedacht. Ach, ich wäre auch gern mit ihm in den Untergrund gegangen. Es gibt so viel, was in Japan noch getan werden müsste.« Joan runzelte die Stirn und rügte seinen sich ereifernden Sohn:

»Fängst du schon wieder damit an. Dass wir heute hier sind, geschah aus langer, gründlicher Überlegung heraus. Wenn du dich dem Willen Sumpus widersetzt und illegal dableibst, dann führt dies unweigerlich dazu, dass du die Herren in Kanazawa damit in Verlegenheit bringst.«

»Bei Herrn Takayama oder dir, Vater, ist es etwas anderes, aber wenn ein Grünschnabel wie ich fehlt, dann kümmert das in Sumpu wohl kaum jemanden.«

»Dass Bautista und Julião nicht das Schiff bestiegen haben, war für die Beamten des Gouverneurs ein unerwarteter und ernster Zwischenfall. Sie haben alle verfügbarenLeute ausgeschickt, um die beiden zu suchen«, sagte Valignano. Joan musterte seinen Sohn vorwurfvoll, als wolle er sagen: »Da siehst du's.«

Nachdem sie die Landzunge umsegelt hatten, tauchten rechts und links große und kleine, tief herbstlich eingefärbte Inseln auf und glitten an ihnen vorbei, als würde man ein Bündel mit Landschaftsgemälden durchblättern. Es gab sowohl Inseln, auf denen verstreut Schilfhütten von Fischern zu sehen waren, als auch solche, die unbewohnt und ganz mit Wald bedeckt waren.

»Nun schaut Euch das an«, sagte Kôji, dem seine plötzliche Erregung anzusehen war. Von der schmalen Bucht einer Insel her näherten sich in geschlossener Fahrt drei kleine Fischerboote. Die Ruderer waren schwarz gekleidet und schienen Samurai zu sein.

»Die sehen mir aber verdächtig aus«, sagte Kôji hinter vorgehaltener Hand. Die Boote kamen schnell näher. In ihnen saßen keine Samurai, doch sahen die Männer sehr kräftig aus und trugen Kurzschwerter. Die Segel wurden eingeholt, der Anker geworfen, und das spanische Schiff lag still. Es sah so aus, als wäre das Ganze im Voraus abgesprochen gewesen. Die chinesische Dschunke hielt ebenfalls an.

»Das ist João Nagayasu«, rief Kôji, dem die Erleichterung im Gesicht geschrieben stand. Der dritte Sohn Tôans hielt das Seil, das man ihm vom spanischen Schiff aus zugeworfen hatte, und machte ein Zeichen. Er war ein junger Mann, der seinem Vater ähnlich sah. João schien seinen älteren Bruder auf Deck ausgemacht zu haben und rief: »Bruder!« Murayama Francisco winkte ihm zu. Mehrere Seile wurden hinübergeworfen und die kleinen Boote am spanischen Schiff festgemacht. João und einige andere kamen gewandt heraufgeklettert. Francisco machte ein Zeichen zur Brücke hin, um den Kapitän herbeizurufen. Es war das erste Mal, dass Ukon Kapitän Da Costa sah. Er war ein älterer Mann mittlerer Größe mit hoch stehenden Schultern, der sich behende bewegte, wie man es bei einem Seemann erwartete. Sôbês Beschreibung, er sei ein »von Salzwasser tropfender, altersschwacher Greis«, traf keinesfalls zu. Die ganze Sache schien von vornherein verabredet gewesen zu sein, denn aus dem Unterdeck kamen mehrere Missionare und wechselten, ebenso wie Murayama Francisco, ihre Kleider gegen die Kimono, die ihnen João und seine Begleiter reichten. Ukon erkannte, dass sie vorhatten, auf die anderen Boote umzusteigen und in Japan unterzutauchen.

»Ich verstehe«, sagte Kôji lobend. »Ein hervorragender Plan. Die, die einmal den Hafen verlassen haben, existieren eigentlich nicht mehr. Wenn sie in Japan in den Untergrund gehen, dann hat man im Amt des Gouverneurs damit nichts zu tun. Vater, ich möchte auch mitgehen und untertauchen.« Kôji trat einen Schritt vor, um João anzusprechen, als sein Vater mit entnervter Miene dazwischenfuhr und ihn anfauchte:

»Was kommst du denn jetzt noch mit so was?! Die Padres machen das hier, nachdem sie es vorher gründlich geplant haben, bei dir ist es doch nur ein Einfall des Augenblicks. Außerdem hast du ja unter den Gläubigen hier in der Gegend keine Bekannten und weißt nicht, wo du dich verstecken und heimlich wohnen könntest. Und zu allem Übel ist dein Gesicht bei den Beamten des Gouverneurs allgemein bekannt. Nach dir wird ganz schnell gefahndet und dann wirst du festgenommen.«

João Nagayasu begrüßte Ukon.

»Ich soll Euch von meinem Vater etwas ausrichten. Die Leute des Gouverneurs haben ein Kriegsschiff vorbereitet, um Euch zu verfolgen. Außerdem haben sie ein holländisches Schiff, das bei Hirado vor Anker liegt, um Unterstützung ersucht.«

»Was hat das wohl zu bedeuten?«, fragte Ukon, dem das Ganze nicht recht einleuchten wollte.

»Der Gouverneur hat einen Spion des Herrn Hideyori aufgegriffen, der einen Brief an Euch bei sich trug. Deshalb hat der Gouverneur hastig den Befehl erteilt, dieses Schiff hier anzugreifen und zu versenken.«

»Dann muss das Schiff aber so schnell wie möglich weiterfahren.«

»Ja. Und dann wollte ich Euch noch sagen, dass Padre Clemente und Padre Nakaura wohlbehalten untergekommen sind.«

»Das ist gut zu hören.« Es war Kôji, der dies sagte. Ukon wollte noch nach Einzelheiten fragen, aber João begann schon damit, die Padres und Brüder, die sich gerade umgezogen hatten, in seine eigenen Boote zu bringen. Die Missionare rutschten an den Seilen mit einer Geschicklichkeit in die Boote hinab, dass man denken konnte, dies gehöre zu ihren täglichen Aufgaben. Unterdessen hatte noch ein anderes Boot an der chinesischen Dschunke angelegt und von dort zwei Ausländer, vermutlich Padres, aufgenommen. Insgesamt waren es sieben Leute, die in den Untergrund gingen. Die Männer in den Booten legten sich, mit lauter Stimme den Takt gebend, kräftig in die Riemen, als sie losfuhren. Unter ihnen fiel der hoch gewachsene Murayama Francisco mit seinem großen Gesicht auf, der immerfort zu Ukons Schiff herüberwinkte.

Der Befehl des Kapitäns erging. Ukons Schiff und die chinesische Dschunke setzten die Segel. Die Nachricht, dass die Verfolger des Gouverneurs nahten, hatte einige Bestürzung ausgelöst. Allerdings war von ihnen noch nichts zu sehen. Die Schiffe glitten mit kräftigem Rückenwind auf das weite Meer hinaus.

Auch als die Padres in Zweier- und Dreiergruppen in ihre Quartiere hinabstiegen, betrachtete Ukon weiterhin das Land, das weißlich blau erschien, als wäre es mit Wasser verdünnt worden, und schließlich mit dem Meer verschmolz. In seinem Alter durfte er wohl nicht darauf hoffen, seine Heimat je wiederzusehen. Ebenso zufällig wie die Samen eines Baumes an irgendeinem Ort landen und zu einem neuen Baum heranwachsen, war er als Krieger in diesem Inselreich geboren und aufgewachsen. Er hatte, wie es das Verlangen eines jeden Kriegers war, nach einem Lehen, Reichtum und weltlichem Ruhm gestrebt, auf halbem Wege aber den Lauf seines Lebens radikal geändert, um nach dem Licht des Glaubens zu streben. Sein ganzes Leben hatte er damit zugebracht, nach etwas zu streben, und nun war er, ebenso wie Gräser und Bäume verdorren, alt geworden. Er wurde mitsamt seinen Wurzeln aus diesem Inselreich herausgerissen und in ein Land geschickt, das er noch nie gesehen hatte. Seine Heimat, diese kleine Inselwelt, schrumpfte gerade zu einem Punkt zusammen und entfernte sich von ihm. Die Regierungszeiten Nobunagas, Hideyoshis und Ieyasus hatten sich durch die belanglosen Rangeleien, wer die Macht über die Inseln haben würde, abgewechselt. Und auch in Zukunft würde es wieder Machtwechsel geben. Alles, wonach Ukon bisher in seinem Leben gestrebt hatte, galt dem Wohl dieses Landes. Nun, da er aus seiner Heimat vertrieben worden war, hatte er keine Kraft mehr, nach irgendetwas zu streben. Ihn erwartete nur noch das Schicksal, einem unbeachteten Tod entgegenzugehen und von den Menschen in seinem Heimatland vergessen zu werden. Ukon löste den Blick von der bereits verschwundenen Silhouette der Inseln und ließ ihn über das dunkler gewordene Meer schweifen. Plötzlich tauchte Sôbês besorgtes Gesicht vor seinen Augen auf.

»Was ist los, Sôbê. Machst du dir Sorgen, dass ich vielleicht ins Meer springen könnte?«

»Ja, ehrlich gesagt, das ging mir durch den Kopf. Ihr habt so niedergeschlagen dreingeschaut wie noch nie, und geweint habt Ihr, Herr.«

»Ich habe nicht geweint.«

»Doch, Ihr habt geweint. Die Tränen liefen Euch in Strömen über die Wangen.«

»Das waren wohl nur Spritzer von den Wellen.«

»Nein, die See ist ganz ruhig.«

Ukon lächelte bitter. Vielleicht hatte er wirklich geweint. Er war in finstere, schwere Gedanken versunken gewesen, als hätte er sich aufgelöst und wäre, über das Meer verteilt, zur Gischt auf den Wellen geworden.

»Seid Ihr immer noch hier?«, rief Kôji, der vom Heck herbeigelaufen kam. Er stellte sich neben Ukon und schaute in die Richtung, wo Kyûshû lag. »Man kann schon nichts mehr sehen. Ich habe mich entschlossen. Wenn wir in Luzon ankommen, werde ich die Japaner dort zum Zwecke einer Reconquista zu einer Armee vereinen und auf jeden Fall nach Japan zurückkehren. Wir brauchen nur Schiffe, dann können wir das bisschen Meer hier jederzeit wieder überqueren.«

Kôji schlug sich mit der Faust auf die Brust, kniff den Mund zu einem Strich zusammen und stierte grimmig zum Horizont.

Die Menschen litten unter Seekrankheit. Obwohl die Wellen nicht besonders hoch waren, kam sie aber von dem sanften Auf und Ab, dem Gefühl, keinen festen Boden unter den Füßen zu haben. Zuerst waren es Lucia und die jüngeren Enkelkinder, die sich, von Erschöpfung gezeichnet, zu quälen begannen, dann waren es die Schwestern des Beatus-Ordens, deren Zustand sich verschlechterte. Vielleicht lag es am Alter, aber Justa und Naitô Julião hatten keine Probleme und kümmerten sich um die Pflege der Geschwächten. Aufgrund der Erfahrungen bei der Schiffsreise von Ôsaka nach Nagasaki hatte Ukon angeordnet, dass jeder seinen eigenen kleinen Behälter mitbringen solle, was sich dann auch als durchaus nützlich erwies. Ukon rieb den Rücken seines jüngsten Enkelkindes. Dann begann er das Erbrochene aufzusammeln, doch Sôbê hielt ihn mit den Worten auf: »Diese Drecksarbeit ist doch nichts für Euch, Herr. Ich mache das.« Ukon schaute seinen Vasallen starr an und sagte stichelnd: »Im Hospital hast du dich bei der Pflege der Leprakranken ja eher zurückgehalten, Sôbê. Kann man dir das hier wirklich zumuten?«

»Ich wollte mich ja nicht drücken. Ich war an so etwas nur nicht gewöhnt. An Euch, Herr, der alles kann, reiche ich nicht heran. Das ist genauso wie bei Euren Fähigkeiten in der Kunst des Teeweges«, versuchte sich Sôbê mit wenig überzeugenden Ausflüchten herauszureden, nickte und sammelte allein die Becher der anderen ein, um ihren Inhalt ins Meer zu schütten.

Auch die Mahlzeiten waren nicht einfach: An den Reisschalen klebten Essensreste, und man musste Dinge wie Reisbrei, in dem Sand war, verschimmeltes Südbarbarenbrot und übel riechende, getrocknete Fische essen. Außerdem schmeckte das Trinkwasser salzig. Diejenigen, die sich leicht ekelten und diejenigen, die wegen der Seekrankheit ihren Appetit verloren hatten, mussten gezwungen werden, etwas zu essen, da sie schnell ihre Kräfte verloren. Darüber hinaus erwies sich auch die Verrichtung der Notdurft als problematisch. Die Männer, die nicht gern die Eimer benutzten, hängten, nachdem sie sich mit einem Seil gesichert hatten, ihr Hinterteil über die Reling und entleerten sich direkt ins Meer. Aber für die Frauen, die dies ja nicht konnten, war es eine wahre Tortur. Zwar waren sie durch Tücher vor den Blicken der anderen geschützt, doch konnte man nichts gegen die Geräusche und den üblen Gestank tun. Dass Lucia anfangs an Bauchschmerzen litt, lag daran, dass sie aus Scham ihre Notdurft zu lange eingehalten hatte.

Doch schließlich gewöhnten sich die Menschen an die Umstände. Justa, Lucia und die Schwestern des Beatus-Ordens lasen, sangen Kirchenlieder oder stimmten Gebete an. An Sonntagen wurde ein Padre gerufen und eine Messe abgehalten. Die Kinder erfanden alle möglichen Spiele, für die sie auf ihre Weise die Gegebenheiten des Schiffes nutzten. Blindekuh kam natürlich nicht in Frage, aber die Lagerräume und verschlungenen Gänge waren wie geschaffen fürs Versteckspielen. Die Jungen veranstalteten Sumokämpfe oder spielten mit dem Kreisel, während sich die Mädchen mit Jonglierbällen und Brettspielen vergnügten. Kôji und Sôbê gingen häufig an Deck. Manchmal holten sie die Kinder, um ihnen einen Schwarm Delphine zu zeigen, die vorbeischwammen, oder sie betrachteten mit Neugier und Interesse einen großen Schwarm fliegender Fische oder die Fontäne eines Wales. Doch Ukon blieb ebenso wie Joan die meiste Zeit im Inneren des Schiffes und war vollauf mit seiner Lektüre beschäftigt. Er schlug die »Exercitia spiritualia«, die er bereits mehrmals gelesen hatte, auf und versenkte sich in die spirituellen Übungen des Ignatius. Außerdem las er Bücher, die in Nagasaki verlegt worden waren wie die »Anleitung für den Sünder« oder das »Handbuch der Sakramente«. Auch besuchte er regelmäßig Padre Morejon und bat ihn um Unterweisung über Kontemplation und Dogmenlehre. Um sich auf den Aufenthalt in Manila vorzubereiten, erhielt er von Padre Critana Unterricht in spanischer Konversation. So war er jeden Tag rundum beschäftigt.

Manchmal wurde er von Kôji in Beschlag genommen, der das Rohmanuskript für die Biografie Takayama Ukons fast abgeschlossen hatte und nun detaillierte Fakten aus Ukons Erinnerung heraus überprüfen zu wollen schien. Doch Ukons Erinnerungen an seine Tage als Kriegsherr waren mit der Zeit immer undeutlicher geworden, so dass er gelegentlich gar nicht antworten konnte. Vielleicht lag dies daran, dass sein Gedächtnis im Alter nachgelassen hatte, vielleicht aber auch daran, dass er sich während seines Aufenthaltes in Nagasaki bemüht hatte, seine von Blut durchtränkte Vergangenheit zu vergessen.

Im Übrigen gewöhnten sich die Menschen an das dürftige Essen, das beengte Leben und die ständige Bewegung des Schiffes. Die Spaziergänge auf Deck, die dem Bewegungsmangel vorbeugen sollten, waren von Gesprächen unter den Padres und Japanern begleitet. Zwischen den Missionaren und den Gläubigen gab es ein Zusammengehörigkeitsgefühl, das allein daher rührte, weil diese Menschen zusammen reisten, nachdem sie dieselbe Verfolgung erlitten hatten. Der Kapitän und die hochrangigen Seeleute hatten Mitgefühl mit den Japanern, die in die Verbannung geschickt worden waren, und verhielten sich ihnen gegenüber freundlich, doch unter den einfachen Matrosen gab es einige, die den Asiaten gegenüber offen ihre Geringschätzung zeigten und sie nicht grüßten, oder einfach nicht antworteten, wenn man sie etwas fragte, womit sie den notorisch heißblütigen Kôji erzürnten.

Die Temperatur stieg zügig an und erinnerte daran, dass man sich immer mehr einem Südbarbarenland näherte. Seit der Abfahrt war bereits ein halber Monat vergangen, man hatte sich an das Schaukeln gewöhnt, und die Seekrankheit der Frauen und Kinder war verschwunden. Justa und Lucia verbrachten ihre Tage damit, sich um die jüngeren Enkelkinder zu kümmern. Ukon unterwies seinen ältesten Enkel Jûtarô und dessen jüngeren Bruder in der Lektüre der Neun Konfuzianischen Klassiker und christlicher Schriften, vor allem dem Einführungsbuch »Dochiriina Kirishitan«. Jûtarô war sehr aufgeweckt und merkte sich alles, was man ihm beibrachte, sofort. Ukon entschied, dass auch er Spanischunterricht von Critana erhalten sollte.

Eine schmerzliche Entbehrung war es allerdings, dass man weder baden noch sich mit frischem Wasser abduschen konnte. Vor allem für Ukon, der Reinlichkeit liebte, ja selbst im Feldlager nicht darauf verzichtet hatte, sich gründlich zu waschen und in Kanazawa sein morgendliches Bad geliebt hatte, war es äußerst unangenehm, dass er sich nicht den Körper reinigen konnte. Wasser war eine Kostbarkeit, die grundsätzlich zu nichts anderem als zum Trinken verwendet werden durfte. In dieser Situation empfand man es als Gipfel des Wohlgefühls, nach Südbarbarensitte auf einen kräftigen Regenschauer zu warten und sich ersatzweise unter ihm den Körper zu waschen. Da solche dichten Regenschauer wie ein Vorhang wirkten und man sich gegenseitig nicht sehen konnte, zogen sich auch die Frauen ohne Zurückhaltung aus und spülten sich den Körper ab.

Ukon holte einen kleinen venezianischen Kompass hervor, den er auf dem Markt in Nagasaki erstanden hatte, und maß die Himmelsrichtung. Das Schiff bewegte sich in Richtung Südwest und kam reibungslos voran. Genau kannte er sich mit der Theorie nicht aus, aber Ukon hatte verstanden, dass der Wind meistens aus Nordwest kam und dass auch manchmal Südwind aufkam und die See dann rauer wurde.

Die letzten zwei Tage hatten sie Ostwind gehabt, und die Wellen hatten sich sanft gekräuselt. Gelegentlich hörte der Wind plötzlich auf zu wehen, die Segel erschlafften und das Schiff begann seitwärts zu treiben. Da das Schiff nur wenig schaukelte, konnte man nachts ausgiebig die Sterne betrachten. Die Milchstraße durchschnitt den vollständig von Sternen übersäten Himmel. Dass sie eine Anhäufung von so vielen Sternen war, dass man sie mit dem Auge nicht mehr auseinander halten konnte, hatte er im »Kompendium«, das es im Kolleg gab, gelesen.

Unter der Vielzahl der Sterne gab es auch die fünf Planeten (Mars, Merkur, Jupiter, Venus und Saturn), die ein sanftes Licht abstrahlten. Momentan, so schätzte Ukon, konnte man in der Nähe des Horizonts die Venus und im Zenit den Saturn sehen. Vom Anblick der Sterne konnte Ukon nie genug bekommen. Er hatte nicht die Gewohnheit, wie die Griechen, die Sterne in Sternbilder einzuteilen. Mehr als sie zu klassifizieren und ihnen Namen zu geben, zog er es vor, die Gesamtheit aller Sterne als den klaren Strom des Himmels zu betrachten. Er war berauscht von der Vorstellung, dass der hoch über den Himmel wehende Wind auch durch seine Seele blies.

Am Morgen war Südwind aufgekommen. Die Segel gebläht, setzte sich das Schiff in Bewegung. Jedoch war es ein feuchter, schwerer Wind, der etwas Bedrückendes hatte. Über dem fernen Meer oder dem Festland hatte er sich mit heißer Luft aufgeladen und umschlang die Haut der Menschen mit feuchter Schwüle. Die Temperatur stieg immer mehr. Es war eine morbide Hitze, als hätte der Teufel eine gigantische Hitzewolke geschickt. Im Schiffsinneren konnte man es vor drückender Hitze nicht mehr aushalten. Der dicke Sôbê gab zunächst unablässig die Bemerkung »Ist das heiß« von sich, schwieg dann aber betreten, als er sah, wie die Frauen und Kinder die Hitze still ertrugen. Ukon, der auf Deck gegangen war, um seine Notdurft zu verrichten, wurde von der gleißenden Helligkeit der Sonne, die als kleiner Punkt am blauen Himmel stand, schwindlig. Man konnte beobachten, wie eine große Welle, die sich wie ein schwarzer Hügel erhob, heranrollte. Die Sonne sprang wild am Himmel herum, als sich die Welle am Bug des Schiffes brach und auf das Deck niederstürzte, um sich dort in einen reißenden Strom zu verwandeln. Die losen Dinge auf Deck bewegten sich mit unerhörter Geschwindigkeit. Augenblicklich wurde Ukon unter der Welle begraben und wäre fortgespült worden, wenn er sich nicht an einem Griff festgeklammert und dem Wasserdruck irgendwie widerstanden hätte. Verglichen mit den sich hoch aufrichtenden Wellenwänden und der unerhörten Gewalt, die von ihnen ausging, wirkte das Schiff erbärmlich klein und schwächlich. Die Segel waren bereits eingeholt, und es stand den unzähligen wütenden Wellen mit bloßen knöchernen Masten und Rahen gegenüber. Es war ein Bild des Jammers, als würde ein altersschwacher Krieger allein gegen eine ganze Armee anrennen.

Ukon, der noch einmal auf Deck gekommen war, um sich zu erleichtern, betrachtete den Sonnenuntergang. Die Sonne hatte sich in einen Mitleid erregenden roten Ball verwandelt. Man konnte kaum glauben, dass es dasselbe Gestirn war, welches er am Mittag gesehen hatte. Sie war eine kraftlose Scheibe, die gerade vom schwärzlich schäumenden Meer verschlungen wurde, wie er sie vom Festland aus noch nie gesehen hatte. Wolken, die etwas Schauriges hatten wie eiternde Wunden, überschatteten den Himmel, verwandelten sich in Ungeheuer und bissen sich in der Sonne fest, dass es den Anschein hatte, als flössen Unmengen von Blut über die Wellen.

In der Nacht fiel heftiger Regen. Man konnte es kaum mehr als Regen bezeichnen, sondern es war eher, als liefe ein riesiger Fluss über und ergösse sich mit aller Gewalt über das Schiff. Das Wasser lief an den Seiten des Rumpfes herunter und drang erbarmungslos durch die Ritzen zwischen den Brettern ins Innere. Gleichzeitig griff plötzlich ein wütender Sturm an. Es klang, als durchschnitten unzählige Schwerter die Luft.

Ukon versuchte mit dem Kompass die Richtung des Windes herauszufinden, aber es gelang ihm nicht, da sich das Schiff ständig drehte. Wasser mischte sich in das Öl der Laternen, zeitweise herrschte rabenschwarze Dunkelheit. Der Boden neigte sich so heftig, dass den Menschen das Schaukeln, das sie bisher erlebt hatten, wie eine Leichtigkeit vorkam. Die Lasten, die extra an den Pfeilern festgemacht worden waren, lösten sich und flogen mit einer Wucht durch die Kabine, als wären sie von einer Klippe herabgestürzt, wobei sie die Passagiere zu zerquetschen drohten. Körbe wurden zerdrückt, Kisten zerschmettert, und der Inhalt flog in der Gegend herum, als wäre er zum Leben erwacht. Die Reisetruhe verwandelte sich in eine rasende Bestie, die nicht mehr zu bändigen war, und die Menschen rannten vor ihren Reißzähnen und Krallen um ihr Leben. Die Männer brüllten und die Frauen und Kinder schrieen verzweifelt, doch der Lärm der herumfliegenden Gegenstände war lauter und übertönte das wütende, verzweifelte Geschrei der Menschen.

Um zu verhindern, dass Meerwasser hereinfloss, war das Fenster geschlossen worden. Die Menschen purzelten in dem dunklen Raum durcheinander und stießen gegen die harten Schiffstruhen, Kisten und loses Holz. Die Dreckbrühe aus den umgefallenen Eimern für die Notdurft vermischte sich mit dem hereingeflossenen Meerwasser zu einer schleimigen Flüssigkeit, in der die Passagiere umherrutschten. Ukon hatte die Bücher vorsorglich in geöltes Papier eingewickelt und an der Wand aufgehängt, doch die Packen lösten sich auf und die Bücher verteilten sich in dem schmutzigen Wasser in alle Richtungen. Diesmal wickelte er die Bücher, die Sôbê und Kôji eingesammelt hatten, in Tücher und band sie am oberen Teil des Pfostens fest. Dagegen, dass sie nass wurden, konnte man nichts tun, aber immerhin gingen sie so nicht verloren. Als sich die Aufregung ein wenig gelegt hatte, bemerkte Ukon, dass die Frauen eifrig damit beschäftigt waren, die Kimono zusammenzubinden. Justa und Lucia hatten für den Fall, dass sie Manila erreichten, extra seidene Festtagsgewänder mitgenommen. Wasser ist der größte Feind der Seide, doch die Kimono waren bereits nass geworden und darüber hinaus vollkommen verdreckt.

Kôjis Lebendigkeit hingegen wurde durch diese gefährliche Notsituation nur noch angestachelt. Er ging los, um den Kapitän zu holen, damit wenigsten die Risse in den Wänden repariert würden, doch war die Besatzung in dieser kritischen Situation vollauf beschäftigt. Allerdings gelang es ihm, sich vom Kapitän Werkzeug zu leihen, um die Wände selbst zu reparieren. Ukon, der sich gut mit der Technik des Burgenbaus und der Kunst der Zimmerleute auskannte, machte sich daran, Holzstücke zurechtzuschneiden und sie mit einem großen Hammer in die Risse der Wand einzupassen. Sôbê war voller Bewunderung für die unerwartete Geschicklichkeit seines Herrn, begann aber sofort zu helfen und legte sich bei dieser anstrengenden Arbeit kämpferisch ins Zeug.

Durch diese provisorische Maßnahme konnte das von außen eindringende Wasser gestoppt werden. Gegen das Wasser, das durch die Gänge aus anderen Räumen hereingeflossen kam, konnte man allerdings nichts unternehmen. Durch die Schräglage des Schiffes stürzten große Mengen Wasser herein, dass man sich vorkam, als wäre man in das Bassin unterhalb eines Wasserfalls geworfen worden. Die kleineren Kinder wurden glatt weggeschwemmt, die Erwachsenen mussten hinterher, um ihnen zur Hilfe zu kommen. Und auch die Erwachsenen selbst mussten sich an etwas festhalten, um nicht haltlos zappelnd herumzuschlittern. Die Menschen klammerten sich aneinander und wurden wie große Bündel Fleisch im Wasser durcheinander geworfen. Ukon schluckte mehrmals Wasser. Er merkte schon nicht mehr, ob es Meerwasser oder Fäkalienbrühe war.

Außerdem war er verzweifelt damit beschäftigt, seine Enkel vor den Fluten zu bewahren. Mit lauter Stimmer erteilte er Jûtarô und Sôbê Anweisungen, hielt die Kleinen in die Luft, dass sie nicht ertranken und kämpfte, sie im Arm haltend, gegen die heftige Strömung an. Wie immer es auch geschehen war, plötzlich hielten sich Ukon und Justa fest umschlungen. Obwohl Ukon und seine Frau, seit die beiden älter geworden waren und, vor allem auf der Reise in die Verbannung, sich schon seit langem nicht mehr umarmt hatten, war dies hier inmitten der Finsternis nun geschehen. Den kleinen, bis auf die Knochen abgemagerten Körper fest an sich gepresst, trieb Ukon im Wasser.

Die Schräglage des Schiffes wurde so extrem, dass der Fußboden fast senkrecht wie eine Wand nach oben stand. Wenn sich das Schiff noch stärker zur Seite neigte, würde es unweigerlich kentern, die Menschen würden ins Meer geworfen und dort ertrinken. Nein, bevor es kentert, wird es wohl auseinander brechen. Mit diesem Schiff geht es zu Ende, dachte Ukon. »Lass uns zusammen sterben«, sagte er, so laut er konnte, zu seiner Frau. »Ja«, sagte diese mit klarer Stimme. Er versuchte seine Tochter und seine Enkel zu rufen, aber er wusste nicht, ob seine Stimme sie erreichte.

Eine schlaflose Nacht ging zu Ende. Die Bretter, mit denen die Wand ausgebessert worden war, hatten sich wieder gelöst, und durch die inzwischen zahlreicher gewordenen Spalten im Rumpf drangen diesmal Sonnenstrahlen, die das Innere des Raumes erhellten. Die Gegenstände, die Menschen und das Wasser, alles siedete wie in einem Eintopf. Da sich Jûtarô und der ältere seiner jüngeren Brüder mit vereinten Kräften tapfer um die jüngeren Kinder gekümmert hatten, war keiner zu Schaden gekommen. Justa war vollkommen erschöpft und wäre wie eine Leiche im Wasser weggetrieben, hätte Ukon sie losgelassen, weshalb er sie auch weiterhin in seinen Armen halten musste. Lucia, die dank ihrer Jugend wohlauf war, wandte sich Ukon zu. Auch wenn das Schiff längst nicht mehr so stark schlingerte, befand es sich nach wie vor in einer bedrohlichen Schräglage, und es bestand noch immer die Gefahr, dass es kenterte. Allerdings hatte das Geräusch des Windes abgenommen und man konnte sich unterhalten. Da kam ihm zu Bewusstsein, dass er selbst nicht in der Lage gewesen war, auf dem Grunde seines Glaubens etwas zu leisten, das die anderen ermuntert hätte, wofür er sich selbst bedauerte. Auch wenn er nicht über die Macht jenes Menschen verfügte, der den Sturm niederhielt, um seine Jünger zu retten, so hatte er noch nicht einmal vermocht, die Menschen in Sicherheit zu wiegen wie der Apostel Paulus, dem die Engel inmitten des Sturmes verkündet hatten, dass nichts passieren würde. »Der Sturm ist vorüber. Dank dem Schutz des Herrn ist uns nichts passiert. Es gibt nichts mehr zu fürchten«, wollte Ukon mit lauter Stimme sagen, doch es entfuhr ihm nur ein heiseres, sonderliches Krächzen.

Gegen Mittag beruhigte sich das Unwetter, das Schaukeln des Schiffes ließ deutlich nach, und das Pfeifen des Windes verstummte. Ukon ging an Deck, um sich mit eigenen Augen davon zu überzeugen, dass der Sturm abgezogen war. Am blauen Himmel waren keine Wolken zu sehen, und die Sonne stand ruhig an ihrem gewohnten Ort. Die Wellen bildeten sanfte Linien und spielten müßig mit dem Licht. Allerdings war das gesamte Schiff schwer beschädigt, der Mast stand schief, das Deck war stark lädiert, und an den Seiten des Rumpfes hatten sich große Risse gebildet. Die Seeleute waren in Gruppen mit irgendwelchen Arbeiten beschäftigt, jedoch wirkten sie energielos wie Marionetten, deren Fäden sich verheddert hatten. Der Kapitän und Padre Morejon unterhielten sich miteinander. Morejon sagte zu Ukon: »Critana ist schwer krank.« Die Seeleute und der Kapitän, alle waren dem eindringenden Wasser ausgesetzt und völlig durchnässt worden. Morejon hatte seine Priesterkleidung abgelegt und trug ein kurzärmliges Hemd. Auch Ukon gab ein eher jämmerliches Bild ab. Er hatte sein Hüftband verloren und ein Ärmel seines Kimono war zerrissen.

Ukon stattete Padre Critana einen Krankenbesuch ab. Er lag mit blassem Gesicht auf einer Bahre aus Brettern und atmete qualvoll und hastig, ohne Ukon zu erkennen. Schwächlich und zu Durchfall neigend, hatte sich, von dieser Folter der Natur heimgesucht, sein Krankheitszustand drastisch verschlechtert. Der Schiffsarzt hatte ihn untersucht, doch unglücklicherweise war die Medizinkiste fortgeschwemmt worden, und es gab nichts mehr, was er hätte tun können. Der Raum der Padres war in kleine Kabinen unterteilt. Da er über der Wasserlinie lag, war der Schaden nicht so groß. Allerdings war es direkt unter den Brettern des Decks, auf die die Sonne brannte, unerträglich heiß. In dieser brennenden Hölle musste sich Critanas Krankheit ja verschlimmern.

Was Ukon ebenfalls Sorgen bereitete, war das Schicksal von Murayama Tôans chinesischer Dschunke, die eher langsam war und Costas Schiff nur in gleich bleibendem Abstand folgen konnte, weil dieser sein Tempo drosselte. Kurz vor dem Sturm konnte man sie noch in der Ferne hinter den Wellenwänden regelmäßig auftauchen und wieder verschwinden sehen, doch jetzt war sie nirgendwo mehr auszumachen, obwohl der Blick bis zum Horizont frei war. Abends entdeckten die Matrosen Treibgut. Es waren Trümmer eines Mastes und Planken, an deren Bruchstellen man erkennen konnte, dass sie ganz frisch waren.

Alles, aber auch alles war mit der Dreckbrühe beschmiert. Glücklicherweise fiel ein südländischer, plötzlicher Regenschauer, so dass man erst den Körper und die Kleider waschen und dann die Schiffstruhen und anderen Behälter säubern konnte. Als besonders schwierig erwiesen sich die Kleidungsstücke und die Bücher. Unter den Kleidungsstücken, vor allem den Kimono der Frauen, waren einige aus Seide und von allerhöchster Qualität, wie man sie sicher nicht finden konnte. Dabei ist es äußerst schwer, einen Kimono, der einmal nass geworden ist, wieder in seinen ursprünglichen Zustand zurückzuversetzen. Hinzu kam, dass jede einzelne Seite der Bücher völlig mit Wasser, Öl, Ruß und Exkrementen verschmiert war, was Joan, der Bücher so liebte, großen Kummer bereitete. Kôji roch an seinen eigenen Manuskripten und den Büchern und verzog das Gesicht, Sôbê hielt sich die Nase zu und sagte: »Da kann man nichts anderes mehr machen, als sie wegzuwerfen.« Doch Ukon hatte sich entschieden – die kirchlichen Bücher waren äußerst wertvoll, und er wollte sie unbedingt in einen lesbaren Zustand zurückversetzen, um sie in Manila noch zu benutzen. Er beschloss, die Reinigung der Kleidung seiner Frau und seiner Tochter zu überlassen und sich zusammen mit Sôbê und den Enkeln um die Bücher zu kümmern.

Zuerst legten sie sie in Wasser und pressten sie aus, um die verdreckte Brühe zu entfernen. Diese anstrengende Aufgabe übernahmen Sôbê und Jûtarô. Nachdem sie damit angefangen hatten, beteiligten sich auch die anderen Männer daran. Danach wurden die Bücher an Deck gebracht und jede einzelne Seite in der Sonne getrocknet, wobei auch Ukon und Joan mitsamt den jungen Enkelkindern halfen. Da die Männer den ganzen Tag der gleißenden Sonne ausgesetzt waren, bekamen sie Sonnenbrand und der Kopf wurde ihnen heiß. Ukon saß mit einem in Wasser getränkten Handtuch auf dem Kopf und in Tücher gehüllt bewegungslos da. Joan wurde schwindlig, Kôji und Sôbê schmerzte der Rücken, so dass die drei aufgaben und schließlich nur noch Ukon und seine Enkel weiterhin sitzen blieben, wobei Ukon ihnen Geschichten von früher erzählte. »Als euer Großvater noch jung war, war er Herr der Burg von Takatsuki. Da stand ein großes, weißes Kreuz und es gab einen Garten mit vielen wunderschönen Blumen. Eines Tages kam der ehrenwerte Padre Valignano aus dem fernen Europa und veranstaltete ein Osterfest. Vorn im Zug ritten Samurai und hinter ihnen gingen Kinder, etwa wie ihr, die Bilder vom Herrn Jesus und der Mutter Maria hochhielten und in weiße Engelsgewänder gekleidet waren. Was war das doch für ein bezaubernder Anblick …« Da die Kinder seinen Erinnerungen mit glänzenden Augen lauschten, gab er eine um die andere Geschichte von früher zum Besten. Und weil es ihm nicht an Erinnerungen mangelte, ging der Tag schnell vorüber. Als Ukon sah, wie die Haut der Kinder Tag für Tag dunkel gebrannter wurde, stellte er fest, dass es ihm ebenso erging. Nach einigen Tagen waren auch alle Bücher getrocknet.

Ein Teil des Mastes war kaputt, in der Brücke und im Deck klafften Löcher, das Ruder war verbogen, wo man hinsah waren Schäden, und es wollte nicht recht vorangehen. Auch war das Schiff ziemlich weit vom vorgegebenen Kurs abgekommen und dümpelte noch träge auf offener See umher, obwohl die Insel Luzon schon längst hätte in Sicht kommen sollen. Durch die ständigen Kursänderungen hatte Ukon, der bisher ungefähr nachvollziehen konnte, wo sie sich befanden, völlig die Orientierung verloren.

Die Überfahrt zog sich hin. Darüber hinaus wurde bei einem weiteren Sturm ein großer Teil des Reises und Weizens über Bord gespült, weshalb der Proviant knapp wurde. Die Mahlzeiten gestalteten sich noch armseliger und bestanden fortan nur noch aus einer winzigen Portion Reisbrei, Suppe und stinkendem Wasser. Die Menschen quälten sich mit Hunger und Durst. Außerdem war es wegen der flammenden Sommerhitze in den Quartieren unerträglich heiß. Die Menschen wollten an Deck gehen, aber es war ihnen nicht erlaubt. Weil ein großer Teil des Gepäcks über Bord geworfen werden musste, um das Schiff leichter zu machen, bestand nun die Gefahr, dass es kenterte. Daher ließ man immer nur einige der Passagiere an Deck, der Rest musste in der Feuerhölle unter Deck braten. Wegen des Wassermangels trocknete der Körper aus, und trotz der Hitze schwitzte man nicht mehr. Dies streckte die Schwächeren in völliger Erschöpfung nieder, und es musste für ihre Pflege gesorgt werden. Da die Menschen schon die Hoffnung aufgegeben hatten, je ihr Ziel zu erreichen, entstanden in einer Stimmung aus gereizter Ungeduld und Unsicherheit die sonderbarsten Hirngespinste. »Die Padres und die Seeleute essen heimlich Proviant, den sie vor uns versteckt halten.« »Sie haben vor, uns Japaner verhungern zu lassen und allein nach Manila zu fahren.«

Kôji, der diese Gerüchte anfangs als Unfug abtat, machte sich auf den Weg, um der Sache auf den Grund zu gehen, da die Leute immer mehr in Aufregung gerieten. Dabei konnte er sich der Tatsache versichern, dass die Padres ebenso ärmliche Mahlzeiten zu sich nahmen wie die Japaner. Wie das Leben hinter der stabilen Tür des Quartiers für die Seeleute aussah, konnte er allerdings nicht in Erfahrung bringen. Als er dies berichtete, weckte das in den Leuten nur noch mehr Misstrauen.

Eines Tages sorgte ein junger Samurai, der solcherart Gerüchte verbreitete, für Aufregung, als er an der Schulter blutend zurückkam. Ukon, der sich mehr oder weniger in der Heilkunde auskannte, untersuchte ihn. Die Wunde stammte von einem langen Schwert und blutete heftig. Als er gefragt wurde, erwiderte der Samurai, dass er sich einmal die Lage im Quartier der Seeleute habe anschauen wollen, als er mit einem portugiesischen Matrosen in Streit geraten sei, der mit dem Schwert auf ihn eingestochen habe. Es gab zwar keine Gefahr für das Leben, aber die Wunde war tief und reichte bis auf den Knochen.

Die jungen Leute, vor allem die Samurai, gerieten in Wut. Der Ärger wurde noch dadurch geschürt, dass es sich bei dem Portugiesen um einen Mann handelte, der den Japanern gegenüber schon seit längerem ein überhebliches Verhalten an den Tag gelegt hatte. Es wurde also das Bündel Kurz- und Langschwerter hervorgeholt, das die Japaner als Abschiedsgeschenk erhalten hatten, die Klingen wurden geschliffen und es wurde überprüft, ob die Griffe auch fest saßen. Die Männer begannen mit den Schwertern Trockenübungen zu machen und mit Holzstöcken zu trainieren, um sich auf die Bestrafung des Missetäters vorzubereiten. Als Ukon, der sich die Sache anfangs nur abwartend angeschaut hatte, sah, dass sich die Samurai versammelten, um zur Tat zu schreiten, sagte er nur kurz im Losgehen: »Haltet euch zurück und überlasst die Angelegenheit mir.« Darauf begab er sich allein zur Unterkunft der Seeleute. Deren Tür war fest verschlossen und wurde erst geöffnet, als sie erkannten, dass Ukon allein gekommen war. Alle waren mit Schwertern und Pistolen bewaffnet. Ihnen stand die Mordlust ins Gesicht geschrieben. Ukon wandte sich sofort an den Kapitän: »Wenn es zum Kampf kommt, wird es Tote und Verletzte auf beiden Seiten geben, so viel steht fest. Wenn sich der Mann, der den Japaner verletzt hat, entschuldigt, bin ich gerne bereit, die Angelegenheit zu einem friedlichen Ende zu bringen.« Schließlich kehrte er zurück, nachdem er sich versichert hatte, dass der betreffende portugiesische Matrose auch wirklich die Absicht hatte, sich zu entschuldigen. Dann versammelte er die jungen Samurai und berichtete von den Kampfvorbereitungen der anderen Seite und der Absicht des Missetäters, sich zu entschuldigen, wodurch sich die Erregung legte. Das Treffen fand auf Deck statt. Der Matrose kam in

Begleitung des Kapitäns und dessen Sekretärs, der junge Samurai in Begleitung Ukons und Kôjis. Der Matrose entschuldigte sich, und der junge Samurai nahm die Entschuldigung an.

Die Seeleute und Japaner, die diese Szene von weitem beobachteten, grüßten sich gegenseitig mit freundlichen Blicken. Die Japaner konnten sehen, dass die Seeleute ebenso abgemagert und geschwächt waren wie sie selbst, und ihr Argwohn verflog. Sie konnten sich vorstellen, dass diese schwierige Überfahrt auch für die anderen, die hart arbeiteten, voller Strapazen sein musste.

14
Verfolgung

Der Friede des Herrn sei mit dir,
meine über alles geliebte Schwester.

Weihnachten, den 25. Dezember 1614,
in den Bergen von Unzen

Frohe Weihnachten … Weihnachten in unserer spanischen Heimat, die Kirchen sind voller Menschen, Messen mit froher Musik, es ist ein Segen, mir die von festlicher Stimmung erfüllte Stadt vorzustellen, doch wie sieht Weihnachten hier in Japan aus? Ruinen niedergerissener Kirchen, in den Häusern und Höhlen niedergeschlagene Gebete aus Angst vor den Behörden, und nach mir, der ich hier sehen muss, wie die Gläubigen mit hängenden Köpfen durch das Dorf laufen, wird gefahndet. Gehetzt und getrieben habe ich mich hierher in die Berge zurückgezogen, verstecke mich in einer einfachen Hütte und muss daran denken, wie ich vor genau einem Jahr in Kanazawa, wo sich im »Südbarbarentempel« eine große Menge von Menschen versammelt hatte, einen Brief an dich schrieb.

Ich bin hier in den Bergen der Shimabara-Halbinsel im Osten von Nagasaki und habe gehört, dass eine chinesische Dschunke, die auf dem Weg nach Macao ist, hier angelegt hat, nachdem sich die Streitmacht von Satsuma zurückgezogen hatte, die gekommen war, um die Christen von dieser Halbinsel zu vertreiben. Deshalb schreibe ich jetzt in aller Eile diesen Brief, um ihn aufzugeben, auch wenn ich befürchten muss, dass die Wahrscheinlichkeit, dass er dich auch erreicht, deutlich geringer ist als bei meinen letzten beiden Briefen, die ich mit portugiesischen Schiffen geschickt habe, denn die Dschunke ist eher schwächlich gebaut, und es ist fragwürdig, ob sie die raue

Überfahrt überstehen wird. Jedoch habe ich mich entschieden, den Brief fertig zu schreiben, da der chinesische Kapitän nicht nur ein erfahrener Seemann, sondern auch ein ergebener Gläubiger ist, und ich somit hoffen darf, dass der Brief mit Gottes Hilfe irgendwie nach Macao gelangen wird, um von dort aus seinen langen Weg fortzusetzen.

Die Gebirgskette, die sich hier über die ganze Gegend hin erstreckt, ist eindeutig aus Magma entstanden, dem Feuer der Erde, das hier vom Grunde des Meeres emporgesprudelt ist. Zum Beweis hierfür erhebt sich ganz in der Nähe ein Feuer speiender, aktiver Vulkan wie (nein, nicht »wie« muss es heißen, sondern »viel Furcht erregender als«) der Vesuv oder Stromboli. Je nach Windrichtung prasseln hier winzige Bimssteinbrocken und Asche hernieder wie ein heftiger Regen. Erde und große Steine kommen wie ein reißender Strom das Flussbett herunter, ganz wie das Schwefelfeuer von Sodom und Gomorrha. Seit Urzeiten sind die Menschen vor diesen ewigen Flammen auf der Flucht, und verglichen damit ist so etwas wie die vorübergehende Verfolgung durch einen Tyrannen kaum der Rede wert. Auf dem Gipfel des Berges, der vor mir aufragt, steht kein einziger Baum, und es gibt keinen Grashalm, die Erde auf den Berghängen ist mager, und mit den wenigen Dingen, die man hier anbauen kann, leben die Menschen sowieso in Armut. Durch die Massen, die aus Angst vor der Verfolgung hierher geflüchtet sind, sind nun auch die Lebensmittel äußerst knapp geworden; würde nicht von der Küste heimlich Nahrung geschickt, bedeutete dies wohl für viele den Hungertod, aber glücklicherweise gibt es auf dieser Halbinsel viele, die mit den Christen sympathisieren und sich um Missionare wie mich rührend kümmern. Wer mir, der ich seit drei Tagen nichts mehr gegessen hatte, vorhin eine Schale Reisbrei und einen kleinen Fisch brachte, war eine arme, alte Frau aus dem Nachbardorf, die ich noch nie gesehen hatte.

Der Grund, weshalb ich in diesem Brief festhalten möchte, was passiert ist, seit ich dir das letzte Mal geschrieben habe, liegt darin, dass die in Nagasaki verfassten und von dort aus abgeschickten offiziellen Jahresberichte eingestellt worden sind und mein Brief möglicherweise die einzigen Informationen enthält, die von hier aus die Heimat erreichen. Insofern will ich mich bemühen, in meinem Gedächtnis zu graben und dir so genau wie möglich Bericht zu erstatten, weil ich damit vielleicht die offiziellen Aufzeichnungen noch etwas ergänzen kann.

Die Regenzeit im Juni habe ich in diesem Land bereits in der Gegend der fünf Zentralregionen und auch in Kanazawa erlebt, doch verglichen mit dem Norden setzt sie hier in Nagasaki früher ein, und auch die Niederschlagsmenge ist weitaus größer, vor allem in diesem Jahr regnete es mit einer Hartnäckigkeit, dass es kaum zu ertragen war. Da Nagasaki die Form eines Mörsers hat, sammelte sich das Wasser immer mehr, je weiter man nach unten kam, so dass die Flüsse über die Ufer traten, die Wege voller Schlamm waren und man seine liebe Not hatte, die steilen Wege hinunter zu kommen. Der Abstieg zwischen der Todos os Santos-Kirche und der Kirche der Santa Maria auf dem Berg hatte sich in einen reißenden Strom schlammigen Wassers verwandelt, und das Santiago-Hospital, das sich weiter unten befindet, war vollständig von Wasser umgeben, aus dem es als Insel herausragte und das man nur erreichen konnte, indem man durch eine knietiefe Schlammbrühe watete.

Ende Juni kam der Gouverneur von Nagasaki, Hasegawa Sahyôe, welcher Großkönig Ieyasu über die Vertreibung der Christen die Worte des Teufels ins Ohr legte, überstürzt nach Nagasaki zurückgeeilt, weil er die Nachrichten über die Kommunionsumzüge Mitte Mai falsch verstanden hatte und dachte, es wäre ein Aufstand losgebrochen. Zwar war er wahnsinnig vor Hass, wurde sich aber sofort seiner Fehleinschätzung bewusst, da die Leute in der Stadt ganz ruhig waren und friedlich ihren alltäglichen Beschäftigungen nachgingen, von einer gewalttätigen Revolte war nirgendwo etwas zu sehen. Allerdings hatte er während der Reise seinen Vasallen schon angekündigt, dass es strenge Strafen gegen die Gläubigen geben werde, weshalb die Ältesten der verschiedenen Ordensgemeinschaften ihm seine Aufwartung machten und von ihm, der im gesellschaftlichen Umgang versiert ist, mit freundlich lächelndem Gesicht empfangen wurden, doch erklärte er ihnen mit deutlichen Worten, dass auf absoluten Befehl Großkönig Ieyasus im Herbst alle Missionare und führenden Persönlichkeiten der Christen ins Ausland deportiert würden, und wir erfuhren nun zum ersten Mal, dass das letzte Urteil gesprochen war und die Strafe der Verbannung auf uns wartete.

Damals kam ein portugiesisches Schiff der Nao-Klasse in den Hafen, also ein Schiff von mittlerer Größe, etwas größer als eine Fusta aber kleiner als eine Galeone, und da es stabil und Vertrauen erweckend aussah, habe ich dort einen Brief an dich abgegeben. Doch es machte keine Anstalten, wieder abzufahren, worüber ich mich wunderte, und als ich versuchte, den Grund herauszufinden, erfuhr ich, dass der Kapitän Vorbereitungen getroffen hatte, eine direkte Eingabe an Großkönig Ieyasu zu richten, in der er forderte, das Edikt zur Verbannung der Christen aufzuheben und internationalen Handel zu garantieren. Davon hatte allerdings Sahyôe Wind bekommen und es verboten, woraufhin der Kapitän wiederum seinen Stellvertreter mit ein paar Leuten nach Sumpu schickte, um dort in Verhandlungen zu treten, und nun wartete er darauf, dass die Delegation zurückkehrte.

Ende Juli kam plötzlich eine Person namens Yamaguchi Suruga no kami Naotomo als Bote Großkönig Ieyasus nach Nagasaki. Er ist ein Beamter hohen Ranges mit großem Geschick in der Ausübung seiner Ämter, der seinerzeit den Herrn von Satsuma, Fürst Shimazu, der bei der Schlacht von Sekigahara auf der Seite Großkönig Hideyoris gekämpft hatte und danach nach Satsuma geflohen war, auf die Knie gezwungen hatte, und der den Herrscher des Königreiches Ryûkyû (das heutige Okinawa), das dem Lehen von Satsuma angegliedert worden war, dazu bewegt hatte, dem Großkönig seine Aufwartung zu machen. Dieser Mann betrat nun mit der Aufgabe das Parkett, die Lehnsherren von Kyûshû zu kontrollieren, indem er sie unter den Befehl des Gouverneurs von Nagasaki stellte, um in einem Rundumschlag die Unterdrückung der Christen durchzuführen.

Priester Mesquita, den die alles durchweichende, trübsinnige Regenzeit extrem geschwächt hatte, kam wieder etwas zu Kräften, als Mitte Juli sonniges Wetter anhielt und die Zikaden zirpten, als wollten sie die Hitze aus der Erde hervorlocken. Allerdings wird diese Gegend im Sommer regelmäßig von heftigen Unwettern heimgesucht, über deren Besonderheiten Padre Mesquita bestens Bescheid wusste und aus diesem Grunde beim Bau des Gebäudes besonderen Wert auf dessen Stabilität gelegt hatte, weshalb das Krankenhaus den wütenden Unwettern auch mit Leichtigkeit standhielt. Wenn man während der Zeit des Taifuns aus dem Fenster schaute, bot sich der Anblick einer anderen Welt, weit entfernt von jeder Normalität führten wütende Stürme und heftiger Regen ihr Schauspiel auf, welches die Sinne jener durch Krankheit Geschwächten, die sich dieses Schauspiel von sicherem Orte aus anschauten, stimulierte und emporhob, ihren Seelen zu neuem Schwung verhalf. Als Mesquita, dem es nach dem Unwetter wieder besser ging, von der bevorstehenden Verbannung der Missionare ins Ausland erfuhr, teilte er uns allen mit, dass es sein fester Entschluss sei, heimlich in Japan zu bleiben, und befahl mir und Nakaura Julião, die nötigen Vorbereitungen dafür zu treffen. Ich sagte, dass auch ich bleiben würde, wenn er bliebe, woraufhin auch Julião seinen Willen diesbezüglich äußerte und sich uns außerdem noch einige Laienbrüder anschlossen und wir zusammen alle möglichen Pläne für den Ernstfall schmiedeten. Sofort, als im Februar dieses Jahres das Christenverbot erging, wurden die Aufzeichnungen, Schriften und die Korrespondenz über die Missionstätigkeit in Japan nach Macao und Manila gebracht, und auch danach wurden noch Aufzeichnungen, Schriftstücke, wertvolle Bilder und Kunstgegenstände eins nach dem anderen den chinesischen Dschunken, die gelegentlich in den Hafen kamen, anvertraut und nach Macao gebracht. Ein schwieriges Problem stellte allerdings die Gutenbergsche Druckerpresse dar, die ein beachtliches Gewicht hat und die auseinanderzubauen es einiger Fachkenntnisse bedurfte, deshalb machte sich Hara Martino umgehend daran, sie für die Überfahrt fertig zu machen und auf das portugiesische Schiff zu schaffen, das im Hafen lag und sie nach Macao bringen sollte. Martino bat auch darum, in den Kreis derer aufgenommen zu werden, die heimlich in Japan bleiben würden, doch ich empfahl ihm nach Macao zu gehen, da er mit seiner Technik, japanische Texte zu drucken, von dort aus mehr bewirken könnte, was er dann nach längerem Hin und Her auch einsah.

Die spätsommerliche Hitze hielt noch eine Weile an, doch Ende September begann schließlich ein kühler Wind zu wehen, die Blätter färbten sich gelb, und es stellte sich ein angenehm herbstliches Wetter ein, doch im Gegensatz dazu sank Mesquitas Hochstimmung und sein Gesundheitszustand verschlechterte sich schlagartig, man könnte sagen, dass sein Leben während dieses Sommers noch einmal kurz erstrahlt war, wie die Flamme einer Kerze, bevor sie erlischt.

Im Oktober kam die Delegation des portugiesischen Schiffes zurück, die nach Sumpu aufgebrochen war, um dort direkte Verhand-

Absender

....

Name **Vorname**

....

Straße

....

PLZ/Ort

....

e-mail

....

Alter **Beruf**

Karton aus 100% Altpapier

Antwort

be.bra verlag GmbH
– Vertrieb –
KulturBrauerei Haus S
Schönhauser Allee 37

D-10435 Berlin

Bitte als
Postkarte
freimachen

lungen aufzunehmen. Allerdings hatte der Großkönig in seiner sturen Haltung alle ihre Petitionen zurückgewiesen und sie davongejagt. Unmittelbar darauf erschien der Inspekteur Mamiya Gonzaemon (es geht das Gerücht, Gonzaemon sei der Sohn Yamaguchi Naotomos, der zuvor gekommen war, aber Genaues weiß ich auch nicht), der von der Regierung in Edo entsandt worden war, und überbrachte schließlich den endgültigen Befehl zur ewigen Verbannung der Missionare und christlichen Anführer. Wir mussten uns beeilen, die Druckerpresse zum portugiesischen Schiff zu bringen, doch entschieden wir, bevor wir sie fortschafften, noch Flugblätter mit Anweisungen für Gläubige zu drucken, die sich dem Befehl Gonzaemons zu widersetzen gedachten, und genau in diese Zeit des letzten Druckes fiel es auch, dass Nakaura Julião am Wegesrand einen im Sterben liegenden Bettler fand und bemerkte, dass es sich bei ihm um das handelte, was von Chijiwa Miguel übrig geblieben war, und diesen ins Hospital brachte.

Ich konnte zunächst gar nicht erkennen, dass es Miguel war, und erst als ich ihn mir genau anschaute, bemerkte ich im Profil und um den Mund herum eine Ähnlichkeit mit meinem alten Freund, und es war Juliãos erstaunlichen Fähigkeiten und seiner Aufmerksamkeit zu verdanken, dass er in dem Bettler am Straßenrand überhaupt seinen alten Gefährten erkannt hatte, über dessen Verbleib er sich ständig Gedanken gemacht und den er so leidenschaftlich gesucht hatte. Als ich ihn untersuchte, erkannte ich, dass er schwer krank war und ihm nicht mehr geholfen werden konnte. Er hatte so viel Gewicht verloren, dass er zum Skelett abgemagert war und seine Knochen nur noch von Haut bedeckt waren, auf der man an mehreren Stellen rötliche Geschwüre sehen konnte. Zunächst hatte ich sogar den Verdacht auf Lepra, doch als ich den Schmutz von der Haut abwusch, kamen die Narben der Pocken zum Vorschein, unter denen er in Spanien gelitten hatte, doch außer den Pockennarben waren noch andere, rötlichkupferfarbene Punkte zu sehen, woraufhin ich seine Leistengegend untersuchte und dort einen harten Knoten ertasten konnte, woraus ich schloss, dass er Syphilis hatte. Mesquita, der auf einem einfachen Bett lag, gab seinem Schüler die Letzte Ölung, was, wenn es stimmte, dass dieser dem Glauben abgeschworen hatte, eigentlich inkonsequent war, doch Mesquita dachte sich wohl, wenn Miguel wirklich noch gläubig wäre, würden ihm dadurch seine Sünden verziehen und er könnte in den Himmel eingehen, denn der Herr ist voller Barmherzigkeit. Direkt nachdem der Kranke das Sakrament empfangen hatte, starb er.

Die Abfolge dieser Ereignisse in kurzer Zeit, dass nämlich Miguel kurz vor seinem Tod von seinem alten Freund Julião entdeckt wurde und von seinem Meister Mesquita das Sakrament der Letzen Ölung erhalten durfte, all dies ließ mich am ganzen Körper spüren, wie groß die Gnade des Herrn ist, der in seiner unergründlichen Weisheit auch den Sünder Miguel liebt.

Direkt nach Miguels Tod änderte sich unsere Situation schlagartig, gedrängt durch die strenge Mahnung des Inspektors Gonzaemon, den Befehl des Großkönigs endlich durchzuführen, wies Sahyôe am 11. Oktober alle Ordensgemeinschaften endgültig an, spätestens am 16. aufzubrechen, was natürlich viel zu kurzfristig und nicht durchführbar war, da die Leute ihre Vorbereitungen noch nicht beendet hatten, und darüber hinaus mangelte es auch an Schiffen.

Wie zuvor geplant, schafften wir die Druckerpresse aus dem Santiago-Hospital auf das portugiesische Schiff, dazu luden wir sie im Schutze der Nacht zunächst auf ein Boot Antonio Tôans, mit dem es uns gelang, hinauszufahren und sie zum Nao-Schiff zu bringen, welches denn auch unverzüglich in See stach und ebenfalls den Brief an dich mit auf die Reise nahm, daraufhin besorgten Julião, die Laienbrüder und ich uns japanische Kleider, die wir brauchten, wenn wir in Japan untertauchen würden, trafen unsere Reisevorbereitungen, und während wir uns um Padre Mesquita kümmerten, arrangierten wir alles Nötige, um die Stadt zu verlassen und in den Häusern von Gläubigen Unterschlupf zu finden.

Einerseits wurde bei den Jesuiten schnell eine Diözesansitzung einberufen, auf der man entschied, dass Procurador Padre Gabriel de Matos über Macao und Goa, via der Westroute, nach Rom reisen solle, um den Jahresbericht für 1614 abzuliefern, und dass zusätzlich Padre Morejon über Manila und Mexiko via der Ostroute nach Rom fahren solle.

Andererseits rissen die Dominikaner das Kreuz des Klosters nieder, entfernten die Kreuze von den Gräbern und zerstörten sie, hielten die letzte Messe ab und verbrannten dann das Altartuch und die

Devotionalien, die sie bei der Messe verwendet hatten; man konnte auch Menschen sehen, die auf dem San Miguel-Friedhof die sterblichen Überreste ihrer geliebten Verblichenen ausgruben oder Knochen aufsammelten, um sie an einen sicheren Ort zu bringen.

In allen Ordensgemeinschaften ging es wegen der letzten Erledigungen und Reisevorbereitungen drunter und drüber, die ganze Sache ging nicht so schnell voran, wie Sahyôe es befohlen hatte, und obwohl er bisher einige Verzögerungen in Kauf genommen hatte, wurde er langsam nervös, da die Umsetzung des großköniglichen Befehls nicht befriedigend voranging. Am 25. Oktober schließlich erließ er die strenge Order, dass alle am 27. ins Ausland abgeschoben würden, woraufhin von Seiten der Gläubigen wieder die Bitte kam, die Frist noch etwas zu verlängern, da die Vorbereitungen noch nicht zur Genüge abgeschlossen seien, doch Sahyôe gab ihr nicht nach und führte die Deportation aller Verbannten aus Nagasaki mit Gewalt durch, indem er Soldaten aus den umliegenden Provinzen zusammenrief.

Wir im Santiago-Hospital erkannten die Dringlichkeit der Situation und wollten mit Padre Mesquita in unserer Obhut eiligst aus Nagasaki fliehen, um in den benachbarten Bergdörfern unterzutauchen, aber leider kamen uns die Beamten zuvor; wir konnten unsere Absicht nicht in die Tat umsetzten, da wir unter polizeiliche Bewachung gestellt wurden. Als erstes hatten sie es auf die Druckerpresse abgesehen, doch als der befehlende Polizeibeamte merkte, dass sie restlos verschwunden war, tobte er vor Wut, als wolle er gleich ein Massaker anrichten, weshalb ihm Hara Martino ganz gefasst und sachlich mitteilte, dass der Gouverneur ja nicht verboten hätte, die Druckerpresse ins Ausland mitzunehmen und sie sich auf dem portugiesischen Schiff befände, das bereits in See gestochen sei, worauf der Polizist dann auch nichts mehr zu sagen wusste, obwohl er noch äußerst gereizt war und nun dazu überging, die ausländischen Bücher und die christlichen Schriften zu verbrennen, wobei Mesquita zuschauen musste, wie all die vielen, wertvollen Bücher, die er gesammelt hatte, einschließlich der »Anatomie des Menschlichen Körpers« von Vesalius, in Flammen aufgingen. Als der Beamte sah, wie sehr Mesquita litt, verstieg er sich nur auf ein umso rabiateres Vorgehen, und vermutlich hatte ihm auch Sahyôe, der Mesquita gut kannte, noch dazu aufgehetzt, jedenfalls fällte er die im Garten befindlichen Feigenbäume, deren Samen Mesquita aus Portugal mitgebracht hatte, die Quittenbäume aus Manila und die Olivenbäume, allesamt Gehölze, die in Japan höchst wertvoll sind, und machte mit äußerster Gründlichkeit die Weinkelterei und das Atelier für die Heiligenbilder dem Erdboden gleich.

Mesquita, ich, Hara Martino und Nakaura Julião, die Missionare also, erhielten den Befehl, auf der Stelle Nagasaki zu verlassen, und so wurden wir also von den anderen Gläubigen und den Laienbrüdern getrennt, mussten hektisch unsere Sachen zusammenpacken und unter Bewachung der Beamten aufbrechen. Aber wir gingen noch nicht an Bord der Schiffe, sondern wurden in ein Fischerdorf namens Jûzenji am Ufer auf der anderen Seite der Bucht gebracht. Wie sich später herausstellte, waren am selben Tag die Missionare der Todos os Santos-Kirche und die Gruppe Justo Ukons zusammen mit den Missionaren der anderen Kirchen auf die andere Seite der Landzunge, an die Küste von Fukuda und die Diözesenpriester an die Küste von Kibachi gebracht worden, womit Sahyôe die Absicht verfolgte, die Missionare und führenden Christen erst einmal aus Nagasaki wegzuschaffen, um dem Inspektor des Großkönigs, Gonzaemon, Ergebnisse vorlegen zu können.

Mesquita, der in einer armseligen Fischerhütte auf Stroh gebettet lag, war schwer mitgenommen, sein Herz schlug unregelmäßig, dem Trab eines völlig erschöpften Pferdes gleich, sein Atem war so schwach, als wollte er jeden Moment aussetzen, und auf seinen lila gefärbten Wangen lastete bereits der Schatten des Todes, so dass ein Leben im Untergrund für ihn längst nicht mehr in Frage kam.

Ursprünglich wollte Sahyôe die über hundert Jesuiten nach Macao bringen lassen, doch erhielt er von dort die Nachricht, dass die Kapazitäten nicht ausreichten, um eine solche Anzahl von Leuten aufzunehmen, weshalb er sie aufteilte und einen Teil der Jesuiten zusammen mit den spanischen Franziskanern, Dominikanern und Augustinern nach Manila schicken wollte, und da Ukons Beichtvater, Padre Morejon, nach Manila fuhr, äußerte auch Justo Ukon den Wunsch, ihn zu begleiten, und es wurde entschieden, dass auch seine Frau und Kinder, Joan Naitô, Tomás Kôji und die Schwestern des Beatus-Ordens ihm folgen würden.

Die fünf Schiffe, die bereit lagen, konnte man allenfalls als klein und schwächlich bezeichnen, unter ihnen befand sich das Schiff des Spaniers Stefano da Costa, mit dem die Missionare der verschiedenen Orden sowie Ukon und seine Gruppe fahren sollten. Als die Zahl der Passagiere immer mehr anstieg und mit den Missionaren und Japanern insgesamt die Dreihundert überstieg, beschwerte sich der Kapitän, dass dies zu viele Passagiere seien, doch Sahyôe wies ihn mit der harschen Bemerkung zurecht: »Dann kannst du ja einfach die Frauen an der Seite des Schiffs festbinden«, und machte keine Anstalten, noch weitere Schiffe zu finden, so dass die fünf Schiffe die Überfahrt bis zum Bersten mit Passagieren gefüllt machen mussten, drei nach Macao und zwei nach Manila.

Es wurde November, und auch in diesem südlichen Land wehte ein kalter Wind. Die verregneten Tage hielten an und das Stroh auf dem Boden der Hütte saugte sich mit kaltem Wasser voll, das durch das kaputte Schilfdach heruntertropfte. Mesquitas Atem wurde immer schwächer, und nachdem ich ihm das Sakrament der Letzten Ölung gegeben hatte, ging er am Morgen des 4. November in den Himmel ein. Seine Schüler Hara Martino und Nakaura Julião, die an seinem Lager gewacht hatten, klammerten sich mit den Worten »Meister, Meister« weinend an ihn, das Gesicht des Portugiesen, der die letzten achtunddreißig Jahre seines Lebens Gott und den Japanern gewidmet hatte, war von Regenwasser und Tränen nass und glänzte wie in göttlicher Erhabenheit.

Da die Verbannten von drei verschiedenen Orten erst wieder in die Stadt gebracht werden mussten, um sie dort auf die Schiffe zu verladen, entstand einiges Durcheinander, in dem es Nakaura Julião und mir gelang, als Fischer verkleidet zu entkommen, und ein Gläubiger versteckte uns dann in seinem Lagerhaus, das auf einem Berg lag, von dem aus man Nagasaki überblicken konnte.

Die Abfahrt der drei Schiffe nach Macao erfolgte am 6. November, die der zwei Schiffe, die nach Manila aufbrachen, am 7. November, der auf Karfreitag fiel, und ebenso, wie es in den Evangelien heißt, am Tag da der Herr ans Kreuz geschlagen wurde, kam eine Finsternis über das ganze Land, und es verdunkelte sich auch an diesem Tage die Sonne, gerade als die Schiffe ablegten. Wegen der vielen Passagiere lagen sie zu tief im Wasser und vermittelten schwerfällig und unsicher schaukelnd den Eindruck, dass sie bei der nächsten etwas größeren Welle kentern würden. Gemeinsam mit Julião beobachtete ich, wie die beiden Schiffe so an der Landzunge vorbei krochen und eines nach dem anderen aus dem Sichtfeld verschwanden, mit wohl denselben Gefühlen, wie das Volk Israel den Gefangenen, die nach Babylon verschleppt wurden, hinterher geschaut hatte. Beim Anblick, wie die vielen Bäume, die aus den Samen erwachsen waren, welche Francisco Xavier vor fünfundsechzig Jahren ausgesät hatte, entwurzelt und weit fortgetragen wurden, ließ ich niedergeschlagen den Kopf hängen.

Wäre da nicht die unbeirrbar starke Entschlossenheit Mesquitas gewesen, hätte wohl auch ich mich nicht entschieden, in Japan zu bleiben, und gäbe es nicht Nakaura Julião, der hier in der Gegend eine herausragende Persönlichkeit ist und sich bestens auskennt, wäre in mir wohl nie das Selbstvertrauen gewachsen, weiterhin in diesem fremden Land zu leben. Während ich Julião, der mit klarem, furchtlosen Ausdruck neben mir stand, zunickte, dachte ich ganz fest daran, dass es der Wille des Herrn und der Wunsch Padre Mesquitas war, dass ich hier in der Verfolgung sterbe, und dies gab mir das Gefühl, als würde der Heilige Geist in meinem Herzen als Taube über den Himmel fliegen.

Sofort nachdem Sahyôe die Missionare aus Nagasaki vertrieben hatte, ließ er von seinen Beamten und den Soldaten, die er aus verschiedenen Provinzen zusammengetrommelt hatte, alle Kirchen und die ihnen angegliederten Einrichtungen besetzen, um kurz vor Abfahrt der Schiffe mit den Verbannten – vermutlich weil er es die Missionare auf den Booten sehen lassen wollte – mit Ausnahme der Misericordia alle Kirchen, Pfarrhäuser und Kollegien niederreißen. Es war ein kleiner Trost für Mesquita, der kurz zuvor in den Himmel eingegangen war, dass er nicht mit anehen musste, wie die Santa Maria-Kirche, die er auf der Landzunge errichtet hatte, und die Kirche der Maria auf dem Berg zerstört wurden. So verschwand der einstige Anblick Nagasakis, das mit elf Kirchen den Glanz des Katholizismus symbolisiert hatte, und verwandelte sich in eine bedrückende Szenerie, in der die schwarzen Löcher der Ruinen klafften.

Die Oberaufsicht bei der Durchführung des Verbannungsedikts hatten der Bote des Großkönigs, Yamaguchi Suruga no kami Naotomo, und der Gouverneur von Nagasaki, Hasegawa Sahyôe Fujihiro, während der Inspekteur Mamiya Gonzaemon für die Vernehmung der Gläubigen zuständig war. Sie erließen Befehle an die Fürsten der benachbarten Provinzen, wie etwa Ômura Sumiyori, Arima Naozumi, Nabeshima Katsushige von Saga, Hosokawa Tadaoki von Buzen und Bungo (dessen Frau war Christin und beging Selbstmord, als sie von Feinden eingekreist war, doch obwohl auch er selbst durchaus Verständnis für die Christen hat und eng mit Takayama Ukon befreundet war, blieb ihm nun nichts anderes übrig, als sich an der Unterdrückung der Gläubigen zu beteiligen) sowie Shimazu Iehisa von Satsuma und versammelten so insgesamt zehntausend Soldaten, aber dass sie eine solch große Armee zusammengetrommelt haben, obwohl sie wussten, dass die Christen keinen bewaffneten Widerstand leisten würden, geschah meiner Meinung nach nicht aus Vorsicht, sondern in der Absicht, die Macht Großkönig Ieyasus zu demonstrieren und das Volk einzuschüchtern.

Da abzusehen war, dass die Soldaten früher oder später Maßnahmen ergreifen würden, um die Christen unter Druck zu setzen, flohen wir auf Anraten Juliãos hin in ein Dorf namens Isahaya im Nordosten von Nagasaki, das auf dem Lehnsgebiet des den Christen gegenüber tolerant eingestellten Fürsten Ryûzôji Naotakas liegt, und siehe da, dort war die Kirche noch nicht niedergerissen worden und die Gläubigen besuchten die Messe.

Suruga no kami und Sahyôe, die am 15. November die Zerstörung der Kirchen und der dazugehörenden Einrichtungen beendet hatten, begannen am 18. November, also zehn Tage, nachdem die Schiffe abgefahren waren, mit der Mobilisierung für den Angriff auf die Christen, und führten die Streitmacht des Fürsten von Hizen, Nabeshima, zum Angriff auf Arima am Südrand der Shimabara-Halbinsel. Während in Arima die Unterdrückungskampagne gegen die Christen im Gange war, flohen wir in die Berge in der Mitte der Halbinsel, und dies war die richtige Entscheidung, denn auf der Ostseite der Halbinsel marschierte die Armee Shimazus aus Satsuma ein, der keinen allzu großen Eifer bei der Befolgung der Befehle Sahyôes an den Tag legte und die Gläubigen im Voraus benachrichtigte, dass sie sich zurückziehen sollten, und ihnen somit die Möglichkeit gab, sich in den Bergen zu verstecken. Nachdem er mit seinen Leuten dann in die verlassenen Gegenden vorgedrungen war, meldete er Suruga no kami und Sahyôe, dass sich dort kein einziger Anhänger der üblen Lehre mehr befände.

In Arima, im Süden der Halbinsel, hatten Suruga no kami und Sahyôe ihr Kriegslager, von wo aus sie das Oberkommando über die ganze Kampagne führten und Gonzaemon mit grausamen Foltern das Volk einschüchtern ließ. Sie riefen die Dorfältesten, die Otona genannt wurden, zusammen und befahlen ihnen, dem Glauben abzuschwören, wer sich weigerte, wurde gefoltert, indem man ihm die Beine brach oder die Finger oder die Nase abschnitt, außerdem wurden noch über dreißig Personen geköpft, die sich trotz aller Drohung geweigert hatten, ihren Glauben wegzuwerfen.

Vordergründig half der Vogt von Nagasaki, Antonio Tôan, bei der Verbannung der Christen, doch schickte er heimlich drei Boote aus, um von den Schiffen der Verbannten, nachdem sie aufs offene Meer hinausgefahren waren und sich dem Blick der Beamten entzogen hatten, mehrere Missionare wieder zurückzuholen, denen er half unterzutauchen, was ich durch das Kontaktnetz der Gläubigen erfahren habe. Julião und ich schienen nicht allein zu sein, und dies gab uns einigen Mut, wieder miteinander Kontakt aufzunehmen und zusammen die Mission neu zu organisieren.

In die Hütte, in der ich mich versteckt halte, kommen nicht nur Gläubige, die die Freuden des Glaubens aufrechterhalten oder beichten wollen, sondern auch Leute, die gehört haben, dass ich Arzt bin und sich untersuchen lassen möchten, allerdings könnte es auch hier in den Bergen Spitzel des Gouverneursamtes geben, weshalb mich die Leute heimlich in der Nacht besuchen.

Gerade erst gestern erreichte mich die Nachricht, dass in Ôsaka der Krieg begonnen habe, und Großkönig Ieyasu mit einer großen Streitmacht Fürst Hideyoris Burg in Ôsaka belagere, was auch erklärt, weshalb die Fürsten von Kyûshû, die mit der Unterdrückung der Christen beschäftigt sind, in letzter Zeit immer mehr Truppen abziehen und warum auch Sahyôe plötzlich nach Ôsaka aufgebrochen ist. Allerdings mache ich mir gleichzeitig Sorgen um die Sicherheit meines Freundes Balthasar Torres, der den Weg in die Wirren der Schlacht gewählt hat. Wegen des Krieges ist es hier in der Gegend um Nagasaki deutlich ruhiger geworden, und Julião und ich gehen hinunter in die Dörfer, um dort wieder der Missionsarbeit nachzugehen. Ich habe mich entschlossen, zu schauen wie es aussieht und gegebenenfalls wieder nach Nagasaki zurückzugehen, doch ist klar, dass irgendwann die Schlacht zu Ende sein wird und hier die Flammen der Unterdrückung wieder auflodern werden, auch hält die strenge Überwachung des Gouverneursamtes nach wie vor an, und es ist äußerste Vorsicht geboten …

Meine über alles geliebte Schwester. Wenn ich jetzt ins Dorf hinuntergehe, werde ich diesen Brief der Dschunke anvertrauen.

Ich bete zu Gott, dass es dir gut geht und du glücklich bist.

Der Friede des Herrn sei mit dir,
meine über alles geliebte Schwester.

Juan Bautista Clemente

15
Die befestigte Stadt

Dichter, üppiger Wald, der vom azurblauen Meer aus sichtbar war und sich auf ihm spiegelte, glitt vorbei. Anders als der dünne japanische Mischwald war dies ein dichter südländischer Urwald mit dicken, schweren Blättern von dunklem, sattem bis gelblich hellem Grün und undurchschaubar kompliziert verschlungenen Ästen und Stämmen. Einmal sah es aus, als hingen dort graue Früchte in Büscheln herab, doch es stellte sich heraus, dass es Horden von Affen waren, die sich über die Bäume verteilt hatten. Es waren sonderbare Affen, die anders als die japanischen einen langen Schwanz hatten.

Auf einer gerodeten Stelle konnte man eine Siedlung erkennen. Einfache Hütten, die anstatt eines Daches mit Palmenblättern bedeckt waren, und Eingeborene mit kastanienfarbener Haut. Die Männer hatten Hüte auf, trugen halblange Hosen und waren mit Speeren und Schildern sowie kurzen Schwertern an der Hüfte bewaffnet. Ab und zu konnte man auch Männer mit goldenem Ohrschmuck oder Armbändern aus Edelsteinen sehen; da sie ein großes Gefolge hatten, schienen sie einflussreiche lokale Persönlichkeiten zu sein. Die Frauen waren mit blauen und grünen Stirnbändern sowie Hals- und Armreifen geschmückt und trugen farbenprächtige Tücher um die Hüfte. Sie schienen sehr auf ihr Aussehen zu achten, hatten Bottiche dabei und wuschen Kleider. Sie wirkten sehr fleißig und gelegentlich waren verblüffende Schönheiten unter ihnen auszumachen.

Sie tummelten sich gern im Wasser und tauchten oft mit dem ganzen Körper ein. Frauen, die ihre Babys wuschen, und planschende Kinder. Die Region schien sehr regenreich zu sein, und es gab zahlreiche große und kleine Flüsse. Hier lebten viele Krokodile, und der Ort zum Schwimmen war durch einen Zaun abgesichert. Die Krokodile dieses Flusses waren blutrünstig und äußerst gefährlich und hatten es auf Menschen und Tiere abgesehen, die sich dem Ufer nähern. Einmal konnte man beobachten, wie ein Krokodil den Einbaum eines Eingeborenen angriff und zum Kentern brachte.

Seltsame Tiere, die es in Japan nicht zu sehen gab, zogen die Blicke der Beobachter auf sich. Im Wasser Herden von Wasserbüffeln mit langen Hörnern, kleine Kühe mit gewundenen Hörnern und einem Höcker auf dem Rücken, bunte Hühner, die in den Siedlungen gehalten wurden, unzählige Insekten, die mit den verschiedensten Flügelgeräuschen durch die Luft flogen, dichte Schwärme von Mücken, die wie solide Pfeiler aussahen, Skorpione von der Größe junger Katzen, Bergvögel in schillernden Farben, Tauben mit roten Punkten auf der Brust und Sterne, die am klaren Nachthimmel hingen, dass man sie für Früchte halten konnte. Obwohl es bald Ende Dezember war, glühende Sonne und eine Hitze, die den Hochsommer übertraf, ein Land des ewigen Sommers.

Was sich von Japan nicht unterschied, war der Mond. In der fern entschwundenen Heimat betrachtet man wohl denselben Mond, dachte Ukon sehnsuchtsvoll. Als er abfuhr, war aufgehender Mond gewesen. Danach wurde er voll und nahm, wie es die Regel erfordert, wieder ab, zweimal wurde es Vollmond. Daran konnte man merken, dass die Überfahrt etwas mehr als dreißig Tage gedauert hatte. Während dieser Zeit hatte Ukon immer den Mond betrachtet, wenn das Wetter gut war. Aber eine poetisch-kontemplative Stimmung wollte bei der Betrachtung des Mondes nicht aufkommen. Der schwülheiße Wind trieb einem den Schweiß aus dem Körper, und Insekten, deren Namen er nicht kannte, stürmten laut brummend auf ihn ein, sooft man auch versuchte, sie zu verjagen, sie bedrängten einen immer mehr. Vor allem die Mücken stachen mit größter Hartnäckigkeit.

Seit Luzon in Sicht gekommen war und es hieß, dass Manila nicht mehr weit sei, trieb das Schiff nun schon an die fünf Tage die Küste entlang. Gelegentlich war Flaute oder das Schiff wurde von Gegenwind durchgeschüttelt, so dass nichts anderes übrig blieb, als es festzulegen. Bei diesen Verhältnissen war nicht abzusehen, wann man das Ziel erreichen würde.

Allerdings wurden die Mahlzeiten plötzlich reichhaltiger, nachdem man in einem Hafen Halt gemacht und den Proviant aufgefüllt hatte. Frisch gebackenes Südbarbarenbrot, dazu frisches Gemüse, Bohnen, Kartoffeln und Bananen. Worüber die Japaner aber besonders erschraken, war gebratenes Fleisch. Ob Schwein, Reh oder Rind, die Japaner schreckten vor dem heftigen Tiergeruch zurück und keiner konnte etwas davon essen. Die Padres und die Seeleute nahmen das Tierfleisch ohne weiteres zu sich. Als Ukon dem Schiffskoch erklärte, dass Japaner kein Fleisch mochten, sondern lieber Fisch aßen, wunderte sich dieser. Er hatte sich mit den Fleischgerichten extra angestrengt, weil er den Japanern etwas Gutes tun wollte. Daraufhin änderte er den Speiseplan, und es gab in Öl gebratenen Fisch, Krabben und Krebse. Für die Japaner, die eher leicht Angebratenes bevorzugen, waren diese in reichlich Öl getränkten Speisen zwar eigentlich viel zu fett, doch durchaus essbar.

Nachdem Hunger und Durst gestillt waren, ging es allen wieder deutlich besser. Man wusch sich und zog die zum Lüften ausgehängten Kimono an. Die Frauen schminkten sich. Die Kinder spielten vergnügt und ließen ihre freudigen Stimmen ertönen. Die Nonnen setzten sich in ihren frisch gewaschenen schwarzen Kutten nieder und beteten, Ukon und Joan vertieften sich in ihre Lektüre, Kôji schrieb emsig, und die Padres wechselten sich damit ab, den Japanern die Beichte abzunehmen oder die Kommunionsmesse zu zelebrieren. Am Ende der langen, qualvollen Überfahrt hatten die Menschen endlich wieder zu einem friedlichen und geregelten Leben zurückgefunden.

Einer jedoch, nämlich Padre Critana, war schwer krank, und eines Nachts verschlimmerte sich sein Zustand drastisch. Als Ukon, Joan und Kôji an sein Krankenbett geeilt kamen, hatte ihm Morejon bereits die Letzte Ölung gegeben. Der sich dem Tode Nähernde atmete kaum wahrnehmbar, wobei die Flügel seiner wie zurechtgeschnitten, spitzen Nase leicht erzitterten. In dem Gedränge der Padres und Ordensbrüder wurde Weihrauch abgebrannt. Während der Litanei trat Ukon plötzlich kalter Schweiß aus und er sackte zusammen, so dass Kôji ihn stützen musste. Als dieser ihn in den Flur hinausführte, kniete Ukon nieder, als würde er zusammenbrechen.

»Was ist passiert?«, fragten Kôji und Joan.

Auf Deck angekommen, trocknete der nächtliche Wind den Schweiß, und Ukon konnte auch wieder sicher stehen. »Das ist das Alter«, stöhnte er und blickte zum hellen Nachthimmel auf. Der

Mond, der vor zwei, drei Tagen noch voll war, begann abzunehmen und sein Rand verschmolz mit den Wolken.

»Da zeigt sich die Erschöpfung von der langen Reise«, sagte Kôji.

In diesem Augenblick kam Morejon schnellen Schrittes herauf und sagte:

»Er ist in den Himmel eingegangen.«

Über sich selbst erstaunt, begannen aus Ukons Augen die Tränen zu rinnen, und bald konnte er nicht mehr aufhören zu schluchzen, und die Tränen wollten nicht mehr versiegen. Erschrocken über diese Heftigkeit, rückten Joan und Kôji näher an Ukon heran. »Das ist auch das Alter, diese unendliche Traurigkeit«, sagte Ukon und zwang sich selbst, mit dem Weinen aufzuhören. Vor dem toten Körper Critanas hatten sich die Missionare um Vieira herum versammelt und beteten, auch der Kapitän und die Seeleute höheren Ranges hatten sich zu ihnen gesellt. Ukon und seine Begleiter stellten sich hinten an und stimmten in das Gebet ein.

Spät nachts konnte Ukon nicht schlafen und grübelte in der Dunkelheit vor sich hin. Woher kam diese Traurigkeit? Er hatte gehört, dass der verstorbene Critana aus Toledo, Spanien, kam und ein alter Freund Clementes gewesen war. In Nagasaki war er der stellvertretende Leiter des Kollegs, und Ukon hatte bei ihm ab und zu Bücher aus der Bibliothek geliehen oder sich Erinnerungen an den jungen Clemente angehört, aber besonders eng waren sie eigentlich nicht befreundet. Diese Trauer entstand weniger aus dem Schmerz über den Tod Critanas als Individuum, sondern aus dem Schmerz über den Tod der Missionare, die nach Japan gekommen waren, im Allgemeinen. Sie waren aus dem fernen Europa gekommen und hatten Ukon den unbezahlbaren Wert und die Freuden des Glaubens gelehrt. Sie hatten ihm das Wort Gottes und die frohe Botschaft am eigenen Leib gezeigt. Mesquita, Critana, Almeida und Organtino waren darüber hinaus allesamt nicht bei ihren Familien, sondern in diesem fernen Inselreich gestorben. Die Glorie, der Lehre Christi gefolgt zu sein, ist der einzige Trost über diesen einsamen Tod. Es bedarf eines tiefen, reinen Glaubens, um allein und ausschließlich mit dem Lob des Herrn im Himmel zufrieden zu sein. Sie hatten ihn. In Ukon stieg wieder die Trauer über den Tod Critanas auf, und er wischte sich die Tränen ab.

Als Ukon am nächsten Morgen im Quartier der Padres vorbeischaute, lag Critana dort in einem groben Holzsarg, den der Schiffszimmermann über Nacht angefertigt hatte, Kerzen waren aufgestellt und es gab auch wilde Blumen, die wohl jemand vom Ufer geholt hatte.

Das Schiff lag still vor der Küste. Morejon sagte mit fassungslosem Gesicht zu Ukon: »Zu allem Unglück haben wir jetzt auch noch Gegenwind. Es ist wirklich ein Jammer, wo wir doch schon fast in Manila waren. Wie gerne würde ich Antonios Leiche nicht hier dem Wasser preisgeben, sondern irgendwie in Manila beerdigen.«

»Da bleibt nichts anderes, als ihn in ein Boot zu laden und bis nach Manila zu rudern«, sagte Vieira.

»Bis dahin sind es noch zwanzig legua (ca. 110 km). Das kann man nicht rudern«, sagte Morejon mutlos.

»Möglich ist es schon. Wenn man sich beim Rudern abwechselt, könnte man es bis morgen nach Manila schaffen. Bei der Gelegenheit könnte man dem Generalgouverneur gleich mitteilen, dass wir mit unserem Schiff bis hierher gekommen sind«, sagte Vieira, der sich seiner Sache sicher war, mit fester Stimme. Er äußerte sich immer sehr resolut und wenn es etwas zu entscheiden gab, war es an ihm, den zögerlichen, alles doppelt überlegenden Morejon anzuspornen.

Morejon rief sofort Ukon und Joan und sagte zu ihnen: »Wir fahren nach Manila und treffen den Generalgouverneur der Philippinen, Juan de Silva. Er war Ritter des Santiago-Ordens und ist ein alter Bekannter von mir. Wir sind auch jetzt noch gut befreundet und haben uns in letzter Zeit geschrieben. Er ist Soldat und wurde vor einigen Jahren als Generalgouverneur nach Manila berufen, er liest gern und hat Guzmáns ›Missionsgeschichte Ostindiens, Chinas und Japans‹ studiert, weshalb er auch Euch, Herrn Ukon, und Euch, Herrn Joan, gut kennt. Sicher wird er sehr erfreut sein, wenn er hört, dass Ihr kommt.«

»Es wäre nett, wenn Ihr es arrangieren könntet, dass er uns Japaner aufnimmt«, sagten Ukon und Joan und verneigten sich.

Unter Vieiras Anweisungen wurden in einem Dorf am Ufer sechs Eingeborene zum Rudern angeheuert und ein Boot geliehen, außerdem fuhren noch zwei Matrosen des portugiesischen Schiffes mit. Der Sarg Critanas wurde auf das Boot geladen, und Morejon und

Vieira stellten sich rechts und links davon auf, um ihn zu sichern. Das kleine Schiff bewegte sich gegen den Wind vorwärts und verschwand schließlich hinter einer Landzunge.

Am übernächsten Tag kam an Deck Unruhe auf. Als Ukon hinaufkam, näherte sich mit von der Morgensonne erleuchteten weißen, aufgeblähten Segeln, einen Gischtrand vor sich her schiebend, ein strahlendes, großes Schiff. Es war eine Galeone. Ukon hatte ein solches Schiff bisher nur als Modell im Hause Murayama Tôans gesehen, aber noch nie im Original. Es war nicht nur groß, sondern hatte auch einen bauchigen Rumpf, und mit den akkurat angeordneten Gaffel- und Rahsegeln, die gerade eingeholt wurden, als es sich näherte, war alles mit Bedacht und Schönheit gebaut. An den zwei übereinander liegenden Reihen von Kanonen konnte man erkennen, dass es sich um ein Kriegsschiff handelte. Auf Deck hatte sich eine große Anzahl Menschen in voller Uniform aufgereiht. Es gab auch Padres, nach der Kleidung zu urteilen Dominikaner und Jesuiten, sowie Herren in schwarz glänzender Südbarbarentracht, alles Ausländer, vermutlich Spanier.

Von der Galeone wurde ein Beiboot zu Wasser gelassen. Mehrere Leute stiegen ein. Schließlich kamen sie herübergerudert. Morejon und Vieira standen im Boot. Sie kamen an Bord und gingen sofort auf Ukon und Joan zu.

»Als der Generalgouverneur der philippinischen Inseln hörte, dass Herr Ukon und Herr Joan zusammen mit uns gekommen sind, war er überaus erfreut. Er meinte, er wolle Euch gebührend willkommen heißen und schickte in seinem Enthusiasmus diese Galeone, um Euch abzuholen«, berichtete Morejon.

»Also der Generalgouverneur war wirklich außer sich vor Freude«, sagte Vieira aufgeregt. »Ihr seid in Manila eine Berühmtheit, Herr Ukon. Der Generalgouverneur sagte, Ihr seid das Sinnbild des christlichen japanischen Daimyô, und er empfinde größte Hochachtung dafür, dass Ihr auch in der Zeit der Unterdrückung wegen des Christenverbots von Großkönig Hideyoshi und Großkönig Ieyasu, der nun die Macht hat, an Eurem Glauben festgehalten hättet, und dass er Euch unbedingt mit der Unterstützung von ganz Manila willkommen heißen wolle.«

»Dafür bin ich ihm wirklich dankbar, und es ist mir auch ein große Ehre, aber ich bin doch eines solchen Empfanges gar nicht wert«, sagte Ukon. »Außerdem bin ich von der Reise ziemlich erschöpft und möchte mich eher ausruhen. Ich wäre schon zufrieden, wenn man mich ohne große Umstände an Land gehen und in irgendeiner Ecke versteckt wohnen ließe. Wäre es nicht vielleicht möglich, dem Generalgouverneur ganz höflich abzusagen?«

»Nein, das wäre dem Gouverneur gegenüber wohl eher unhöflich. Er weiß einiges über die Situation in Japan und empfindet es als eine Ehre, diesmal einen christlichen General, der von dem Tyrannen in die Verbannung geschickt wurde, gebührend zu empfangen.«

»Herr Ukon«, meldete sich nun auch Morejon zu Wort. »Dies hier ist eine gute Gelegenheit, dem Generalgouverneur und den Menschen in Manila zu zeigen, was ein japanischer Christ ist. Zwar gibt es in Manila eine Menge Japaner, doch sind das nur ungebildete Kaufleute, die nichts anderes im Sinn haben als Geld zu verdienen, und Gesindel, das mit den Piraten unter einer Decke steckt, deshalb haben die Leute in Manila Japanern gegenüber Vorurteile. Für die Ehre der Japaner und für die japanischen Christen bitte ich Euch, die Einladung des Generalgouverneurs anzunehmen.«

»Habt vielen Dank, aber ...«, Ukon dachte nach. Wenn man in ein fremdes Land kommt und die Bräuche dort noch nicht kennt, dann ist es sicher der richtige Weg, den Bitten der Menschen dort zu entsprechen. »Ich verstehe. Machen wir es, wie der Generalgouverneur es vorschlägt«, stimmte Ukon schließlich zu.

Die Kimono, die bei dem Unwetter durchnässt worden waren, hatten die Frauen sorgfältig gewaschen, und man konnte sie wieder anziehen, ohne dass es zu schlecht aussah. Vor allem an den Festtagsgewändern Ukons und Joans waren die Schäden gering, da die Frauen sie in Ölpapier gewickelt hatten. Mit den weiten Hakama-Hosen und den japanischen Schwertern an der Seite ließ sich durchaus die formelle Tracht eines Samurai hinbekommen.

Zusammen mit Morejon und Vieira gingen Ukon in Begleitung Sôbês und Joan in Begleitung Kôjis auf die Galeone. Als wollte er einen König begrüßen, kam ein hoch gewachsener Offizier auf sie zu und streckte ihnen höflich die Hand zum Handschlag entgegen. Er stellte sich als getreuer Untergebener des Generalgouverneurs der philippinischen Inseln, Vizegeneralgouverneur Don Juan Ronquillo, vor und sagte, dass der Generalgouverneur die Herren Ukon und Joan als mutige Generäle und als christliche Freunde von Herzen willkommen heiße. Seine langen braunen Koteletten, die zackige Art sich zu bewegen und das Spanisch mit dem angenehmen Klang des gerollten »R« – Ukon konnte gut verstehen, was sein Gegenüber zum Ausdruck bringen wollte und reagierte seinerseits, der Etikette eines Kriegers folgend, indem er ihm in langsamem Spanisch seinen Dank aussprach. Der stellvertretende Generalgouverneur war erfreut, dass man seine Sprache verstand, und ein Lächeln breitete sich über sein Gesicht aus. Hinter dem Vizegeneralgouverneur hatten sich über zehn weitere Herren angestellt, um den Japanern die Hand zu schütteln, und der Vizegeneralgouverneur stellt jeden einzeln vor, doch Ukon konnte sich nicht alle Namen merken. Er verstand nur, dass sich hier die führenden Persönlichkeiten Manilas versammelt hatten.

Danach begrüßten die Padres der Jesuiten und Dominikaner Ukon und Joan und teilten ihnen mit, dass Seine Eminenz, der Erzbischof von Manila, Mercado, große Hochachtung vor den Mutigen habe, die an dem christlichen Glauben festgehalten hatten, und ihnen einen Empfang größten Ausmaßes und unter Mitwirkung der verschiedenen Ordensgemeinschaften bereiten werde. Auf ein Zeichen des Vizegeneralgouverneurs brachten dunkelhäutige philippinische Jünglinge in weißen Kleidern Getränke herbei. Es wurde ihnen ein stark duftender, süßer Saft gereicht. Der Vizegeneralgouverneur lächelte und erklärte, dass das Getränk aus speziellen Früchten dieses Landes gepresst worden sei.

Der Vizegeneralgouverneur zeigte auf ein Bündel mit Bergen von Geschenken, wie neuen Kleidern, Süßigkeiten und Früchten, und sagte, dass er sie nun auf das andere Schiffe bringen lasse.

Die Galeone nahm das andere Schiff ins Schlepptau und setzte Kurs auf Manila. Da es hieß, man würde bald an Land gehen, wuschen sich die Japaner, zogen sich um und banden sich die Haare neu. Unter den Geschenken befanden sich auch ganz neue Kimono und schön gearbeitete japanische Schwerter, so dass auch Ukons Enkel und die Kinder Kôjis in voller Samuraitracht ausstaffiert werden konnten.

Als sie sich Manila näherten, erhob sich vor ihnen eine Festung im ausländischen Stil, wie sie Ukon bisher nur auf Gemälden oder Illustrationen in Büchern gesehen hatte. Sie besaß eine hohe, aus zugeschnittenen Steinen erbaute Mauer, war an den strategisch wichtigen Punkten zusätzlich verstärkt und mit Kanonen und Katapulten ausgestattet. Ukon konnte erkennen, wie akkurat und solide der Wall gebaut war, und dass es sicherlich nicht einfach sein würde, diese gigantische Festung einzunehmen. »Die Anlage heißt ›Intramuros‹, was soviel bedeutet wie ›befestigte Stadt‹, und ist das Viertel im Zentrum Manilas, wo die Spanier wohnen«, erklärte Vieira. Einzelheiten der Stadt wurden sichtbar. Innerhalb der Mauern gab es eine Kirche, einen Palast, ein Krankenhaus und viele Häuser, die sich aneinanderreihten. Innerhalb der Burgmauern befand sich tatsächlich eine richtige Stadt.

Plötzlich wurde aus einer der Kanonen auf der Galeone gefeuert. Durch den Knall und den weißen Rauch erschraken die Japaner und gerieten in Aufregung. Darauf gab auch eine Kanone in der ummauerten Stadt Feuer und ebenso eine in der Festung zur Rechten. Ukon vermutete, dass es sich um den Ehrensalut zur Begrüßung wichtiger Gäste handelte. Auf dem Sandstrand vor der Stadtmauer und auf dem Balkon des Palastes drängten sich die Menschen. Ukon und seine Begleiter, die in ein kleines Boot umgestiegen waren, erreichten den Strand. Dort hatten sich Gardesoldaten mit erhobenen Lanzen aufgestellt. Adlige mit ihren philippinischen Dienern im Gefolge warteten. Vieira erklärte, dass dies das Haupttor sei, welches »Puerta del Palacio del Gobernador«, also »Tor des Gouverneurspalastes« genannt werde. Auf beiden Seiten des Weges hatten sich Fußsoldaten aufgereiht, und als die Gruppe den Adeligen folgend voranschritt, gaben sie einer nach dem anderen mit ihrem Luntengewehr einen Begrüßungsschuss ab. Ukon lobte beim Vizegeneralgouverneur, der ihn führte, die Schnelligkeit und Präzision, mit der die Soldaten die Gewehre handhabten. »Das sind die Elitesoldaten von der Leibgarde des Generalgouverneurs«, erklärte dieser nicht ohne Stolz. Sie schritten zwischen den geöffneten Eisenflügeln des Tores hindurch und gingen eine mit Steinen gepflasterte Straße entlang, auf deren linker Seite sich die Residenz des Generalgouverneurs befand. Es war ein prachtvoller, zweistöckiger Palast, ganz aus Stein gebaut. Einen solchen Palast hatte Ukon in Japan noch nicht gesehen. Er war beeindruckt von der Technik, mit der die Steine glatt zugeschnitten und fugenlos aneinandergepasst waren.

Sie gingen die Treppe hinauf, und als sie in den großen Saal des Palasts mit seiner hohen Decke kamen, in dem unzählige Glasstücke funkelten, warteten dort bereits der Generalgouverneur, alle Abgeordneten des Kolonialrates und die Mächtigen Manilas auf sie. Der wohlgenährte, stattliche Generalgouverneur trat aus der Gruppe hervor und umarmte Ukon plötzlich. Ukon, der eine solche Begrüßung noch nicht erlebt hatte, war reichlich verwirrt, hielt aber, solange die Umarmung andauerte, bedächtig still. Es duftete stark nach Parfum. Ukon dachte an den Brauch, dass Generäle, bevor sie in die Schlacht ziehen, ihren Helm mit Räucherwerk einparfümieren. Da verstand er, dass ihm der Generalgouverneur als Krieger die höchste Ehre erwiesen hatte. Er bedankte sich auf Spanisch für den herzlichen Empfang, und der Generalgouverneur antwortete mit einem freundschaftlichen Lächeln.

Vizegeneralgouverneur Ronquillo sagte, dass er sie nun dorthin geleiten würde, wo das Mittagessen gereicht werde. Am Fuße der Treppe standen mehrere Kutschen bereit. Hier kam es zu einem kleinen Zwischenfall. Nachdem Ukon und Joan angewiesen worden waren, in die prächtigste Kutsche von allen, nämlich die des Generalgouverneurs zu steigen, wurde auch Justa und der Frau Joans angetragen, dort einzusteigen. Sie waren jedoch bereits in eine andere Kutsche gestiegen und weigerten sich, der Einladung nachzukommen und wieder auszusteigen. Dass ein Ehepaar in derselben Kutsche fährt, war nach japanischen Sitten eine Schande, und sie brachten es einfach nicht fertig. Um die Abfahrt nicht weiter zu verzögern, stieg Ukon aus, um die Frauen zu holen. Die beiden nahmen rot vor Scham neben ihren Männern Platz. Da applaudierte das Volk, das sich am Straßenrand versammelt hatte, um sie willkommen zu heißen. Ukon wies die beiden Frauen an, die Grüße mit freundlicher Miene zu erwidern, woraufhin sie ein Lächeln auf ihre vor Aufregung angespannten Gesichter zwangen, das die Menschen in der Menge ihrerseits mit einem Lächeln erwiderten.

Die Wagen fuhren los. Die Leibgarde des Generalgouverneurs schritt voran und eine große Zahl Adliger und Militärs folgen ihnen zu Pferde. Auf beiden Seiten des Weges drängten sich die Massen, um die Helden zu sehen, die wegen ihres Glaubens aus Japan verbannt worden waren. Die meisten von ihnen waren Ausländer, die man für

Spanier halten konnte, doch weiter hinten gab es auch Gruppen von Philippinern, Japanern und Chinesen.

Direkt neben der Residenz des Generalgouverneurs lag eine große Kirche. Ukon fragte Ronquillo nach ihrem Namen und erhielt die Antwort, sie heiße »Iglesia Metropolitana«, also »Metropolitana-Kirche«, und sei die größte Kirche Manilas.

Als die Kutschen an der Kathedrale vorbeifuhren, läuteten im Turm die Glocken. Vor der Kirche hatten sich Priester und viele Gläubige versammelt und grüßten Ukon höflich. Ukon sagte, er würde sich die Kirche gern einmal von innen ansehen, weil er die Stimmung in einer Kirche dieses Landes erleben und dort sein Gebet darbringen wolle. Der Klang der Orgel schallte herüber und Ukon dachte, dass dies der Orgelklang sein müsse, den die jungen Herren von der Europadelegation so hoch gelobt hatten. Diese Musik, die innerhalb eines klar von Steinen abgetrennten Raumes widerhallt, birgt die Kraft in sich, die Seele bis in ihren Grund zu erschüttern. Als er einen der Priester nach dem Namen des Stückes fragte, schrieb dieser ihm auf ein Blatt Papier die Worte »Te Deum laudamus in gratiarum actionem«, was soviel bedeutet wie »Dich, Gott, loben wir für deine gnadenvollen Taten«. Ukon kniete vor dem Altar nieder und betete. Er dankte dem Herrn, dass er die Überfahrt aus der weit entfernten Heimat in dieses Land heil überstanden hatte und betete dafür, dass es den Christen, die in Japan zurückgeblieben waren, seinem Bruder in Noto und den Gläubigen aus Kanazawa, Clemente, Nakaura Julião und den anderen, die nun dort im Untergrund lebten, gut ging.

Die Fahrt mit der Kutsche wurde fortgesetzt. Dasselbe wie in der Kathedrale wurde in der San Augustino-Kirche wiederholt. Schließlich erreichten die Kutschen das Jesuitenkolleg. Auch hier spielte die Orgel das Te Deum laudamus. Im Speisesaal warteten viele Menschen. Padres in ihren schwarzen Soutanen, Studenten in gelb-braunen Gewändern, das ganze Kolleg nahm am Willkommensbankett teil. Morejon und Vieira hatten die Aufgabe übernommen, Ukon den Rektor, den Prorektor und die wichtigsten Padres vorzustellen. Ukon machte die Runde, lächelte und schüttelte Hände. Das Bankett wurde mit einem Gebet des Rektors eröffnet. Mit Rücksicht auf die Gewohnheiten der Japaner hatte man auf Fleisch verzichtet, die Mahlzeit bestand hauptsächlich aus Fisch und Gemüse. Vielleicht lag es an der übermäßigen Anspannung oder an der Erschöpfung, aber Ukon hatte kaum Appetit, womit er Justa beunruhigte. Er zwang etwas Südbarbarenbrot herunter und trank ein wenig Wein, doch wenn er mehr gegessen hätte, hätte er sich übergeben müssen. Während er von rechts und links angesprochen wurde und freundlich lächelnd antwortete, wünschte er sich, dass der Empfang bald zu Ende wäre und er sich hinlegen und ausruhen könnte.

Ukon und seine Begleiter wurden in das Gästehaus geführt, das sich genau gegenüber dem Kolleg befand. Es war ein großes Gebäude, und obwohl alle Japaner dort untergebracht wurden, waren immer noch viele Zimmer frei. Unter dem Fenster lag ein Garten, dessen gesamte Fläche von Rasen eingenommen wurde, der von einer Hecke umrandet war. Wenn man bis zur Festungsmauer ging, überblickte man die Stadt – das Viertel, in dem die Eingeborenen wohnten, und das Meer, das aussah wie blaue Farbe.

Kôji hielt eine Karte in der Hand, die er irgendwo aufgetrieben hatte, und erklärte Ukon den Aufbau der befestigten Stadt.

»Hier im Westen ist der Pasig-Fluss, im Süden auf der dreieckigen Landzunge die Festung, von der aus man über die Manila-Bucht schauen kann, und im Norden und Osten ist die Stadt von einem Graben umgeben. Das Tor des Gouverneurspalastes und die Residenz des Generalgouverneurs, wo wir angekommen sind, befinden sich im Süden in der Mitte, und das Kolleg, wo wir momentan untergebracht sind, liegt am südöstlichen Rand der Stadt.« Nur Spaniern und ihren philippinischen Dienern war es erlaubt, innerhalb der befestigten Stadt zu wohnen, und die philippinischen Eingeborenen, Chinesen, Japaner und Annamiten mussten alle außerhalb der Mauern hausen. Ukon und Kôji schauten über die Außenstadt. Während die ummauerte Stadt stolz eine wohlgeordnete Pracht solider, aus Stein gemauerter Häuser vorweisen konnte, machte die äußere Stadt, in der sich kleine Holzhäuser aneinanderreihten, einen chaotischen und armseligen Eindruck. Es waren einfache Hütten, typisch für extrem heiße Länder, unter ihnen waren auch einige der mit Palmenblättern bedeckten Behausungen auszumachen, die Ukon schon vom Schiff aus gesehen hatte. Trotzdem führten längs und quer Wege durch die Stadt, es gab Parks mit Blumenbeeten und Springbrunnen, und im

Wald waren vereinzelt Gebäude zu sehen, die Klöster oder Kirchen zu sein schienen. Es war eine große Stadt.

»Von Ronquillo habe ich gehört«, sagte Kôji, »dass es im Nordosten, in einer Gegend, die Dilao genannt wird, eine Japanersiedlung gebe und dass es dort von Gewalttätern wimmle, die sich als Piraten verdingten. Sie widersetzen sich den Spaniern und sind schwer bewaffnet, so dass es selbst dem Generalgouverneur nicht recht gelingt, sie zu kontrollieren. Er scheint zu erwarten, dass diese Japaner sich nun ruhiger verhalten, da Ihr, Herr Takayama, ein hoher Kriegsherr aus Japan eingetroffen seid. Dass wir als Gläubige verbannt wurden und berühmte Märtyrer sind, ist, wie es aussieht, wohl nicht der einzige Grund, weshalb uns der Generalgouverneur so herzlich empfangen hat.«

»Der werte Herr Naitô geruht nach wie vor die versteckten Absichten der Menschen zu ergründen«, sagte Ukon kühl. »Aber der Generalgouverneur ist ein Mann, der sich ganz und mit besten Absichten seiner Aufgabe als Soldat hingibt und darüber hinaus von eifrigem Glauben ist. Daran gibt es wohl keinen Zweifel. Ich glaube, dass der herzliche Empfang durchaus ehrlich gemeint war. Und vor allem, welche Macht soll denn ein alter Mann wie ich schon haben, die gewalttätigen Japaner hier zur Räson zu bringen? So sehr er mich auch für irgendetwas zu benutzen versuchen mag, es gibt doch gar nichts, wozu ich zu gebrauchen wäre.«

»Der heutige Tag muss Euch ziemlich erschöpft haben«, sagte Kôji plötzlich besorgt.

»Ja, das stimmt«, gab Ukon offen zu. »Die Hitze dieses Landes macht mir in meinem Alter reichlich zu schaffen. Auch an das Essen kann ich mich nicht so recht gewöhnen, ebenso wenig wie an das Gefühl, so von Steinmauern eingeschlossen zu sein ...« Ukon spürte ein Jucken am Nacken und schlug mit der Hand zu. Er hatte ein großes Insekt erwischt, welches so viel Blut gesaugt hatte, dass die Handfläche ganz rot war. Die Mücken bedrängten sie unablässig, und Ukon entschied sich, ins Haus zurückzugehen.

Am nächsten Morgen kamen Boten des Generalgouverneurs und brachten Berge von Geschenken. Ukon, der über die sperrigen Pakete staunte, rief Sôbê und Jûtarô herbei, um ihm beim Auspacken zu helfen. Es gab Früchte, die Ukon noch nie gesehen hatte, Südbarbarenwein in außergewöhnlichen Glasflaschen, reichlich mit Gold und Silber verziertes Geschirr und bunte Südbarbarenkleider für Männer und Frauen.

Während sich die Erwachsenen zurückhielten, probierten Jûtarô und die Enkel sie hocherfreut an. Bewegt von den freudigen Stimmen der Kinder, zog auch Lucia, die sonst eher zurückhaltend war, die Kleider an und betrachtete sich im Spiegel. Ukon war tief beeindruckt, wie genau der Generalgouverneur auf die Größe und Figur geachtet und passende Kleider ausgesucht hatte.

Als nächstes kam der Erzbischof von Manila, Diego Vazquez de Mercado, in Begleitung einiger Padres, unter denen sich auch Morejon und Vieira befanden, zu Besuch. Der Erzbischof versprach, keine Mühe zu scheuen, damit es Ukon, dem Repräsentanten der japanischen Christen, hier in Manila an nichts mangeln werde. Morejon gab bekannt, dass er die Bitte Naitô Julias und der Schwestern des Beatus-Ordens, in Manila ein Kloster gründen zu dürfen, an den Erzbischof weitergeleitet habe, diesen der Wunsch sehr befriedigt habe und er für das Vorhaben kostenlos Bauland in der Nähe des Japanerviertels zur Verfügung stellen wolle.

Sofort nachdem sich der Erzbischof zurückgezogen hatte, erschienen in einer Gruppe die gesamten Abgeordneten des Kolonialrates. Die reichen und mächtigen Herren Manilas reichten Ukon einen goldenen Kelch, wie sie ihn edlen Gästen aus dem Ausland zu schenken pflegten, in den das Wappen der Stadt Manila eingraviert war. Mit der Ankündigung, dass sie Ukon und Joan in ihre Residenz einladen wollten, verschwanden sie wieder. Wegen der rasch aufeinander folgenden Besuche war Ukon die ganze Zeit angespannt und musste sich ein diplomatisches Lächeln auf das Gesicht zwingen. Gegen Mittag war er deshalb mit seinen Kräften am Ende und legte sich völlig erschöpft auf dem Sofa nieder. Nach wie vor hatte er keinen Appetit. Die besorgte Justa kochte ihm einen Reisbrei, aber der Reis dieses Landes war dazu eigentlich zu trocken und körnig, und weil Ukon auch sein sonderbarer Geruch in die Nase stieg, bekam er davon nichts hinunter. Als er sich gerade entschlossen hatte, weiteren Besuchern abzusagen, erschien der Generalgouverneur höchstpersönlich.

Anders als beim Treffen am Tag zuvor, trug er diesmal keine Militäruniform, sondern eine leichte Tracht aus dünnen Stoffen, auch erschien er ohne Untergebene, ganz allein. Unter den dünnen Kleidern war der durchtrainierte, muskulöse Köper eines Soldaten zu erkennen. Seine gebräunte Haut ließ vermuten, dass er, mehr als am Schreibtisch zu sitzen, bei seinen täglichen Aufgaben häufig das Haus verließ. Auch sah er weit jünger aus als am Vortag, da ihn Ukon in der Residenz getroffen hatte, und es war schwer zu sagen, ob er bereits vierzig war oder noch in den Dreißigern. Ukon konnte das meiste seiner spanischen Rede verstehen, da der Gouverneur langsam sprach und jedes einzelne Wort deutlich artikulierte. Wenn sie mit Spanisch nicht mehr weiterkamen, wechselten sie ins Portugiesische oder Lateinische, wo Ukon dann wiederum fließender sprach als der Gouverneur, dessen Redefluss oftmals ins Stocken geriet. Auf Wunsch des Generalgouverneurs begaben sich die beiden zu einem Gespräch unter vier Augen in das Gästezimmer.

Der Generalgouverneur legte mit einem Klatschen die Handflächen aneinander und drückte die beiden ausgestreckten Zeigefinger von unten gegen seine lange Nase. In gehobener Stimmung begann er zu sprechen.

»Es ist das erste Mal für mich, dass ich mich auf so vertraute Weise mit einem berühmten General aus Japan unterhalten kann. Außerdem habe ich auch noch nie einen Japaner getroffen, der so hervorragend Fremdsprachen beherrscht wie Ihr. Deshalb gibt es alles Mögliche, was ich Euch fragen möchte. Bei dem Empfang gestern habe ich Euch in meiner Funktion als Generalgouverneur der philippinischen Inseln gegenübergestanden, doch heute bin ich als Ritter gekommen, um Euch, der Ihr ein Samurai seid, zu besuchen. Erlaubt mir, mich als erstes noch einmal vorzustellen. Mein Name ist Juan de Silva. Ich bin in Trujillo geboren.«

»Trujillo, wo ist das denn?«, fragte Ukon, offen zugebend, dass er den Ort nicht kannte.

»In der Estremadura-Region, also im Südwesten Spaniens. Viele berühmte Soldaten kommen aus dieser Stadt, zum Beispiel Pizarro, der in der *nuevo mundo* (der Neuen Welt) Peru erobert hat, oder Francisco de Orellana, der in der Neuen Welt den riesigen Fluss namens ›Amazonas‹ entdeckt hat.«

»Hm?« Die Namen Pizarro und Orellana waren Ukon noch nie zu Ohren gekommen. Auch die Namen Estremadura, Peru oder Amazonas hörte er zum ersten Mal.

»Schon in jungen Jahren wurde ich Ritter des Santiago-Ordens. Dann war ich Infanterie-Offizier beim Flandernfeldzug. Ich bin also von Grund auf Soldat.«

Ukon begriff endlich, dass de Silvas Lebenslauf dem seinen, da er ja auch von Grund auf Krieger war, glich, und er lächelte.

»Ich verstehe. Und seid Ihr auch als Soldat auf die Philippinen gekommen?«

De Silva war äußerst erfreut, dass Ukon endlich diese Frage gestellt hatte, und seine Rede wurde noch lebendiger und leidenschaftlicher.

»Ich habe zur Verstärkung der militärischen Präsenz auf den Philippinen fünf Kompanien beigesteuert und im Gegenzug dafür das Amt des Generalgouverneurs auf Lebenszeit erhalten.«

»Wie bitte?« Wieder kam Ukon nicht ganz mit. Die Sitte, Truppen zu stiften, gab es in Japan nicht. Ebensowenig wie das System, dass man dafür irgendwo als Gouverneur eingesetzt wurde. Höflichkeitshalber fragte Ukon: »Und wann war das?«

»Am 21. April 1609«, suchte de Silva, der Ukons Nachfrage als Zeichen regen Interesses auffasste, mit nachdenklich zusammengekniffenen Augen das exakte Datum aus seinem Gedächtnis hervor. »Das war der Tag, an dem ich in Manila ankam. Das erste, was ich hier als Generalgouverneur gemacht habe, war, die Stadtmauern und die Festung dieses Militärstützpunktes in Ordnung zu bringen. Auch habe ich mich darum bemüht, die Kriegsflotte zu verstärken.«

»Welches Land ist denn der Feind?«

»Holland«, sagte de Silva, dessen Lippen sich vor Hass verzogen. »Das ist ein Land von protestantischen Ketzern und somit der Erzfeind der Länder des wahren christlichen Glaubens, des Katholizismus nämlich, wie mein Vaterland Spanien eines ist.« Während er sprach, zeigte der eben noch warmherzige und zuvorkommende Soldat einen Anflug barbarischer Wildheit. »Hier auf den Philippinen und auf den Molukken kommt es immer wieder zu feindseligen Aktionen seitens der Holländer. Als Rache für den Eroberungsfeldzug auf die Molukken durch Don Pedro de Acuña, meinen Vorgänger vor drei Amtsperioden, griffen die Holländer mit ihrer Flotte zuerst die

Insel Iloilo an, und als sie dort von unseren Truppen zurückgeschlagen wurden, verlagerten sie ihren Angriff auf Manila. Das war im Oktober des Jahres 1609, also sechs Monate, nachdem ich meinen Dienst hier angetreten hatte. Manila befand sich über fünf Monate hinweg im Belagerungszustand. Während die Holländer im Stolz über ihre vermeintliche Überlegenheit schwelgten, weil sie glaubten, die Hauptstadt unseres Kolonialgebietes vollständig eingeschlossen zu haben, stahl ich mich aus Manila fort und ließ in unserer Waffenschmiede in Cavite, das ist ein Ort am gegenüberliegenden Ufer von Manila, fünf Kriegsschiffe bauen, mit denen ich die holländische Flotte überraschend von hinten angriff. Es war ein heftiges Gefecht. Der feindliche Admiral fiel in der Schlacht, die Flotte erlitt schwere Verluste und musste sich geschlagen zurückziehen. Als Kriegsbeute beschlagnahmten wir fünfzig Kanonen und 500 000 Pesos.«

»Das muss ein großer Triumph gewesen sein.«

»Ja, das war es«, sagte de Silva ohne die geringste Verlegenheit. »So bald werden die Holländer wohl nicht mehr die Philippinen angreifen. Ich plane meinerseits irgendwann den Hauptstützpunkt der Holländer, nämlich Java, anzugreifen.«

»Aha ...« Das Gespräch nahm einen kriegslüsternen Ton an, und der Generalgouverneur zeigte sich von einer ganz anderen Seite als der friedliebende und sanfte Admiral und Hüter der Kirche, den Ukon mit dem Duft des Parfums bei der Umarmung am Vortag assoziiert hatte. Nachdem sich ein etwas betretenes Schweigen ausgebreitet hatte, setzte diesmal Ukon an, seinen Lebenslauf zum Besten zu geben.

»Ich bin in Takayama in der Provinz Settsu geboren, einer kleinen Ortschaft in der Zentralregion Japans ...«, doch de Silva unterbrach ihn mit einer ausladenden Handbewegung. »Über die Herkunft, die Verdienste als Christ und die militärischen Leistungen einer so berühmten Persönlichkeit wie Euch weiß ich bestens Bescheid, und zwar aus diesem Buch hier«, sagte de Silva und holte einen dicken Band aus seiner Tasche hervor. Er öffnete das Buch und zeigte mit dem Finger auf den Innentitel:

Historia de las missiones qve han hecho los Religiosos
de la Compañia de Iesvs para predicar el Sancto Evangelio
en la India Oriental y en los Reynos de la China y Iapon,
Lvis de Gvzman

Grob übersetzt bedeutete der Titel soviel wie »Missionsgeschichte der Gemeinschaft Jesu in Ostindien, China und Japan«. Der Autor war Luis de Guzmán, von dem Morejon einmal gesprochen hatte.

»Darin werde ich erwähnt?«

»Ja, da steht eine ganze Menge über Euch drin und auch sehr ausführlich«, sagte de Silva lachend, der ganz außer sich vor Freude darüber zu sein schien, seine Belesenheit zeigen zu können, und klatschte in die Hände, dass es noch lauter knallte als zuvor. »Über Euch, Don Justo Ukon, und Don Juan Naitô habe ich als erstes aus diesem Buch erfahren, und nun freue ich mich, die beiden Herren kennen zu lernen. In groben Zügen weiß ich über die politischen Verhältnisse in Japan Bescheid. Doch habe ich dies letztlich alles nur durch die Berichte der Missionare erfahren, und in Guzmáns Buch wird nur bis zum Tode des Taikôdenka (Toyotomi Hideyoshi, gest. 1598) berichtet. Über die Lage in Japan seitdem habe ich durch die Briefe Morejons und anderer Missionare, die nach Japan gegangen sind, nur bruchstückhafte Informationen. Deshalb gibt es einiges, was ich Euch, Herrn Ukon, der Ihr direkt aus Japan kommt und sich mit den politischen Verhältnissen dort bestens auskennt, fragen möchte. Es heißt, das Edikt zur Verbannung der Christen sei diesmal vom Naifusama (dem abgedankten Shôgun Tokugawa Ieyasu) ausgegangen. Könntet Ihr mir die Hintergründe erklären, wie es dazu gekommen ist?«

De Silva hatte offenbar gesagt, was er hatte sagen wollen, denn er verstummte plötzlich und wischte sich den Schweiß von der Stirn. Scheinbar war auch er bei dem Treffen mit Ukon recht angespannt und bei seiner Rede angestrengt darum bemüht, den richtigen Ton zu treffen. Als Ukon den Blick senkte, bemerkte er, dass de Silvas Hose im Schritt mit Leder verstärkt war, was ihn in eine milde Stimmung gegenüber dem Soldaten versetzte, der um einiges jünger war als er selbst. Er sagte:

»Reitet ihr?«

»Ja«, nahm de Silva freudig das Thema auf. »Ich liebe die Reiterei. Ich bin auch heute zu Pferd hierher gekommen. Reitet Ihr auch, Herr Ukon?«

»Ja, sicher. Es ist eine der Disziplinen, in denen sich japanische Samurai üben.«

»Habt Ihr auch schon zu Pferde auf dem Schlachtfeld gekämpft?«

»Ja, mehrmals«, Ukon schloss die Augen. Das Bild der Schlacht von Shizugatake stieg plötzlich in ihm auf.

»Das ist fantastisch. Ich bin von Haus aus Infanterist, aber in Wirklichkeit schlage ich mich nur mit Seeräubern herum, und zu Pferde in die Schlacht gezogen bin ich noch nie. Welche Disziplinen gibt es denn noch, in denen man sich als Samurai in Japan übt?«

»Schwertkampf, Lanzenfechten und Bogenschießen, aber Lanzenfechten mache ich nicht.«

»Also übt Ihr mit Schwert und Bogen. Das ist hervorragend. Ich übe auch Fechten und Pistolenschießen.«

»Pistolenschießen? Das tun japanische Samurai nicht.«

»Wollen wir nicht demnächst einen Ausritt machen? Ich stelle die Pferde bereit. Außerhalb der Stadtmauer gibt es viele schöne Wälder, Flüsse und Auen. Es ist sehr angenehm, dort zu reiten.«

Danach wurde das Gespräch lebendiger. De Silva zeigte reges Interesse an der Beziehung zwischen Herr und Vasall sowie den Sitten auf dem Schlachtfeld in Japan. Vor allem feuerte er Salven dazwischengeworfener Fragen ab über den Unterschied zwischen den Polizeimännern (yoriki), die den obersten Feudalherren unterstellt waren, und den Vasallen (kerai), die von jung auf bei den einfachen Feudalherren in Dienst standen, über die Etikette, dass sich Generäle im Kampf Mann gegen Mann gegenübertreten oder über die Bedingungen, unter denen Harakiri als Strafe verhängt und wie es genau durchgeführt wird. Ukon beantwortete gewissenhaft jede seiner Fragen und der Generalgouverneur ging äußerst befriedigt nach Hause. Ukon fand, dass ihn die Unterhaltung gar nicht so erschöpft hatte. Zumindest verstand er, dass der Gouverneur nicht, wie Kôji es befürchtet hatte, nur wohlwollende Freundlichkeit zur Schau gestellt hatte, weil er Ukon als japanischen General für seine Zwecke benutzen wollte. Zwar stellte er sich als Militarist und Patriot heraus, der als Spanier an der Eroberung und Kolonialisierung der philippinischen Inseln beteiligt gewesen war, und der darüber hinaus auch noch daran dachte, das holländische Kolonialgebiet, Java, anzugreifen. Insofern war er von ganz anderer Art als die Missionare, mit denen Ukon bisher zu tun gehabt hatte und die ganz auf die Verbreitung des Glaubens fixiert waren. Ukon empfand zwar ein gewisses Unbehagen, doch es kam ihm nicht in den Sinn, den Gouverneur deswegen zu verachten.

An diesem Tage häuften sich unablässig Einladungen der Franziskaner und Dominikaner, sowie Einladungen und Besuche der Patrizier und Abgeordneten. Da ohnehin die Zeit nicht reichte, auf alles einzugehen, lehnte Ukon kurzentschlossen alle weiteren Anfragen ab. Auf diese Weise konnte er sich am Nachmittag und in der Nacht ausruhen, kam wieder etwas zu Kräften, und auch der Appetit kehrte zurück. Lucia fand heraus, wie man den philippinischen Reis am besten kochte, schickte Sôbê auf den Markt, um Fisch zu kaufen und machte ihrem Vater eine Mahlzeit nach japanischer Art.

Es war der dritte Tag, nachdem sie in Manila angekommen waren, und der Vorabend des Weihnachtsfestes. Ein Bote des Generalgouverneurs kam und brachte die Nachricht, dass nachts in der Kathedrale eine Weihnachtsmesse abgehalten werde, zu der alle eingeladen seien und dass es danach in der Residenz des Generalgouverneurs noch ein feierliches Bankett geben werde.

Mit den Kutschen, die der Generalgouverneur geschickt hatte, fuhren Ukon und seine Begleiter zur Metropolitana-Kathedrale. Die weitläufige Halle war zum Bersten mit Menschen gefüllt. Ukons Gruppe wurde durch die Menge hindurch nach vorn geführt. Der Generalgouverneur, der Vizegouverneur, die Adligen und Abgeordneten, die bereits auf ihren Plätzen gesessen hatten, standen alle geschlossen auf, um Ukon und seine Leute höflich zu empfangen.

Das riesige, goldene Kreuz über dem mit einem roten Wollteppich bedeckten Altar zog Ukons Blick auf sich. Ein derart prunkvolles Kruzifix war bisher nicht nach Japan gelangt. Zusammen mit dem Klang der Orgel betraten die in prächtiges Ornat gewandeten Padres die Halle. Unbemerkt war Licht gemacht worden, und eine Unzahl von Kerzen erzeugte eine brennende Helligkeit. Die Messe leitete Erzbischof Mercado, dessen Mitra und Gewand von unerhörter Pracht waren. Der Klang der Orgel erschütterte die Seele im Innersten des Körpers. Am Tag, als Ukon in Manila angekommen war, war er noch zu benommen und abgelenkt gewesen, um sich wirklich in die Orgelmusik zu versenken, doch nun zog ihn deren wundersame Wirkung in ihren Bann. Da erhob sich zum Ton der Orgel ein durchsichtiger Chorgesang, als schiene Sonnenlicht auf klares, fließendes Wasser hernieder. Als sich Ukon umschaute, sah er, dass es die Sängerknaben im Chor drüben waren. Es war lieblich anzusehen, wie die Jungen, die alle in dieselben weißen Gewänder gekleidet waren, mit von Freude erfüllten Gesichtern die Münder öffneten. Bisher hatte Ukon schon die verschiedensten Weihnachtsmessen besucht, in Takatsuki, Akashi, Kanazawa, sie alle waren auf ihre Weise gut gewesen, aber diese hier in Manila war etwas ganz besonderes. Ukon konnte Europa stark spüren. Er hatte das Gefühl, die Glorie der fernen Länder, von der die Männer der Europagesandtschaft mit leuchtenden Augen gesprochen hatten, in diesem Moment selbst zu erfahren.

Jedoch war er von dem Anblick, der sich ihm bot, als er die Kirche verließ, wie vor den Kopf gestoßen. Dort drängten sich in der Dunkelheit die Philippiner, die nicht mehr in die Kathedrale gepasst hatten, oder die man viel eher nicht hineingelassen hatte. Es handelte sich wohl um die Diener und Zofen der Spanier, denn sie waren relativ sauber und ordentlich gekleidet, doch obwohl sich die Spanier alle in Seide herausgeputzt hatten, trugen sie grobe Baumwollkleider. Ukon begriff, dass die Weihnachtsmesse nur für die Spanier abgehalten worden war, und er und seine Begleiter nur ausnahmsweise als besondere Gäste dazu eingeladen worden waren. Wenn man darauf achtete, fiel auf, dass innerhalb der befestigten Stadt nur Spanier und Portugiesen – Portugal gehörte ja jetzt zu Spanien – sowie deren philippinisches Dienstpersonal wohnen durften, weshalb die Menschen aller anderen Länder, wie Philippiner, Chinesen, Japaner, Annamiten und viele weitere, vor die Mauern der Stadt gejagt worden waren.

Beim Bankett in der Residenz des Generalgouverneurs waren die Honoratioren von Rang in Begleitung ihrer Gattinnen und Familien versammelt. Ukon und Justa sowie Joan und seine Frau ließ man als Ehrengäste direkt neben dem Generalgouverneur und seiner Gattin Platz nehmen. Die Ankunft Ukons und der anderen vor drei Tagen sowie das Verhalten des Gouverneurs bei ihrem Empfang musste in der Stadt die Aufmerksamkeit der Menschen erregt haben, denn sie wetteiferten darum, sich ihnen mit liebenswürdig lächelnden Gesichtern und neugierigem Glanz in den Augen zu nähern. Da Ukon der einzige war, der sich problemlos verständigen konnte, musste er ständig die Rolle des Dolmetschers übernehmen. Angefangen bei der Gattin des Generalgouverneurs kamen viele Damen, um Justa und Joans Frau anzusprechen, doch diese waren extrem schüchtern und schafften es kaum, zufriedenstellende Antworten von sich zu geben, weshalb Ukon einfach an ihrer Stelle etwas erfand, das er dann den Fragenden entgegnete. Diese wiederum zeigten größtes Interesse für die taktvollen Antworten der Generalsgattinnen aus Japan. Verdrießlich waren auch die großen Berge nach Gewürzen riechender Fleischspeisen, die aufgetischt wurden und von deren Geruch den Japanern schon schlecht wurde. Lucia brachte Ukon in Bedrängnis, als sie tatsächlich Brechreiz bekam.

Ukon bemerkte, dass auch hier die gesamte Dienerschaft aus Philippinern bestand. Ursprünglich waren die philippinischen Inseln ihr Land gewesen. Dann waren die Spanier als Eroberer gekommen, hatten ihnen das Land weggenommen und sie zu ihren Dienern gemacht. Ukon erinnerte sich, dass es auch unter den Missionaren, die nach Japan gekommen waren, einige gab, welche die Japaner geradezu als die Bewohner eines eroberten Landes betrachteten.

Nachdem das Bankett zu Ende war, begab sich die ganze Gruppe vom Gouverneurstor aus zu einem Spaziergang ans Meer. Ein schwülwarmer Meereswind, wie man ihn sich in Japan nur im Hochsommer vorstellen konnte, umhüllte sie. Man betrachtete den schmalen Neumond, der vor dem mit unzähligen Juwelen verzierten Firmament schwebte, an dem ein Glanz bereits die Morgensonne erahnen ließ. Vizegouverneur Ronquillo zeigte ihnen das Kreuz des Südens. Es waren vier Sterne, die in der Mitte der Milchstraße wie vom Grunde eines Flusses hindurchschienen. Jetzt, wo er darauf hingewiesen wurde, erinnerte sich Ukon, dass ihm diese Sterne auch während der Überfahrt bereits aufgefallen waren. »Wenn ich dieses Kreuz sehe, werde ich mir der heiligen Aufgabe bewusst, dass wir den Menschen der südlichen Länder den christlichen Glauben bringen müssen, und das gibt mir wieder Mut«, sagte Ronquillo demutsvoll.

Kôji zog Ukon zu einem Einschnitt in der Mauer. Von dort aus konnte man die sich weit erstreckende Küste überblicken. Im Licht der Sterne waren die Philippiner zu sehen, die sich auf dem Sandstrand versammelt hatten. Es waren enorme Scharen, so dass es aussah, als hätte sich die ganze Stadt eingefunden.

»Morejon hat mir erzählt, dass das Weihnachtsfest hier schon am 15. Dezember, also zehn Tage früher anfängt und bis zum sechsten Januar des nächsten Jahres jeden Tag gefeiert wird. Eigentlich feiern die Eingeborenen um diese Zeit ihr traditionelles Erntefest, und die Missionare haben es so eingefädelt, dass sie das kirchliche Fest und ihr Erntefest zusammenlegen. Auf diese Weise kommen alle Eingeborenen Manilas, wenn es Nacht wird, am Strand zusammen und feiern die Geburt Christi, indem sie dort bis zum Tagesanbruch gemeinsam essen und schlafen.«

In dieser Nacht konnte Ukon, der in seine Unterkunft zurückgekehrt war, vom Strand her pausenlos die Geräusche der Menschen hören. Er erinnerte sich daran, wie letztes Jahr inmitten all der Anspannung wegen des nahenden Christenverbots an Weihnachten das Schauspiel über die Arche Noah aufgeführt worden war, und es kam ihm vor wie die Erinnerung an ein Ereignis aus einer anderen Welt, die schon viele Jahre zurücklag.

Der Generalgouverneur de Silva schien es zu einer seiner Freuden gemacht zu haben, Ukon regelmäßig zu besuchen, ihm Fragen zu stellen und sich die Antworten anzuhören. Dass das grobe Wissen, das er durch Bücher und Briefe über die Verhältnisse in Japan erlangt hatte, durch die detaillierten Beschreibungen eines Zeitzeugen ergänzt und bestätigt wurde, schien auf ihn eine ungeheure Faszination auszuüben. Ukon hatte die Mächtigsten des Landes, Nobunaga, Hideyoshi und Ieyasu, sowie viele Daimyô persönlich gekannt. Auch hatte er, angefangen bei der Schlacht von Yamazaki bis hin zur Belagerung in Odawara, selbst in vielen Schlachten mitgekämpft und wusste einiges über die Verschiebungen der Machtverhältnisse zwischen den Daimyô nach den Kämpfen. Darüber hinaus schien ihn der Generalgouverneur als wertvolle Persönlichkeit zu betrachten, da er Ukon als langjährigen Kriegsherrn und christlichen Daimyô, der schon von Anfang an mit vielen spanischen und portugiesischen Missionaren freundschaftlichen Umgang gepflegt hatte, als wichtigen Augenzeugen der historischen Veränderungen in Japan sah. Der Generalgouverneur hatte in Ukon eine einmalige Gelegenheit erblickt, und sich ihm genähert. In dieser Haltung sah Ukon eine gewisse Jugendlichkeit. Bei diesen Besuchen zeigte er dann schließlich auch eine lockere, freundschaftliche Haltung.

Eines Tages sagte er plötzlich mit todernstem Gesichtsausdruck:

»Ein Kriegsherr wie Ihr, Herr Ukon, wird wohl eines Tages nach Japan zurückkehren, den ungläubigen Tyrannen Naifusama stürzen und Herr über ein christliches Königreich werden können.«

»Nein, mir bleibt nicht mehr viel Zeit. Außerdem habe ich keinerlei Absicht, noch einmal in den Krieg zu ziehen.«

»Das ist aber schade«, sagte de Silva mit tiefem Bedauern. Ukon staunte im Geheimen darüber, dass de Silva plötzlich etwas Derartiges von sich gab, obwohl er ihm doch ausführlich erklärt hatte, dass er bei seiner Verbannung alle Ambitionen auf eine weitere Karriere als Daimyô aufgegeben hatte. Nachdem de Silva gegangen war, erinnerte sich Ukon plötzlich an die Rüstung und den Helm, die ihm Hasegawa Sahyôe geschenkt hatten. Sie waren von den Männern des Gouverneursamtes im untersten Speicherraum des Schiffes verstaut worden. Nach der Ankunft in Manila waren sie dann in das Gästehaus gebracht worden, wo sie jetzt noch lagen. Er rief Sôbê, Jûtarô und die anderen Enkel, ihm zu helfen, und als sie das fest zugebundene Paket öffneten, kam eine Rüstungskiste zum Vorschein, die dank mehrerer Lagen Ölstoffes von eindringendem Wasser verschont geblieben war. Es war ein prachtvolles Exemplar aus schwarzer Lackarbeit, verziert mit Intarsien aus Gold und Silber, die Vögel und Blumen darstellten. Als Inhalt kam ein Helm zum Vorschein, dessen abstehende Verzierungen an der Stirnseite das Sternbild des Großen Bären, also das Wappen der Familie Takayama, darstellten. Auch bei der Rüstung handelte es sich um ein prächtiges Stück, dessen eiserne, gewölbte Rumpfpanzerung mit goldenen Mustern verziert war.

»Da ist Euer Familienwappen drauf, das bedeutet, dass sie extra für Euch angefertigt worden ist, Herr«, sagte Sôbê, ganz von dem Anblick überwältigt. »Wenn Ihr die anlegen würdet, gäbet Ihr auf dem Schlachtfeld einen wahrhaft stattlichen General ab, und wenn Ihr so aufbrechen würdet, würden Euch die japanischen Piraten hier in der Gegend bestimmt folgen.«

»Die werde ich dem Generalgouverneur schenken. Und du mach dich geschwind daran, die Sache zu arrangieren.«

»Aber Herr«, sagte Sôbê mit unzufriedener Miene. »Das ist eine vollständige und brauchbare moderne Rüstung, die Euch im Notfall von Nutzen sein kann.«

»Ich habe nicht die geringste Absicht, sie zu benutzen«, sagte Ukon und befahl Sôbê noch einmal, sich darum zu kümmern, dass das Geschenk auf den Weg kam.

Ein paar Tage später wurde als Antwort darauf vom Generalgouverneur eine spanische Rüstung als Geschenk geliefert. Es war eine elegante Eisenrüstung mit einem europäischen Wappen und reliefartigen Verzierungen, die Waffen darstellten. Sôbê sagte erfreut: »Ich verstehe. Da habt Ihr mit einer Krabbe als Köder eine fette Meerbrasse geangelt.« Ukon war enttäuscht, dass der Generalgouverneur nicht verstand, was er eigentlich hatte zum Ausdruck bringen wollen.

Eines Tages fragte der Generalgouverneur: »Was hat es eigentlich mit der Teezeremonie auf sich? In der Literatur über Japan wird sie ständig erwähnt, aber ich habe nicht die geringste Vorstellung, was das überhaupt ist.«

»Dann halten wir doch am besten einmal eine ab«, versprach ihm Ukon. Als er den Kasten für die Teeutensilien hervorholte, den ihm der Herr vom Echizen-Laden, Kataoka Kyûka, bei der Abreise aus Kanazawa geschenkt hatte, stellte sich heraus, dass die Teeschalen, die irdene Wasserkanne, die lackierte runde Teedose und der Teerührbesen von Meister Rikyû unversehrt geblieben waren, während der Tee allerdings verschimmelt war. Ukon beriet sich mit Joan, und Kôji, der in letzter Zeit häufig außerhalb der Stadtmauern auf Suche ging, besorgte grünen Tee im Japanerviertel in Dilao.

Im Empfangszimmer des Gästehauses eröffnete Ukon mit dem Generalgouverneur als Hauptgast sowie Joan und Kôji als weiteren Gästen die Teezeremonie. Statt eines japanischen benutzten sie einen hiesigen Kessel, und da die Teeschalen nicht ausreichten, nahmen sie Tassen, wie sie die Leute hier in Manila benutzten. Zwar hatte Ukon dem Generalgouverneur im Voraus genaue Erklärungen über den Geist und Ablauf der Teezeremonie gegeben und auch mit ihm geübt, doch als es soweit war, nahm dieser die Teeschale mit einer Hand, als würde er Wasser trinken, merkte nur an, wie bitter der Tee sei, ließ einen Diener Zucker holen und trank den pappig gewordenen Tee in einem Zug aus, woraufhin er ihn mit lauter Stimme lobte: »Ja, so kann man ihn trinken. Sehr gut, sehr gut.« Dann schaute er ungeduldig zu, wie Joan und Kôji, der Etikette entsprechend, langsam ihren Tee tranken und meinte dann mit einem Seufzer:

»Also ich frage mich, trinken die japanischen Kriegsherren den Tee, um danach über den Geschmack zu diskutieren, oder trinken sie ihn, weil er gut für die Gesundheit ist?« Dies war die Frage, die er zu guter Letzt stellte.

»Natürlich geht es darum, den Geschmack zu würdigen«, antwortete Ukon mit äußerster Ernsthaftigkeit. »Und sicher ist der Tee wohl auch gesund. Aber vor allem geht es darum, durch den Tee das gegenseitige Gefühl der Freundschaft zwischen dem Gastgeber und dem Gast zu vertiefen, ein einziges Treffen zwischen Menschen hochzuschätzen und den Gast in der angemessenen Atmosphäre des Teezimmers zu bewirten.«

»Ah, dann möchte ich Euch doch bitten, hier im Empfangszimmer öfter Tee zu machen, um die Freundschaft zwischen Euch und mir zu vertiefen. Soll ich vielleicht, um die Atmosphäre das nächste Mal noch zu verbessern, den Befehl geben, das Zimmer hier mit goldenen Kerzenleuchtern und Bildern von schönen Frauen prachtvoll zu schmücken? Ich könnte wohl auch philippinischen Zucker von der besten Qualität mitbringen, von dem dann jeder so viel er will in den Tee tun kann.«

Der Generalgouverneur zeigte zwar für die Machtkämpfe, das politische System, das Militärwesen und den aktuellen Stand der Missionstätigkeit größtes Interesse, doch der Teezeremonie, dem Nô-Theater, der japanischen Lyrik und der Erzählliteratur stand er völlig desinteressiert gegenüber. Im Hinblick auf sein eigenes Land verhielt es sich da nicht anders. In der Geschichte der spanischen Könige kannte er sich genau aus, und über die ewig währenden Kriege mit den Moslems konnte er Erklärungen abgeben, indem er Jahreszahlen auswendig aufsagte und Landkarten zeichnete, doch als ihn Ukon zur Probe einmal auf den Roman »Don Quixote« ansprach, winkte er mit den Worten ab: »Ich hasse Fabuliererereien.«

Eines Tages ließ der Generalgouverneur durch Morejon das folgende Angebot unterbreiten:

»Herr Ukon, Ihr habt Euer gesamtes Vermögen verloren und seid momentan völlig ohne Einkommen. Deshalb möchte es der Herr Gouverneur so einrichten, dass Ihr zur Unterstützung aus dem Palastfonds eine festgelegte Zuwendung erhaltet.«

»Ich bin wirklich sehr dankbar für diese Liebenswürdigkeit, doch erlaubt mir, das Angebot abzulehnen. Wenn ich vom Generalgouverneur ein Gehalt annehme, dann ist es auch selbstverständlich, dass ich ihm im Gegenzug dazu meine Dienste anbieten muss, dafür bin ich einfach zu alt und auch gesundheitlich geht es mir nicht so gut.

Mein wahrer Wunsch ist es, den Rest meines Lebens vollständig dem Herrn zu widmen.«

Das nächste Mal erschien der Generalgouverneur persönlich, um mit der Überzeugungsarbeit fortzufahren.

»Diese Unterstützung möchte ich Euch als Geschenk geben, deshalb erwarte ich selbstverständlich keinerlei Dienste als Gegenleistung. Auch wenn Ihr Euer Leben ganz Gott widmen wollt, so braucht Ihr doch trotzdem Geld.«

»Ich habe aus Japan ein wenig Geld mitgebracht. Deshalb brauchen wir uns keine Sorgen zu machen, wenn wir bescheiden leben.«

Der Generalgouverneur gab es schließlich auf, Ukon zu überzeugen. Damals dachte sich Ukon, dass er ohnehin nicht dem Willen des Herrn folgen würde, wenn er für immer hier, verwöhnt durch die Freundlichkeit des Gouverneurs, als Gast mit Sonderstatus innerhalb der befestigten Stadt wohnte. Er musste sich wie die Philippiner, die gewöhnlichen Japaner und die Chinesen ein Stück Land und ein Haus außerhalb der Stadtmauern suchen. Da erfuhr er, dass die Schwestern des Beatus-Ordens planten, mit Genehmigung des Generalgouverneurs irgendwo ein Kloster zu erbauen. Auch er und seine Leute mussten vor die Mauern der Stadt gehen und ihren Beitrag zur Missionsarbeit leisten.

16

Die sinkende Sonne über der Südsee

Plötzlich wachte er auf. Ein leichter weißlicher Schimmer am Fenster ließ die nahende Morgendämmerung erahnen, aber im Zimmer schwebte immer noch die Nacht in ihrer tiefen Farbe. Mit dem Alter war Ukon zum Frühaufsteher geworden, und seit er nach Manila gekommen war, war sein Schlaf noch kürzer geworden. Inmitten der schwarzen Finsternis hängend, öffneten sich unwillkürlich seine Augen. Er fühlte sich noch nicht ausgeschlafen und wartete bewegungslos, ob der Schlaf noch einmal kommen würde, doch das Geräusch des Windes und der Brandung wurden zur Wasseruhr, die den Fluss der Zeit anzeigte, und bald wurde er durch das Zwitschern der Vögel, die Geräusche aus der Küche des Kollegs und die Stimmen der patrouillierenden Soldaten immer wacher. Eigentlich mochte Ukon diese morgendlichen Geräusche. Auch fragte er sich, wie oft es ihm wohl noch vergönnt sein werde, diese Geräusche, wenn mit dem Aufgang der Sonne das Leben in Bewegung gerät, noch einmal hören zu können, und lauschte aufmerksam, auf dass ihm davon nichts entginge. Sein schwächer werdender Körper sagte ihm, dass sich der Tod näherte. Wegen dieser starken Vorahnung des Todes war es ihm auch nicht möglich, Pläne zu schmieden. Für sein Vorhaben, außerhalb der Stadtmauern zu wohnen, hatte er vom Generalgouverneur die Erlaubnis eingeholt und Kôji und Sôbê ausgeschickt, ein Stück Land zu finden. Die beiden gingen täglich hinaus und kamen mit den verschiedensten Informationen zurück, doch immer, wenn sich Ukon diese anhörte, wurde ihm bewusst, dass es ihm mit der Sache in Wirklichkeit gar nicht so ernst war. Er dachte sich, dass er es wohl ohnehin nicht mehr erleben würde, in einem solchen Haus zu wohnen, und es war ihm gar nicht danach, sich so richtig ins Zeug zu legen.

Ukon wurde klar, dass er nicht mehr würde einschlafen können, und so stand er auf. Nachdem er sich gewaschen und angezogen hatte, ging er zu einem Spaziergang in die vom fahlen Morgenlicht eingefärbte Stadt. Der getreue Sôbê, der etwas gehört hatte, kam geflissentlich aus dem Haus gelaufen. Seit Ukon nach Manila gekommen war, hatte sich auch der Zustand seiner Beine verschlechtert, die Knie taten ihm weh, und es kam öfter vor, dass er hinkte. Manchmal geriet er sogar ins Straucheln. Dann stützte ihn Sôbê schnell. Ukon mochte es nicht, von jemand anderem gestützt zu werden. Dann schimpfte er ihn: »Was für ein aufdringlicher Kerl.« Doch an Sôbê ging dies völlig vorbei, wenn Ukon ein wenig stolperte, kam er wieder herbeigesprungen und stützte ihn erneut.

Immer wenn man das Meer sehen wollte, musste man auf die Mauer hinaufsteigen. Die beiden gingen langsam die Treppe hinauf. Nahe beim Gästehaus des Kollegs gab es eine Befestigungsanlage mit dem Namen Nuestra Señora de Guia. Sie wurde zwar rund um die Uhr bewacht, doch kannten die Wachsoldaten Ukon, und keiner sagte etwas. Sie gingen, vom Seewind umweht, auf der Mauer in Richtung Westen. Links war das Meer, rechts die Stadt. Auf dem Meer trieben große und kleine Schiffe, die in ihrer festen Formation ein schwimmendes Bollwerk bildeten. Verglichen mit Nagasaki gab es hier viele Kriegsschiffe, und die Anspannung, sich jederzeit verteidigen zu müssen, lag über der Bucht. Die Stadt lag unter einem hellblauen Himmel noch immer in schwarzem Schlaf. Doch hinter einigen Fenstern der Residenz des Generalgouverneurs leuchteten Kerzen, und es sah so aus, als seien dort Diener bei der Arbeit. Sôbê schwieg, um die Gedanken seines Herrn nicht zu stören. Ukon aber war es nicht entgangen, dass der redselige Sôbê unruhig wurde, weil er sich gerne unterhalten wollte. Er beschloss, ihn anzusprechen, nachdem er ihn noch ein wenig hatte zappeln lassen.

»In dieser Stadt aus lauter Stein kommt es mir vor, als wäre mein Kopf auch schon irgendwie zu Stein geworden. Ich möchte lieber nach draußen gehen, statt hier auf die Stadtmauer.«

»Mit Euren Beinen ist das keine gute Idee, Herr. Die Wege außerhalb der Mauern sind schlecht. Sie sind so uneben, dass auch keine Kutsche auf ihnen fahren kann. Man muss sich dort vorankämpfen, wie wenn man sich einen Weg durch Feld und Berge bahnen will.«

»Das ist zu schade«, sagte Ukon und legte die Stirn in Falten. »Wie ist übrigens eure Suche gestern verlaufen?«

»Aber es geht doch nicht an, dass einer wie ich mit triumphierendem Gesicht alles erzählt, bevor Herr Kôji zu berichten geruht.«

»Auf, nun erzähl es halt schnell, statt hier herumzustammeln.«

»Also wenn Ihr mich so direkt auffordert«, Sôbê senkte mit feierlich-ernstem Gesichtsausdruck den Kopf und begann zu reden, als wäre ein Damm gebrochen.

»Da gibt es ein gutes Grundstück. Es liegt im Norden des Japanerviertels in Dilao, am Ufer des Pasig-Flusses. Es ist ein Wald, der San Miguel heißt, ein wirklich schöner Flecken. Naitô Julia und die anderen Damen hatten ja schon zuvor geplant gehabt, in einem Waldstück am Fluss ein Kloster zu erbauen und deshalb zusammen mit Herrn Kôji überall nach etwas Geeignetem gesucht, als wir zufällig Frau Naitô Julia trafen, die ein paar Japaner dort hingeführt hatten. Sie hatte gesagt, dass sie sich Land anschauen wollte, um darauf ein Kloster zu bauen, und da hatten ihr einige Japaner, die sich dort gut auskennen, davon erzählt. Es hat sich wirklich als erfolgreiche Suche herausgestellt.«

»Was für ein Ort ist dieses Dilao eigentlich?«

»Es ist das Viertel, wo die Japaner wohnen. Es heißt, dass auf Befehl des Generalgouverneurs Dasmariñas, oder so ähnlich, vor einigen Amtsperioden alle Japaner dorthin zwangsumgesiedelt worden sind. Jetzt leben dort ungefähr zweitausend Menschen und es gibt eine kleine Kirche der Franziskaner, aber nur wenige Gläubige. Ungebildete Kaufleute und Gesindel, das von den japanischen Piraten herrührt, scheint es dort in großer Zahl zu geben. Es heißt, der jetzige Generalgouverneur will Euren Besuch zum Anlass nehmen und dort in San Miguel ein neues, christliches Japanerdorf bauen, und die Erlaubnis für den Bau des Klosters von Frau Julia ist dessen Beginn. Auch für Eure Wohnung ist San Miguel geeignet. Wir haben ein Grundstück mit schöner Aussicht am Fluss gesichert, wollt Ihr es Euch nicht einmal anschauen kommen? Herr Kôji sagt, er möchte Euch mit dem Pferd dort hinführen. So, jetzt habe ich gedankenlos alles, was Herr Kôji zu sagen hatte, ausgeschwatzt. Er wird mich dafür bestimmt ausschimpfen.«

Als sie am westlichen Ende der Stadtmauer ankamen, war es vollständig Tag geworden und die Morgensonne hatte den Wachturm der Befestigungsanlage rot gefärbt. Ein Stück weiter lag die Santiago-Festung, die den wichtigen strategischen Punkt, an dem der Pasig-Fluss ins Meer mündete, sicherte. Sie wurde von einer Vielzahl Soldaten streng bewacht. Auch hier kannte man Ukons Gesicht, und die Soldaten grüßten, als sie ihn sahen. Als sie sich dem Tor der Festung näherten, wurde ihnen aber von den Wachen mit vorgehaltener Lanze der Weg versperrt und mit dem Kinn signalisiert, dass sie woanders hingehen sollten. Als sich Ukon über die verdächtige Wachsamkeit wunderte, die er bei seinen bisherigen Spaziergängen noch nicht erlebt hatte, erscholl von jenseits des Tores ein Schrei, als wäre ein Tuch entzweigerissen worden. War es das Brüllen eines Tieres, das geschlachtet wurde, oder der Schmerzensschrei eines Menschen in Agonie? Die Wachen bildeten hastig eine Reihe und drängten Ukon und seinen Begleiter rasch immer weiter zurück.

»Das kam aus dem Kerker«, sagte Sôbê. »Als wir gestern durch das Tor der Stadtmauer gingen, kamen uns berittene Soldaten entgegen, die eine große Zahl philippinischer Aufständischer in Ketten und Halsreifen abführten. Sie waren ganz blutverschmiert, weil man sie mit Peitschen schlug und mit Lanzen stach, es war ein erbärmlicher Anblick. Ich konnte zusammen mit Herrn Kôji sehen, wie sie in diese Festung gebracht wurden. Wie ich gehört habe, gibt es in der Feste ein Gefängnis aus Steinen. Das ist ein Wasserkerker, der mit dem Meer verbunden ist. Wenn Flut ist, kommt das Meerwasser herein und der Pegel steigt bis über die Köpfe der Gefangenen, so dass es nicht mehr sicher ist, ob sie überhaupt noch Luft bekommen. Diejenigen, die nicht schwimmen können oder körperlich schwach sind, ertrinken dabei.«

»Ja, es ist gerade Flut«, sagte Ukon bedrückt. Über ihren Köpfen hing bleich der abnehmende Mond, an dem Ukon den Stand der Gezeiten ablesen konnte.

»Herr, innerhalb der Stadtmauern hier, das ist eine andere Welt. Außerhalb fristen die Eingeborenen ein klägliches Leben. Die Spanier betrachten die Leute dort gar nicht als Menschen.«

»So wird es wohl sein«, murmelte Ukon, dessen Stimmung sich noch verdüsterte, mit hängendem Kopf, als würde er allein beten. »Wir sollten uns auch vor die Mauern der Stadt begeben. Wir dürfen uns nicht von der Gastfreundschaft hier einlullen lassen.«

»Herr«, sagte Sôbê mit heller Stimme, um seinen Herrn aufzumuntern. »Dort ist ein Rudel Krokodile. Schaut, das bekommt man nur selten zu sehen.«

Ukon streckte den Hals über die Mauer und schaute aufs Wasser. Tatsächlich, dort wo der Fluss in das Meer mündete, schwamm ein großer Schwarm Krokodile, die ihre braunen Rücken glänzen ließen. Auch auf dem Sandstrand unter der Stadtmauer lag eine Menge von ihnen, die alle gemeinsam ihre Mäuler in Richtung der Sonne aufrissen und ihre roten Rachen und die weißen Zähne zeigten. Es war eine Haltung, als würden sie das Morgenlicht trinken.

»Warum machen die wohl alle so auf die gleiche Weise das Maul auf?«, wunderte sich Sôbê.

»Vielleicht fressen sie ja statt des Frühstücks die Sonnenstrahlen«, sagte Ukon nachdenklich.

Ukon hob den Blick von seiner Lektüre und schaute aus dem Fenster. Sonnenstrahlen beschienen die dicht aneinander gereihten Häuser, die dunkle Schatten warfen. Auf dieses wundersame Verschönerungswerk, welches das Sonnenlicht am späten Nachmittag erzeugte, war Ukon erst hier in Manila aufmerksam geworden. Natürlich warfen auch die aus Holz gebauten Häuser in Japan Schatten, doch hier innerhalb der Stadtmauern hatten die meisten Häuser weiße Wände, die über die ganze Fläche hinweg im gelblichen Licht der tief stehenden Sonne erstrahlten. Und die schattigen Stellen waren extrem dunkel. In dieser Eigentümlichkeit des Kontrasts offenbarte sich die Schönheit, die der Harmonie zwischen Gott und den Menschen entsprang.

Jemand schien zu Besuch gekommen zu sein. Nach den Schritten auf der Treppe zu urteilen war es Kôji.

Es klopfte, und die Tür ging auf. Mit Lang- und Kurzschwert im Gürtel kam Kôji herein, der sich forsch im Stil eines Kriegers gab. Er trug ein großes, in ein Tuch eingeschlagenes Bündel.

»Störe ich vielleicht?«

»Nein, bitte.«

»Ich habe da etwas, das ich Euch zeigen möchte«, sagte Kôji lebhaft, öffnete das flache Bündel auf seinen Knien und holte eine dunkelblaue Schutzschachtel für japanische Bücher heraus. Als er sie öffnete, kamen mehrere Bände mit vier Stichen zusammengehefteter Bücher im japanischen Stil zum Vorschein. Sie waren offenbar neu und hatten einen schönen, weidenblattfarbenen Einband. Mit einem Lachen auf dem Gesicht sagte er zu Ukon, der skeptisch dreinblickte: »Das ist die Takayama Ukon-Biografie. Nun ist sie endlich fertig geworden. Mit insgesamt sieben Bänden ist sie ziemlich voluminös geraten. Ich hatte ja auf dem Schiff die ganze Zeit daran weitergeschrieben, aber wegen des Sturmes wurden die Manuskripte völlig verdreckt, und ein Teil davon ging überdies verloren. Nachdem wir in Manila angekommen waren, habe ich dies aus der Erinnerung wieder ergänzt, während ich das Ganze ins Reine schrieb. Außerdem habe ich noch über Euren Empfang hier in Manila geschrieben und alles noch einmal überarbeitet. Es ist ein Segen des Herrn. Allerdings werdet Ihr bestimmt noch Fehler und Ungereimtheiten finden, wenn Ihr es lest. Bitte schaut es durch, ich würde mich glücklich schätzen, wenn Ihr Eure Korrekturen darin anbringen könntet«, sagte Kôji und legte die Bücherschachtel mit ehrfürchtiger Geste vor Ukon nieder.

»Ich werde es mit Freuden lesen, aber deinen Text zu verbessern, dazu reichen meine Fähigkeiten nicht aus.«

»Es reicht schon, wenn Ihr mich auf Fehler bei der Aufzeichnung von Daten, Personnennamen oder Ereignissen hinweisen würdet.«

»Ich glaube, auch dazu werde ich wohl mittlerweile kaum noch in der Lage sein. Das Ende ist nah. Irgendwie kann ich das deutlich spüren.«

»Sagt doch nicht so etwas Mutloses ... Ach ja, als ich Padre Morejon mein Manuskript kurz gezeigt habe, meinte er, dass er es unbedingt ins Spanische übersetzen und in Mexiko oder so verlegen möchte.«

»Das ist eine große Ehre. Na jedenfalls sage ich Bescheid, wenn mir irgendwelche Stellen auffallen«, gab sich Ukon geschlagen.

»Ich bitte darum«, sagte Kôji mit einer tiefen Verbeugung und fuhr mit lebendigem Ton fort: »Ach ja, und Euer neues Domizil. Das Grundstück, das wir in San Miguel gefunden haben, ist nicht schlecht. Davor ist ein großer Fluss und durch das Grundstück fließt ein kleiner Bach. Das Wasser des Baches ist sauber und bestens für Tee geeignet. Da wäre es doch äußerst praktisch, wenn man direkt an sein Ufer ein kleines Teehaus baut. In der Nähe befindet sich auch die Residencia der Jesuiten, deren Kirche Ihr problemlos immer besuchen könntet. Und auf dem Fluss könnten die werten Enkelkinder mit Booten fahren. Unsere Familie Naitô hat in der Nähe auch ein Stück Land gefunden. Möchtet Ihr das Grundstück nicht selbst einmal inspizieren und dann entscheiden?«

»Ich muss mich wirklich für deine Mühe bedanken. Aber in letzter Zeit habe ich es in den Beinen und im Rücken. Da komme ich weder zu Fuß, noch auf dem Pferd sehr weit. Deshalb überlasse ich alle Entscheidungen dir. Nur Luxus möchte ich keinen.«

»Den wird es auch nicht geben. So groß ist das Grundstück gar nicht. Das Haus wird eher einfach sein. Wir sind hier im Süden, da ist es nicht nötig, allzu aufwändig zu bauen. Wir haben Zimmerleute gefunden, die sich da auskennen.«

Ukon nickte, aber insgeheim dachte er, dass er dort wohl nie wohnen würde. Während er sich für die Umstände bedankte, die sich Kôji für sein zukünftiges Leben machte, wünschte er selbst doch längst kein normales Leben mehr, sondern ein zurückgezogenes, in tiefer Kontemplation ganz dem Glauben gewidmetes, wie das des Johannes vom Kreuz, von dem ihm Clemente als dem Schutzpatron seiner Heimatstadt Ubeda mit liebevoller Verehrung erzählt hatte. Dies war ihm in Japan nicht vergönnt gewesen. Doch in diesem Land, oh Herr, wird es wohl erlaubt sein …

Die Sonne wurde dunkler und schickte sich an unterzugehen. Das wunderbare Spektakel, wenn die Abendsonne in der Bucht von Manila versinkt, hatte Ukon schon des Öfteren betrachtet. An einem unbewölkten Tag wie heute würde es wieder ein großartiger Anblick sein.

»Wollen wir uns nicht den Sonnenuntergang anschauen?«, fragte Ukon Kôji und ging in den Garten des Kollegs hinaus. Sofort kam Sôbê herbeigerannt und folgte den beiden. Der Garten lag zwar außerhalb der Stadtmauer, war aber von einem steinernen Zaun umgeben. Wie zu erwarten, war also auch er von der Außenstadt abgetrennt. Entlang der Mauer hatte man Palmen angepflanzt, in deren Schatten Bänke aufgestellt waren, die den Lehrern und Schülern als Ort der Meditation und der Ruhe dienten. Doch nun war offenbar die Zeit des Abendgebetes und es war niemand zu sehen. Auf dem Rasen spielten Ukons Enkel, deren lange Schatten sich vermischten.

Die Kleinen trugen die Südbarbarenkleider, die der Generalgouverneur geschickt hatte, und sahen aus wie spanische Kinder. Jûtarô kam herbeigelaufen. Auch wenn er schon sehr erwachsen wirkte, waren doch seine rosigen Wangen noch glatt wie die eines Kindes. Auch die anderen Enkelkinder versammelten sich.

»Opa, wohin geht Ihr?«, fragte das jüngste Mädchen.

»Wir wollen sehen, wie die Sonne untergeht.«

»Da kenne ich einen guten Platz«, sagte Jûtarô und ging voran. Die Kinder folgten ihm alle. Wenn man bis ans Ende des Gartens ging, gab es eine Stelle, an der in der hohen Mauer ein Loch klaffte. Auf der anderen Seite war der Strand. Ukon und Kôji schlüpften problemlos durch den Spalt, doch Sôbê blieb mit seinem dicken Bauch stecken und schaffte es erst, als Jûtarô von hinten schob.

Der Sandstrand führte ziemlich weit ins Meer hinein, und von der Wasserlinie aus konnten sie nach links und rechts weit über die See blicken. Die befestigte Stadt war in ihrer ganzen Gestalt zu sehen und die hohen Gebäude, wie die Residenz des Generalgouverneurs und die Kathedrale, waren von der Abendsonne eingefärbt. Auf dem blutroten Meer kräuselten sich die Wellen, zwischen denen mehrere schwarze Schiffe trieben. Ein großes Schiff, vermutlich eine Galeone, entfernte sich gerade, kraftvoll die Wellen durchschneidend. Langsam versank die Sonne. Die Kinder waren des Wartens überdrüssig geworden uns begannen am Wasser Muscheln zu sammeln.

Ukon schaute mit starrem Blick auf die von oben und unten leicht zusammengedrückte, rote Sonne. Sie war nur noch ein Schatten ihrer selbst, nachdem sie in diesem südlichen Land den ganzen Tag glühende Hitze versprüht hatte. Wie ein blutbeschmierter, alter Kriegsherr, der die anstürmenden Feinde erschlagen und erstochen hat und dessen Kräfte nun aufgebraucht waren. Ukon hatte sein Leben lang gekämpft. Die Feinde waren ohne Zahl gewesen. So sehr man sie auch erschlug und erstach, es stürmten immer mehr herbei. In Japan, und vermutlich auch in jedem anderen Land der Welt, machte man sich Feinde, wenn man versuchte, im Leben seinen eigenen Überzeugungen zu folgen. Feinde, die man in seiner Rolle als Samurai hat, als Teemeister, als Politiker, und vor allem Feinde des Glaubens. Jetzt, da er in dieses fremde Land gekommen war, kamen noch die Feinde der Japaner hinzu. Feinde, Feinde, Feinde ohne Ende … Oh Herr, gib mir

Ruhe und Frieden. Hol mich in ein Land ohne Feinde, in den Himmel. Ich bin erschöpft. Lass es still mit mir zu Ende gehen, wie mit dieser Sonne … Es kam Ukon vor, als verwandle sich die Sonne in das Gesicht seines im Sterben liegenden Vaters, Dario Hida no kami, der zu ihm sprach: Mein Sohn, du hast nun genug gekämpft. Ruh dich aus. Komm in den Himmel.

»Wohin fährt das Schiff wohl?« fragte Kôji mit zugekniffenen Augen und mit der Hand die Sonne verdunkelnd. Das große Schiff war gerade dabei, am Horizont zu verschwinden. »Ich habe mich auch entschlossen, irgendwann in ein Schiff zu steigen und nach Japan zurückzufahren. Padre Vieira hat dieselbe Absicht, wir sind da einer Meinung. Der Padre hat vor, mit Murayama Francisco und Padre Clemente, die dort im Untergrund leben, Kontakt aufzunehmen und von Amakusa aus wieder mit der Missionsarbeit zu beginnen. Amakusa mit seinen unzähligen kleinen Inseln ist gut geeignet, um dem Einfluss der Regierung zu entkommen. Auch der Generalgouverneur ist mit dem Plan einverstanden und soll sich bereit erklärt haben, uns für die Überfahrt nach Japan ein Schiff zur Verfügung zu stellen.«

Mit gegen den Himmel erhobener Faust sagte er nachdrücklich: »Ich bin fest entschlossen. Ich kehre nach Japan zurück!« Ukon beneidete ihn, der noch jung war und die Energie zum Kämpfen besaß, und fühlte plötzlich die Trostlosigkeit dessen, der zurückgelassen wird. Dies war wohl der Geist des Kriegers, der sich in ihm noch einmal vage regte.

Seit dem Abend fühlte sich Ukon schlapp und hatte fiebrige Schmerzen, als hätte ihm jemand ein Kohlefeuer im Kopf entfacht. Bei Tisch merkte er, dass er nicht den geringsten Appetit verspürte. Die Meerbrasse, die Sôbê, der wusste, dass es Ukons Leibspeise war, auf dem Markt gefunden und stolz präsentiert hatte, und die Lucia dann mit Salz gegrillt hatte, sowie die Miso-Suppe mit der Bohnenpaste und dem Tofu aus dem Japanerviertel, die Kôji aufgetrieben hatte, das alles erschien Ukon unschmackhaft wie Sand, als er davon etwas probierte.

»Verzeiht mir, ich habe wirklich keinen Appetit«, sagte Ukon, der schwankte, als er versuchte aufzustehen. Die Kraft wich einfach aus seinen Beinen, die plötzlich sein Körpergewicht nicht mehr tragen konnten. Als er von Jûtarô und Sôbê aufs Bett getragen wurde, fühlte er eine ungewöhnliche Kälte. Lucia berührte die Hand ihres Vaters und stieß vor Schreck einen Schrei aus: »Er hat Fieber.« Justa legte ihre Hand auf Ukons Stirn und rief: »Ja, heftiges Fieber.«

Ukon hatte schon einmal mit einer Grippe darniedergelegen, doch dies hier war ganz anders. Er hatte hohes Fieber und heftige Kopfschmerzen. Ukon dachte, solange der Geist noch wach ist, muss getan werden, was noch zu tun ist, und befahl Justa, Padre Morejon zu rufen.

»Lass mich erst den Arzt holen«, sagte Justa.

»Nein, der Padre kommt zuerst«, sagte Ukon stur. Kôji, der von der Notsituation erfahren hatte und herbeigeeilt war, ermahnte Ukon:

»Der Arzt sollte zuerst kommen. Vielleicht handelt es sich ja um eine dieser Fieberkrankheiten, wie sie hier in der Gegend grassieren. Soll ich dem Generalgouverneur Bescheid sagen und den besten Arzt herbeirufen lassen?«

»Ich will das alles nicht so aufbauschen. Aber eine Sache liegt mir auf dem Herzen. Ich will jetzt auf der Stelle den Padre sehen«, bat Ukon inständig. Kôji nickte und schickte einen philippinischen Theologiestudenten, den er vom Kolleg hatte zugeordnet bekommen, um den Padre zu rufen. Glücklicherweise war dieser gerade im Kolleg und kam sofort herbeigeeilt.

Ukon schickte alle aus dem Zimmer und sagte zu Morejon:

»Padre, ich will meine Familie nicht traurig stimmen, deshalb habe ich nichts gesagt, aber ich fühle, dass ich im Sterben liege. Jedoch ist es mir ein Trost, dass dies der Wille des Herrn ist. Ich danke dem Herrn dafür, dass ich mein Leben, nachdem ich aus der Heimat vertrieben und in ein christliches Land gekommen bin, inmitten so vieler Padres und Gläubiger, die sich mit Selbstaufopferung und Gebeten um mich gekümmert haben, vollenden durfte. Bitte überbringt dem Generalgouverneur, dem Erzbischof, den Mönchen der verschiedenen Ordensgemeinschaften und den Abgeordneten meinen Dank für die freundliche Aufnahme und die Ehre, die sie mir erwiesen haben. Wegen meiner Frau, meiner Tochter und den Enkeln mache ich mir nicht die geringsten Sorgen. Zwar bedaure ich es sehr, dass sie mir aus Liebe bis hierher gefolgt sind, doch sind auch sie in dieses Land gekommen, weil sie um des Herrn willen hierher vertrieben worden sind. Deshalb habe ich auch keinen Zweifel daran, dass der Herr selbst ihr wirklicher Vater sein wird.«

Als Morejon zuhörte, stiegen ihm Tränen in die Augen. In der langen Zeit, die sich die beiden nun kannten, sah Ukon es das erste Mal, dass Morejon wegen ihm Tränen vergoss. »Die Glorie und der Friede des Herrn seien mit dir«, sagte der Padre und betete eine Weile. Dann rief er den philippinischen Theologiestudenten und ließ ihn die Vorbereitungen für das Sakrament der Letzen Ölung treffen. Auch Vieira, der wegen des Notfalls herbeigeeilt war, half bei den Vorbereitungen. Ukon verstand genau, was vor sich ging, da er diesem Ritual schon des Öfteren beigewohnt hatte. Er betete, während man ihn mit duftendem Öl einrieb. Und er spürte lebhaft die helle Welt, die ihn nach seinem Tode erwartete.

Ein Arzt erschien. Vermutlich hatte Kôji ihn gerufen. Tatsächlich war es der Internist des königlichen Krankenhauses, der auf Befehl des Generalgouverneurs herbeigeeilt war. Als er dazu kam, das Ergebnis seiner Untersuchung bekannt zu geben, machte er ein verlegenes Gesicht. Ukon konnte schon vermuten, wie die Sache stand. Wenn ihm denn nicht mehr zu helfen war, dachte er, wäre es höchste Zeit für seine letzten Worte. Er versammelte Justa, Lucia und die Enkel an seinem Bett. Seine Frau und seine Tochter hielten sich wacker, doch die Enkel schluchzten offen. Ukon, dessen Bewusstsein sich im Fieber aufzulösen drohte, sammelte sich und sprach eindringlich zu ihnen, jedes einzelne Wort mit Nachdruck artikulierend.

»Hört auf zu weinen. Malt euch eine glückliche Zukunft aus. Der Herr, der voller Güte und Liebe ist, wacht über euch. Was wollt ihr mehr. Als wir hier ankamen, waren wir ja wohl alle besorgt, dass uns in diesem fremden Land ein hartes Schicksal erwarten würde. Doch leben wir jetzt nicht inmitten viel gütigerer Menschen als in unserer Heimat? Dies ist doch ein Beweis für die Güte, die uns der Herr entgegenbringt, und nach meinem Tod wird das bestimmt auch nicht anders sein.« Als Ukon zu Ende gesprochen hatte, war er völlig erschöpft, als wäre seine ganze Geisteskraft aus ihm herausgeflossen. Einen Moment lang fühlte er nur, ohne etwas zu denken, wie sich sein dünner werdendes Bewusstsein wie ein Windzug verflüchtigte. Plötzlich bemerkte er, wie sich die Bündel durchsichtiger Blicke aus den kleinen Augen der Enkel, die aufgehört hatten zu weinen und sich dicht aneinender schmiegten, auf ihn richteten. Er lächelte seinen Enkeln zu. Zuerst in die leuchtenden Augen Jûtarôs, dann lächelte er, wie er es immer tat, die Jüngeren eines nach dem anderen an. Danach schaute er zu Justa und Lucia hinüber. Er konnte ihnen ansehen, dass sie warteten, was er noch sagen würde, doch auch wenn er noch etwas hätte sagen wollen, sein Mund bewegte sich nicht mehr.

»Du bist erschöpft. Ruh dich etwas aus«, sagte Justa. Ihr friedlicher Gesichtsausdruck tröstete ihn. Er schloss die Augen und schlief.

Wie lange hatte er wohl geschlafen? Als er aufwachte, war es um ihn herum dunkel. Er hatte einen langen Traum gehabt. Es war eine heitere, lebhaft-bewegte Szene aus der Vergangenheit, in der eine prächtige Prozession voranschritt, in deren Mitte auch er sich befand. Es war, als wäre es gleichzeitig die Osterprozession in Takatsuki, der Kommunionszug in Nagasaki und auch die Szene beim Weihnachtsfest in Manila gewesen. Oder vielleicht war es die Prozession der unzähligen Märtyrer, die von der Vergangenheit in die Zukunft reichte. Vorne wie hinten glitzerten viele Kreuze und dazwischen fielen zwölf Menschen in Uniform auf, die einem Riesen folgten. Man konnte sie für die zwölf Apostel halten, die dem Herrn folgten, der Riese konnte auch Valignano oder Organtino, jedenfalls irgendein Ausländer sein. Kirchenlieder erklangen und der Weihrauch aus den Schwenkern war von süßem Duft erfüllt. Ton und Duft und Licht ... Es war eine heitere Szene. Helligkeit, die von einer wie mit schwarzem Lack angestrichenen Finsternis umgeben war. Und nun, da Ukon erwacht war, war es um ihn herum dunkel. Allzu dunkel.

»Wie dunkel es ist«, murmelte er.

»Bist du aufgewacht?« hörte er eine leise Stimme. Nach kurzem Überlegen erkannte er, dass es Lucia war, er ließ seinen Blick wandern, um die Gestalt seiner Tochter zu finden. Doch er konnte nichts sehen. »Herr Ukon«, erklang Morejons Stimme. Sie klang sonderbar schwer, als ob sie aus dem Erdboden hervorgesickert käme. »Generalgouverneur de Silva hat im Namen des spanischen Königs entschieden, Eurer Familie eine Rente zu zahlen, dass es ihr an nichts fehlen wird.« »Dafür bin ich ihm dankbar«, versuchte Ukon zu sagen. Er war sich nicht sicher, ob er selbst sprechen konnte, doch seine Stimme hatte ihn nicht im Stich gelassen. Er fasste Mut und rief: »Jûtarô.«

»Ja«, kam die Antwort.

»Werde ein guter Christ. Befolge treu die Lehre der Padres der heiligen Kirche. Wer diesem meinen letzten Willen nicht folgt, den betrachte ich nicht als dein Kind, dein Enkelkind oder deinen Nachkommen.«

»Jawohl.«

»Padre Morejon«, sagte er.

»Ja, ich bin hier.«

»Ich bedanke mich bei den Priestern, die sich so aufopfernd um mein Seelenheil bemüht haben. Ich spüre, dass mich der Herr zu sich ruft. Ich werde im Himmel für euch beten. Ich bete für die Priester, die in Japan zurückgeblieben sind und für die Brüder, die unter der Verfolgung zu leiden haben. Im Namen unseres Herrn Jesus Christus und im Namen der heiligen Mutter Maria bitte ich für euer aller Frieden. Amen.«

»Amen«, erklang die vielstimmige Antwort. Unerwartet viele Menschen schienen anwesend zu sein. Es herrschte dichte Dunkelheit und die Stille wurde immer tiefer. Ukon wollte schlafen. In dem Gefühl, auf einer großen Hand in Sicherheit gebettet zu sein, versank er ruhigen Herzens in einen tiefen Schlaf.

17
Das Testament

Der Friede des Herrn sei mit dir,
meine über alles geliebte Schwester.

1626, aus einer Höhle in den Bergen.

Meine geliebte Schwester, nun da ich diesen Brief schreiben will, obwohl ich ja gar nicht weiß, wie es dir überhaupt geht, habe ich noch einmal nachgezählt und festgestellt, dass schon elfeinhalb Jahre ins Land gegangen sind, seit ich an Weihnachten 1614 den letzten Brief geschrieben habe (von dem ich allerdings auch nicht sicher bin, ob er dich wirklich erreicht hat), weil wir seit dem Verbot des christlichen Glaubens die offizielle Korrespondenz, wie zum Beispiel die Jahresberichte, nur noch heimlich und unter größter Vorsicht über unsere geheime Organisation verschicken und es äußerst schwierig geworden ist, außer den offiziellen Dokumenten noch private Post zu senden. Ein weiterer Grund ist, dass ich als stationierter Missionsleiter des Bezirkes Nagasaki unglaublich beschäftig war (so beschäftigt, dass ich es schon bedaure, dass es dafür keinen stärkeren Ausdruck gibt). Diesen Brief möchte ich einem portugiesischen Händler anvertrauen, der vor kurzem mit dem Schiff gekommen ist und gesagt hat, dass er direkt nach Goa fahren werde, insofern hoffe ich, dass dich dieser Brief vielleicht mit größerer Sicherheit erreichen wird als der letzte, den ich inmitten des Sturmes der Verfolgung einem Chinesen anvertraut hatte.

Im Moment verstecke ich mich in einer Höhle irgendwo in den Bergen, in der ich seit sechs Monaten ein Leben in völliger Finsternis führe, weil in den umliegenden Dörfern die Beamten auf Patrouille sind und ich bei meiner Größe und mit der langen Nase ja sofort als

Ausländer auffallen würde. Deshalb kann ich keinen Schritt vor die Höhle tun, in der mich fürchterliche Feuchtigkeit plagt und mir die Gelenke, wenn man sie noch Gelenke nennen kann, so heftig schmerzen, dass ich nicht mehr in der Lage bin, auch nur einen Schritt zu tun. Nun schreibe ich aber bei schwachem Kerzenschein diesen Brief, nachdem ich endlich meine rechte Hand wieder dazu gebracht habe, sich ein wenig zu bewegen. Die christliche Familie, die sich um mich kümmert, ist sehr nett, und für Essen, die Entsorgung der Fäkalien und die Reinlichkeit meines Körper ist gesorgt, doch diese Feuchtigkeit ist unglaublich, denn schlechthin überall, an der Wand, den Büchern, den Kleidern, den Haaren ist Schimmel, an dem Holzstuhl wachsen sogar Pilze, meine Haare sind ganz verfault und schmierig, die Haut aufgedunsen und faltig, die Feuchtigkeit dringt bis in die Eingeweide und die Knochen, und die Gelenke sind so ausgeleiert, dass ich nicht mehr gehen kann. Während ich hier mit Fingern, die ich gerade noch ein wenig bewegen kann, schreibe, zerfließen die Buchstaben auf dem nassen Papier, und ich muss gleich schon einmal im Voraus meinen Dank für die Mühe zum Ausdruck bringen, die du haben musst, diesen Brief zu entziffern, weil meine ohnehin schon schlechte Handschrift noch um ein Vielfaches unleserlicher geworden ist.

Vor etwa zehn Jahren ist Großkönig Ieyasu gestorben, sein Sohn Hidetada ist der zweite Großkönig geworden, und seitdem dieser wiederum abgedankt hatte, befinden wir uns nun in der Ära des dritten Großkönigs des Hauses Tokugawa, Fürst Iemitsu. Dass ich diese sich über drei Herrschergenerationen erstreckende, grausame und hartnäckige Verfolgung durchgestanden habe, ist der Tatsache zu verdanken, dass ich von Natur aus gesund und robust bin, doch nun bin auch ich alt geworden und merke, dass ich am Ende meiner körperlichen Kräfte angelangt bin. Während ich hier in dieser feuchten Hölle immer schwächer werde, kann ich mir aufgrund meiner medizinischen Kenntnisse selbst attestieren, dass sich mir der Tod sicheren Schrittes nähert, und ich werde mit Freuden der Stimme des Herrn folgen, der meine Seele zu sich ruft, und bete in der Glückseligkeit, die vom Grunde meiner Seele aufsteigt, wenn ich daran denke, dass ich bald im Himmel, also direkt über dir, sein werde. Zwar schreibe ich gerade diesen Brief, ohne die geringste Ahnung zu haben, wie es dir geht, doch falls du bereits tot bist, wird dieser Brief überflüssig werden, weil wir uns bald direkt im Himmel treffen, jedoch wäre auch dies nur der großen Gnade Gottes zu verdanken.

Selbst in meinem körperlichen Zustand und obwohl ich auch seelisch völlig geschwächt bin, hat sich, wie es aussieht, mein Charakter – alles gewissenhaft zu Ende zu führen – nicht geändert, und ich würde keine Ruhe finden, wenn ich dir nicht als Fortsetzung des letzten Briefes diesen hier schreiben würde.

Seit dem letzten Brief arbeite ich als illegaler Priester, ständig im Angesicht der Gefahr, jeden Moment verhaftet zu werden, jedoch hat sich die Lage jetzt ein wenig stabilisiert, und zwischen den im Untergrund lebenden Missionaren und Gläubigen hat sich hinter dem Rücken des Gouverneursamtes ein Informationsnetz gebildet. Obwohl die Kirchen alle niedergerissen sind und es natürlich nicht möglich ist, sich öffentlich zu versammeln, werden doch im Geheimen die Kommunion und das Bußsakrament abgehalten, und wenn es auch notwendig ist, immer vor Spionen und geheimen Informanten der Regierung auf der Hut zu sein und überall größte Vorsicht walten zu lassen, ist mein Leben als Priester hier in den Bergen von Unzen – verglichen mit der Zeit, als ich dir den letzten Brief geschrieben habe – zweifellos stabiler geworden.

Die folgenden großen Wahrheiten habe ich hier erkannt: Gerade weil wir ein solches Leben fristen, können wir am eigenen Leibe erfahren, wie es den Urchristen ergangen sein muss, die sich, die Unterdrückung durch das Römische Reich ertragend, in Höhlen, unter der Erde, in Ruinen und tief im Wald versammelten, und je stärker der Druck des Staates auf uns lastet, desto näher rückt das unterdrückte Volk zusammen, verbunden durch die Liebe zwischen Gleichgesinnten, desto fester und standhafter wird sein Glaube; und niemand strebt so dringlich nach dem Licht wie die Menschen, die in die Dunkelheit gefallen sind, und wie es in der Lehre des Herrn heißt, niemand sehnt sich so nach Gott wie jene, die im Herzen arm sind, und sie finden in ihm ihr Glück.

Zudem nimmt die Zahl der wahren Christen, also derer, die sich nicht der Unterdrückung beugen und nicht aufhören, das Reich Gottes zu suchen, zu, und entgegen dem Plan der Tokugawa-Regierung wird unsere Missionsarbeit sogar gestärkt und beginnt in dieser Erde nicht nur feste Wurzeln zu schlagen, sondern auch Blüten zu öffnen, denen sich keine Schädlinge nähern, und schließlich reiche Früchte zu tragen.

Soweit ich mich erinnere, habe ich in meinem letzten Brief geschrieben, dass ich zusammen mit Nakaura Julião im Jahre 1614, nach der großen Verbannungsaktion, in den Bergen der Shimabara-Halbinsel untergetaucht bin, und dass wir dann, als in Ôsaka der Krieg zwischen Großkönig Tokugawa Ieyasu aus dem Osten und Toyotomi Hideyori aus dem Westen begann, in die Dörfer hinabgestiegen sind, um wieder die Missionsarbeit aufzunehmen. Die Einzelheiten über die Schlacht von Ôsaka sind mittlerweile bekannt, die Kämpfe begannen Mitte Dezember 1614 und schienen dann einmal durch Friedensgespräche wieder beendet zu sein, entbrannten aber Ende Mai 1615 erneut, nachdem Toyotomis Soldaten, auf die Provokation Tokugawas reagierend, wieder zu den Waffen griffen. Das Ganze endete schließlich Anfang Juni mit dem Selbstmord Hideyoris, was den Untergang der Familie Toyotomi und den großen Triumph der Familie Tokugawa bedeutete. Auch war dies das Ende für die christlichen Krieger, die sich während der Belagerung in der Burg von Ôsaka befanden, und der schwache Hoffnungsfunke, dass der christliche Glauben vielleicht doch noch mit Waffengewalt verteidigt werden könnte, erlosch.

Eines Tages, einige Jahre nach der Schlacht, als ich als holländischer Händler verkleidet in Nagasaki durch die Straßen lief, näherte sich mir ein Reisender und fragte mich, ob ich ihm nicht einen Kelch und eine Karaffe aus venezianischem Glas verkaufen könnte, doch der Mann erkannte umgehend, dass ich Padre Clemente war, denn er stellte sich mir als Paulo, der Sekretär des Echizen-Ladens vor. Als ich mein Gegenüber erstaunt genauer betrachtete, merkte ich, dass es tatsächlich der Sekretär Diego Kataoka Kyûkas vom Echizen-Laden war, eines Christen aus Kanazawa, der als Händler bei der Familie Maeda ein- und ausging. Auch der Sekretär trug einen Christennamen, nämlich Paulo, und hatte regelmäßig meine Kirche besucht. Er erzählte mir, dass Diego noch immer der wohlhabendste Kaufmann Kanazawas sei, dass ganz Japan, mehr noch als zuvor, mit dem Ming-Reich und Holland Handel treibe, und dass er auf Befehl Diegos nach Nagasaki gekommen sei, um ausländische Waren einzukaufen. In Kanazawa waren nicht nur die Angehörigen des Samurai-Standes, sondern auch die Bauern und Stadtbürger bedrängt worden, ihrem Glauben abzuschwören, und Diego Kyûka und Paulo hatten nur überlebt, weil sie einen schriftlichen Eid eingereicht hatten, in dem sie sich von ihrem Glauben distanzierten, allerdings schwor mir Paulo, dass er auch jetzt noch am christlichen Glauben festhalte. Er hat mir erzählt, was aus den Leuten in Kanazawa geworden ist, nachdem ich die Stadt verlassen hatte, wobei mich am meisten das Schicksal des Hausvasallen der Familie Maeda, Yokoyama Nagachika, mit dem Justo Ukon eng befreundet war, und seines Stammhalters Yasuharu, dem Ehemann von Justo Ukons Tochter Lucia, erstaunte.

Fürst Maeda Toshimitsu schickte zur Unterstützung der Tokugawa-Seite eine Armee von fünfzehntausend Mann in die Schlacht von Ôsaka, doch als das Maeda-Heer, das im Winter des Jahres 1614 aus Kanazawa losmarschiert war, nach Imajô in Echizen (wenn man von dort aus die Berge überquert, gelangt man in die Gegend von Ômi) kam, hatten sich am Wegesrand zwei Männer untertänig niedergeworfen, und als der Fürst genauer hinschaute, stellte sich heraus, dass es der Hausvasall Yokoyama Nagachika und sein Sohn Yasuharu waren. Während der großen Christenverbannung im Februar desselben Jahres hatte Yokoyama Nagachika sein Amt unter Verzicht auf ein weiteres Gehalt niedergelegt und sich ins ländliche Yamashina in der Nähe der Hauptstadt zurückgezogen, weil er Fürst Maeda damit belastet hätte, wenn er, der eine Christin in seiner Verwandtschaft hatte, weiterhin als Hausvasall in dessen Diensten gestanden hätte. Auch Yasuharu war seinem Vater gefolgt, doch als die beiden erfuhren, dass ihr Herr nach Ôsaka in die Schlacht zog, liefen sie eilig zu ihm und baten ihn, dass er sie als einfache Soldaten einstellen möge. Der Fürst war so von ihrer Loyalität bewegt, dass er sie wieder mit ihrem alten Salär als Vasallen in Dienst nahm. Nagachika setzte er als Verwalter der Burg von Kanazawa für die Zeit seiner Abwesenheit ein, und Yasuharu machte er zum obersten General seiner Armee und befahl ihm, Ôsaka anzugreifen. Als mutiger Samurai forderte Yasuharu den General der Armee Toyotomis heraus und erstach ihn im Zweikampf, außerdem führte er weiterhin einen wütenden Kampf, bei dem er persönlich über zehn Köpfe nahm, und erhielt für seine Verdienste ein Gehalt von 40 000 Scheffeln. So kehrten Vater und Sohn Yokoyama auf wunderbare Weise wieder als Hausvasallen in den Dienst der Familie Maeda zurück, und vor allem Yokoyama Nagachika nahm als Gefolgsmann der Familie Maeda eine ebenso wichtige Rolle ein wie der höchste Vasall der Familie, Honda Masashige, die beiden sind auch weiterhin wichtige Stützen für die Regierung von Fürst Maeda Toshimitsu.

In Bezug auf Kanazawa muss erwähnt werden, dass es dort nicht zu einer so grausamen Unterdrückung mit Kreuzigungen, Verbrennungen, Enthauptungen und Folter kam wie in Kyûshû. Der zweite Patriarch der Familie Maeda, Fürst Toshinaga, der seine schützende Hand über die Christen gehalten hatte, war zwar im Jahre 1614 verstorben, und der dritte Patriarch, Fürst Toshimitsu, kam nicht umhin, dem Willen des Tokugawa-Regimes zu folgen und die Christen zu bedrängen, ihrem Glauben abzuschwören, weil er durch die schweigende Anwesenheit des Aufpassers im Auftrage der Regierung, seines wichtigsten Vasallen Honda Masashige, dazu genötigt war, und weil er berücksichtigen musste, dass er die Tochter Hidetadas zur Frau genommen hatte, doch wurden diejenigen, die nicht folgen wollten, lediglich von den anderen isoliert und in einen buddhistischen Tempel gesperrt, den man wohl einen »Internierungstempel« oder so ähnlich nennen könnte, wo sie nach außen hin Buddhisten waren, man ihnen im Geheimen aber erlaubte, weiterhin Christen zu sein. Es heißt, diese milde Vorgehensweise sei den Bemühungen Yokoyama Nagachikas zu verdanken, aber das ist nur ein Gerücht.

Eine sonderbare Begebenheit im Krieg von Ôsaka war, dass der mit Justo Ukon befreundete Teemeister Furuta Oribe, der Teelehrer von Großkönig Ieyasus Sohn, Großkönig Hidetada – und als solcher eine in Japan berühmte und äußerst einflussreiche Persönlichkeit – geheime Verbindungen mit dem Lager Toyotomis aufgenommen hatte und deshalb nach dem Krieg, im Jahre 1615, wegen Verrats hingerichtet wurde. Ein Beispiel dafür, dass ein berühmter Adept des Teeweges tief in die politischen Geschäfte verwickelt war und dadurch sein Leben verlor, war der berühmte Teemeister und Lehrer Justo Ukons, Sen no Rikyû, der den Zorn Großkönig Hideyoshis auf sich gezogen hatte und dem befohlen wurde, sich den Bauch aufzuschlitzen. Die Teezeremonie, die es in diesem Land gibt, ist kein Zeitvertreib für müßige Stunden, sondern oftmals eine Beschäftigung, bei der es um Leben und Tod geht, und so betrachtet, scheint mir auch der Teeweg

Justo Ukons eine ernste Tätigkeit gewesen zu sein, die aufs engste und unzertrennlich mit dem christlichen Glauben verbunden war.

Während der Schlacht von Ôsaka befand sich auch mein vertrauter Freund Balthasar Torres in der Burg von Ôsaka, wo er in den Quartieren des christlichen Generals João Akashi Kamon Unterkunft gefunden hatte, doch weil diese von Flammen umgeben waren und sie die Nachricht erreichte, dass die feindlichen Truppen, die für ihre zahlreichen Grausamkeiten bekannt waren, sich näherten, und die Damen deshalb in Sänften in den inneren Bereich der Burg gebracht wurden, floh Torres in Begleitung des jungen Samurai Michael (sein Name ist Ikoma Yajirô, er war jener junge Samurai, den Balthasar in Kanazawa getauft hatte und der in der Burg von Ôsaka die Rolle von Balthasars Leibwächter übernommen hatte) und eines Laienbruders namens Joan durch das Hintertor, wo sie auf feindliche Soldaten mit gezogenen Schwertern und blutverschmierten Lanzen trafen; Michael zog sofort sein Schwert und stürzte sich auf den Feind, doch konnte er gegen die Überzahl nichts ausrichten und ihm wurde von hinten mit dem Schwert der Kopf abgeschlagen, während man seinen Leib mit Lanzen durchbohrte. Unserem Balthasar wurden alle Kleider vom Leib gerissen und er irrte splitternackt auf dem Schlachtfeld umher, wobei er wohl so erbarmungswürdig aussah, dass er das Mitleid der feindlichen Soldaten, die den alten Ausländer erblickten, erregte und sie ihn am Leben ließen. Inmitten der herumliegenden Leichen und des Gewimmers der Verletzten zog er sich Lumpen über, die Joan, der noch am Leben war, weil er sich versteckt hatte, für ihn aufgelesen hatte, und ihm wurden ein ums andere Mal Lanzen vor die Brust gestoßen und das Schwert an den Hals gelegt, doch schließlich schaffte er es mit Gottes Hilfe, blutverschmiert und hinkend irgendwie bis an einen neun legua entfernten Ort namens Izumi zu fliehen, wo er sich in den Schutz christlicher Gläubiger begeben konnte. Selbst einen heroischen Heißsporn wie ihn hat die Hölle des Schlachtfeldes völlig niedergeschlagen, und er murmelte zwei geschlagene Wochen im Delirium vor sich hin, danach neigte er zum Kränkeln, zwang sich aber trotz seines geschwächten Körpers, die Tätigkeit als Priester im Untergrund in den fünf auf Großkönig Ieyasus Befehl hin stark bewachten und heftig unterdrückten Zentralprovinzen fortzuführen, was dazu führte, dass er sich völlig verausgabte und schließlich im Jahre

1619 krank und am Ende seiner Kräfte in Nagasaki auftauchte. Er war auf Betreiben des Provinzials der Jesuiten in Japan, Padre Francisco Pacheco, der bei der Recherche nach Informationen für die jährlichen Missionsberichte auf ihn aufmerksam geworden war, nach Nagasaki gerufen worden, wo es mir dank dieser Fügung vergönnt war, meinen alten Freund wieder zu treffen. Dieser Padre Pacheco kommt aus Portugal und ist ein jüngerer Cousin des verstorbenen Mesquita, mit dem mich eine tiefe Beziehung verbunden hat; wegen der großen Verbannung im Jahre 1614 war er zunächst nach Macao verbracht worden, kam dann aber im darauf folgenden Jahr heimlich nach Japan zurück; die Fäden, mit denen der Herr unser Schicksal lenkt, sind in ihrer Vielfalt undurchschaubar.

Wie mir Balthasar erzählte, gab es in der Burg von Ôsaka außer ihm noch viele andere Priester, Ordensbrüder und Laien, die sich um das Seelenheil der christlichen Krieger kümmerten, am lebhaftesten waren ihm das Tun und der Tod Murayama Franciscos in Erinnerung geblieben. Bei dem jungen Gemeindepriester handelt es sich um den zweiten Sohn des Vogts von Nagasaki, Antonio Tôan, einen temperamentvollen Burschen, der sich bei den Kommunionsprozessionen mit den Beamten des Gouverneurs angelegt hatte; bei der großen Verbannung ist er zunächst auch mit dem Schiff mitgefahren, dann aber auf hoher See in ein kleines Boot umgestiegen und nach Nagasaki zurückgekehrt, woraufhin er sich dann mit vierhundert Kriegern, Pistolen und Munition in die Burg von Ôsaka begab, was selbst der Heißsporn Balthasar als militante Aktion des Missionars missbilligte. Doch von den christlichen Kriegern auf der Burg wurde Murayama Francisco mit Jubel willkommen geheißen, und er stärkte durch sein Erscheinen ihren Kampfgeist.

Als die Burg dann schließlich fiel und Balthasar die Freude über das Martyrium sah, die der Gemeindepriester mit ganzem Körper und ganzer Seele zum Ausdruck brachte, dachte er sich, dass auch der Kriegsruhm unseres Ignatius, als dieser noch Ritter war, von solcher Art gewesen sein musste und empfand, als er von Ferne die militanten Priester sah, wie sie den Herrn preisend in den Himmel eingingen, während die Burg in Flammen aufging, Bewunderung für die Kämpfer, deren Mut dem der Ritter aus der Zeit der Reconquista in nichts nachstand.

Was mich betrifft, so habe ich mich nach Nagasaki begeben, wo es sicherer war als in Shimabara, weil es dort außer den portugiesischen auch holländische Händler gab, die in großer Zahl neu herbeigekommen waren, so dass mein Ausländergesicht daher weniger auffiel, und zusammen mit Julião habe ich begonnen, mich dort um die Seelsorgearbeit bei den neu hinzugekommenen Christen (weil die Beamten wegen des Krieges anderweitig beschäftigt waren, flohen viele aus anderen Regionen nach Nagasaki) und der vielen eingesessenen Gläubigen zu kümmern. Weil ich immer mehr Gleichgesinnte fand und mit einem gewissen Gefühl der Sicherheit meiner Tätigkeit nachgehen konnte, kamen sieben ins Ausland verbannte Ordensbrüder der Gemeinschaft Jesu heimlich nach Japan zurück, darunter aus Macao der oben bereits erwähnte Padre Pacheco und Padre Giovanni Batista Zora, der mir danach als Freund und Verbündeter bei der Missionsarbeit in Nagasaki beistand, sowie Padre Sebastiãn Vieira aus Manila. Für diese Leute ein angemessenes Versteck zu finden, sie in ihre Missionstätigkeit einzuweisen und dafür die nötigen Verbindungen herzustellen, war eine Nerven aufreibende, gefährliche Aufgabe, bei der uns die wohlüberlegte Planung und die weit gestreuten Beziehungen Juliãos zugute kamen.

Obwohl der Portugiese Vieira, der zusammen mit Justo Ukon nach Manila übergesetzt war, um dann an Bord einer chinesischen Dschunke wieder heimlich nach Japan zurückzukommen, ein Freund meines engen Freundes Pedro Morejon gewesen war, und auch ich schon gelegentlich mit ihm zu tun gehabt hatte, ging ich ihm wegen seines extremen Charakters und seiner cholerischen Anfälle zunächst aus dem Weg, doch in dieser bedrängten Lage führte uns die Tatsache, dass wir gegen einen gemeinsamen Feind kämpften, enger zusammen, und schließlich erwuchs daraus eine enge Freundschaft.

Von den Nachrichten, die Vieira mitbrachte, war es der Bericht über den Tod Justo Ukons, jenes prominenten japanischen Christen, den ich mit Liebe verehrte, seine Bestattung und das Verhalten derer, die um ihn trauerten, der mich am traurigsten stimmte und zugleich am tiefsten beeindruckte. Ukon wurde in Manila vom Generalgouverneur, Juan de Silva, und seiner Eminenz, dem Erzbischof von Manila, Diego Vazquez de Mercado, herzlich willkommen geheißen, dann aber Ende Januar des folgenden Jahres von einer Fiebererkrankung niedergestreckt und ging fünf Tage später in den Himmel ein. Morejon war als Justo Ukons Beichtvater von Anfang bis Ende an dessen Seite und hat alle Begebenheiten bis hin zu dessen Tod selbst als Augenzeuge miterlebt, auch hat er auf Befehl des Generalgouverneurs die gesamte Beerdigung organisiert und sich über dieses Ereignis ausführliche Notizen gemacht, um in seiner Funktion als stellvertretender Procurador nach Rom berichten zu können. Vieira hat diese Notizen, die Morejon nicht mehr brauchte, nachdem er alles ins Reine geschrieben hatte, mitgebracht und mir gegeben, so dass ich für dich nun, während ich sie hier vor mir habe, die wichtigsten Punkte in gebotener Kürze zusammenfassen kann.

Am meisten über Justo Ukons Tod trauerte Generalgouverneur de Silva, der Ukon regelmäßig besucht hatte, um sich mit ihm zu unterhalten und sich so immer mehr mit ihm angefreundet hatte. Er hielt es für den einzigen Weg, seine Trauer über den Tod des engen Freundes zu zeigen und sich selbst Trost zu spenden, indem er ihm die großartigste Trauerfeier zukommen ließ, die denkbar war.

Bei der Totenmesse in der Santa Anna-Kirche hielten sowohl der Generalgouverneur als auch der Erzbischof eine Trauerrede, und vor allem der Generalgouverneur rührte viele der Anwesenden zu Tränen, als er erwähnte, wie sehr ihn Ukon für sich eingenommen habe, dass er ihn zwar nur für kurze Zeit gekannt habe, die Tage jedoch in Trauer zubringe, als hätte er einen langjährigen, vertrauten Freund verloren. Generalgouverneur de Silva war Ritter des Santiago-Ordens, ein Günstling Seiner Majestät Philipp des Dritten und ein glorreicher Kriegsheld, der die Flotte der Holländer zurückschlug, als sie Manila umzingelt hatte, weshalb er großen Respekt gegenüber Justo Ukon empfand, der als echter japanischer Samurai mit mehreren Generationen von Großkönigen persönlich bekannt war und als heroischer Fürst in einer Vielzahl von Schlachten gekämpft hatte; des Weiteren bewunderte de Silva, da er selbst leidenschaftlicher Katholik war, Ukons Haltung als Gläubiger, der der Verfolgung widerstanden hatte, und obwohl de Silva als Europäer und Regent von Manila normalerweise ein Überlegenheitsgefühl gegenüber Ostasiaten wie Philippinern, Chinesen, Japanern, Annamiten usw. hegt, verband ihn mit Justo Ukon ein tiefes Gefühl der Freundschaft zwischen Gleichen, das sich über Rasse und Nationalität hinwegsetzte.

ten zur Verfügung gestellt, die sie nun zu ihrem Kloster gemacht haben.

Über die Lage in Manila kommen durch Japaner, die heimlich von dort zurückkehren, oder durch Missionare hier immer wieder Nachrichten an, von denen mich am meisten der Tod des Generalgouverneurs, Juan de Silva, erstaunte. Er war ein altgedienter Soldat, der im Kampf mit den Holländern und mit Piraten seine Erfahrungen gesammelt hatte, doch diesmal wollte er die Bedrohung durch die Holländer von der Wurzel her beseitigen und hatte eine große Flotte zusammengestellt, um damit Java anzugreifen; in Absprache mit dem portugiesischen Vizekönig in Goa lief er dann im März 1616 zum Angriff auf Java aus. Die spanische Flotte brach mit zehn Großschiffen, vier Galeonen, einer Menge kleinerer Schiffe und fünftausend Soldaten zu den malakkischen Inseln auf, doch endete die Expedition in einem Fiasko, da die Portugiesen ihre Abmachung zur militärischen Hilfe nicht einhielten, überdies erlag de Silva während des Kampfes am 19. April in Malakka einer Fieberkrankheit und schied plötzlich dahin. Dieser Bericht über die letzten Stunden des Generalgouverneurs stammt von einem spanischen Händler, den ich als vertrauenswürdig einschätze, und man kann deshalb davon ausgehen, dass es sich tatsächlich so verhalten hat.

Wie viele Missionare sich zu der Zeit, als Vieira heimlich ins Land kam, bereits in Japan aufhielten, kann ich an dieser Stelle nicht schreiben, da es sich um eine streng geheime Information handelt, ich kann nur sagen, dass es hier weit mehr Priester, Ordensbrüder und Laien gab, als ich angenommen hatte. Während der großen Verbannung gab der Gouverneur von Nagasaki, Hasegawa Sahyôe, offiziell bekannt, dass es bei Todesstrafe verboten sei, Missionare im eigenen Haus zu verstecken, zwei Jahre darauf ließ er erneut Anschläge anbringen, auf denen zu lesen war, dass es streng verboten sei, Missionare zu beherbergen und dass die fünf Familienoberhäupter, die hier in Japan zu Gruppen geordnet sind, gemeinsam die Verantwortung für das Tun jedes Einzelnen zu tragen hätten, doch trotz dieses strengen Verbots aus dem Amt des Gouverneurs und obwohl die Menschen wissen, dass ihnen die Todesstrafe droht, wenn sie ihm zuwiderhandeln, drängen sich die Gläubigen geradezu um die Ehre, uns Missionare bei sich zu verstecken.

Dass sich die Nachricht vom Tode Justo Ukons im fernen Manila wie ein Lauffeuer in ganz Nagasaki verbreitete, beweist, wie sehr die Menschen von all denen, die damals verbannt worden waren, ganz besonders sein Schicksal beschäftigte. Einige Tage, nachdem mir Vieira über Ukons Ableben berichtet hatte, hörte ich von einem Gläubigen, den ich zufällig getroffen hatte, die Geschichte, dass Ukon zum Märtyrer geworden sei, weil ihn der Giftpfeil eines Ungläubigen getroffen habe, und dass die Menschen in ganz Manila Augenzeugen geworden wären, wie er, in wundersames, fünffarbiges Licht gehüllt, einem Engel gleich, schwimmend in den Himmel hinaufgestiegen sei.

Es kursierten auch Gerüchte über Martyrien in Ômura und Arima. Die Menschen haben den festen Glauben, dass das *maruchiriyo* (Martyrium) die höchste Tat der Liebe zu Gott und Christus, zur Santa Maria und der Kirche, zum Papst, den Priestern und den Glaubensbrüdern sei. (Sie nennen diese Liebe »gotaisetu«. In dieser Bedeutung, dass sie nämlich die höchste Form des Tuns und daher von größtem Wert ist, haben sie genau verstanden, was Paulus meint, wenn er von Liebe spricht.) Und sie glauben daran, dass es vor allem *gotaisetsu* (Liebe) ist, wenn man es der *gopashon* (Passion) Christi nachtut und für seine Freunde das eigene Leben opfert, wie es der Herr am Kreuz vorgemacht hat. Wenn ich diesen aufrechten, festen Glauben der Christen hier sehe und mich selbst betrachte, möchte ich mich, der ich Priester und Arzt bin, direkt schämen, und vor den Patienten, die der Diagnose des Arztes glauben und meinen Anweisungen treu folgen, überlagert sich meine Gemütsverfassung als Arzt, der zögerlich hin und her überlegt, bevor er endlich zu einer Diagnose kommt und wenig Selbstvertrauen in seine Heilbehandlungen hat, mit der des Priesters. Wie die Menschen aber so sind, gibt es unter ihnen immer welche, die schwach im Herzen sind und aus Angst vor Folter und Verbrennung zu Verrätern werden und die Behörden heimlich informieren. Anders als bei der Denunziation durch die Ungläubigen, die einem Gefühl der Gerechtigkeit und Loyalität gegenüber ihren Herrschern entspringt und gegen die man sich durch umsichtiges, wachsames Verhalten irgendwie schützen kann, ist der Judas-Verrat der Abtrünnigen viel gefährlicher, da sie sich wie dieser mit einem Lächeln nähern, hinter dem sie ihr schlechtes Gewissen verstecken, bevor der unerwartete Schlag folgt. Es ist mir schon mehrmals passiert, dass ich durch die Hintertür vor den anrückenden Beamten fliehen oder mich in einer geheimen Kammer verstecken musste, doch kam es mir in solchen Situationen immer vor, als ob der Herr und der Heilige Geist nur meinen Glauben prüfen wollten, und ich bin deshalb nie in Panik geraten, sondern betend und ruhigen Herzens geflohen, und dank Gottes Schutz bin ich immer unbeschadet davongekommen.

Das Vorgehen des Gouverneursamtes wurde immer strenger, und der Hauptakteur bei der großen Verbannung, der Gouverneur von Nagasaki, Hasegawa Sahyôe, hatte in Ômura auf einem Hügel in der Nähe der Küste in Suzuta ein Gefängnis für Gläubige gebaut; doch 1617 verstarb er plötzlich, und Hasegawa Gonroku, der sein Nachfolger als Gouverneur von Nagasaki wurde, führte das System ein, Denunzianten mit dreißig Silbermünzen zu belohnen. 1618 verlor dann der Vogt von Nagasaki, Antonio Murayama Tôan, der selbst Christ gewesen war und die Christen bei jeder Gelegenheit unterstützt hatte, sein Amt. Dessen Nachfolger Suetsugu Heizô begann ungeachtet der Tatsache, dass er als Sohn des Christen Cosme Suetsugu Takayoshi selbst einmal Christ gewesen war, ehe er dem Glauben abgeschworen hatte, zusammen mit dem neuen Gouverneur Gonroku, mit der grausamen und gründlichen Verfolgung. Zunächst klagte er seinen Vorgänger Antonio Tôan als Sündenbock des Verbrechens an, bei der großen Verbannung Missionare außerhalb des Hafens aufgenommen und in den Untergrund geschleust zu haben sowie sich mit Fürst Hideyori verbündet und Soldaten, Waffen sowie Missionare in die Burg von Ôsaka geschickt zu haben, woraufhin Antonio dann auch schuldig gesprochen und im folgenden Jahr in Edo geköpft wurde. Im November desselben Jahres konnte ich, der ich mich verkleidet hatte, Augenzeuge werden, wie der älteste Sohn Antonios, Tokuan, auf dem Nishizaka-Hügel in Nagasaki verbrannt wurde. Über weißen Unterkleidern trug er eine schwarze Kutte, und als er in den Flammen des Scheiterhaufens verbrannte, erhob sich Wehklagen unter den zahlreichen Christen, die erschienen waren, das dann in die Oratio (Gebet) und ins »Te Deum laudamus« (»Dich, Gott, loben wir«) überging. Während Tokuan zum Märtyrer wurde, hatte Vieira Japan verlassen, um über Macao nach Rom zu fahren und dort über die Situation in Japan und vor allem die Märtyrer zu berichten, damit die in Japan andauernde grausame Verfolgung in der ganzen Welt bekannt werden sollte.

Im Lehen von Ômura floss das Blut der Christen in Strömen. Vor allem in Hôkobaru wurden viele Gläubige, Priester und Ordensbrüder der Franziskaner verbrannt und geköpft, der Nishizaka-Hügel in Nagasaki wurde als Hinrichtungsplatz benutzt, auf dem mehrere Dutzend Gläubige und Missionare der Jesuiten, Franziskaner und Dominikaner durch Köpfen und Verbrennen ihr Leben lassen mussten, in Ômura und Arima war es normalerweise so, dass diejenigen, die man als Christen erkannte, verhaftet, unter Folter verhört und dann ermordet wurden, in der Stadt Nagasaki jedoch war die Verfolgung nicht so streng, weil ein großer Teil der Bürger Christen war und es unmöglich war, sie alle zu verhaften und hinzurichten, außerdem gab es dort auch viele portugiesische und holländische Händler. So war es den Beamten nicht möglich, auf der Stelle zu entscheiden, ob es sich bei den Ausländern auch wirklich um Missionare handelte oder nicht. Zora, Torres, Julião und ich jedenfalls blieben dank des umsichtigen und eifrigen Schutzes der Gläubigen unbeschadet.

Ende des Jahres 1625 dann erreichte mich durch einen Boten Padre Zoras die Nachricht, dass der Procurador der Jesuiten für Japan, Pacheco, in Kuchinotsu (einem Ort mit einem Hafen am Südzipfel der Shimabara-Halbinsel, in dem es, genauso wie in Arima, viele Christen gibt) verhaftet worden sei und mit anderen Missionaren im Gefängnis von Shimabara festgehalten werde, und kurz darauf erhielt ich von einem Laienbruder Zoras die dringende Mitteilung, dass auch Zora selbst verhaftet worden sei, und nun, da der Procurador und die einflussreichen Padres alle festgenommen sind, habe ich als stationierter Bezirks-Missionsleiter die Verantwortung, mich um die geistige Führung der Gläubigen zu kümmern und folge dem Rat Torres', mich mit schlangenhafter List zu verstecken, auf dass ich mich noch so lange wie möglich um die Gläubigen kümmern kann, und nun sind es sechs Monate, seit ich mich hier in die Höhle verkrochen habe und in feuchter Finsternis hause.

Julião, der mich in dieser Höhle mit Informationen über die Außenwelt versorgt, hat mir die traurige Nachricht gebracht, dass die blutige Verfolgung sich nun auch auf Nagasaki selbst erstrecke, Balthasar Torres schließlich verhaftet worden sei und nun den übermäßig grausamen Verhören des Vogts von Nagasaki, Suetsugu Heizô, unterzogen werde, und ich fühle mich hier verlassen, hilflos und einsam.

Ich habe keine Ahnung, wie lange der Sturm der Verfolgung noch anhalten wird in diesem Land, dessen Großkönig sich, wie der König von Tyrus in der Prophezeiung des Ezechiel, anmaßt, den Schöpfer aller Dinge zu verneinen, als wolle er sich selbst zum Gott erklären, und als Beweis hierfür lässt sich der Großkönig Ieyasu tatsächlich in einem Schrein in den Bergen von Nikkô unter dem Namen Tôshô Daigongen (der große Fleischgewordene des östlichen Glanzes) als Gottheit anbeten, doch ich glaube daran, dass eines Tages, ob in zweihundert oder dreihundert Jahren, ich weiß es nicht, auch seine Regierung, wie einst die des florierenden Großreiches am Meer, Tyrus, ein Ende haben und der christliche Glaube auch in diesem Land wieder zum Leben erwachen wird.

Meine über alles geliebte Schwester, da ich nun bis hier geschrieben habe, weicht mir plötzlich aus dem ganzen Körper die Kraft, und die Seele beginnt sich schwebend zu lösen, weil sie hinaufsteigen will. Jedenfalls habe ich nur bis jetzt weitergelebt, um die verschiedenen Ereignisse aus der Vergangenheit bis in die Gegenwart aufzunehmen und sie dir zu übermitteln, doch nun merke ich, dass mich der Herr zu sich ruft und meine Seele mit Freuden auf seine Stimme hören will. Doch versteckt sich hinter meiner Freude auch ein Gefühl der Scham darüber, dass nicht ich, der ohnehin schon kurz vor dem Ende steht, anstelle Pachecos, Zoras oder vor allem Torres', verhaftet wurde und anstatt hier in dieser Höhle kränkelnd zu sterben, die Ehre des Martyriums, sei es durch Verbrennen oder Köpfen, haben durfte. Doch nun habe ich keine Kraft und Zeit mehr, noch verhaftet zu werden, und die Worte des heiligen Augustinus, »Auge dolorem et da patientiam!« (Vermehre meinen Schmerz, gib mir Beharrlichkeit) seien meine letzten Worte.

Ach, meine über alles geliebte …

Diesen Brief habe ich unter den Dingen, die Padre Clemente hinterlassen hat, gefunden. Aus dem Text geht hervor, dass er an seine werte Schwester gerichtet ist, weshalb ich ihn an sie weitersenden möchte. Zu diesem Zweck lege ich ihn dem Jahresbericht bei, der über Macao nach Rom geschickt wird.

Padre Clemente ist am siebten Mai 1626 in Nagasaki in den Himmel eingegangen. Ich denke, es ist die Pflicht des Überlebenden, der Familie des Verstorbenen dessen Todestag mitzuteilen.

Procurador Pacheco, Padre Zora und Padre Torres, die in freundschaftlicher Verbundenheit zusammen mit Padre Clemente die Jahre und Monate hier durchlitten haben, sind zusammen mit anderen Missionaren auf dem Nishizaka-Hinrichtungsplatz in Nagasaki verbrannt worden und in den Himmel aufgestiegen. Es waren dreizehn Pfähle aufgestellt worden, vier der Verurteilten aber haben ihrem Glauben abgeschworen, neun jedoch sind zu Märtyrern geworden. Erst wirbelte der Rauch, dann schlugen die Flammen empor. Die Märtyrer riefen ruhigen Gemütes die Namen Jesu Christi und der Heiligen Mutter Maria an. Mizuno Kawachi no kami Morinobu, der neue Gouverneur von Nagasaki und Gonrokus Nachfolger, genoss diesen Anblick, den er für sein Verdienst hält, in prächtige Festgewänder gehüllt. Unter diesem Gouverneur werden wir wohl noch zu leiden haben. Die Martyrien fanden am zwanzigsten Juni 1626 statt.

Direkt nach diesem Zwischenfall tauchte Tomás Naitô Kôji unerwartet in Nagasaki auf, ein Samurai, der vor zwölf Jahren zusammen mit seinem Vater João Naitô Joan und der Familie Justo Ukons nach Manila verbannt worden war. Nachdem João dort verstorben war, kam der Sohn heimlich zurück, um Christen zu versammeln und einen bewaffneten Aufstand gegen die Regierung Großkönig Ieyasus auszulösen. Doch nachdem er den allgemeinen Stand der Dinge hier in Nagasaki genauer untersucht hatte, kam er zu dem Schluss, dass seine Pläne undurchführbar seien. Nach seinen Angaben sind die Familien João Naitôs und Justo Ukons, die ebenfalls nach Manila in die Verbannung gegangen waren, wohlauf, und vor allem seine Tante Naitô Justa habe den Beatus-Orden umorganisiert und somit den neuen San Miguel-Orden aufgebaut, mit dem sie ihrer heiligen Arbeit nachginge. Sie führten dort dank der Gnade des Herrn ein Leben, wie man es sich hier in Japan, wo die Christen grausam abgeschlachtet werden, gar nicht vorstellen könne. Zunächst wollte Tomás zusammen mit uns in Nagasaki bleiben, doch dann erkannte er, dass ihm die einfache Missionsarbeit nicht so recht liegt und entschied sich, sich heimlich an Justo Ukons jüngeren Bruder zu wenden, der in Noto geblieben war, und sich zu überlegen, was er weiterhin machen soll. Vor seiner Abreise besuchte er das geheime Grab von Padre Clemente und sagte nach einem langen Gebet dort, dass es ihm vorgekommen sei, als habe er Clementes Gesicht, wie er sich im Himmel angeregt mit Justo Ukon unterhielt, direkt vor sich gesehen.

Ende Juni 1626 Priester der Gemeinschaft Jesu, Nakaura Julião

Nachtrag des Autors

Nakaura Julião starb am 21. Oktober 1633, also am 19. Tag des 9. Monats im Jahre Kan'ei 10, auf dem Nishizaka-Hinrichtungsplatz in Nagasaki als Märtyrer, indem man ihn kopfüber aufhängte.

Biografische Namensliste der wichtigsten Personen

Akechi Mitsuhide (1526–1582) Attentäter Oda Nobunagas.

Almeida, Luis de (1525–1583) Spanischer Arzt und Missionar, Gründer eines Krankenhauses in Funai. Kam 10 Jahre nach Xavier nach Japan.

Almeida, Simeãn (gest. 1585) Jesuit, mit Ukon in Takatsuki befreundet.

Arima Protasio Harunobu (1567–1612) Christlicher Daimyô von Hizen (Kyûshû).

Arima Naozumi (1586–1641) Sohn von Arima Harunobu. Beteiligte sich an der Christenverfolgung.

Cabral, Francisco (1533–1609) Leiter der japanischen Jesuitenmission.

Chijiwa Miguel Seizaemon Eines der vier Mitglieder der japanischen Europadelegation der Jahre 1582 bis 1590.

Clemente, Juan Bautista Spanischer Missionar und Verfasser der Briefe an seine Schwester in Spanien. War Priester in Kanazawa.

Coelho, Gaspar (1531–1590) Portugiesischer Jesuit, stellvertretender Provinzial der japanischen Mission.

Critana, Antonio Francisco (gest. 1614) Missionar, stellvertretender Leiter des Kollegs in Nagasaki und Ukons Spanischlehrer.

Fróis, Luís (1532–1597) Portugiesischer Jesuit.

Furuta Oribe (Oribe Uraku, Uraku-sai) (1544–1615) Berühmter Teemeister.

Hara Martino Eines der vier Mitglieder der japanischen Europadelegation der Jahre 1582 bis 1590.

Hasegawa Gonroku Gouverneur von Nagasaki, Nachfolger von Hasegawa Sahyôe.

Hasegawa Sahyôe Fujihiro Gouverneur von Nagasaki.

Hashiba Hideyoshi Früherer Name von Toyotomi Hideyoshi.

Honda Awa no kami Masashige Oberster Vasall der Familie Maeda. Rivale von Yokoyama Yamashiro no kami Nagachika.

Ikoma Michael Yajirô Christlicher Samurai aus Kanazawa. Vasall von Takayama Ukon.

Itakura Katsushige (1545–1624) Gouverneur von Kyoto.

Itô Mancio Eines der vier Mitglieder der japanischen Europadelegation der Jahre 1582 bis 1590.

João Jûjirô Takayama Ukons ältester Sohn. Er starb mit seiner Frau an einer Grippe.

Justa Ukon Ehefrau von Takayama Ukon.

Jûtarô Ukons ältester Enkel.

Katô Kiyomasa (1562–1611) Prominenter Daimyô und fanatischer Christengegner. Zusammen mit Konishi Yukinaga Hauptakteur bei der Koreainvasion.

Kita no Mandokoro (auch Nene) Frau von Toyotomi Hideyoshi.

Konishi Agostinio Yukinaga (?-1600) Christlicher Daimyô, der sich Ukons annahm, nachdem dieser sein Lehen in Akashi verloren hatte. Zusammen mit Katô Kiyomasa Hauptakteur bei der Koreainvasion.

Lorenzo, Bruder Missionar. Besuchte zusammen mit Valignano und Organtino Nobunaga in der Blütezeit von Takatsuki.

Lucia Tochter von Takayama Ukon.

Maeda Toshiie (1539–1599) 1. Patriarch der Familie Maeda und Daimyô des Lehens von Kaga.

Maeda Toshimitsu (1593–1658) Jüngerer Bruder von Maeda Toshinaga. 3. Daimyô des Lehens von Kaga. (Der historische Name ist Toshitsune.)

Maeda Toshinaga (1562–1614) Sohn von Maeda Toshiie. 2. Daimyô des Lehens von Kaga.

Mamiya Gonzaemon Nach Nagasaki geschickter Inspekteur, um dort den Fortgang der Christenverfolgung zu überwachen.

Maria Gô-hime (auch Bizen-dono, die Dame Maria von Bizen) (1574–1634) Kindername: Ogo, Christin, die in Kanazawa wohnte, seit ihr Mann Ukita Hideie im Jahre 1606 in die Verbannung geschickt worden war. Schwester von Fürst Maeda Toshinaga.

Mesquita, Diogo de Portugiesischer Missionar, der sich sehr um die Stadt Nagasaki verdient machte.

Minami no Bô Takayama Ukons Name als Teemeister.

Mizuno Kawachi no kami Morinobu Gouverneur von Nagasaki, Nachfolger von Suetsugu Gonroku.

Morejon, Pedro Jesuit, Beichtvater Ukons in Manila.

Murayama Tokuan Ältester Sohn von Murayama Tôan. Kopf des Rosenkreuzer-Ordens in Nagasaki.

Murayama Antonio Tôan (1566–1619) Vogt von Nagasaki. War selbst Christ und unterstützte die Christen in Nagasaki und Ôsaka.

Murayama Francisco Zweiter Sohn von Murayama Tôan, Priester des Dominikanerordens.

Murayama João Nagayasu Dritter Sohn von Murayama Tôan.

Naitô Julia Jüngere Schwester von Naitô Joan, Oberin des Beatus-Ordens.

Naitô Don João Hida no kami Tadatoshi Joan Samurai aus Kanazawa, ein Freund von Takayama Ukon. Sein Christenname ist im Original manchmal in japanischer Umschrift der portugiesischen Schreibung »João« und manchmal mit chinesischen Schriftzeichen »Joan« wiedergegeben.

Naitô Tomás Kôji Kyûho Sohn von Don João Naitô Tadatoshi.

Nakaura Julião Eines der vier Mitglieder der japanischen Europadelegation der Jahre 1582 bis 1590.

Nishi Justa Frau von Murayama Tôan. Ebenfalls leidenschaftliche Christin.

Okamoto Sancho Sôbê Treuer Vasall von Takayama Ukon.

Ômura Bartolomeu Sumitada (1532–1587) Christlicher Daimyô in Kyûshû.

Ômura Sancho Yoshiaki (1568–1615) Christlicher Daimyô, welcher dem Glauben abschwor und half, den Shimabara-Aufstand niederzuschlagen.

Organtino, Gnecchi-Soldo (1530–1609) Italienischer Jesuit.

Pacheco, Francisco (1566–1626) Portugiesischer Missionar.

Ôtomo Francisco Yoshishige Sôrin (1530–1587) Prominenter Christlicher Daimyô in Nordkyûshû.

Paulo Sekretär des Echizen-Ladens in Kanazawa.

Regent Titel (und Rufname) von Toyotomi Hideyoshi seit 1585.

Ronquillo, Don Juan Vizegeneralgouverneur der philippinischen Inseln unter Generalgouverneur de Silva.

Sen no Rikyû (buddh. Name: Sôeki) (1522–1591) Ukons Teemeister.

Shibata Katsuie Prominenter Daimyô von Echizen (südlich von Kaga).

Shimazu Yoshihisa (1533–1611) Mächtiger Daimyô in Südkyûshû, der 1587 von Hideyoshi besiegt wurde.

Shinohara Dewa no kami Kazutaka (1561–1616) Vasall der Familie Maeda. Er eskortierte Ukon auf dem Weg in die Haptstadt.

Shôgen Asano Siedlungsvorsteher des Samuraiviertels in Kanazawa und Kommandant der Eskorte Ukons auf dem Weg in die Verbannung.

Silva, Juan de Spanischer Generalgouverneur der philippinischen Inseln in den Jahren 1609–1616.

Sôeki siehe Sen no Rikyû.

Suetsugu Heizô Vogt von Nagasaki, Nachfolger von Antonio Murayama Tôan.

Takayama Justo Ukon (auch Takayama Nagafusa, Takayama Hikokurô) (1552–1615) Christlicher Daimyô. Protagonist des Romans.

Takayama Dario Hida no Kami Hikogorô (1531–1596) Vater von Takayama Ukon.

Takayama Petro Tarôemon Jüngerer Bruder von Takayama Ukon.

Tanenaga Baby von Yokoyama Yasuharu und Ukons Tochter Lucia.

Tokugawa Hidetada (1579–1632) 2. Shôgun der Tokugawa-Familie. Amtszeit: 1605–1623.

Tokugawa Iemitsu (1623–1651) 3. Shôgun der Tokugawa-Familie. Amtszeit: 1623–1651.

Tokugawa Ieyasu (auch Ôgosho, Matsudaira Motoyasu) (1542–1616) 1. Shôgun der Tokugawa-Familie. Amtszeit: 1603–1605.

Torres, Balthasar de Spanischer Missionar, Freund Clementes.

Torres, Cosme de (1510–1570) Spanischer Missionar, Begleiter Xaviers.

Toyotomi Hideyoshi (auch Kinoshita Tôkichirô, Hashiba Hideyoshi, der Regent) (1537–1598) Neben Oda Nobunaga und Tokugawa Ieyasu einer der drei Hauptakteure bei der Landeseinigung Japans. War nach dem Tod von Oda Nobunaga 1582 der mächtigste Mann des Landes.

Toyotomi Hideyori (1593–1615) Toyotomi Hideyoshis Stammhalter.

Valignano, Alessandro (1539–1606) Italienischer Jesuit, Superintendent der Jesuitenmission in Japan.

Vieira, Procurador Padre Sebastiãn Provinizal der Jesuiten für Japan.

Xavier, Francisco de (1506–1552) Spanischer Jesuit. Kam 1549 als erster Missionar nach Japan.

Yokoyama Yamashiro no kami Nagachika (1568–1646) Schwiegervater von Ukons Tochter Lucia. Wichtiger Vasall der Familie Maeda, Rivale von Honda Masashige.

Yokoyama Yasuharu (1590–1645) Ehemann von Takayama Ukons Tochter Lucia. Sohn von Yokoyama Yamashiro no kami Nagachika, Vasall der Familie Maeda.

Zora, Giovanni Batista Italienischer Missionar, Freund Clementes.

Historische Zeittafel

1467–1477	Ônin-Krieg: zehn Jahre andauernde Kämpfe in der Gegend von Kyôto, die das Ende der zentralen Macht des Ashikaga-Shogunats unter dem achten Shôgun (Ashikaga Yoshimasa, Regierungszeit: 1443–1473) und den Beginn der Zeit der streitenden Reiche markieren.
1467–1568	Zeit der streitenden Reiche (sengoku jidai): ein Jahrhundert andauernde Hegemonialkämpfe ohne eine zentrale Macht in Japan, obwohl die Familie Ashikaga auch weiterhin den Shôgun stellt.
1543	Das erste portugiesische Schiff landet in Tanegashima, einer Insel südlich von Kyûshû. Einführung westlicher Feuerwaffen durch die Portugiesen.
1549	Der spanische Jesuit Francisco de Xavier (1506–1552) geht in Kagoshima (Süd-Kyûshû) an Land und beginnt mit der Missionierung Japans.
1552	Geburtsjahr von Takayama Ukon.
1560	Schlacht von Okehazama (südöstlich der heutigen Stadt Nagoya, der Heimat Oda Nobunagas): erster großer Sieg Odas, dem es im Schutz eines heftigen Regenfalls gelingt, mit nur zwei- bis dreitausend Mann die Streitmacht Imagawa Yoshimotos mit 25 000 Mann in einem Überraschungsangriff zu besiegen. Imagawa, der Daimyô der Provinz Mikawa, und somit der östliche Nachbar von Odas Provinz Owari, greift diese auf seinem Eroberungszug in Richtung Kyôto an.
1561	Oda Nobunaga formt eine zunächst geheime Allianz mit Matsudaira Motoyasu (früherer Name von Tokugawa

	Ieyasu), dessen Familie zuvor eher unfreiwillig der Familie Imagawa gedient hatte. Ieyasu selbst war in jungen Jahren Geisel der Familie Imagawa. (Familienangehörige als Geisel zu halten, war eine gängige Gepflogenheit, um sich die Loyalität der Vasallen zu sichern.)
1561	Tokugawa Ieyasu, dessen Sohn und Frau sich als Geiseln in der Hand seines Feudalherrn Imagawa Ujizane befinden, nimmt die Kami-no-Burg ein und will die zwei Söhne des erschlagenen Burgherren Udono Nagamochi, eines wichtigen Vasallen der Imagawa-Familie, gegen seine eigenen Angehörigen austauschen. Ujizane geht auf das Angebot ein. Dadurch erlangt Ieyasu die Freiheit, sich offen gegen die Familie Imagawa zu wenden, und bemüht sich über die nächsten Jahre hinweg, die zersplitterte Matsudaira-Famlie wieder zu stärken.
1563	Ukons Vater, Hida no kami, lässt sich taufen und erhält den Christennamen »Dario«.
1564	Auch Takayama Ukon lässt sich taufen und erhält den Christennamen »Justo«.
1567	Oda Nobunaga greift die Inabayama-Burg (heute Gifu) der Familie Saitô an, die zwischen seinen Gebieten und der Gegend von Kyôto liegt. Der Verdienst für den Fall der Burg wird Hashiba (Toyotomi) Hideyoshi zugeschrieben.
1568	Oda Nobunaga marschiert im Namen Ashikaga Yoshiakis in Kyôto ein und setzt diesen als Shôgun ein. Er kontrolliert aber selbst weitgehend die Regierungsgeschäfte.
1568	Hida no Kami und Takayama Ukon erhalten von Wada Koremasa, dessen Gefolgsleute sie sind, die Burg von Akutagawa (heute Settsu, in der Nähe von Ôsaka).
1570	Ukon heiratet Justa, Tochter des Hauses Kuroda aus Yono.
1570	Schlacht am Ane-Fluß: Oda Nobunaga besiegt mit Tokugawa Ieyasus Hilfe die Truppen von Asai Nagamasa, des Daimyô der Provinz Nord-Ômi (am Nordufer des Biwa-Sees), und sichert dadurch seine Machtstellung in der Region Kyôto/Ôsaka. Auch Kinoshita Tôkichirô (frü-

	herer Name von Toyotomi Hideyoshi) nimmt auf der Seite Nobunagas an der Schlacht teil.
1570	Der Hafen von Nagasaki wird eingeweiht.
1571	Erste portugiesische Handelsschiffe im Hafen von Nagasaki.
1571	Wada Koremasa fällt in einer Schlacht.
1571	Oda Nobunaga lässt den Enryaku-Tempel, den Haupttempel der buddhistischen Tendai-Sekte, auf dem Hiei-Berg niederbrennen. Die Mönche dort verfügten über militärische Macht und kontrollierten den nördlichen Zugang zur Hauptstadt aus den Provinzen Echizen und Nord-Omi. Außerdem sympathisierten sie mit Nobunagas Gegnern und hatten im Jahr zuvor feindlichen Truppen Unterkunft gewährt.
1573	Schlacht von Mikatagahara (heute Hamamatsu): Tokugawa Ieyasu verliert die Schlacht gegen Takeda Shingen, einen mächtigen Daimyô, der große Gebiete im Osten Japans beherrscht, und kommt knapp mit dem Leben davon. Takeda dringt weiter in Ieyasus Territorium vor. Takeda Shingen stirbt an einer Krankheit und sein Sohn Katsuyori führt den Feldzug weiter, indem er schließlich Ieyasus Burg von Nagashino belagert. Der Shôgun Ashikaga Yoshiaki versucht die Situation zu nutzen und seine Macht gegen Oda Nobunaga zurückzugewinnen, doch Nobunaga zwingt ihn zur Kapitulation und schickt ihn in die Verbannung.
1573	Takayama Ukon und seinem Vater kommen Gerüchte zu Ohren, dass Wada Korenaga, Koremasas Sohn, ein Komplott gegen sie plant. Sie locken ihn in einen Hinterhalt und töten ihn. Bei dem Kampf wird auch Ukon schwer verwundet. Vater und Sohn Takayama übernehmen Koremasas Burg von Takatsuki.
	Hida no kami überträgt die Regierungsgeschäfte auf seinen Sohn (damals 21 Jahre alt), um sich ganz der Missionstätigkeit widmen zu können.
1574	Hida no kami erbaut die Kirche in Takatsuki.
1575	Schlacht von Nagashino: Tokugawa Ieyasu besiegt mit

	Oda Nobunagas Hilfe Takeda Katsuyori (den Sohn von Takeda Shingen), der Ieyasus Burg von Nagashino belagert hat. In der Schlacht setzt Ieyasu erfolgreich ca. 3000 Soldaten mit Feuerwaffen ein.
1575	Ukons ältester Sohn Jûjirô (Taufname João) wird geboren.
1576	In Kyôto wird der Südbarbarentempel (christliche Kirche) eröffnet.
1576–1579	Oda Nobunaga lässt die Azuchi-Burg am Ufer des Biwa-Sees erbauen.
1577	Oda Nobunaga schickt seinen Verbündeten Toyotomi Hideyoshi in die Schlacht gegen seine Widersacher auf Kyûshû.
1578–1579	Rebellion von Araki Murashige gegen Oda Nobunaga, an deren Niederschlagung Takayama Ukon maßgeblich beteiligt ist, obwohl seine Familie eigentlich der Familie Araki verpflichtet war, mit deren Hilfe sie die Burg von Takatsuki übernommen hatte. Araki flieht aus seiner Burg in Itami (nahe Ôsaka), um seine eigene Haut zu retten. Hida no kami wird auf Oda Nobunagas Befehl hin nach Kita no shô in die Obhut von Shibata Katsuie verbracht.
1579	Der Jesuiten-Missionar Alessandro Valignano kommt das erste Mal nach Japan.
1579	Tokugawa Ieyasus ältester Sohn Hideyasu und seine Frau werden beschuldigt, mit dem mit Oda Nobunaga verfeindeten Takeda zu konspirieren. Ieyasu befiehlt ihm, Selbstmord zu begehen, und lässt dessen Frau hinrichten.
1580	Bau des Jesuitenseminars neben Oda Nobunagas Burg von Azuchi.
1580	Oda Nobunaga nimmt den stark befestigten Ishiyama Hongan-Tempel ein, den Hauptsitz der Jôdo-shin-Sekte (wahre Lehre vom reinen Land), deren Macht, auch als »religiöse Monarchie« bezeichnet, sich zu dieser Zeit über mehrere Provinzen erstreckt. Der Führer der Sekte lässt den Tempel selbst niederbrennen. Da dieser an einem strategisch sehr wichtigen Punkt liegt, erbaut Toyo-

tomi Hideyoshi später an derselben Stelle die Burg von Ôsaka, die er im Jahre 1584 bezieht.

1581 Prächtige Osterprozession in Takatsuki, an der auch Padre Alessandro Valignano teilnimmt.

1582 Die christlichen Daimyô aus Kyûshû, Ôtomo Sôrin und Arima Harunobu, entsenden die Europadelgation der Tenshô-Zeit (tenshô ken'o shisetsu), bestehend aus Itô Mancio, Chijiwa Miguel, Nakaura Julião und Hara Martinho, nach Europa. Valignano begleitet die jungen Japaner, deren Ziel es ist, in Rom Papst Gregor XIII. und in Madrid König Philip II. zu besuchen. (Rückkehr nach Japan im Jahre 1590.)

1582 Toyotomi Hideyoshi belagert im Auftrag von Oda Nobunaga erfolgreich die Takamatsu-Burg (in der Nähe von Okayama) der Familie Môri, die über die südwestlichen Provinzen der japanischen Hauptinsel herrscht, und handelt mit Môri Terumoto einen Frieden aus. Môri unterstützt Hideyoshi später bei seinen Feldzügen nach Shikoku und Kyûshû.

1582 Zwischenfall im Honnô-Tempel: Oda Nobunaga begeht Selbstmord, nachdem er von Akechi Mitsuhide, einem seiner eigenen Gefolgsleute, im Honnô-Tempel, Nobunagas Unterkunft in Kyôto, überraschend angegriffen und besiegt wird.

Elf Tage später wird das Heer des Verräters Akechi Mitsuhide von den Truppen Toyotomi Hideyoshis, unter dessen Verbündeten sich auch Takayama Ukon und Nobunagas Sohn Nobutaka befinden, in der Schlacht von Yamazaki geschlagen. Hoffnungslos in der Unterzahl, zieht sich Akechi in die Burg von Shôryûji zurück. Als diese belagert wird, flieht er und wird von marodierenden Bauern ermordet.

Das Seminar von Azuchi wird nach Takatsuki verlegt.

Ukons Vater kehrt nach Takatsuki zurück.

1583 Schlacht am Shizugatake-Berg: Oda Nobunagas Sohn Nobutaka reagiert auf verdeckte Provokationen Toyotomi Hideyoshis und fordert diesen im Dezember des Jah-

	res 1582 heraus, während die Berge im Norden des Biwa-Sees noch verschneit sind und Shibata Katsuie aus der Provinz Echizen ihm daher nicht mit seiner Armee zu Hilfe kommen kann. Hideyoshi besiegt ihn in Gifu, und Shibata Katsuie, der neben Hideyoshi als der mächtigste unter den Nachfolgern Oda Nobunagas gilt, verliert einen wichtigen Verbündeten. Daraufhin nimmt Hideyoshi die Provinz Ise ein, die unter der Herrschaft der Familie Takigawa steht, welche ebenfalls mit Shibata verbündet ist. In der Schlacht am Shizugatake besiegt Toyotomi Hideyoshi Shibata Katsuie, den Daimyô der Provinzen Echizen und Kaga, in der ersten Schlacht um die Nachfolge des Hegemons Oda Nobunaga. Shibata begeht in seiner Burg Kita no shô Selbstmord.
	Toyotomi Hideyoshi beginnt mit dem Bau der Ôsaka-Burg auf dem Gelände, wo zuvor der Ishiyama Hongan-Tempel gestanden hat. Die Bauarbeiten dauern etwa drei Jahre. Das Areal der Burg ist ca. 3,3 km lang und 2,4 km breit.
1584	Schlacht von Nagakute und Komaki: Oda Nobuo, der einzige überlebende Sohn Oda Nobunagas, verbündet sich mit Tokugawa Ieyasu und sie greifen Toyotomi Hideyoshis Truppen an. Nach einem vorübergehenden Sieg Ieyasus in Nagakute enden die Kämpfe in Komaki in einem Patt. Hideyoshi bietet Nobuo, dem schwächeren seiner beiden Opponenten, einen Frieden an. Tokugawa Ieyasu bleibt nichts anderes übrig, als diesem zuzustimmen.
1584	Die japanische Europadelegation trifft in Madrid ein.
1585	Takayama Ukon erhält die Burg Akashi in der Provinz Harima.
1585	Toyotomi Hideyoshi bringt in nur anderthalb Monaten mit Hilfe des mächtigen Môri-Clans Shikoku unter seine Kontrolle, das bis dahin das Herrschaftsgebiet von Chosakobe Motochika war. Er lässt diesem gegenüber Milde walten, indem er ihm Tosa (heute Kôchi), die südliche der vier Provinzen von Shikoku, als Lehen überlässt, ob-

wohl Motochika bei der Konfrontation von Komaki seine Gegner unterstützt hatte.

Toyotomi Hideyoshi wird vom Kaiser zum Regenten (kampaku: Hofregent für einen erwachsenen Kaiser) ernannt. Bisher war dieser Titel der Adelsfamilie Fujiwara vorbehalten gewesen. Das Ereignis ist umso beachtlicher, da Hideyoshi von bäuerlicher Herkunft ist.

1587 Geburt von Takayama Ukons Tochter Lucia.

1587 Im November 1585 hatte Ôtomo Sôrin, der Daimyô der Provinz Bungo auf Nordkyûshû, Hideyoshi um Hilfe gebeten, da Shimazu Yoshihisa, der Daimyô der südlichen Provinzen Kyûshûs, ihn bedrängte. Nachdem Shimazu Toyotomi Hideyoshis Aufforderung, sich nach Süden zurückzuziehen, nicht nachkommt, landet Hideyoshi im Januar des Jahres 1587 mit einer riesigen Armee im Norden Kyûshûs. Im Juni ist die Armee Shimazus bis nach Satsuma, der südlichsten Provinz Kyûshûs, zurückgedrängt und Shimazu kapituliert. Yoshihisa tritt zurück und wird Mönch. Seine Familie, als deren neues Oberhaupt sein jüngerer Bruder Yoshihiro eingesetzt wird, darf die Südprovinzen Satsuma, Ôsumi und Süd-Hyûga behalten.

1587 Toyotomi Hideyoshi gewährt den Padres Coelho, Fróis und Organtino eine Audienz.

1587 Nach seinem Kyûshû-Feldzug, in dem Toyotomi Hideyoshi sehen konnte, wie weit der christliche Glaube, den er als gefährlichen, destabilisierenden Einfluss auf das politische Gleichgewicht betrachtet, auf der Südinsel Japans verbreitet ist, erlässt er das erste Christenverbot, das aber weitgehend unbefolgt bleibt und zunächst auch nicht mit großem Nachdruck durchgesetzt wird.

Takayama Ukon verliert wegen des Christenverbotes sein Lehen in Akashi und findet bei Konishi Yukinaga, dem christlichen Daimyô der Insel Shôdo in der Inlandsee, Unterkunft.

1588 Schwertjagd (katanagari): Toyotomi Hideyoshi befiehlt, landesweit die Bauern zu entwaffnen und ihre Schwerter

	zu konfiszieren. Nur noch den Samurai ist es erlaubt, Lang- und Kurzschwert zu tragen.
1588	Takayama Ukon geht zusammen mit Konishi Yukinaga in die Provinz Higo (heute Kumamoto) auf Kyûshû und wenig später auf Maeda Toshiies Betreiben hin nach Kaga (heute Ishikawa).
1590	Belagerung der Burg von Odawara: Dies war der letzte große Schritt von Toyotomi Hideyoshi bei der Einung des Landes, mit der er Ostjapan, die Gegend um das heutige Tôkyô (das Kantô-Gebiet) und den Norden unter seine Kontrolle bringt. Hideyoshi bestellt Hôjô Ujimasa, den mächtigsten Daimyô der östlichen Regionen, zu sich nach Kyôto, doch dieser weigert sich, obwohl ihm Hideyoshi zugestanden hat, dass er den Großteil seiner Gebiete behalten könne. Als sich die Truppen Hideyoshis und seiner Verbündeten, an deren Spitze die Armee von Tokugawa Ieyasu steht, nähern, ziehen sich die Hôjô in ihre Odawara-Festung zurück. Nach einer dreimonatigen Belagerung kapitulieren sie und Ujimasa begeht Selbstmord. Etwas verspätet, vielleicht weil er sich Hideyoshis Sieges sicher sein wollte, zollt Date Masamune, der mächtigste Daimyô der Region nördlich des Kantô-Gebiets, Hideyoshi Tribut. Im Januar 1591 hatte Hideyoshi schließlich das gesamte Gebiet Japans unter seine Kontrolle gebracht.
	Hideyoshi überlässt dem mächtigen Daimyô Tokugawa Ieyasu die Kantô-Provinzen, womit er zum einen dessen Gebiete deutlich vergrößert, ihn andererseits aber, da er ursprünglich die Provinz Mikawa (heute der östliche Teil von Aichi) hielt, weiter von der Hauptstadt Kyôto entfernt. Ieyasu verlagert seinen Hauptstützpunkt nach Edo (heute Tôkyô).
1590	Die vier jungen Japaner der Europadelegation kommen von ihrer Reise zurück und treffen am 21. Juli in Nagasaki ein.
	Auf Initiative von Valignano beginnt die erste nach Japan eingeführte Gutenbergsche Druckpresse mit ihrer Arbeit.

1591 Der Teemeister Sen no Rikyû begeht auf Befehl von Toyotomi Hideyoshi seppuku (Selbstmord durch Bauchaufschlitzen).

1591 Die jungen Japaner der Europadelegation und die Gesandtschaft des indischen Generalgouverneurs erhalten eine Audienz bei Toyotomi Hideyoshi und bitten darum, das Christenverbot zurückzunehmen. Hideyoshi antwortet auf die Petition der Gesandtschaft, dass er nicht bereit sei, das Christenverbot zu widerrufen, an Handelsbeziehungen mit den Ausländern jedoch interessiert sei.

1591 Tsurumatsu, Toyotomi Hideyoshis einziger Sohn, stirbt im Alter von drei Jahren.

1592 Toyotomi Hideyoshi adoptiert seinen Neffen Hidetsugu und gibt seinen Titel als Regent (kampaku) an ihn weiter, während er selbst weiterhin die Macht behält und den Titel taikô (zurückgetretener Regent) annimmt.

1592 Erster Korea-Feldzug: Seit 1587 hatte Toyotomi in Verhandlungen gestanden, um freie Passage seiner Truppen durch Korea zu erreichen, mit dem Ziel China zu unterwerfen, doch Korea lehnt am Ende ab. Im April des Jahres 1592 landen japanische Truppen in Korea und beginnen mit der Invasion. Das ca. 200 000 Mann starke Heer wird hauptsächlich durch die Familien Môri, Chosokabe, Shimazu, Nabeshima, Katô und Konishi gestellt, von denen vor allem Katô Kiyomasa und Konishi Yukinaga die Speerspitze des Angriffes bilden und auf getrennten Routen bis in den Norden Koreas vorstoßen. Toyotomi selbst setzt nicht nach Korea über. Nach großen anfänglichen Erfolgen kann die Invasion aber durch die Koreaner und Chinesen gestoppt werden. Die Kämpfe werden im Sommer 1593 durch Verhandlungen beendet.

1593 Geburt von Toyotomi Hideyoshis zweitem Sohn, Hideyori.

1595 Um Erbfolgestreitigkeiten vorzubeugen, verbannt Toyotomi Hideyoshi seinen Adoptivsohn Hidetsugu und befiehlt ihm dann, Selbstmord zu begehen.

1596 San Filipe-Zwischenfall: Toyotomi Hideyoshi lässt die

	spanische Galeone ›San Filipe‹ mitsamt ihrer Ladung konfiszieren.
1596	Takayama Ukons Vater stirbt und wird in Nagasaki beerdigt.
1597	Hinrichtung der 26 Märtyrer von Nagasaki: Toyotomi Hideyoshi macht mit seinem Christenverbot ernst und lässt am 5. Februar in Nagasaki 26 Christen wegen ihrer Missionsarbeit kreuzigen, darunter 19 Japaner.
1597	Zweiter Korea-Feldzug, der nach einiger Zeit ebenfalls stagniert.
1598	Toyotomi Hideyoshi stirbt am 18. September 1598 an einer Krankheit und gibt kurz vor seinem Tod den Befehl zum Rückzug aus Korea. Er bestimmt einen Rat von fünf Regenten (Maeda Toshiie, Uesugi Kagekatsu, Môri Terumoto, Ukita Hideie und Tokugawa Ieyasu), die er Treue zu seinem Sohn Hideyori schwören lässt und deren Aufgabe es ist, die Regierungsgeschäfte bis zu dessen Volljährigkeit zu führen. Hideyoshi hofft, dass sie sich lange genug gegenseitig in Schach halten würden. Tokugawa Ieyasu, der mächtigste unter ihnen, beginnt allerdings bald Allianzen mit andern Familien zu schließen und offenbar seinen eigenen Plänen nachzugehen.
1599	Maeda Toshiie, Daimyô der Provinz Kaga (heute Ishikawa), stirbt.
1599	Tokugawa Ieyasu greift die Burgen von Ôsaka und Fushimi (in Kyôto) an und sorgt damit für weitere Spannungen zwischen ihm und der Allianz, die für Toyotomi Hideyoshis Sohn Hideyori eintritt, und in deren Mittelpunkt Ishida Mitsunari, ein loyaler Vasall der Familie Toyotomi, steht.
1600	Schlacht von Sekigahara: Am 21. Oktober findet in Sekigahara, östlich des Biwa-Sees, die entscheidende Schlacht um die Nachfolge von Toyotomi Hideyoshi statt, zwischen dem »westlichen Heer«, angeführt von Ishida Mitsunari, der die Nachfolge des verstorbenen Hideyoshi für dessen Sohn Hideyori sichern will, und dem »östli-

chen Heer«, an dessen Spitze Tokugawa Ieyasu steht. Etwa 160 000 Soldaten sind an der Schlacht beteiligt. Nachdem fünf Daimyô aus dem westlichen Heer zu Tokugawa Ieyasu übergelaufen sind, kann dieser die Schlacht für sich entscheiden. Ishida wird hingerichtet.
Konishi Yukinaga, der auf der Seite Ishidas gekämpft hat, verweigert den Befehl, seppuku (Selbstmord) zu begehen, weil er Christ ist, und wird hingerichtet.

1603 Takayama Ukons Tochter Lucia heiratet Yokoyama Yasuharu, den Sohn von Yokoyama Yamashiro no kami Nagachika.

1603 Das erste Japanisch-Portugiesische Wörterbuch (Vocabulario da Lingoa de Iapam com a declaração em Portugues) wird in Nagasaki gedruckt.

1603 Ieyasu lässt sich durch den Kaiser zum Shôgun ernennen. Gründung der bakufu-Regierung in Edo (heute Tôkyô): Beginn der Edo-Zeit (1603–1868), die auch Tokugawa-Zeit genannt wird, da alle Shôgune dieser Epoche von der Familie Tokugawa gestellt werden.

1605 Tokugawa Ieyeyasu dankt ab und zieht sich nach Sumpu (heute Shizuoka) zurück. Sein Sohn Hidetada wird Shôgun (Amtszeit bis 1623).

1605 Maeda Toshinaga tritt zurück und sein jüngerer Bruder Maeda Toshitsune (im Roman hat er den Namen Toshimitsu) wird der dritte Daimyô des Lehens von Kaga.

1607 Maeda Toshinaga lässt für seine Schwester Gô-hime in Kanazawa eine Kirche (den Südbarbarentempel) erbauen.

1608 Takayama Ukons ältester Sohn Jûjirô stirbt. Kurz darauf stirbt auch Ukons Mutter.

1609 Takayama Ukon leitet im Auftrag von Maeda Toshinaga die Bauarbeiten an der Burg von Takaoka.

1610 Madre de Deus-Zwischenfall: Als Rache für den Mord an etwa 60 Japanern, die in Macao mit Portugiesen in Streit geraten waren, lässt Ieyasu auf Bitte von Arima Harunobu das portugiesische Schiff ›Madre de Deus‹ im Hafen von Nagasaki angreifen, an dessen Bord sich André Pessoa befindet, der als Gouverneur von Macao für den Zwischenfall mit den Japanern verantwortlich war. Der Kapitän aber lässt das Schiff sprengen, damit es nicht in die Hände der Japaner fällt.

1612 Im April erlässt Tokugawa Ieyasu ein Verbot des Christentums und beginnt zugleich, es in seinen Stammgebieten im Osten Japans durchzusetzen, indem er Kirchen niederreißen lässt und Christen bedrängt, ihrem Glauben abzuschwören. Die Gläubigen werden gezwungen, zum Beweis, dass sie den Glauben abgelegt haben, auf Jesusbilder (fumie, wörtl. »Tretbilder«) zu treten.

Im September erlässt Ieyasu das Fünf-Punkte-Edikt zur Verbannung der Christen, das auch außerhalb seiner Stammgebiete mit Nachdruck durchgesetzt wird.

1614 Die Repressalien im Zuge des Christenverbotes erreichen im Januar auch Kanazawa. In diesem Monat werden auch Takayama Ukon, Naitô Hida no kami Tadatoshi und deren Angehörige verhaftet und nach Sakamoto eskortiert. Danach werden Ukon und seine Gruppe von Ôsaka aus mit dem Schiff nach Nagasaki gebracht.

1614 Kommunionsprozessionen in Nagasaki.

1614 Zwischenfall wegen der Glockeninschrift (shômei jiken): Die einzige Macht im Lande, die jetzt noch eine Bedrohung für das Tokugawa-Shogunat darstellen könnte, ist Toyotomi Hideyori, Hideyoshis Sohn, der die Burg von Ôsaka hält. Im Mai des Jahres 1614 nutzt Ieyasu die Inschrift auf der Glocke des von Hideyori neu erbauten Hôkô-Tempels in Kyôto als Vorwand, um militärisch gegen diesen vorzugehen. In der Gravur, die aus vier Schriftzeichen besteht und »Sicherheit für den Staat« bedeutet, werden die zwei Schriftzeichen, mit denen auch Ieyasus Name geschrieben wird, durch ein drittes Schriftzeichen getrennt. Ieyasus Berater interpretieren dies als Aufruf, sich gegen ihn zu erheben. Ieyasu klagt Hideyori des Verrats an und fordert ihn auf, sich ihm zu ergeben, doch dieser weigert sich, woraufhin Ieyasu im Winter seine Burg in Ôsaka angreift.

1614	Maeda Toshinaga stirbt.
1614	Takayama Ukon und seine Gruppe setzen im Herbst nach Manila über.
1614–1615	Winterbelagerung der Burg von Ôsaka: Im Dezember belagern Tokugawa Ieyasu und sein Sohn Hidetada mit ca. 200 000 Mann Toyotomi Hideyoris Ôsaka-Burg, in der sich etwa 100 000 Soldaten, darunter viele herrenlose Samurai (rônin), versammelt haben. Die Burg scheint uneinnehmbar, und am 19. Januar des Jahres 1615 einigen sich die beiden Parteien auf einen Waffenstillstand, bei dem Ieyasu Hideyori zusichert, dass er Teile seines Lehens behalten darf, während Hideyori Ieyasu erlaubt, den äußeren Burggraben aufzufüllen. Ieyasu zieht seine Truppen zurück und beginnt, sowohl den äußeren als auch den inneren Graben zuzuschütten. Als Hideyori protestiert, befiehlt ihm Ieyasu, die rônin, die sich in seiner Burg versammelt haben, wegzuschicken. Sommerschlacht um die Burg von Ôsaka: Da die Burg nun verwundbar geworden ist, geht Hideyori zur Offensive über. Ieyasu besiegt seine Armee in mehreren Schlachten in der Ôsaka-Region und am 3. Juni fällt die Burg. Hideyori und seine Mutter begehen Selbstmord. Ieyasu lässt auch Hideyoris Kind hinrichten und besiegelt damit den Untergang der Familie Toyotomi.
1615	Takayama Ukon stirbt im Januar in Manila.
1615	Der berühmte Teemeister und Schüler Sen no Rikyûs, Furuta Oribe, der in der Schlacht von Sekigahara auf der Seite Tokugawas gekämpft hatte und später der Teelehrer Tokugawa Hidetadas war, begeht auf Ieyasus Befehl Selbstmord, weil er sich beim Kampf um die Burg von Ôsaka mit Toyotomi Hideyori verschworen hatte.
1616	Tokugawa Ieyasu stirbt am 17. April in Sumpu (heute Shizuoka).
1622	Shôgun Hidetada befiehlt die Hinrichtung aller Christen aus den Gefängnissen von Suzuta und Nagasaki. 55 Christen werden im August auf dem Märtyrerhügel in Nagasaki hingerichtet.

1623	Tokugawa Iemitsu wird dritter Shôgun der Tokugawa-Dynastie, Amtszeit bis 1651.
1626	Padre Clemente stirbt im Mai in seinem Versteck in der Nähe von Nagasaki. Im Juni werden Pacheco, Zora und Torres hingerichtet.
1633	Hinrichtung von Nakaura Julião im Oktober.
1636	Schließung des Landes mit Ausnahme eingeschränkter Handelsbeziehungen zu China und Holland über eine holländische Faktorei, die auf der künstlichen Insel Deshima im Hafen von Nagasaki eingerichtet wird. Die Abschottung des Landes hält bis zum Ende der Tokugawa-Regierung an.
1637–1638	Shimabara-Aufstand: Bauernaufstand in der Gegend von Shimabara und Amakusa in der Nähe von Nagasaki, der im Dezember 1637 ausbricht und bis zum April 1638 durch Truppen des Shôguns niedergeschlagen ist. Hauptgrund des Aufstandes sind Armut und Übersteuerung der Bauern, aber da es sich um das Hauptgebiet der Christen in Japan handelt, wird der Aufstand von der Regierung als Christenaufstand interpretiert. Tatsächlich sind auch viele herrenlose Samurai, die früher Konishi Yukinaga, dem im Jahre 1600 hingerichteten, christlichen Daimyô, gedient hatten, beteiligt.
	Weitgehende Ausrottung des Christentums. Erst im Jahre 1873 wird nach dem Fall der Tokugawa-Regierung durch die Meiji-Restauration wieder Religionsfreiheit erklärt.
1853	Ankunft der »schwarzen Schiffe« unter Kommodore Perry.
1854	Öffnung mehrerer Häfen unter militärischem Druck der USA.
1867–1868	Fall des Tokugawa-Shogunats. Restauration des Kaisertums (Meiji-Restauration) und Landesöffnung.

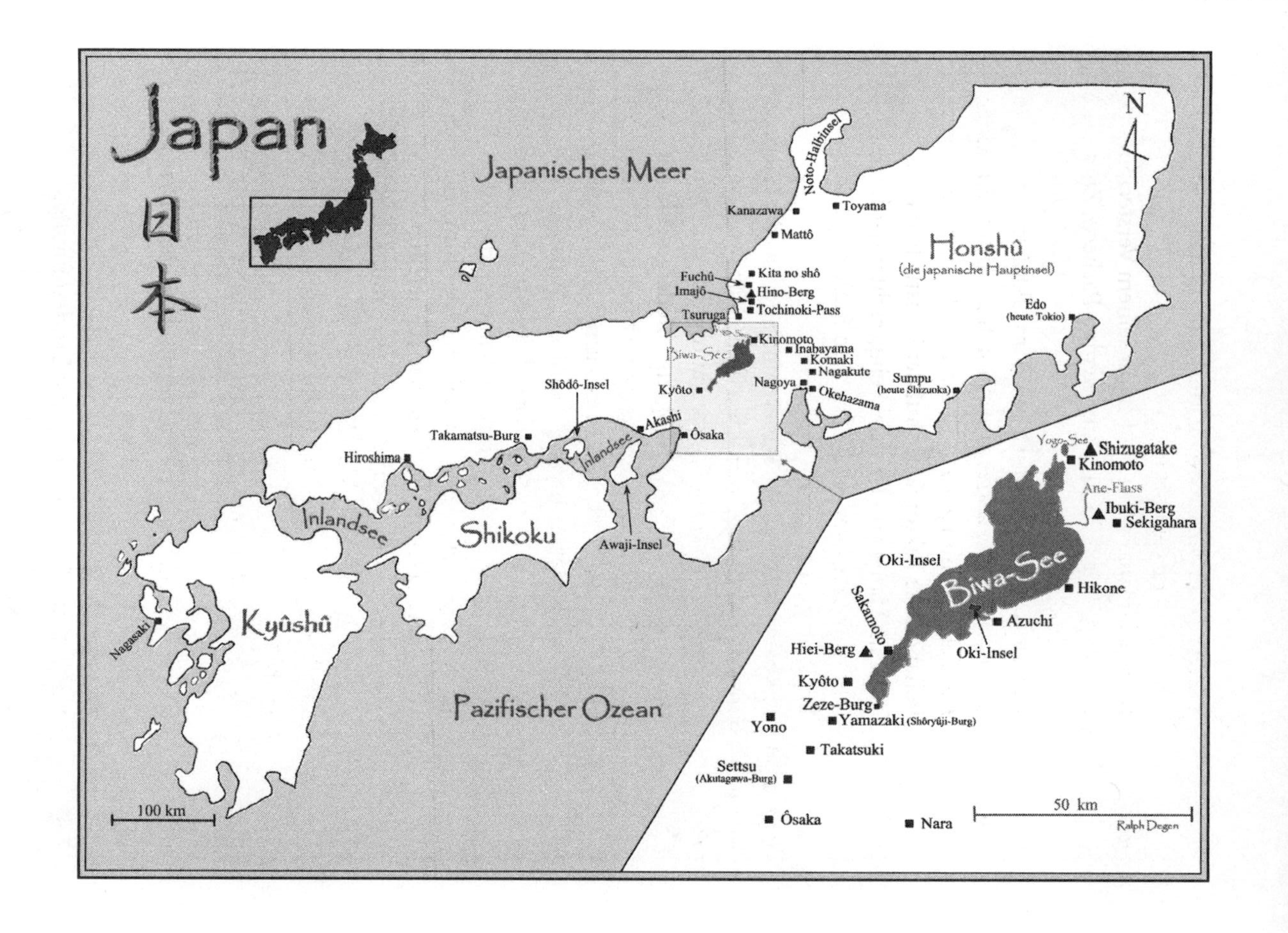
Japan
日本
Japanisches Meer
Noto-Halbinsel
Kanazawa
Toyama
Mattô
Honshû
(die japanische Hauptinsel)
Kita no shô
Fuchû
Hino-Berg
Imajô
Tochinoki-Pass
Tsuruga
Edo
(heute Tokio)
Kinomoto
Biwa-See
Inabayama
Komaki
Nagakute
Nagoya
Okehazama
Sumpu
(heute Shizuoka)
Kyôto
Shôdô-Insel
Takamatsu-Burg
Akashi
Ôsaka
Hiroshima
Inlandsee
Inlandsee
Awaji-Insel
Shikoku
Kyûshû
Nagasaki
Pazifischer Ozean
100 km
Yogo-See
Shizugatake
Kinomoto
Ane-Fluss
Ibuki-Berg
Sekigahara
Oki-Insel
Biwa-See
Hikone
Sakamoto
Azuchi
Hiei-Berg
Oki-Insel
Kyôto
Zeze-Burg
Yamazaki (Shôryûji-Burg)
Yono
Takatsuki
Settsu
(Akutagawa-Burg)
Ôsaka
Nara
50 km
Ralph Degen

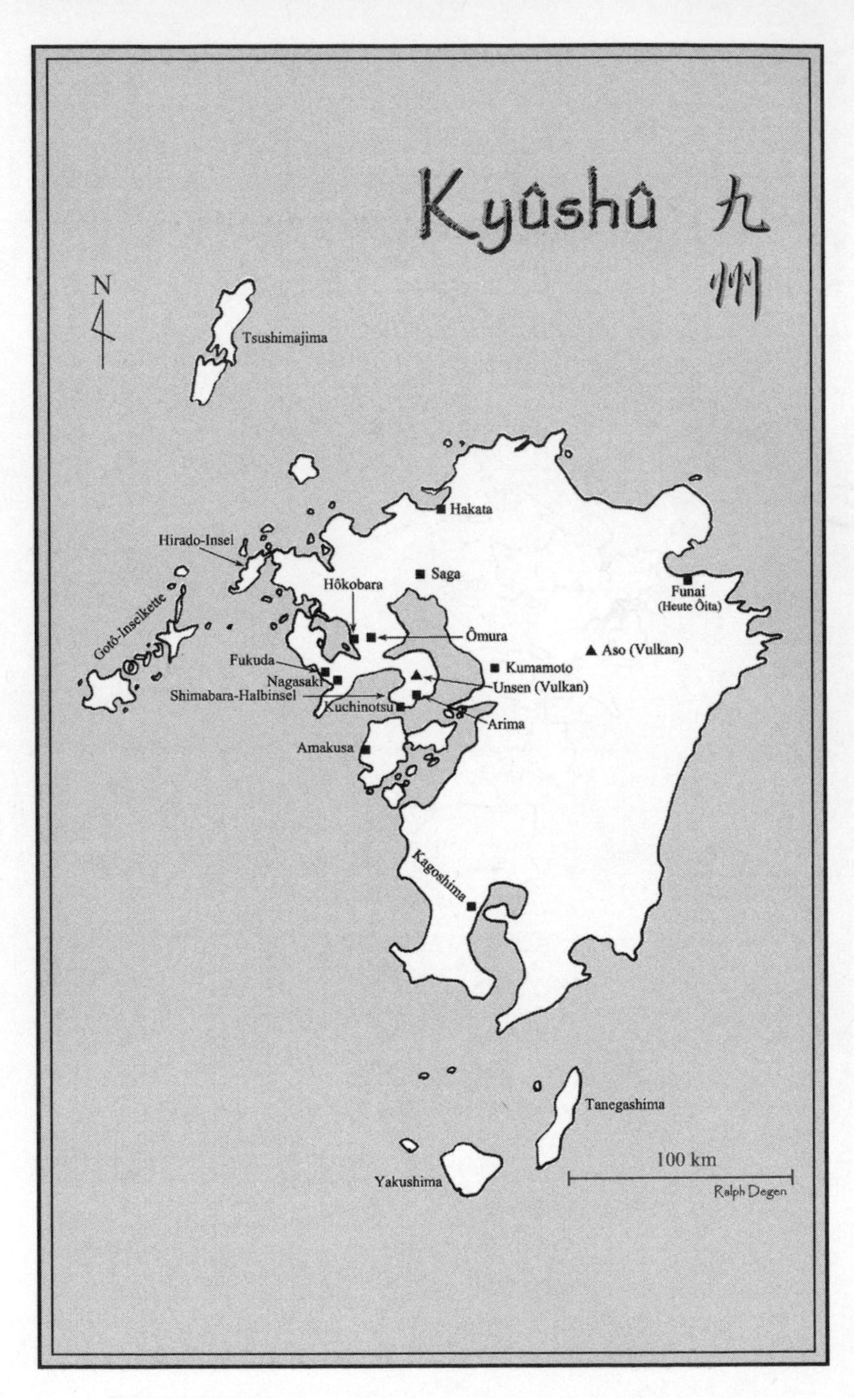

Kyûshû 九州
N
Tsushimajima
Hakata
Hirado-Insel
Saga
Hôkobara
Funai
(Heute Ôita)
Gotô-Inselkette
Ômura
Aso (Vulkan)
Fukuda
Kumamoto
Nagasaki
Unsen (Vulkan)
Shimabara-Halbinsel
Kuchinotsu
Arima
Amakusa
Kagoshima
Tanegashima
100 km
Yakushima
Ralph Degen

Historische Provinznamen

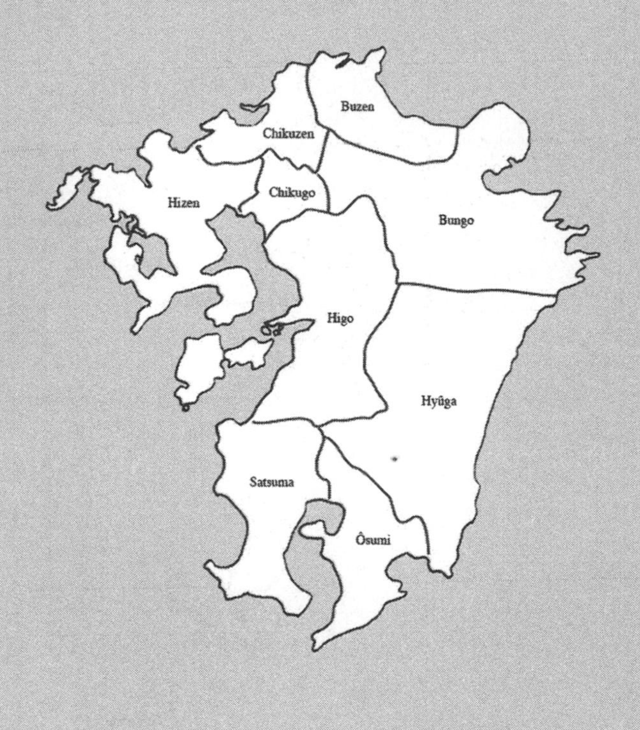